Printed in the USA

Croatian Language:

101 Croatian Verbs

By Ivka Hren

Contents

Verbs in Croatian language	1
To Accept	9
To Admit	13
To Answer	17
To Appear	21
To Ask	25
To be able to	29
To Be	31
To Become	33
To Begin	37
To Break	41
To Breathe	45
To Buy	47
To Call	51
To Can	55
To Choose	57
To Close	61
To Come	65
To Cook	69
To Cry	73
To Dance	77
To Decide	81
To Decrease	85
To Die	89
To Do	93
To Drink	97
To Drive	101

To eat 103
To enter 107
To exit 111
To explain 115
To Fall 119
To Feel 123
To Fight 127
To Find 129
To Finish 133
To Fly 137
To Forget 141
To Get up 145
To Give 149
To Go 153
To Happen 155
To Have 159
To Hear 161
To Help 165
To Hold 169
To Increase 173
To Introduce 177
To Invite 181
To Kill 185
To Kiss 189
To Know 193
To Laugh 197
To Learn 201
To Lie down 205
To Like 209

To Listen 213
To Live 217
To Lose 221
To Love 225
To Meet 229
To Need 233
To Notice 237
To Open 241
To Play 245
To Put 249
To Read 253
To Receive 257
To Remember 261
To Repeat 265
To Return 269
To Run 273
To Say 277
To Scream 281
To see 285
To seem 289
To Sell 293
To Send 297
To Show 301
To Sing 305
To Sit Down 309
To Sleep 313
To Smile 317
To Speak 321
To Stand 325

To Start	329
To Stay	333
To Take	337
To Talk	341
To Teach	345
To Think	349
To Touch	353
To Travel	357
To Understand	361
To Use	365
To Wait	369
To Walk	371
To Want	377
To Watch	381
To Win	385
To Work	389
To Write	393

Verbs in Croatian language

Verbs are words that describe actions, states or occurrences. For example verbs that describe actions are used when subject deliberately do something like: to run (*trčati*), to walk (*hodati*), to give (*dati*).

Verbs describe states when subject is doing nothing like to stand (*stajati*), to sleep (*spavati*)

Verbs describe occurrences when some event is not caused by subject's will like nature processes: to rain (*kišiti*), to grow (*rasti*), to thunder (*grmjeti*).

In Croatian language verbs change by tenses and persons. There are two auxiliary verbs that are used to make compound tenses, to be (*biti*) and to will (*htjeti*).

Verbs are divided by the aspect of the action on imperfective and perfective verbs. To make it more clear, imperfective verbs are describing action that have some duration and perfective describe action which has no duration. Let's make an example.

I was cleaning the house. (*Čistio sam kuću.)* - Imperfective

I had cleaned the house. (Očistio *sam* kuću.) – Perfective

The first sentence tells you what you have been doing for some time emphasizing time and the second sentence tells you that the action is done emphasizing action.

Verbs consist of two parts: the first one is a stem and the second is an ending. Infinitive form of the verb doesn't reflect person or tense and it consists of a stem with ending –ti or –ći to buy (kupovati), to bake (peći). Infinitive form of the verbs are given in the dictionary.

Tenses

There are 7 tenses in Croatian language.

Present tense

Present (*Prezent*)

Past tense

Perfect (*Perfekt*)

Aorist (*Aorist*)

Imperfect (*Imperfekt*)

Pluperfect (*Pluskvamperfekt*)

Future tense

Future 1 (*Futur* 1)

Future 2 (*Futur* 2)

They can be also divided into simple tenses formed just from a verb (present, aorist, and imperfect) and compound tenses formed from auxiliary verb +verb (prefect, pluperfect, future 1, and future 2).

Let's say a word or two about each of them.

Present

Present tense is used to express present actions and it is formed only from imperfective verbs. As Croatian grammar is not so easy Present tense can also express past and future actions in some cases too. There are 3 types of conjugation for present tense and each of them is made like this:

steam + n^{th} conjugation ending

I am watching the television. - *Ja gledam televiziju.*

Every day I go to school. – *Svaki dan idem u školu.*

They are swimming in the pool. – *Oni plivaju u bazenu.*

Perfect

Perfect is used to express past actions. Aorist, and imperfect are past tenses as well but they are very rarely used in spoken language. So the Perfect is compound tense and it is formed like this:

short form of the present tense of the auxiliary verb to be (*biti*) + active participle of the verb

I was at the museum. – *Ja sam bio u muzeju.*

You have started to clean the house. – *Vi ste počeli čistiti kuću.*

I visited my brother yesterday. – *Jučer sam posjetio brata.*

Aorist

As we have said this tense is rarely used in spoken language. It is sometimes used in books, stories mostly for stylistic reasons. Aorist expresses an action or situation in the past that ended very shortly. It is formed form perfective verbs like this:

steam + aorist conjugation ending

They told us to start immediately. – *Rekoše nam da odmah počnemo.*

I knew immediately who he was. – *Odmah znadoh tko je on bio.*

She took the bag. – *Ona uze torbu.*

Imperfect

As an Aorist Imperfect is also used to express past action but with imperfective verbs. It is also very rarely used in every day speech. The semantic difference between the aorist and the imperfect lies in the fact that the aorist refers to an action accomplished immediately before being spoken of, and expresses surprising perceived events, while the imperfect expresses the duration of an action completed in the past:

steam + imperfect conjugation ending

My book has fallen down. – *Pade mi knjiga.*

I was at home. – *Bijah kući.*

We have been working in the field. – *Radismo u polju.*

Pluperfect

The pluperfect expresses an action that occurred before some other action in the past. It is compounded from the perfect (or the imperfect) of the auxiliary to be (biti) and the active participle of the main verb

We had already watched the movie before he came. – *Već smo bili pogledali film prije nego što je on došao.*

I had kissed him before he opened his eyes. – *Ja sam ga bila poljubila prije nego što je otvorio oči.*

They had robbed the bank before police came. – *Oni su bili opljačkali banku prije nego što je policija došla.*

Future 1

The Future 1 tense expresses action that will happen in a future. It is formed using short form of present tense of the auxiliary verb to will (*htjeti*) + infinitive.

I'll write him a letter. - *Napisat ću mu pismo.*

I'll go to cinema tomorrow. – *Ići ću u kino sutra.*

I'll drink coffee in the restaurant. – *Piti ću piti kavu u restoranu.*

Future 2

Just like Future 1 , Future 2 also expresses action but it is used to express an action which may take place before another action in the future. It is formed using imperfect present of auxiliary verb to be (*biti*) + verb in past participle.

If you will have finished when I get back we will go. – *Ako budete završili dok se vratim ići ćemo.*

When you come, I will take you to the restaurant – *Kad budeš došla odvest ću te u restoran.*

Verb moods

Conditional 1

The conditional 1 is formed from the aorist of the auxiliary verb to be (*biti*) and the active participle of the main verb

I would like to eat. - *Ja bih jeo.*

If I knew, I would tell you. – *Da znam rekao bih ti.*

Conditional 2

The conditional 2 is formed from the conditional 1 of the verb to be (*biti*) and the active participle of the main verb

I would have come if I had known how important it was. – *Ja bih bio došao da sam znao koliko je to važno.*

Imperative

Imperative is a verb form that is used to give commands, orders, suggestions...

Write! – *Piši!*

Let him write! – *Neka on piše.*

Let them write. – *Neka oni pišu.*

Verbal adjectives

Active participle

The active participle is formed from the infinitive stem and the suffix -l. The endings for the three genders and two numbers are added to that suffix.

Water was dripping from wet hair. – *Voda je kapala iz mokre kose*

Passive participle

The passive participle is formed from the infinitive, and the appropriate suffix. Like the active participle, it has the categories of gender and number.

The ball was thrown down the stairs. – *Lopta je bacana niz stepenice.*

Verbal adverbs

Present participle

The present participle describes simultaneous aspect of an action and it is formed from imperfective verbs by adding the suffix -ći to the third person present plural.

He noticed something just by looking at her. – *On je nešto primjetio samo gledajući je.*

Past participle

The past participle is formed from perfective verbs by adding the appropriate suffix to the infinitive stem.

He became famous by writing the book. – *Postao je poznat napisavši knjigu.*

To Accept (prihvaćati) – Imperfective

Present		Perfect		Imperfect	
ja	príhvaćam	ja	sam príhvaćao	ja	príhvaćah
ti	príhvaćaš	ti	si príhvaćao (m) si príhvaćala (f) si príhvaćalo (n)	ti	príhvaćaše
on (m)	príhvaća	on (m)	je príhvaćao	on (m)	príhvaćaše
ona (f)	príhvaća	ona (f)	je príhvaćala	ona (f)	príhvaćaše
ono (n)	príhvaća	ono (n)	je príhvaćalo	ono (n)	príhvaćaše
mi	príhvaćamo	mi	smo príhvaćali (m) smo príhvaćale (f) smo príhvaćala (n)	mi	príhvaćasmo
vi	príhvaćate	vi	ste príhvaćali (m) ste príhvaćale (f) ste príhvaćala (n)	vi	príhvaćaste
oni (m)	príhvaćaju	oni (m)	su príhvaćali	oni (m)	príhvaćahu
one (f)	príhvaćaju	one (f)	su príhvaćale	one (f)	príhvaćahu
ona (n)	príhvaćaju	ona (n)	su príhvaćala	ona (n)	príhvaćahu

Pluperfect		Futur 1		Futur 2	
ja	sam bio príhvaćao	ja	ću príhvaćati	ja	budem príhvaćao
ti	si bio (m) príhvaćao bila (f) príhvaćala bilo (n) príhvaćalo	ti	ćeš príhvaćati	ti	budeš príhvaćala
on (m)	je bio príhvaćao	on (m)	će príhvaćati	on (m)	bude príhvaćao
ona (f)	je bila príhvaćala	ona (f)	će príhvaćati	ona (f)	bude príhvaćala
ono (n)	je bilo príhvaćalo	ono (n)	će príhvaćati	ono (n)	bude príhvaćalo
mi	smo bili príhvaćali (m) smo bile príhvaćale (f) smo bila príhvaćala (n)	mi	ćemo príhvaćati	mi	budemo príhvaćali
vi	ste bili príhvaćali (m) ste bile príhvaćale (f) ste bila príhvaćala (n)	vi	ćete príhvaćati	vi	budete príhvaćali
oni (m)	su bili príhvaćali	oni (m)	će príhvaćati	oni (m)	budu príhvaćali
one (f)	su bile príhvaćale	one (f)	će príhvaćati	one (f)	budu príhvaćale
ona (n)	su bila príhvaćala	ona (n)	će príhvaćati	ona (n)	budu príhvaćala

VERB MOODS

Conditional 1		Conditional 2		Imperative	
ja	bih príhvaćao	ja	bih bio príhvaćao	ja	-
ti	bi príhvaćao(m) bi príhvaćala(f) bi príhvaćalo (n)	ti	bi bio príhvaćao(m) bi bila príhvaćala(f) bi bilo príhvaćalo(n)	ti	príhvaćaj
on (m)	bi príhvaćao	on (m)	bi bio príhvaćao	on (m)	neka príhvaća
ona (f)	bi príhvaćala	ona (f)	bi bila príhvaćala	ona (f)	neka príhvaća
ono (n)	bi príhvaćalo	ono (n)	bi bilo príhvaćalo	ono (n)	neka príhvaća
mi	bismo príhvaćali (m) bismo príhvaćale (f) bismo príhvaćala (n)	mi	bismo bili príhvaćali (m) bismo bile príhvaćale (f) bismo bila príhvaćala (n)	mi	príhvaćajmo
vi	biste príhvaćali (m) biste príhvaćale (f) biste príhvaćala (n)	vi	biste bili príhvaćali (m) biste bile príhvaćale (f) biste bila príhvaćala (n)	vi	príhvaćajte
oni (m)	bi príhvaćali	oni (m)	bi bili príhvaćali	oni (m)	neka príhvaćaju
one (f)	bi príhvaćale	one (f)	bi bile príhvaćale	one (f)	neka príhvaćaju
ona (n)	bi príhvaćala	ona (n)	bi bila príhvaćala	ona (n)	neka príhvaćaju

VERBAL ADJECTIVES

Active participle		Past participle	
ja	príhvaćao	ja	príhvaćan
ti	príhvaćao (m) príhvaćala (f) príhvaćalo (n)	ti	príhvaćan (m) príhvaćana(f) príhvaćano(n)
on (m)	príhvaćao	on (m)	príhvaćan
ona (f)	príhvaćala	ona (f)	príhvaćana
ono (n)	príhvaćalo	ono (n)	príhvaćano
mi	príhvaćali (m) príhvaćale (f) príhvaćala (n)	mi	príhvaćani (m) príhvaćane (f) príhvaćane (n)
vi	príhvaćali (m) príhvaćale (f) príhvaćala (n)	vi	príhvaćani (m) príhvaćane (f) príhvaćana (n)
oni (m)	príhvaćali	oni (m)	príhvaćani
one (f)	príhvaćale	one (f)	príhvaćane
ona (n)	príhvaćala	ona (n)	príhvaćana

VERBAL ADVERBS

Active participle
príhvaćajući
Past participle
-

I accept your invitation. – Prihvaćam vaš poziv.

Do you accept credit cards? – Da li prihvaćate kreditne kartice?

To Accept (prihvatiti) – Perfective

Present		Perfect		Aorist	
ja	príhvatim	ja	sam príhvatio	ja	príhvatih
ti	príhvatiš	ti	si príhvatio (m) si príhvatila (f) si príhvatilo (n)	ti	príhvati
on (m)	príhvati	on (m)	je príhvatio	on (m)	príhvati
ona (f)	príhvati	ona (f)	je príhvatila	ona (f)	príhvati
ono (n)	príhvati	ono (n)	je príhvatilo	ono (n)	príhvati
mi	príhvatimo	mi	smo príhvatili (m) smo príhvatile (f) smo príhvatila (n)	mi	príhvatismo
vi	príhvatite	vi	ste príhvatili (m) ste príhvatile (f) ste príhvatila (n)	vi	príhvatiste
oni (m)	príhvate	oni (m)	su príhvatili	oni (m)	príhvatiše
one (f)	príhvate	one (f)	su príhvatile	one (f)	príhvatiše
ona (n)	príhvate	ona (n)	su príhvatila	ona (n)	príhvatiše

Pluperfect		Futur 1		Futur 2	
ja	sam bio príhvatio	ja	ću príhvatiti	ja	budem príhvatio
ti	si bio (m) príhvatio bila (f) príhvatila bilo (n) príhvatilo	ti	ćeš príhvatiti	ti	budeš príhvatila
on (m)	je bio príhvatio	on (m)	će príhvatiti	on (m)	bude príhvatio
ona (f)	je bila príhvatila	ona (f)	će príhvatiti	ona (f)	bude príhvatila
ono (n)	je bilo príhvatilo	ono (n)	će príhvatiti	ono (n)	bude príhvatilo
mi	smo bili príhvatili (m) smo bile príhvatile (f) smo bila príhvatila (n)	mi	ćemo príhvatiti	mi	budemo príhvatili
vi	ste bili príhvatili (m) ste bile príhvatile (f) ste bila príhvatila (n)	vi	ćete príhvatiti	vi	budete príhvatili
oni (m)	su bili príhvatili	oni (m)	će príhvatiti	oni (m)	budu príhvatili
one (f)	su bile príhvatile	one (f)	će príhvatiti	one (f)	budu príhvatile
ona (n)	su bila príhvatila	ona (n)	će príhvatiti	ona (n)	budu príhvatila

VERB MOODS					
Conditional 1		**Conditional 2**		**Imperative**	
ja	bih príhvatio	ja	bih bio príhvatio	ja	-
ti	bi (m) príhvatio bi (f) príhvatila bi (n) príhvatilo	ti	bi bio (m) príhvatio bi bila (f) príhvatila bi bilo(n) príhvatilo	ti	príhvati
on (m)	bi príhvatio	on (m)	bi bio príhvatio	on (m)	neka príhvati
ona (f)	bi príhvatila	ona (f)	bi bila príhvatila	ona (f)	neka príhvati
ono (n)	bi príhvatilo	ono (n)	bi bilo príhvatilo	ono (n)	neka príhvati
mi	bismo príhvatili (m) bismo príhvatile (f) bismo príhvatila (n)	mi	bismo bili príhvatili (m) bismo bile príhvatile (f) bismo bila príhvatila (n)	mi	príhvatimo
vi	biste príhvatili (m) biste príhvatile (f) biste príhvatila (n)	vi	biste bili príhvatili (m) biste bile príhvatile (f) biste bila príhvatila (n)	vi	príhvatite
oni (m)	bi príhvatili	oni (m)	bi bili príhvatili	oni (m)	neka príhvate
one (f)	bi príhvatile	one (f)	bi bile príhvatile	one (f)	neka príhvate
ona (n)	bi príhvatila	ona (n)	bi bila príhvatila	ona (n)	neka príhvate

VERBAL ADJECTIVES			
Active participle		**Past participle**	
ja	príhvatio	ja	príhvaćen
ti	príhvatio (m) príhvatila (f) príhvatilo (n)	ti	príhvaćen (m) príhvaćena(f) príhvaćeno(n)
on (m)	príhvatio	on (m)	príhvaćen
ona (f)	príhvatila	ona (f)	príhvaćena
ono (n)	príhvatilo	ono (n)	príhvaćeno
mi	príhvatili (m) príhvatile (f) príhvatila (n)	mi	príhvaćeni (m) príhvaćene (f) príhvaćene (n)
vi	príhvatili (m) príhvatile (f) príhvatila (n)	vi	príhvaćeni (m) príhvaćene (f) príhvaćena (n)
oni (m)	príhvatili	oni (m)	príhvaćeni
one (f)	príhvatile	one (f)	príhvaćene
ona (n)	príhvatila	ona (n)	príhvaćena

VERBAL ADVERBS
Active participle
-
Past participle
príhvativši

I accepted your invitation. – Prihvatio sam vaš poziv.

I will accept the new conditions – Prihvatit ću nove uvjete.

To Admit (Priznavati) – Imperfective

Present	
ja	príznajem
ti	príznaješ
on (m)	príznaje
ona (f)	príznaje
ono (n)	príznaje
mi	príznajemo
vi	príznajete
oni (m)	príznaju
one (f)	príznaju
ona (n)	príznaju

Perfect	
ja	sam priznávao
ti	si priznávao (m)
	si priznávala (f)
	si priznávalo (n)
on (m)	je priznávao
ona (f)	je priznávala
ono (n)	je priznávalo
mi	smo priznávali (m)
	smo priznávale (f)
	smo priznávala (n)
vi	ste priznávali (m)
	ste priznávale (f)
	ste priznávala (n)
oni (m)	su priznávali
one (f)	su priznávale
ona (n)	su priznávala

Imperfect	
ja	priznávah
ti	priznávaše
on (m)	priznávaše
ona (f)	priznávaše
ono (n)	priznávaše
mi	priznávasmo
vi	priznávaste
oni (m)	priznávahu
one (f)	priznávahu
ona (n)	priznávahu

Pluperfect	
ja	sam bio priznávao
ti	si bio priznávao (m)
	si bila priznávala (f)
	si bilo priznávalo (n)
on (m)	je bio priznávao
ona (f)	je bila priznávala
ono (n)	je bilo priznávalo
mi	smo bili priznávali (m)
	smo bile priznávale (f)
	smo bila priznávala (n)
vi	ste bili priznávali (m)
	ste bile priznávale (f)
	ste bila priznávala (n)
oni (m)	su bili priznávali
one (f)	su bile priznávale
ona (n)	su bila priznávala

Futur 1	
ja	ću priznávati
ti	ćeš priznávati
on (m)	će priznávati
ona (f)	će priznávati
ono (n)	će priznávati
mi	ćemo priznávati
vi	ćete priznávati
oni (m)	će priznávati
one (f)	će priznávati
ona (n)	će priznávati

Futur 2	
ja	budem priznávao
ti	budeš priznávao (m)
	budeš priznávala (f)
	budeš priznávalo (n)
on (m)	bude priznávao
ona (f)	bude priznávala
ono (n)	bude priznávalo
mi	budemo priznávali (m)
	budemo priznávale (f)
	budemo priznávala (n)
vi	budete priznávali (m)
	budete priznávale (f)
	budete priznávala (n)
oni (m)	budu priznávali
one (f)	budu priznávale
ona (n)	budu priznávala

VERB MOODS					
Conditional 1		**Conditional 2**		**Imperative**	
ja	bih priznávao	ja	bih bio priznávao	ja	-
ti	bi priznávao (m)	ti	bi bio priznávao (m)	ti	príznavaj
	bi priznávala (f)		bi bila priznávala (f)		
	bi priznávalo (n)		bi bilo priznávalo (n)		
on (m)	bi priznávao	on (m)	bi bio priznávao	on (m)	neka príznaje
ona (f)	bi priznávala	ona (f)	bi bila priznávala	ona (f)	neka príznaje
ono (n)	bi priznávalo	ono (n)	bi bilo priznávalo	ono (n)	neka príznaje
mi	bismo priznávali (m)	mi	bismo bili priznávali (m)	mi	príznavajmo
	bismo priznávale (f)		bismo bile priznávale (f)		
	bismo priznávala (n)		bismo bila priznávala (n)		
vi	biste priznávali (m)	vi	biste bili priznávali (m)	vi	príznavajte
	biste priznávale (f)		biste bile priznávale (f)		
	biste priznávala (n)		biste bila priznávala (n)		
oni (m)	bi priznávali	oni (m)	bi bili priznávali	oni (m)	neka priznávaju
one (f)	bi priznávale	one (f)	bi bile priznávale	one (f)	neka priznávaju
ona (n)	bi priznávala	ona (n)	bi bila priznávala	ona (n)	neka priznávaju

VERBAL ADJECTIVES			
Active participle		**Past participle**	
ja	priznávao	ja	príznavan
ti	priznávao (m)	ti	príznavan (m)
	priznávala (f)		príznavana (f)
	priznávalo (n)		príznavano(n)
on (m)	priznávao	on (m)	príznavan
ona (f)	priznávala	ona (f)	príznavana
ono (n)	priznávalo	ono (n)	príznavano
mi	priznávali (m)	mi	príznavaní (m)
	priznávale (f)		príznavane (f)
	priznávala (n)		príznavane (n)
vi	priznávali (m)	vi	príznavaní (m)
	priznávale (f)		príznavane (f)
	priznávala (n)		príznavana (n)
oni (m)	priznávali	oni (m)	príznavaní
one (f)	priznávale	one (f)	príznavane
ona (n)	priznávala	ona (n)	príznavana

VERBAL ADVERBS
Active participle
priznávajući
Past participle
-

I am admitting to you all my sins. – Ja priznajem tebi sve svoje grijehe.

They were admitting in several occasions. – Oni su priznavali u nekoliko navrata.

To Admit (Priznati) – Perfective

Present		Perfect		Aorist	
ja	príznam	ja	sam príznao	ja	príznah
ti	príznaš	ti	si príznao (m) si príznala (f) si príznalo (n)	ti	prízna
on (m)	prízna	on (m)	je príznao	on (m)	prízna
ona (f)	prízna	ona (f)	je príznala	ona (f)	prízna
ono (n)	prízna	ono (n)	je príznalo	ono (n)	prízna
mi	príznamo	mi	smo príznali (m) smo príznale (f) smo príznala (n)	mi	príznasmo
vi	príznate	vi	ste príznali (m) ste príznale (f) ste príznala (n)	vi	príznaste
oni (m)	priznaju	oni (m)	su príznali	oni (m)	príznaše
one (f)	priznaju	one (f)	su príznale	one (f)	príznaše
ona (n)	priznaju	ona (n)	su príznala	ona (n)	príznaše

Pluperfect		Futur 1		Futur 2	
ja	sam bio príznao	ja	ću príznati	ja	budem príznao
ti	si bio príznao (m) si bila príznala (f) si bilo príznalo (n)	ti	ćeš príznati	ti	budeš príznao (m) budeš príznala (f) budeš príznalo (n)
on (m)	je bio príznao	on (m)	će príznati	on (m)	bude príznao
ona (f)	je bila príznala	ona (f)	će príznati	ona (f)	bude príznala
ono (n)	je bilo príznalo	ono (n)	će príznati	ono (n)	bude príznalo
mi	smo bili príznali (m) smo bile príznale (f) smo bila príznala (n)	mi	ćemo príznati	mi	budemo príznali (m) budemo príznale (f) budemo príznala (n)
vi	ste bili príznali (m) ste bile príznale (f) ste bila príznala (n)	vi	ćete príznati	vi	budete príznali (m) budete príznale (f) budete príznala (n)
oni (m)	su bili príznali	oni (m)	će príznati	oni (m)	budu príznali
one (f)	su bile príznale	one (f)	će príznati	one (f)	budu príznale
ona (n)	su bila príznala	ona (n)	će príznati	ona (n)	budu príznala

VERB MOODS					
Conditional 1		**Conditional 2**		**Imperative**	
ja	bih príznao	ja	bih bio príznao	ja	-
ti	bi príznao (m)	ti	bi bio príznao (m)	ti	príznaj
	bi príznala (f)		bi bila príznala (f)		
	bi príznalo (n)		bi bilo príznalo (n)		
on (m)	bi príznao	on (m)	bi bio príznao	on (m)	neka prízna
ona (f)	bi príznala	ona (f)	bi bila príznala	ona (f)	neka prízna
ono (n)	bi príznalo	ono (n)	bi bilo príznalo	ono (n)	neka prízna
mi	bismo príznali (m)	mi	bismo bili príznali (m)	mi	príznajmo
	bismo príznale (f)		bismo bile príznale (f)		
	bismo príznala (n)		bismo bila príznala (n)		
vi	biste príznali (m)	vi	biste bili príznali (m)	vi	príznajte
	biste príznale (f)		biste bile príznale (f)		
	biste príznala (n)		biste bila príznala (n)		
oni (m)	bi príznali	oni (m)	bi bili príznali	oni (m)	neka príznaju
one (f)	bi príznale	one (f)	bi bile príznale	one (f)	neka príznaju
ona (n)	bi príznala	ona (n)	bi bila príznala	ona (n)	neka príznaju

VERBAL ADJECTIVES			
Active participle		**Past participle**	
ja	príznao	ja	príznan
ti	príznao (m)	ti	príznan (m)
	príznala (f)		príznana (f)
	príznalo (n)		príznano(n)
on (m)	príznao	on (m)	príznan
ona (f)	príznala	ona (f)	príznana
ono (n)	príznalo	ono (n)	príznano
mi	príznali (m)	mi	príznani (m)
	príznale (f)		príznane (f)
	príznala (n)		príznane (n)
vi	príznali (m)	vi	príznani (m)
	príznale (f)		príznane (f)
	príznala (n)		príznana (n)
oni (m)	príznali	oni (m)	príznani
one (f)	príznale	one (f)	príznane
ona (n)	príznala	ona (n)	príznana

VERBAL ADVERBS
Active participle
-
Past participle
príznavši

They finally admitted. – Oni su napokon priznali.

I will admit my quilt. – Priznat ću svoju krivnju.

To Answer (Odgovarati) – Imperfective

Present		Perfect		Imperfect	
ja	odgóvaram	ja	sam odgovárao	ja	odgovárah
ti	odgóvaraš	ti	si odgovárao (m) si odgovárala (f) si odgováralo (n)	ti	odgováraše
on (m)	odgóvara	on (m)	je odgovárao	on (m)	odgováraše
ona (f)	odgóvara	ona (f)	je odgovárala	ona (f)	odgováraše
ono (n)	odgóvara	ono (n)	je odgováralo	ono (n)	odgováraše
mi	odgóvaramo	mi	smo odgovárali (m) smo odgovárale (f) smo odgovárala (n)	mi	odgovárasmo
vi	odgóvarate	vi	ste odgovárali (m) ste odgovárale (f) ste odgovárala (n)	vi	odgováraste
oni (m)	odgóvarju	oni (m)	su odgovárali	oni (m)	odgovárahu
one (f)	odgóvarju	one (f)	su odgovárale	one (f)	odgovárahu
ona (n)	odgóvarju	ona (n)	su odgovárala	ona (n)	odgovárahu

Pluperfect		Futur 1		Futur 2	
ja	sam bio odgovárao	ja	ću odgovárati	ja	budem odgovárao
ti	si bio odgovárao (m) si bila odgovárala (f) si bilo odgováralo (n)	ti	ćeš odgovárati	ti	budeš odgovárao (m) budeš odgovárala (f) budeš odgováralo (n)
on (m)	je bio odgovárao	on (m)	će odgovárati	on (m)	bude odgovárao
ona (f)	je bila odgovárala	ona (f)	će odgovárati	ona (f)	bude odgovárala
ono (n)	je bilo odgováralo	ono (n)	će odgovárati	ono (n)	bude odgováralo
mi	smo bili odgovárali (m) smo bile odgovárale (f) smo bila odgovárala (n)	mi	ćemo odgovárati	mi	budemo odgovárali (m) budemo odgovárale (f) budemo odgovárala (n)
vi	ste bili odgovárali (m) ste bile odgovárale (f) ste bila odgovárala (n)	vi	ćete odgovárati	vi	budete odgovárali (m) budete odgovárale (f) budete odgovárala (n)
oni (m)	su bili odgovárali	oni (m)	će odgovárati	oni (m)	budu odgovárali
one (f)	su bile odgovárale	one (f)	će odgovárati	one (f)	budu odgovárale
ona (n)	su bila odgovárala	ona (n)	će odgovárati	ona (n)	budu odgovárala

VERB MOODS					
Conditional 1		**Conditional 2**		**Imperative**	
ja	bih odgovárao	ja	bih bio odgovárao	ja	-
ti	bi odgovárao (m) bi odgovárala (f) bi odgovéralo (n)	ti	bi bio odgovárao (m) bi bila odgovárala (f) bi bilo odgovéralo (n)	ti	odgóvaraj
on (m)	bi odgovárao	on (m)	bi bio odgovárao	on (m)	neka odgóvara
ona (f)	bi odgovárala	ona (f)	bi bila odgovárala	ona (f)	neka odgóvara
ono (n)	bi odgovéralo	ono (n)	bi bilo odgovéralo	ono (n)	neka odgóvara
mi	bismo odgovárali (m) bismo odgovárale (f) bismo odgovárala (n)	mi	bismo bili odgovárali (m) bismo bile odgovárale (f) bismo bila odgovárala (n)	mi	odgóvarajmo
vi	biste odgovárali (m) biste odgovárale (f) biste odgovárala (n)	vi	biste bili odgovárali (m) biste bile odgovárale (f) biste bila odgovárala (n)	vi	odgóvarajte
oni (m)	bi odgovárali	oni (m)	bi bili odgovárali	oni (m)	neka odgováraju
one (f)	bi odgovárale	one (f)	bi bile odgovárale	one (f)	neka odgováraju
ona (n)	bi odgovárala	ona (n)	bi bila odgovárala	ona (n)	neka odgováraju

VERBAL ADJECTIVES			
Active participle		**Past participle**	
ja	odgovárao	ja	odgováran
ti	odgovárao (m) odgovárala (f) odgovéralo (n)	ti	odgováran (m) odgovárana (f) odgovárano(n)
on (m)	odgovárao	on (m)	odgováran
ona (f)	odgovárala	ona (f)	odgovárana
ono (n)	odgovéralo	ono (n)	odgovárano
mi	odgovárali (m) odgovárale (f) odgovárala (n)	mi	odgovárani (m) odgovárane (f) odgovárane (n)
vi	odgovárali (m) odgovárale (f) odgovárala (n)	vi	odgovárani (m) odgovárane (f) odgovárana (n)
oni (m)	odgovárali	oni (m)	odgovárani
one (f)	odgovárale	one (f)	odgovárane
ona (n)	odgovárala	ona (n)	odgovárana

VERBAL ADVERBS
Active participle
odgovárajući
Past participle
-

I am going to answer to all of your questions. – Odgovarati ću na sva tvoja pitanja.

Answering is the best way to respond on questions. – Odgovaranje je najbolji odgovor na pitanja.

To Answer (Odgovoriti) – Perfective

Present		Perfect		Aorist	
ja	odgóvorim	ja	sam odgovório	ja	odgovórih
ti	odgóvoriš	ti	si odgovório (m) si odgovórila (f) si odgovórilo (n)	ti	odgovóri
on (m)	odgóvori	on (m)	je odgovório	on (m)	odgovóri
ona (f)	odgóvori	ona (f)	je odgovórila	ona (f)	odgovóri
ono (n)	odgóvori	ono (n)	je odgovórilo	ono (n)	odgovóri
mi	odgóvorimo	mi	smo odgovórili (m) smo odgovórile (f) smo odgovórila (n)	mi	odgovórismo
vi	odgóvorite	vi	ste odgovórili (m) ste odgovórile (f) ste odgovórila (n)	vi	odgovóriste
oni (m)	odgóvore	oni (m)	su odgovórili	oni (m)	odgovóriše
one (f)	odgóvore	one (f)	su odgovórile	one (f)	odgovóriše
ona (n)	odgóvore	ona (n)	su odgovórila	ona (n)	odgovóriše

Pluperfect		Futur 1		Futur 2	
ja	sam bio odgovório	ja	ću odgovóriti	ja	budem odgovório
ti	si bio odgovório (m) si bila odgovórila (f) si bilo odgovórilo (n)	ti	ćeš odgovóriti	ti	budeš odgovório (m) budeš odgovórila (f) budeš odgovórilo (n)
on (m)	je bio odgovório	on (m)	će odgovóriti	on (m)	bude odgovório
ona (f)	je bila odgovórila	ona (f)	će odgovóriti	ona (f)	bude odgovórila
ono (n)	je bilo odgovórilo	ono (n)	će odgovóriti	ono (n)	bude odgovórilo
mi	smo bili odgovórili (m) smo bile odgovórile (f) smo bila odgovórila (n)	mi	ćemo odgovóriti	mi	budemo odgovórili (m) budemo odgovórile (f) budemo odgovórila (n)
vi	ste bili odgovórili (m) ste bile odgovórile (f) ste bila odgovórila (n)	vi	ćete odgovóriti	vi	budete odgovórili (m) budete odgovórile (f) budete odgovórila (n)
oni (m)	su bili odgovórili	oni (m)	će odgovóriti	oni (m)	budu odgovórili
one (f)	su bile odgovórile	one (f)	će odgovóriti	one (f)	budu odgovórile
ona (n)	su bila odgovórila	ona (n)	će odgovóriti	ona (n)	budu odgovórila

VERB MOODS					
Conditional 1		**Conditional 2**		**Imperative**	
ja	bih odgovório	ja	bih bio odgovório	ja	-
ti	bi odgovório (m)	ti	bi bio odgovório (m)	ti	odgovóri
	bi odgovórila (f)		bi bila odgovórila (f)		
	bi odgovórilo (n)		bi bilo odgovórilo (n)		
on (m)	bi odgovório	on (m)	bi bio odgovório	on (m)	neka odgovóri
ona (f)	bi odgovórila	ona (f)	bi bila odgovórila	ona (f)	neka odgovóri
ono (n)	bi odgovórilo	ono (n)	bi bilo odgovórilo	ono (n)	neka odgovóri
mi	bismo odgovórili (m)	mi	bismo bili odgovórili (m)	mi	odgovórimo
	bismo odgovórile (f)		bismo bile odgovórile (f)		
	bismo odgovórila (n)		bismo bila odgovórila (n)		
vi	biste odgovórili (m)	vi	biste bili odgovórili (m)	vi	odgovórite
	biste odgovórile (f)		biste bile odgovórile (f)		
	biste odgovórila (n)		biste bila odgovórila (n)		
oni (m)	bi odgovórili	oni (m)	bi bili odgovórili	oni (m)	neka odgovóre
one (f)	bi odgovórile	one (f)	bi bile odgovórile	one (f)	neka odgovóre
ona (n)	bi odgovórila	ona (n)	bi bila odgovórila	ona (n)	neka odgovóre

VERBAL ADJECTIVES			
Active participle		**Past participle**	
ja	odgovório	ja	odgóvoren
ti	odgovório (m)	ti	odgóvoren (m)
	odgovórila (f)		odgóvorena (f)
	odgovórilo (n)		odgóvoreno(n)
on (m)	odgovório	on (m)	odgóvoren
ona (f)	odgovórila	ona (f)	odgóvorena
ono (n)	odgovórilo	ono (n)	odgóvoreno
mi	odgovórili (m)	mi	odgóvoreni (m)
	odgovórile (f)		odgóvorene (f)
	odgovórila (n)		odgóvorene (n)
vi	odgovórili (m)	vi	odgóvoreni (m)
	odgovórile (f)		odgóvorene (f)
	odgovórila (n)		odgóvorena (n)
oni (m)	odgovórili	oni (m)	odgóvoreni
one (f)	odgovórile	one (f)	odgóvorene
ona (n)	odgovórila	ona (n)	odgóvorena

VERBAL ADVERBS
Active participle
-
Past participle
odgovórivši

I will answer. – Ja ću odgovoriti

They have already answered. – Oni su već odgovorili.

To Appear (Pojavljivati se) – Imperfective

Present		Perfect		Imperfect	
ja	se pojávljujem	ja	sam se pojavljívao	ja	se pojavljívah
ti	se pojávljuješ	ti	si se pojavljívao (m) si se pojavljívala (f) si se pojavljívalo (n)	ti	se pojavljívaše
on (m)	se pojávljuje	on (m)	se je pojavljívao	on (m)	se pojavljívaše
ona (f)	se pojávljuje	ona (f)	se je pojavljívao	ona (f)	se pojavljívaše
ono (n)	se pojávljuje	ono (n)	se je pojavljívao	ono (n)	se pojavljívaše
mi	se pojávljujemo	mi	smo se pojavljívali (m) smo se pojavljívale (f) smo se pojavljívala (n)	mi	se pojavljívasmo
vi	se pojávljujete	vi	ste se pojavljívali (m) ste se pojavljívale (f) ste se pojavljívala (n)	vi	se pojavljívaste
oni (m)	se pojávljuju	oni (m)	su se pojavljívali	oni (m)	se pojavljívahu
one (f)	se pojávljuju	one (f)	su se pojavljívale	one (f)	se pojavljívahu
ona (n)	se pojávljuju	ona (n)	su se pojavljívala	ona (n)	se pojavljívahu

Pluperfect		Futur 1		Futur 2	
ja	sam se bio pojavljívao	ja	ću se pojavljívati	ja	se budem pojavljívao
ti	si se bio pojavljívao (m) si se bila pojavljívala (f) si se bilo pojavljívalo (n)	ti	ćeš se pojavljívati	ti	se budeš pojavljívao (m) se budeš pojavljívala (f) se budeš pojavljívalo (n)
on (m)	se je bio pojavljívao	on (m)	će se pojavljívati	on (m)	se bude pojavljívao
ona (f)	se je bila pojavljívala	ona (f)	će se pojavljívati	ona (f)	se bude pojavljívala
ono (n)	se je bilo pojavljívalo	ono (n)	će se pojavljívati	ono (n)	se bude pojavljívalo
mi	smo se bili pojavljívali (m) smo se bile pojavljívale (f) smo se bila pojavljívala (n)	mi	ćemo se pojavljívati	mi	se budemo pojavljívali (m) se budemo pojavljívale (f) se budemo pojavljívala (n)
vi	ste se bili pojavljívali (m) ste se bile pojavljívale (f) ste se bila pojavljívala (n)	vi	ćete se pojavljívati	vi	se budete pojavljívali (m) se budete pojavljívale (f) se budete pojavljívala (n)
oni (m)	su se bili pojavljívali	oni (m)	će se pojavljívati	oni (m)	se budu pojavljívali
one (f)	su se bile pojavljívale	one (f)	će se pojavljívati	one (f)	se budu pojavljívale
ona (n)	su se bila pojavljívala	ona (n)	će se pojavljívati	ona (n)	se budu pojavljívala

VERB MOODS					
Conditional 1		Conditional 2		Imperative	
ja	bih se pojavljívao	ja	bih se bio pojavljívao	ja	-
ti	bi se pojavljívao (m)	ti	bi se bio pojavljívao (m)	ti	pojávljuj se
	bi se pojavljívala (f)		bi se bila pojavljívala (f)		
	bi se pojavljívalo (n)		bi se bilo pojavljívalo (n)		
on (m)	bi se pojavljívao	on (m)	bi se bio pojavljívao	on (m)	neka se pojávljuje
ona (f)	bi se pojavljívala	ona (f)	bi se bila pojavljívala	ona (f)	neka se pojávljuje
ono (n)	bi se pojavljívalo	ono (n)	bi se bilo pojavljívalo	ono (n)	neka se pojávljuje
mi	bismo se pojavljívali (m)	mi	bismo se bili pojavljívali (m)	mi	se pojávljujmo
	bismo se pojavljívale (f)		bismo se bile pojavljívale (f)		
	bismo se pojavljívala (n)		bismo se bila pojavljívala (n)		
vi	biste se pojavljívali (m)	vi	biste se bili pojavljívali (m)	vi	se pojávljujte
	biste se pojavljívale (f)		biste se bile pojavljívale (f)		
	biste se pojavljívala (n)		biste se bila pojavljívala (n)		
oni (m)	bi se pojavljívali	oni (m)	bi se bili pojavljívali	oni (m)	neka se pojávljuju
one (f)	bi se pojavljívale	one (f)	bi se bile pojavljívale	one (f)	neka se pojávljuju
ona (n)	bi se pojavljívala	ona (n)	bi se bila pojavljívala	ona (n)	neka se pojávljuju

VERBAL ADJECTIVES			
Active participle		Past participle	
ja	pojavljívao	ja	pojávljivan
ti	pojavljívao (m)	ti	pojávljivan (m)
	pojavljívala (f)		pojávljivana (f)
	pojavljívalo (n)		pojávljivano(n)
on (m)	pojavljívao	on (m)	pojávljivan
ona (f)	pojavljívala	ona (f)	pojávljivana
ono (n)	pojavljívalo	ono (n)	pojávljivano
mi	pojavljívali (m)	mi	pojávljivani (m)
	pojavljívale (f)		pojávljivane (f)
	pojavljívala (n)		pojávljivane (n)
vi	pojavljívali (m)	vi	pojávljivani (m)
	pojavljívale (f)		pojávljivane (f)
	pojavljívala (n)		pojávljivana (n)
oni (m)	pojavljívali	oni (m)	pojávljivani
one (f)	pojavljívale	one (f)	pojávljivane
ona (n)	pojavljívala	ona (n)	pojávljivana

VERBAL ADVERBS
Active participle
pojavljívajući se
Past participle
-

This star appears every year. – Ova se zvijezda pojavljuje svake godine.
He appears in many ways – On se pojavljuje na više načina.

To Appear (Pojaviti se) – Perfective

Present		Perfect		Aorist	
ja	se pójavim	ja	sam se pojávio	ja	se pojávih
ti	se pójaviš	ti	si se pojávio (m) si se pojávila (f) si se pojávilo (n)	ti	se pojávi
on (m)	se pójavi	on (m)	se je pojávio	on (m)	se pojávi
ona (f)	se pójavi	ona (f)	se je pojávila	ona (f)	se pojávi
ono (n)	se pójavi	ono (n)	se je pojávilo	ono (n)	se pojávi
mi	se pójavimo	mi	smo se pojávili (m) smo se pojávile (f) smo se pojávila (n)	mi	se pojávismo
vi	se pójavite	vi	ste se pojávili (m) ste se pojávile (f) ste se pojávila (n)	vi	se pojáviste
oni (m)	se pójave	oni (m)	su se pojávili	oni (m)	se pojáviše
one (f)	se pójave	one (f)	su se pojávile	one (f)	se pojáviše
ona (n)	se pójave	ona (n)	su se pojávila	ona (n)	se pojáviše

Pluperfect		Futur 1		Futur 2	
ja	sam se bio pojávio	ja	ću se pojáviti	ja	se budem pojávio
ti	si se bio pojávio (m) si se bila pojávila (f) si se bilo pojávilo (n)	ti	ćeš se pojáviti	ti	se budeš pojávio (m) se budeš pojávila (f) se budeš pojávilo (n)
on (m)	seje bio pojávio	on (m)	će se pojáviti	on (m)	se bude pojávio
ona (f)	se je bila pojávila	ona (f)	će se pojáviti	ona (f)	se bude pojávila
ono (n)	se je bilo pojávilo	ono (n)	će se pojáviti	ono (n)	se bude pojávilo
mi	smo se bili pojávili (m) smo se bile pojávile (f) smo se bila pojávila (n)	mi	ćemo se pojáviti	mi	se budemo pojávili (m) se budemo pojávile (f) se budemo pojávila (n)
vi	ste se bili pojávili (m) ste se bile pojávile (f) ste se bila pojávila (n)	vi	ćete se pojáviti	vi	se budete pojávili (m) se budete pojávile (f) se budete pojávila (n)
oni (m)	su se bili pojávili	oni (m)	će se pojáviti	oni (m)	se budu pojávili
one (f)	su se bile pojávile	one (f)	će se pojáviti	one (f)	se budu pojávile
ona (n)	su bila pojávila	ona (n)	će se pojáviti	ona (n)	se budu pojávila

VERB MOODS					
Conditional 1		**Conditional 2**		**Imperative**	
ja	bih se pojávio	ja	bih se bio pojávio	ja	-
ti	bi se pojávio (m)	ti	bi se bio pojávio (m)	ti	pojávi se
	bi se pojávila (f)		bi se bila pojávila (f)		
	bi se pojávilo (n)		bi se bilo pojávilo (n)		
on (m)	bi se pojávio	on (m)	bi se bio pojávio	on (m)	neka se pojávi
ona (f)	bi se pojávila	ona (f)	bi se bila pojávila	ona (f)	neka se pojávi
ono (n)	bi se pojávilo	ono (n)	bi se bilo pojávilo	ono (n)	neka se pojávi
mi	bismo se pojávili (m)	mi	bismo se bili pojávili (m)	mi	pojávimo se
	bismo se pojávile (f)		bismo se bile pojávile (f)		
	bismo se pojávila (n)		bismo se bila pojávila (n)		
vi	biste se pojávili (m)	vi	biste se bili pojávili (m)	vi	pojávite se
	biste se pojávile (f)		biste se bile pojávile (f)		
	biste se pojávila (n)		biste se bila pojávila (n)		
oni (m)	bi se pojávili	oni (m)	bi se bili pojávili	oni (m)	neka se pójave
one (f)	bi se pojávile	one (f)	bi se bile pojávile	one (f)	neka se pójave
ona (n)	bi se pojávila	ona (n)	bi se bila pojávila	ona (n)	neka se pójave

VERBAL ADJECTIVES			
Active participle		**Past participle**	
ja	se pojávio	ja	pójavljen
ti	se pojávio (m)	ti	pójavljen (m)
	se pojávila (f)		pójavljena (f)
	se pojávilo (n)		pójavljeno(n)
on (m)	se pojávio	on (m)	pójavljen
ona (f)	se pojávila	ona (f)	pójavljena
ono (n)	se pojávilo	ono (n)	pójavljeno
mi	se pojávili (m)	mi	pójavljeni (m)
	se pojávile (f)		pójavljene (f)
	se pojávila (n)		pójavljene (n)
vi	se pojávili (m)	vi	pójavljeni (m)
	se pojávile (f)		pójavljene (f)
	se pojávila (n)		pójavljena (n)
oni (m)	se pojávili	oni (m)	pójavljeni
one (f)	se pojávile	one (f)	pójavljene
ona (n)	se pojávila	ona (n)	pójavljena

VERBAL ADVERBS
Active participle
-
Past participle
pojávivši se

They appeared in my house. – Oni su se pojavili u mojoj kući.

This star appeared this evening. – Ova se zvijezda pojavila večeras.

To Ask (Pitati) – Imperfective

Present		Perfect		Imperfect	
ja	pítam	ja	sam pítao	ja	pítah
ti	pítaš	ti	si pítao (m)	ti	pítaše
			si pítala (f)		
			si pítalo (n)		
on (m)	píta	on (m)	je pítao	on (m)	pítaše
ona (f)	píta	ona (f)	je pítala	ona (f)	pítaše
ono (n)	píta	ono (n)	je pítalo	ono (n)	pítaše
mi	pítamo	mi	smo pítali (m)	mi	pítasmo
			smo pítale (f)		
			smo pítala (n)		
vi	pítate	vi	ste pítali (m)	vi	pítaste
			ste pítale (f)		
			ste pítala (n)		
oni (m)	pítaju	oni (m)	su pítali	oni (m)	pítahu
one (f)	pítaju	one (f)	su pítale	one (f)	pítahu
ona (n)	pítjau	ona (n)	su pítala	ona (n)	pítahu

Pluperfect		Futur 1		Futur 2	
ja	sam bio pítao	ja	ću pítati	ja	budem pítao
ti	si bio pítao (m)	ti	ćeš pítati	ti	budeš pítao (m)
	si bila pítala (f)				budeš pítala (f)
	si bilo pítalo (n)				budeš pítalo (n)
on (m)	je bio pítao	on (m)	će pítati	on (m)	bude pítao
ona (f)	je bila pítala	ona (f)	će pítati	ona (f)	bude pítala
ono (n)	je bilo pítalo	ono (n)	će pítati	ono (n)	bude pítalo
mi	smo bili pítali (m)	mi	ćemo pítati	mi	budemo pítali (m)
	smo bile pítale (f)				budemo pítale (f)
	smo bila pítala (n)				budemo pítala (n)
vi	ste bili pítali (m)	vi	ćete pítati	vi	budete pítali (m)
	ste bile pítale (f)				budete pítale (f)
	ste bila pítala (n)				budete pítala (n)
oni (m)	su bili pítali	oni (m)	će pítati	oni (m)	budu pítali
one (f)	su bile pítale	one (f)	će pítati	one (f)	budu pítale
ona (n)	su bila pítala	ona (n)	će pítati	ona (n)	budu pítala

VERB MOODS					
Conditional 1		**Conditional 2**		**Imperative**	
ja	bih pítao	ja	bih bio pítao	ja	-
ti	bi pítao (m)	ti	bi bio pítao (m)	ti	pítaj
	bi pítala (f)		bi bila pítala (f)		
	bi pítalo (n)		bi bilo pítalo (n)		
on (m)	bi pítao	on (m)	bi bio pítao	on (m)	neka píta
ona (f)	bi pítala	ona (f)	bi bila pítala	ona (f)	neka píta
ono (n)	bi pítalo	ono (n)	bi bilo pítalo	ono (n)	neka píta
mi	bismo pítali (m)	mi	bismo bili pítali (m)	mi	pítajmo
	bismo pítale (f)		bismo bile pítale (f)		
	bismo pítala (n)		bismo bila pítala (n)		
vi	biste pítali (m)	vi	biste bili pítali (m)	vi	pítajte
	biste pítale (f)		biste bile pítale (f)		
	biste pítala (n)		biste bila pítala (n)		
oni (m)	bi pítali	oni (m)	bi bili pítali	oni (m)	neka pítaju
one (f)	bi pítale	one (f)	bi bile pítale	one (f)	neka pítaju
ona (n)	bi pítala	ona (n)	bi bila pítala	ona (n)	neka pítaju

VERBAL ADJECTIVES			
Active participle		**Past participle**	
ja	pítao	ja	pítan
ti	pítao (m)	ti	pítan (m)
	pítala (f)		pítana (f)
	pítalo (n)		pítano(n)
on (m)	pítao	on (m)	pítan
ona (f)	pítala	ona (f)	pítana
ono (n)	pítalo	ono (n)	pítano
mi	pítali (m)	mi	pítani (m)
	pítale (f)		pítane (f)
	pítala (n)		pítane (n)
vi	pítali (m)	vi	pítani (m)
	pítale (f)		pítane (f)
	pítala (n)		pítana (n)
oni (m)	pítali	oni (m)	pítani
one (f)	pítale	one (f)	pítane
ona (n)	pítala	ona (n)	pítana

VERBAL ADVERBS
Active participle
pítajući
Past participle
-

I will ask everyone about this. – Ja ću svih pitati o ovome.

They were asking questions. – Oni su pitali pitanja.

To Ask (Upitati) – Perfective

Present		Perfect		Aorist	
ja	úpitam	ja	sam upítao	ja	upítah
ti	úpitaš	ti	si upítao (m) si upítala (f) si upítalo (n)	ti	upíta
on (m)	úpita	on (m)	je upítao	on (m)	upíta
ona (f)	úpita	ona (f)	je upítala	ona (f)	upíta
ono (n)	úpita	ono (n)	je upítalo	ono (n)	upíta
mi	úpitamo	mi	smo upítali (m) smo upítale (f) smo upítala (n)	mi	upítasmo
vi	úpitate	vi	ste upítali (m) ste upítale (f) ste upítala (n)	vi	upítaste
oni (m)	úpitaju	oni (m)	su upítali	oni (m)	upítaše
one (f)	úpitaju	one (f)	su upítale	one (f)	upítaše
ona (n)	úpitaju	ona (n)	su upítala	ona (n)	upítaše

Pluperfect		Futur 1		Futur 2	
ja	sam bio upítao	ja	ću upítati	ja	budem upítao
ti	si bio upítao (m) si bila upítala (f) si bilo upítalo (n)	ti	ćeš upítati	ti	budeš upítao (m) budeš upítala (f) budeš upítalo (n)
on (m)	je bio upítao	on (m)	će upítati	on (m)	bude upítao
ona (f)	je bila upítala	ona (f)	će upítati	ona (f)	bude upítala
ono (n)	je bilo upítalo	ono (n)	će upítati	ono (n)	bude upítalo
mi	smo bili upítali (m) smo bile upítale (f) smo bila upítala (n)	mi	ćemo upítati	mi	budemo upítali (m) budemo upítale (f) budemo upítala (n)
vi	ste bili upítali (m) ste bile upítale (f) ste bila upítala (n)	vi	ćete upítati	vi	budete upítali (m) budete upítale (f) budete upítala (n)
oni (m)	su bili upítali	oni (m)	će upítati	oni (m)	budu upítali
one (f)	su bile upítale	one (f)	će upítati	one (f)	budu upítale
ona (n)	su bila upítala	ona (n)	će upítati	ona (n)	budu upítala

VERB MOODS					
Conditional 1		**Conditional 2**		**Imperative**	
ja	bih upítao	ja	bih bio upítao	ja	-
ti	bi upítao (m) bi upítala (f) bi upítalo (n)	ti	bi bio upítao (m) bi bila upítala (f) bi bilo upítalo (n)	ti	úpitaj
on (m)	bi upítao	on (m)	bi bio upítao	on (m)	neka úpita
ona (f)	bi upítala	ona (f)	bi bila upítala	ona (f)	neka úpita
ono (n)	bi upítalo	ono (n)	bi bilo upítalo	ono (n)	neka úpita
mi	bismo upítali (m) bismo upítale (f) bismo upítala (n)	mi	bismo bili upítali bismo bile upítale bismo bila upítala	mi	úpitajmo
vi	biste upítali (m) biste upítale (f) biste upítala (n)	vi	biste bili upítali (m) biste bile upítale (f) biste bila upítala (n)	vi	úpitajte
oni (m)	bi upítali	oni (m)	bi bili upítali	oni (m)	neka úpitajú
one (f)	bi upítale	one (f)	bi bile upítale	one (f)	neka úpitajú
ona (n)	bi upítala	ona (n)	bi bila upítala	ona (n)	neka úpitajú

VERBAL ADJECTIVES			
Active participle		**Past participle**	
ja	upítao	ja	úpitan
ti	upítao (m) upítala (f) upítalo (n)	ti	úpitan (m) úpitana (f) úpitano(n)
on (m)	upítao	on (m)	úpitan
ona (f)	upítala	ona (f)	úpitana
ono (n)	upítalo	ono (n)	úpitano
mi	upítali (m) upítale (f) upítala (n)	mi	úpitani (m) úpitane (f) úpitane (n)
vi	upítali (m) upítale (f) upítala (n)	vi	úpitani (m) úpitane (f) úpitana (n)
oni (m)	upítali	oni (m)	úpitani
one (f)	upítale	one (f)	úpitane
ona (n)	upítala	ona (n)	úpitana

VERBAL ADVERBS
Active participle
-
Past participle
upítavši

They asked just one question. – Upitali su samo jedno pitanje.

I will just ask him. – Ja ću ga samo upitati.

To To be able to (Umijeti) – Imperfective

Present		Perfect		Imperfect	
ja	úmijem	ja	sam úmio	ja	úmijah
ti	úmiješ	ti	si úmio (m) si úmjela (f) si úmjelo (n)	ti	úmijaše
on (m)	úmije	on (m)	je úmio	on (m)	úmijaše
ona (f)	úmije	ona (f)	je úmjela	ona (f)	úmijaše
ono (n)	úmije	ono (n)	je úmjelo	ono (n)	úmijaše
mi	úmijemo	mi	smo úmjeli (m) smo úmjele (f) smo úmjela (n)	mi	úmijasmo
vi	úmijete	vi	ste úmjeli (m) ste úmjele (f) ste úmjela (n)	vi	úmijaste
oni (m)	úmiju	oni (m)	su úmjeli	oni (m)	úmijahu
one (f)	úmiju	one (f)	su úmjele	one (f)	úmijahu
ona (n)	úmiju	ona (n)	su úmjela	ona (n)	úmijahu

Pluperfect		Futur 1		Futur 2	
ja	sam bio úmio	ja	ću úmjeti	ja	budem úmio
ti	si bio úmio (m) si bila úmjela (f) si bilo úmjelo (n)	ti	ćeš úmjeti	ti	budeš úmio (m) budeš úmjela (f) budeš úmjelo (n)
on (m)	je bio úmio	on (m)	će úmjeti	on (m)	bude úmio
ona (f)	je bila úmjela	ona (f)	će úmjeti	ona (f)	bude úmjela
ono (n)	je bilo úmjelo	ono (n)	će úmjeti	ono (n)	bude úmjelo
mi	smo bili úmjeli (m) smo bile úmjele (f) smo bila úmjela (n)	mi	ćemo úmjeti	mi	budemo úmjeli (m) budemo úmjele (f) budemo úmjela (n)
vi	ste bili úmjeli (m) ste bile úmjele (f) ste bila úmjela (n)	vi	ćete úmjeti	vi	budete úmjeli (m) budete úmjele (f) budete úmjela (n)
oni (m)	su bili úmjeli	oni (m)	će úmjeti	oni (m)	budu úmjeli
one (f)	su bile úmjele	one (f)	će úmjeti	one (f)	budu úmjele
ona (n)	su bila úmjela	ona (n)	će úmjeti	ona (n)	budu úmjela

VERB MOODS					
Conditional 1		**Conditional 2**		**Imperative**	
ja	bih úmio	ja	bih bio úmio	ja	-
ti	bi úmio (m)	ti	bi bio úmio (m)	ti	úmijaj
	bi úmjela (f)		bi bila úmjela (f)		
	bi úmjelo (n)		bi bilo úmjelo (n)		
on (m)	bi úmio	on (m)	bi bio úmio	on (m)	neka úmije
ona (f)	bi úmjela	ona (f)	bi bila úmjela	ona (f)	neka úmije
ono (n)	bi úmjelo	ono (n)	bi bilo úmjelo	ono (n)	neka úmije
mi	bismo úmjeli (m)	mi	bismo bili úmjeli (m)	mi	úmijmo
	bismo úmjele (f)		bismo bile úmjele (f)		
	bismo úmjela (n)		bismo bila úmjela (n)		
vi	biste úmjeli (m)	vi	biste bili úmjeli (m)	vi	úmijte
	biste úmjele (f)		biste bile úmjele (f)		
	biste úmjela (n)		biste bila úmjela (n)		
oni (m)	bi úmjeli	oni (m)	bi bili úmjeli	oni (m)	neka úmiju
one (f)	bi úmjele	one (f)	bi bile úmjele	one (f)	neka úmiju
ona (n)	bi úmjela	ona (n)	bi bila úmjela	ona (n)	neka úmiju

VERBAL ADJECTIVES			
Active participle		**Past participle**	
ja	úmio	ja	
ti	úmio (m)	ti	
	úmjela (f)		
	úmjelo (n)		
on (m)	úmio	on (m)	
ona (f)	úmjela	ona (f)	
ono (n)	úmjelo	ono (n)	
mi	úmjeli (m)	mi	
	úmjele (f)		
	úmjela (n)		
vi	úmjeli (m)	vi	
	úmjele (f)		
	úmjela (n)		
oni (m)	úmjeli	oni (m)	
one (f)	úmjele	one (f)	
ona (n)	úmjela	ona (n)	

VERBAL ADVERBS
Active participle
úmijući
Past participle
-

I'm able to make a house. – Umijem napraviti kuću.

I was able to do it but I didn't. – Umio sam to napraviti, ali nisam.

To Be (Biti) – Imperfective

Present		Perfect		Imperfect	
ja	jésam	ja	sam bio	ja	bíjah
ti	jési	ti	si bio (m) si bila (f) si bilo (n)	ti	bíjaše
on (m)	jést	on (m)	je bio	on (m)	bíjaše
ona (f)	jést	ona (f)	je bio	ona (f)	bíjaše
ono (n)	jést	ono (n)	je bio	ono (n)	bíjaše
mi	jésmo	mi	smo bili (m) smo bile (f) smo bila (n)	mi	bíjasmo
vi	jéste	vi	ste bili (m) ste bile (f) ste bila (n)	vi	bíjaste
oni (m)	jésu	oni (m)	su bili	oni (m)	bíjahu
one (f)	jésu	one (f)	su bili	one (f)	bíjahu
ona (n)	jésu	ona (n)	su bili	ona (n)	bíjahu

Pluperfect		Futur 1		Futur 2	
ja	sam bio bio	ja	ću biti	ja	budem bio
ti	si bio bio (m) si bila bila (f) si bilo bilo (n)	ti	ćeš biti	ti	budeš bio (m) budeš bila (f) budeš bilo (n)
on (m)	je bio bio	on (m)	će biti	on (m)	bude bio
ona (f)	je bila bila	ona (f)	će biti	ona (f)	bude bila
ono (n)	je bilo bilo	ono (n)	će biti	ono (n)	bude bilo
mi	smo bili bili (m) smo bile bili (f) smo bila bili (n)	mi	ćemo biti	mi	budemo bili (m) budemo bile (f) budemo bila (n)
vi	ste bili bili (m) ste bile bile (f) ste bila bila (n)	vi	ćete biti	vi	budete bili (m) budete bile (f) budete bila (n)
oni (m)	su bili bili	oni (m)	će biti	oni (m)	budu bili
one (f)	su bile bile	one (f)	će biti	one (f)	budu bile
ona (n)	su bila bila	ona (n)	će biti	ona (n)	budu bila

VERB MOODS					
Conditional 1		Conditional 2		Imperative	
ja	bih bio	ja	bih bio bio	ja	-
ti	bi bio (m)	ti	bi bio bio (m)	ti	búdi
	bi bila (f)		bi bila bila (f)		
	bi bilo (n)		bi bilo bilo (n)		
on (m)	bi bio	on (m)	bi bio bio	on (m)	neka búdu
ona (f)	bi bila	ona (f)	bi bila bila	ona (f)	neka búdu
ono (n)	bi bilo	ono (n)	bi bilo bilo	ono (n)	neka búdu
mi	bismo bili (m)	mi	bismo bili bili (m)	mi	búdimo
	bismo bile (f)		bismo bile bile (f)		
	bismo bila (n)		bismo bila bila (n)		
vi	biste bili (m)	vi	biste bili bili (m)	vi	búdite
	biste bile (f)		biste bile bile (f)		
	biste bila (n)		biste bila bila (n)		
oni (m)	bi bili	oni (m)	bi bili bili	oni (m)	neka búdu
one (f)	bi bile	one (f)	bi bile bile	one (f)	neka búdu
ona (n)	bi bila	ona (n)	bi bila bila	ona (n)	neka búdu

VERBAL ADJECTIVES			
Active participle		Past participle	
ja	bio	ja	
ti	bio (m)	ti	
	bila (f)		
	bilo (n)		
on (m)	bio	on (m)	
ona (f)	bila	ona (f)	
ono (n)	bilo	ono (n)	
mi	bili (m)	mi	
	bile (f)		
	bila (n)		
vi	bili (m)	vi	
	bile (f)		
	bila (n)		
oni (m)	bili	oni (m)	
one (f)	bile	one (f)	
ona (n)	bila	ona (n)	

VERBAL ADVERBS
Active participle
búdući
Past participle
-

I am John. – Ja sam John.

I was in the garden. – Bio sam u vrtu.

To Become (Postajati) – Imperfective

Present		Perfect		Imperfect	
ja	póstajem	ja	sam póstajao	ja	póstajah
ti	póstaješ	ti	si póstajao (m)	ti	póstajaše
			si póstajala (f)		
			si póstajalo (n)		
on (m)	póstaje	on (m)	je póstajao	on (m)	póstajaše
ona (f)	póstaje	ona (f)	je póstajala	ona (f)	póstajaše
ono (n)	póstaje	ono (n)	je póstajalo	ono (n)	póstajaše
mi	póstajemo	mi	smo póstajali (m)	mi	póstajasmo
			smo póstajale (f)		
			smo póstajala (n)		
vi	póstajete	vi	ste póstajali (m)	vi	póstajaste
			ste póstajale (f)		
			ste póstajala (n)		
oni (m)	póstaju	oni (m)	su póstajali	oni (m)	póstajahu
one (f)	póstaju	one (f)	su póstajale	one (f)	póstajahu
ona (n)	póstaju	ona (n)	su póstajala	ona (n)	póstajahu

Pluperfect		Futur 1		Futur 2	
ja	sam bio póstajao	ja	ću póstajati	ja	budem póstajao
ti	si bio póstajao (m)	ti	ćeš póstajati	ti	budeš póstajao (m)
	si bila póstajala (f)				budeš póstajala (f)
	si bilo póstajalo (n)				budeš póstajalo (n)
on (m)	je bio póstajao	on (m)	će póstajati	on (m)	bude póstajao
ona (f)	je bila póstajala	ona (f)	će póstajati	ona (f)	bude póstajala
ono (n)	je bilo póstajalo	ono (n)	će póstajati	ono (n)	bude póstajalo
mi	smo bili póstajali (m)	mi	ćemo póstajati	mi	budemo póstajali (m)
	smo bile póstajale (f)				budemo póstajale (f)
	smo bila póstajala (n)				budemo póstajala (n)
vi	ste bili póstajali (m)	vi	ćete póstajati	vi	budete póstajali (m)
	ste bile póstajale (f)				budete póstajale (f)
	ste bila póstajala (n)				budete póstajala (n)
oni (m)	su bili póstajali	oni (m)	će póstajati	oni (m)	budu póstajali
one (f)	su bile póstajale	one (f)	će póstajati	one (f)	budu póstajale
ona (n)	su bila póstajala	ona (n)	će póstajati	ona (n)	budu póstajala

VERB MOODS					
Conditional 1		**Conditional 2**		**Imperative**	
ja	bih póstajao	ja	bih bio póstajao	ja	-
ti	bi póstajao (m)	ti	bi bio póstajao (m)	ti	póstaj
	bi póstajala (f)		bi bila póstajala (f)		
	bi póstajalo (n)		bi bilo póstajalo (n)		
on (m)	bi póstajao	on (m)	bi bio póstajao	on (m)	neka póstaje
ona (f)	bi póstajala	ona (f)	bi bila póstajala	ona (f)	neka póstaje
ono (n)	bi póstajalo	ono (n)	bi bilo póstajalo	ono (n)	neka póstaje
mi	bismo póstajali (m)	mi	bismo bili póstajali (m)	mi	póstajmo
	bismo póstajale (f)		bismo bile póstajale (f)		
	bismo póstajala (n)		bismo bila póstajala (n)		
vi	biste póstajali (m)	vi	biste bili póstajali (m)	vi	póstajte
	biste póstajale (f)		biste bile póstajale (f)		
	biste póstajala (n)		biste bila póstajala (n)		
oni (m)	bi póstajali	oni (m)	bi bili póstajali	oni (m)	neka póstaju
one (f)	bi póstajale	one (f)	bi bile póstajale	one (f)	neka póstaju
ona (n)	bi póstajala	ona (n)	bi bila póstajala	ona (n)	neka póstaju

VERBAL ADJECTIVES			
Active participle		**Past participle**	
ja	póstajao	ja	póstajan
ti	póstajao (m)	ti	póstajan (m)
	póstajala (f)		póstajana (f)
	póstajalo (n)		póstajano(n)
on (m)	póstajao	on (m)	póstajan
ona (f)	póstajala	ona (f)	póstajana
ono (n)	póstajalo	ono (n)	póstajano
mi	póstajali (m)	mi	póstajani (m)
	póstajale (f)		póstajane (f)
	póstajala (n)		póstajane (n)
vi	póstajali (m)	vi	póstajani (m)
	póstajale (f)		póstajane (f)
	póstajala (n)		póstajana (n)
oni (m)	póstajali	oni (m)	póstajani
one (f)	póstajale	one (f)	póstajane
ona (n)	póstajala	ona (n)	póstajana

VERBAL ADVERBS
Active participle
póstajući
Past participle
-

I am becoming better and better. – Postajem sve bolji I bolji.

Over time he will become more like his father. – On će s vremenom postajati sve sličniji svom ocu.

To Become (Postati) – Perfective

Present		Perfect		Aorist	
ja	póstanem	ja	sam póstao	ja	póstah
ti	póstaneš	ti	si póstao (m) si póstala (f) si póstalo (n)	ti	pósta
on (m)	póstane	on (m)	je póstao	on (m)	pósta
ona (f)	póstane	ona (f)	je póstala	ona (f)	pósta
ono (n)	póstane	ono (n)	je póstalo	ono (n)	pósta
mi	póstanemo	mi	smo póstali (m) smo póstale (f) smo póstala (n)	mi	póstasmo
vi	póstanete	vi	ste póstali (m) ste póstale (f) ste póstala (n)	vi	póstaste
oni (m)	póstanu	oni (m)	su póstali	oni (m)	póstaše
one (f)	póstanu	one (f)	su póstale	one (f)	póstaše
ona (n)	póstanu	ona (n)	su póstala	ona (n)	póstaše

Pluperfect		Futur 1		Futur 2	
ja	sam bio póstao	ja	ću póstati	ja	budem póstao
ti	si bio póstao (m) si bila póstala (f) si bilo póstalo (n)	ti	ćeš póstati	ti	budeš póstao (m) budeš póstala (f) budeš póstalo (n)
on (m)	je bio póstao	on (m)	će póstati	on (m)	bude póstao
ona (f)	je bila póstala	ona (f)	će póstati	ona (f)	bude póstala
ono (n)	je bilo póstalo	ono (n)	će póstati	ono (n)	bude póstalo
mi	smo bili póstali (m) smo bile póstale (f) smo bila póstala (n)	mi	ćemo póstati	mi	budemo póstali (m) budemo póstale (f) budemo póstala (n)
vi	ste bili póstali (m) ste bile póstale (f) ste bila póstala (n)	vi	ćete póstati	vi	budete póstali (m) budete póstale (f) budete póstala (n)
oni (m)	su bili póstali	oni (m)	će póstati	oni (m)	budu póstali
one (f)	su bile póstale	one (f)	će póstati	one (f)	budu póstale
ona (n)	su bila póstala	ona (n)	će póstati	ona (n)	budu póstala

VERB MOODS					
Conditional 1		**Conditional 2**		**Imperative**	
ja	bih póstao	ja	bih bio póstao	ja	-
ti	bi póstao (m)	ti	bi bio póstao (m)	ti	Póstani
	bi póstala (f)		bi bila póstala (f)		
	bi póstalo (n)		bi bilo póstalo (n)		
on (m)	bi póstao	on (m)	bi bio póstao	on (m)	neka póstane
ona (f)	bi póstala	ona (f)	bi bila póstala	ona (f)	neka póstane
ono (n)	bi póstalo	ono (n)	bi bilo póstalo	ono (n)	neka póstane
mi	bismo póstali (m)	mi	bismo bili póstali (m)	mi	póstanimo
	bismo póstale (f)		bismo bile póstale (f)		
	bismo póstala (n)		bismo bila póstala (n)		
vi	biste póstali (m)	vi	biste bili póstali (m)	vi	póstanite
	biste póstale (f)		biste bile póstale (f)		
	biste póstala (n)		biste bila póstala (n)		
oni (m)	bi póstali	oni (m)	bi bili póstali	oni (m)	neka póstanu
one (f)	bi póstale	one (f)	bi bile póstale	one (f)	neka póstanu
ona (n)	bi póstala	ona (n)	bi bila póstala	ona (n)	neka póstanu

VERBAL ADJECTIVES			
Active participle		**Past participle**	
ja	póstao	ja	póstan
ti	póstao (m)	ti	póstan (m)
	póstala (f)		póstana (f)
	póstalo (n)		póstano(n)
on (m)	póstao	on (m)	póstan
ona (f)	póstala	ona (f)	póstana
ono (n)	póstalo	ono (n)	póstano
mi	póstali (m)	mi	póstani (m)
	póstale (f)		póstane (f)
	póstala (n)		póstane (n)
vi	póstali (m)	vi	póstani (m)
	póstale (f)		póstane (f)
	póstala (n)		póstana (n)
oni (m)	póstali	oni (m)	póstani
one (f)	póstale	one (f)	póstane
ona (n)	póstala	ona (n)	póstana

VERBAL ADVERBS
Active participle
-
Past participle
póstavši

Becoming more efficient they succeeded. - Postavši efikasniji uspjeli su.

One day you will become an engineer. – Ti ćeš jednog dana postati inženjer.

To Begin (Počinjati) – Imperfective

Present		Perfect		Imperfect	
ja	póčinjem	ja	sam póčinjao	ja	póčinjah
ti	póčinješ	ti	si póčinjao (m) si póčinjala (f) si póčinjalo (n)	ti	póčinjaše
on (m)	póčinje	on (m)	je póčinjao	on (m)	póčinjaše
ona (f)	póčinje	ona (f)	je póčinjala	ona (f)	póčinjaše
ono (n)	póčinje	ono (n)	je póčinjalo	ono (n)	póčinjaše
mi	póčinjemo	mi	smo póčinjali (m) smo póčinjale (f) smo póčinjala (n)	mi	póčinjasmo
vi	póčinjete	vi	ste póčinjali (m) ste póčinjale (f) ste póčinjala (n)	vi	póčinjaste
oni (m)	póčinju	oni (m)	su póčinjali	oni (m)	póčinjahu
one (f)	póčinju	one (f)	su póčinjale	one (f)	póčinjahu
ona (n)	póčinju	ona (n)	su póčinjala	ona (n)	póčinjahu

Pluperfect		Futur 1		Futur 2	
ja	sam bio póčinjao	ja	ću póčinjati	ja	budem póčinjao
ti	si bio póčinjao (m) si bila póčinjala (f) si bilo póčinjalo (n)	ti	ćeš póčinjati	ti	budeš póčinjao (m) budeš póčinjala (f) budeš póčinjalo (n)
on (m)	je bio póčinjao	on (m)	će póčinjati	on (m)	bude póčinjao
ona (f)	je bila póčinjala	ona (f)	će póčinjati	ona (f)	bude póčinjala
ono (n)	je bilo póčinjalo	ono (n)	će póčinjati	ono (n)	bude póčinjalo
mi	smo bili póčinjali (m) smo bile póčinjale (f) smo bila póčinjala (n)	mi	ćemo póčinjati	mi	budemo póčinjali (m) budemo póčinjale (f) budemo póčinjala (n)
vi	ste bili póčinjali (m) ste bile póčinjale (f) ste bila póčinjala (n)	vi	ćete póčinjati	vi	budete póčinjali (m) budete póčinjale (f) budete póčinjala (n)
oni (m)	su bili póčinjali	oni (m)	će póčinjati	oni (m)	budu póčinjali
one (f)	su bile póčinjale	one (f)	će póčinjati	one (f)	budu póčinjale
ona (n)	su bila póčinjala	ona (n)	će póčinjati	ona (n)	budu póčinjala

VERB MOODS					
Conditional 1		**Conditional 2**		**Imperative**	
ja	bih póčinjao	ja	bih bio póčinjao	ja	-
ti	bi póčinjao (m) bi póčinjala (f) bi póčinjalo (n)	ti	bi bio póčinjao (m) bi bila póčinjala (f) bi bilo póčinjalo (n)	ti	póčinji
on (m)	bi póčinjao	on (m)	bi bio póčinjao	on (m)	neka póčinje
ona (f)	bi póčinjala	ona (f)	bi bila póčinjala	ona (f)	neka póčinje
ono (n)	bi póčinjalo	ono (n)	bi bilo póčinjalo	ono (n)	neka póčinje
mi	bismo póčinjali (m) bismo póčinjale (f) bismo póčinjala (n)	mi	bismo bili póčinjali (m) bismo bile póčinjale (f) bismo bila póčinjala (n)	mi	póčinjimo
vi	biste póčinjali (m) biste póčinjale (f) biste póčinjala (n)	vi	biste bili póčinjali (m) biste bile póčinjale (f) biste bila póčinjala (n)	vi	póčinjite
oni (m)	bi póčinjali	oni (m)	bi bili póčinjali	oni (m)	neka póčinju
one (f)	bi póčinjale	one (f)	bi bile póčinjale	one (f)	neka póčinju
ona (n)	bi póčinjala	ona (n)	bi bila póčinjala	ona (n)	neka póčinju

VERBAL ADJECTIVES			
Active participle		**Past participle**	
ja	póčinjao	ja	póčinjan
ti	póčinjao (m) póčinjala (f) póčinjalo (n)	ti	póčinjan (m) póčinjana (f) póčinjano(n)
on (m)	póčinjao	on (m)	póčinjan
ona (f)	póčinjala	ona (f)	póčinjana
ono (n)	póčinjalo	ono (n)	póčinjano
mi	póčinjali (m) póčinjale (f) póčinjala (n)	mi	póčinjani (m) póčinjane (f) póčinjane (n)
vi	póčinjali (m) póčinjale (f) póčinjala (n)	vi	póčinjani (m) póčinjane (f) póčinjana (n)
oni (m)	póčinjali	oni (m)	póčinjani
one (f)	póčinjale	one (f)	póčinjane
ona (n)	póčinjala	ona (n)	póčinjana

VERBAL ADVERBS
Active participle
póčinjajući
Past participle
-

I am beginning with my learning. – Počinjem sa svojim učenjem.

They were beginning to sing many times. – Počinjali su pjevati mnogo puta.

To Begin (Početi) – Perfective

Present		Perfect		Aorist	
ja	póčnem	ja	sam póčeo	ja	póčeh
ti	póčneš	ti	si póčeo (m) si póčela (f) si póčelo (n)	ti	póče
on (m)	póčne	on (m)	je póčeo	on (m)	póče
ona (f)	póčne	ona (f)	je póčela	ona (f)	póče
ono (n)	póčne	ono (n)	je póčelo	ono (n)	póče
mi	póčnemo	mi	smo póčeli (m) smo póčele (f) smo póčela (n)	mi	póčesmo
vi	póčnete	vi	ste póčeli (m) ste póčele (f) ste póčela (n)	vi	póčeste
oni (m)	póčnu	oni (m)	su póčeli	oni (m)	póčeše
one (f)	póčnu	one (f)	su póčele	one (f)	póčeše
ona (n)	póčnu	ona (n)	su póčela	ona (n)	póčeše

Pluperfect		Futur 1		Futur 2	
ja	sam bio póčeo	ja	ću póčeti	ja	budem póčeo
ti	si bio póčeo (m) si bila póčela (f) si bilo póčelo (n)	ti	ćeš póčeti	ti	budeš póčeo (m) budeš póčela (f) budeš póčelo (n)
on (m)	je bio póčeo	on (m)	će póčeti	on (m)	bude póčeo
ona (f)	je bila póčela	ona (f)	će póčeti	ona (f)	bude póčela
ono (n)	je bilo póčelo	ono (n)	će póčeti	ono (n)	bude póčelo
mi	smo bili póčeli (m) smo bile póčele (f) smo bila póčela (n)	mi	ćemo póčeti	mi	budemo póčeli (m) budemo póčele (f) budemo póčela (n)
vi	ste bili póčeli (m) ste bile póčele (f) ste bila póčela (n)	vi	ćete póčeti	vi	budete póčeli (m) budete póčele (f) budete póčela (n)
oni (m)	su bili póčeli	oni (m)	će póčeti	oni (m)	budu póčeli
one (f)	su bile póčele	one (f)	će póčeti	one (f)	budu póčele
ona (n)	su bila póčela	ona (n)	će póčeti	ona (n)	budu póčela

VERB MOODS					
Conditional 1		**Conditional 2**		**Imperative**	
ja	bih póčeo	ja	bih bio póčeo	ja	-
ti	bi póčeo (m)	ti	bi bio póčeo (m)	ti	Póčni
	bi póčela (f)		bi bila póčela (f)		
	bi póčelo (n)		bi bilo póčelo (n)		
on (m)	bi póčeo	on (m)	bi bio póčeo	on (m)	neka póčne
ona (f)	bi póčela	ona (f)	bi bila póčela	ona (f)	neka póčne
ono (n)	bi póčelo	ono (n)	bi bilo póčelo	ono (n)	neka póčne
mi	bismo póčeli (m)	mi	bismo bili póčeli (m)	mi	póčnimo
	bismo póčele (f)		bismo bile póčele (f)		
	bismo póčela (n)		bismo bila póčela (n)		
vi	biste póčeli (m)	vi	biste bili póčeli (m)	vi	póčnite
	biste póčele (f)		biste bile póčele (f)		
	biste póčela (n)		biste bila póčela (n)		
oni (m)	bi póčeli	oni (m)	bi bili póčeli	oni (m)	neka póčnu
one (f)	bi póčele	one (f)	bi bile póčele	one (f)	neka póčnu
ona (n)	bi póčela	ona (n)	bi bila póčela	ona (n)	neka póčnu

VERBAL ADJECTIVES			
Active participle		**Past participle**	
ja	póčeo	ja	póčet
ti	póčeo (m)	ti	póčet (m)
	póčela (f)		póčeta (f)
	póčelo (n)		póčeto(n)
on (m)	póčeo	on (m)	póčet
ona (f)	póčela	ona (f)	póčeta
ono (n)	póčelo	ono (n)	póčeto
mi	póčeli (m)	mi	póčeti (m)
	póčele (f)		póčete (f)
	póčela (n)		póčete (n)
vi	póčeli (m)	vi	póčeti (m)
	póčele (f)		póčete (f)
	póčela (n)		póčeta (n)
oni (m)	póčeli	oni (m)	póčeti
one (f)	póčele	one (f)	póčete
ona (n)	póčela	ona (n)	póčeta

VERBAL ADVERBS
Active participle
-
Past participle
póčevši

I have begun running an hour ago. – Ja sam počeo s trčanjem prije sat vremena.

They started to applaud. – Počeli su pljeskati.

To Break (Slamati) – Imperfective

Present		Perfect		Imperfect	
ja	slámam	ja	sam slámao	ja	slámah
ti	slámaš	ti	si slámao (m) si slámala (f) si slámalo (n)	ti	slámaše
on (m)	sláma	on (m)	je slámao	on (m)	slámaše
ona (f)	sláma	ona (f)	je slámala	ona (f)	slámaše
ono (n)	sláma	ono (n)	je slámalo	ono (n)	slámaše
mi	slámamo	mi	smo slámali (m) smo slámale (f) smo slámala (n)	mi	slámasmo
vi	slámate	vi	ste slámali (m) ste slámale (f) ste slámala (n)	vi	slámaste
oni (m)	slámaju	oni (m)	su slámali	oni (m)	slámahu
one (f)	slámaju	one (f)	su slámale	one (f)	slámahu
ona (n)	slámaju	ona (n)	su slámala	ona (n)	slámahu

Pluperfect		Futur 1		Futur 2	
ja	sam bio slámao	ja	ću slámati	ja	budem slámao
ti	si bio slámao (m) si bila slámala (f) si bilo slámalo (n)	ti	ćeš slámati	ti	budeš slámao (m) budeš slámala (f) budeš slámalo (n)
on (m)	je bio slámao	on (m)	će slámati	on (m)	bude slámao
ona (f)	je bila slámala	ona (f)	će slámati	ona (f)	bude slámala
ono (n)	je bilo slámalo	ono (n)	će slámati	ono (n)	bude slámalo
mi	smo bili slámali (m) smo bile slámale (f) smo bila slámala (n)	mi	ćemo slámati	mi	budemo slámali (m) budemo slámale (f) budemo slámala (n)
vi	ste bili slámali (m) ste bile slámale (f) ste bila slámala (n)	vi	ćete slámati	vi	budete slámali (m) budete slámale (f) budete slámala (n)
oni (m)	su bili slámali	oni (m)	će slámati	oni (m)	budu slámali
one (f)	su bile slámale	one (f)	će slámati	one (f)	budu slámale
ona (n)	su bila slámala	ona (n)	će slámati	ona (n)	budu slámala

VERB MOODS					
Conditional 1		**Conditional 2**		**Imperative**	
ja	bih slámao	ja	bih bio slámao	ja	-
ti	bi slámao (m)	ti	bi bio slámao (m)	ti	slámaj
	bi slámala (f)		bi bila slámala (f)		
	bi slámalo (n)		bi bilo slámalo (n)		
on (m)	bi slámao	on (m)	bi bio slámao	on (m)	neka sláma
ona (f)	bi slámala	ona (f)	bi bila slámala	ona (f)	neka sláma
ono (n)	bi slámalo	ono (n)	bi bilo slámalo	ono (n)	neka sláma
mi	bismo slámali (m)	mi	bismo bili slámali (m)	mi	slámajmo
	bismo slámale (f)		bismo bile slámale (f)		
	bismo slámala (n)		bismo bila slámala (n)		
vi	biste slámali (m)	vi	biste bili slámali (m)	vi	slámajte
	biste slámale (f)		biste bile slámale (f)		
	biste slámala (n)		biste bila slámala (n)		
oni (m)	bi slámali	oni (m)	bi bili slámali	oni (m)	neka slámaju
one (f)	bi slámale	one (f)	bi bile slámale	one (f)	neka slámaju
ona (n)	bi slámala	ona (n)	bi bila slámala	ona (n)	neka slámaju

VERBAL ADJECTIVES			
Active participle		**Past participle**	
ja	slámao	ja	sláman
ti	slámao (m)	ti	sláman (m)
	slámala (f)		slámana (f)
	slámalo (n)		slámano(n)
on (m)	slámao	on (m)	sláman
ona (f)	slámala	ona (f)	slámana
ono (n)	slámalo	ono (n)	slámano
mi	slámali (m)	mi	slámani (m)
	slámale (f)		slámane (f)
	slámala (n)		slámane (n)
vi	slámali (m)	vi	slámani (m)
	slámale (f)		slámane (f)
	slámala (n)		slámana (n)
oni (m)	slámali	oni (m)	slámani
one (f)	slámale	one (f)	slámane
ona (n)	slámala	ona (n)	slámana

VERBAL ADVERBS
Active participle
slámajući
Past participle
-

They are breaking this house for two hours. – Slamaju ovu kuću već dva sata.

They were breaking the resistance. – Slamali su otpor.

To Break (Slomiti) – Perfective

Present		Perfect		Aorist	
ja	slómim	ja	sam slómio	ja	slómih
ti	slómiš	ti	si slómio (m) si slómila (f) si slómilo (n)	ti	slómi
on (m)	slómi	on (m)	je slómio	on (m)	slómi
ona (f)	slómi	ona (f)	je slómila	ona (f)	slómi
ono (n)	slómi	ono (n)	je slómilo	ono (n)	slómi
mi	slómimo	mi	smo slómili (m) smo slómile (f) smo slómila (n)	mi	slómismo
vi	slómite	vi	ste slómili (m) ste slómile (f) ste slómila (n)	vi	slómiste
oni (m)	slóme	oni (m)	su slómili	oni (m)	slómiše
one (f)	slóme	one (f)	su slómile	one (f)	slómiše
ona (n)	slóme	ona (n)	su slómila	ona (n)	slómiše

Pluperfect		Futur 1		Futur 2	
ja	sam bio slómio	ja	ću slómiti	ja	budem slómio
ti	si bio slómio (m) si bila slómila (f) si bilo slómilo (n)	ti	ćeš slómiti	ti	budeš slómio (m) budeš slómila (f) budeš slómilo (n)
on (m)	je bio slómio	on (m)	će slómiti	on (m)	bude slómio
ona (f)	je bila slómila	ona (f)	će slómiti	ona (f)	bude slómila
ono (n)	je bilo slómilo	ono (n)	će slómiti	ono (n)	bude slómilo
mi	smo bili slómili (m) smo bile slómile (f) smo bila slómila (n)	mi	ćemo slómiti	mi	budemo slómili (m) budemo slómile (f) budemo slómila (n)
vi	ste bili slómili (m) ste bile slómile (f) ste bila slómila (n)	vi	ćete slómiti	vi	budete slómili (m) budete slómile (f) budete slómila (n)
oni (m)	su bili slómili	oni (m)	će slómiti	oni (m)	budu slómili
one (f)	su bile slómile	one (f)	će slómiti	one (f)	budu slómile
ona (n)	su bila slómila	ona (n)	će slómiti	ona (n)	budu slómila

VERB MOODS					
Conditional 1		**Conditional 2**		**Imperative**	
ja	bih slómio	ja	bih bio slómio	ja	-
ti	bi slómio (m) bi slómila (f) bi slómilo (n)	ti	bi bio slómio (m) bi bila slómila (f) bi bilo slómilo (n)	ti	slómij
on (m)	bi slómio	on (m)	bi bio slómio	on (m)	neka slómi
ona (f)	bi slómila	ona (f)	bi bila slómila	ona (f)	neka slómi
ono (n)	bi slómilo	ono (n)	bi bilo slómilo	ono (n)	neka slómi
mi	bismo slómili (m) bismo slómile (f) bismo slómila (n)	mi	bismo bili slómili bismo bile slómile bismo bila slómila	mi	slómijmo
vi	biste slómili (m) biste slómile (f) biste slómila (n)	vi	biste bili slómili (m) biste bile slómile (f) biste bila slómila (n)	vi	slómijte
oni (m)	bi slómili	oni (m)	bi bili slómili	oni (m)	neka slómiju
one (f)	bi slómile	one (f)	bi bile slómile	one (f)	neka slómiju
ona (n)	bi slómila	ona (n)	bi bila slómila	ona (n)	neka slómiju

VERBAL ADJECTIVES			
Active participle		**Past participle**	
ja	slómio	ja	slómljen
ti	slómio (m) slómila (f) slómilo (n)	ti	slómljen (m) slómljena (f) slómljeno(n)
on (m)	slómio	on (m)	slómljen
ona (f)	slómila	ona (f)	slómljena
ono (n)	slómilo	ono (n)	slómljeno
mi	slómili (m) slómile (f) slómila (n)	mi	slómljeni (m) slómljene (f) slómljene (n)
vi	slómili (m) slómile (f) slómila (n)	vi	slómljeni (m) slómljene (f) slómljena (n)
oni (m)	slómili	oni (m)	slómljeni
one (f)	slómile	one (f)	Slómljene
ona (n)	slómila	ona (n)	slómljena

VERBAL ADVERBS
Active participle
-
Past participle
slómivši

David has broken his leg. – David je slomio nogu.

He will break us. – On će nas slomiti.

To Breathe (Disati) – Imperfective

Present		Perfect		Imperfect	
ja	dišem	ja	sam dísao	ja	dísah
ti	dišeš	ti	si dísao (m) si dísala (f) si dísalo (n)	ti	dísaše
on (m)	diše	on (m)	je dísao	on (m)	dísaše
ona (f)	diše	ona (f)	je dísala	ona (f)	dísaše
ono (n)	diše	ono (n)	je dísalo	ono (n)	dísaše
mi	dišemo	mi	smo dísali (m) smo dísale (f) smo dísala (n)	mi	dísasmo
vi	dišete	vi	ste dísali (m) ste dísale (f) ste dísala (n)	vi	dísaste
oni (m)	dišu	oni (m)	su dísali	oni (m)	dísahu
one (f)	dišu	one (f)	su dísale	one (f)	dísahu
ona (n)	dišu	ona (n)	su dísala	ona (n)	dísahu

Pluperfect		Futur 1		Futur 2	
ja	sam bio dísao	ja	ću dísati	ja	budem dísao
ti	si bio dísao (m) si bila dísala (f) si bilo dísalo (n)	ti	ćeš dísati	ti	budeš dísao (m) budeš dísala (f) budeš dísalo (n)
on (m)	je bio dísao	on (m)	će dísati	on (m)	bude dísao
ona (f)	je bila dísala	ona (f)	će dísati	ona (f)	bude dísala
ono (n)	je bilo dísalo	ono (n)	će dísati	ono (n)	bude dísalo
mi	smo bili dísali (m) smo bile dísale (f) smo bila dísala (n)	mi	ćemo dísati	mi	budemo dísali (m) budemo dísale (f) budemo dísala (n)
vi	ste bili dísali (m) ste bile dísale (f) ste bila dísala (n)	vi	ćete dísati	vi	budete dísali (m) budete dísale (f) budete dísala (n)
oni (m)	su bili dísali	oni (m)	će dísati	oni (m)	budu dísali
one (f)	su bile dísale	one (f)	će dísati	one (f)	budu dísale
ona (n)	su bila dísala	ona (n)	će dísati	ona (n)	budu dísala

VERB MOODS					
Conditional 1		**Conditional 2**		**Imperative**	
ja	bih dísao	ja	bih bio dísao	ja	-
ti	bi dísao (m)	ti	bi bio dísao (m)	ti	díši
	bi dísala (f)		bi bila dísala (f)		
	bi dísalo (n)		bi bilo dísalo (n)		
on (m)	bi dísao	on (m)	bi bio dísao	on (m)	neka díše
ona (f)	bi dísala	ona (f)	bi bila dísala	ona (f)	neka díše
ono (n)	bi dísalo	ono (n)	bi bilo dísalo	ono (n)	neka díše
mi	bismo dísali (m)	mi	bismo bili dísali (m)	mi	díšimo
	bismo dísale (f)		bismo bile dísale (f)		
	bismo dísala (n)		bismo bila dísala (n)		
vi	biste dísali (m)	vi	biste bili dísali (m)	vi	díšite
	biste dísale (f)		biste bile dísale (f)		
	biste dísala (n)		biste bila dísala (n)		
oni (m)	bi dísali	oni (m)	bi bili dísali	oni (m)	neka díšu
one (f)	bi dísale	one (f)	bi bile dísale	one (f)	neka díšu
ona (n)	bi dísala	ona (n)	bi bila dísala	ona (n)	neka díšu

VERBAL ADJECTIVES			
Active participle		**Past participle**	
ja	dísao	ja	dísan
ti	dísao (m)	ti	dísan (m)
	dísala (f)		dísana (f)
	dísalo (n)		dísano(n)
on (m)	dísao	on (m)	dísan
ona (f)	dísala	ona (f)	dísana
ono (n)	dísalo	ono (n)	dísano
mi	dísali (m)	mi	dísani (m)
	dísale (f)		dísane (f)
	dísala (n)		dísane (n)
vi	dísali (m)	vi	dísani (m)
	dísale (f)		dísane (f)
	dísala (n)		dísana (n)
oni (m)	dísali	oni (m)	dísani
one (f)	dísale	one (f)	dísane
ona (n)	dísala	ona (n)	dísana

VERBAL ADVERBS
Active participle
dísajući
Past participle
-

I can't breathe under water. – Ne mogu disati ispod vode.

Take it easy and breathe. – Smiri se i diši.

To Buy (Kupovati) – Imperfective

Present		Perfect		Imperfect	
ja	kúpujem	ja	sam kúpovao	ja	kúpovah
ti	kúpuješ	ti	si kúpovao (m) si kúpovala (f) si kúpovalo (n)	ti	kúpovaše
on (m)	kúpuje	on (m)	je kúpovao	on (m)	kúpovaše
ona (f)	kúpuje	ona (f)	je kúpovala	ona (f)	kúpovaše
ono (n)	kúpuje	ono (n)	je kúpovalo	ono (n)	kúpovaše
mi	kúpujemo	mi	smo kúpovali (m) smo kúpovale (f) smo kúpovala (n)	mi	kúpovasmo
vi	kúpujete	vi	ste kúpovali (m) ste kúpovale (f) ste kúpovala (n)	vi	kúpovaste
oni (m)	kúpuju	oni (m)	su kúpovali	oni (m)	kúpovahu
one (f)	kúpuju	one (f)	su kúpovale	one (f)	kúpovahu
ona (n)	kúpuju	ona (n)	su kúpovala	ona (n)	kúpovahu

Pluperfect		Futur 1		Futur 2	
ja	sam bio kúpovao	ja	ću kupóvati	ja	budem kúpovao
ti	si bio kúpovao (m) si bila kúpovala (f) si bilo kúpovalo (n)	ti	ćeš kupóvati	ti	budeš kúpovao (m) budeš kúpovala (f) budeš kúpovalo (n)
on (m)	je bio kúpovao	on (m)	će kupóvati	on (m)	bude kúpovao
ona (f)	je bila kúpovala	ona (f)	će kupóvati	ona (f)	bude kúpovala
ono (n)	je bilo kúpovalo	ono (n)	će kupóvati	ono (n)	bude kúpovalo
mi	smo bili kúpovali (m) smo bile kúpovale (f) smo bila kúpovala (n)	mi	ćemo kupóvati	mi	budemo kúpovali (m) budemo kúpovale (f) budemo kúpovala (n)
vi	ste bili kúpovali (m) ste bile kúpovale (f) ste bila kúpovala (n)	vi	ćete kupóvati	vi	budete kúpovali (m) budete kúpovale (f) budete kúpovala (n)
oni (m)	su bili kúpovali	oni (m)	će kupóvati	oni (m)	budu kúpovali
one (f)	su bile kúpovale	one (f)	će kupóvati	one (f)	budu kúpovale
ona (n)	su bila kúpovala	ona (n)	će kupóvati	ona (n)	budu kúpovala

VERB MOODS					
Conditional 1		**Conditional 2**		**Imperative**	
ja	bih kúpovao	ja	bih bio kúpovao	ja	-
ti	bi kúpovao (m)	ti	bi bio kúpovao (m)	ti	kúpuj
	bi kúpovala (f)		bi bila kúpovala (f)		
	bi kúpovalo (n)		bi bilo kúpovalo (n)		
on (m)	bi kúpovao	on (m)	bi bio kúpovao	on (m)	neka kúpuju
ona (f)	bi kúpovala	ona (f)	bi bila kúpovala	ona (f)	neka kúpuju
ono (n)	bi kúpovalo	ono (n)	bi bilo kúpovalo	ono (n)	neka kúpuju
mi	bismo kúpovali (m)	mi	bismo bili kúpovali (m)	mi	kúpujmo
	bismo kúpovale (f)		bismo bile kúpovale (f)		
	bismo kúpovala (n)		bismo bila kúpovala (n)		
vi	biste kúpovali (m)	vi	biste bili kúpovali (m)	vi	kúpujte
	biste kúpovale (f)		biste bile kúpovale (f)		
	biste kúpovala (n)		biste bila kúpovala (n)		
oni (m)	bi kúpovali	oni (m)	bi bili kúpovali	oni (m)	neka kúpuju
one (f)	bi kúpovale	one (f)	bi bile kúpovale	one (f)	neka kúpuju
ona (n)	bi kúpovala	ona (n)	bi bila kúpovala	ona (n)	neka kúpuju

VERBAL ADJECTIVES			
Active participle		**Past participle**	
ja	kúpovao	ja	kúpovan
ti	kúpovao (m)	ti	kúpovan (m)
	kúpovala (f)		kúpovana (f)
	kúpovalo (n)		kúpovano(n)
on (m)	kúpovao	on (m)	kúpovan
ona (f)	kúpovala	ona (f)	kúpovana
ono (n)	kúpovalo	ono (n)	kúpovano
mi	kúpovali (m)	mi	kúpovani (m)
	kúpovale (f)		kúpovane (f)
	kúpovala (n)		kúpovane (n)
vi	kúpovali (m)	vi	kúpovani (m)
	kúpovale (f)		kúpovane (f)
	kúpovala (n)		kúpovana (n)
oni (m)	kúpovali	oni (m)	kúpovani
one (f)	kúpovale	one (f)	kúpovane
ona (n)	kúpovala	ona (n)	kúpovana

VERBAL ADVERBS
Active participle
kupóvajući
Past participle
-

They are buying things every day. – Oni kupuju stvari svaki dan.

They will be buying the stocks. – Oni će kupovati dionice.

To Buy (Kupiti) – Perfective

Present		Perfect		Aorist	
ja	kúpim	ja	sam kúpio	ja	kúpih
ti	kúpiš	ti	si kúpio (m) si kúpila (f) si kúpilo (n)	ti	kúpi
on (m)	kúpi	on (m)	je kúpio	on (m)	kúpi
ona (f)	kúpi	ona (f)	je kúpila	ona (f)	kúpi
ono (n)	kúpi	ono (n)	je kúpilo	ono (n)	kúpi
mi	kúpimo	mi	smo kúpili (m) smo kúpile (f) smo kúpila (n)	mi	kúpismo
vi	kúpite	vi	ste kúpili (m) ste kúpile (f) ste kúpila (n)	vi	kúpiste
oni (m)	kúpe	oni (m)	su kúpili	oni (m)	kúpiše
one (f)	kúpe	one (f)	su kúpile	one (f)	kúpiše
ona (n)	kúpe	ona (n)	su kúpila	ona (n)	kúpiše

Pluperfect		Futur 1		Futur 2	
ja	sam bio kúpio	ja	ću kúpiti	ja	budem kúpio
ti	si bio kúpio (m) si bila kúpila (f) si bilo kúpilo (n)	ti	ćeš kúpiti	ti	budeš kúpio (m) budeš kúpila (f) budeš kúpilo (n)
on (m)	je bio kúpio	on (m)	će kúpiti	on (m)	bude kúpio
ona (f)	je bila kúpila	ona (f)	će kúpiti	ona (f)	bude kúpila
ono (n)	je bilo kúpilo	ono (n)	će kúpiti	ono (n)	bude kúpilo
mi	smo bili kúpili (m) smo bile kúpile (f) smo bila kúpila (n)	mi	ćemo kúpiti	mi	budemo kúpili (m) budemo kúpile (f) budemo kúpila (n)
vi	ste bili kúpili (m) ste bile kúpile (f) ste bila kúpila (n)	vi	ćete kúpiti	vi	budete kúpili (m) budete kúpile (f) budete kúpila (n)
oni (m)	su bili kúpili	oni (m)	će kúpiti	oni (m)	budu kúpili
one (f)	su bile kúpile	one (f)	će kúpiti	one (f)	budu kúpile
ona (n)	su bila kúpila	ona (n)	će kúpiti	ona (n)	budu kúpila

VERB MOODS					
Conditional 1		**Conditional 2**		**Imperative**	
ja	bih kúpio	ja	bih bio kúpio	ja	-
ti	bi kúpio (m)	ti	bi bio kúpio (m)	ti	kúpi
	bi kúpila (f)		bi bila kúpila (f)		
	bi kúpilo (n)		bi bilo kúpilo (n)		
on (m)	bi kúpio	on (m)	bi bio kúpio	on (m)	neka kúpi
ona (f)	bi kúpila	ona (f)	bi bila kúpila	ona (f)	neka kúpi
ono (n)	bi kúpilo	ono (n)	bi bilo kúpilo	ono (n)	neka kúpi
mi	bismo kúpili (m)	mi	bismo bili kúpili (m)	mi	kúpimo
	bismo kúpile (f)		bismo bile kúpile (f)		
	bismo kúpila (n)		bismo bila kúpila (n)		
vi	biste kúpili (m)	vi	biste bili kúpili (m)	vi	kúpite
	biste kúpile (f)		biste bile kúpile (f)		
	biste kúpila (n)		biste bila kúpila (n)		
oni (m)	bi kúpili	oni (m)	bi bili kúpili	oni (m)	neka kúpe
one (f)	bi kúpile	one (f)	bi bile kúpile	one (f)	neka kúpe
ona (n)	bi kúpila	ona (n)	bi bila kúpila	ona (n)	neka kúpe

VERBAL ADJECTIVES			
Active participle		**Past participle**	
ja	kúpio	ja	kúpljen
ti	kúpio (m)	ti	kúpljen (m)
	kúpila (f)		kúpljena (f)
	kúpilo (n)		kúpljeno(n)
on (m)	kúpio	on (m)	kúpljen
ona (f)	kúpila	ona (f)	kúpljena
ono (n)	kúpilo	ono (n)	kúpljeno
mi	kúpili (m)	mi	kúpljeni (m)
	kúpile (f)		kúpljene (f)
	kúpila (n)		kúpljena (n)
vi	kúpili (m)	vi	kúpljeni (m)
	kúpile (f)		kúpljene (f)
	kúpila (n)		kúpljena (n)
oni (m)	kúpili	oni (m)	kúpljeni
one (f)	kúpile	one (f)	kúpljene
ona (n)	kúpila	ona (n)	kúpljena

VERBAL ADVERBS
Active participle
-
Past participle
kúpivši

They bought a new toy. – Oni su kupili novu igračku.

They are going to buy this house. – Oni će kupiti ovu kuću.

To Call (Zvati) – Imperfective

Present		Perfect		Imperfect	
ja	zóvem	ja	sam zváo	ja	zváh
ti	zóveš	ti	si zváo (m) si zvála (f) si zválo (n)	ti	zváše
on (m)	zóve	on (m)	je zváo	on (m)	zváše
ona (f)	zóve	ona (f)	je zvála	ona (f)	zváše
ono (n)	zóve	ono (n)	je zválo	ono (n)	zváše
mi	zóvemo	mi	smo zváli (m) smo zvále (f) smo zvála (n)	mi	zvásmo
vi	zóvete	vi	ste zváli (m) ste zvále (f) ste zvála (n)	vi	zváste
oni (m)	zóvu	oni (m)	su zváli	oni (m)	zváhu
one (f)	zóvu	one (f)	su zvále	one (f)	zváhu
ona (n)	zóvu	ona (n)	su zvála	ona (n)	zváhu

Pluperfect		Futur 1		Futur 2	
ja	sam bio zváo	ja	ću zváti	ja	budem zváo
ti	si bio zváo (m) si bila zvála (f) si bilo zválo (n)	ti	ćeš zváti	ti	budeš zváo (m) budeš zvála (f) budeš zválo (n)
on (m)	je bio zváo	on (m)	će zváti	on (m)	bude zváo
ona (f)	je bila zvála	ona (f)	će zváti	ona (f)	bude zvála
ono (n)	je bilo zválo	ono (n)	će zváti	ono (n)	bude zválo
mi	smo bili zváli (m) smo bile zvále (f) smo bila zvála (n)	mi	ćemo zváti	mi	budemo zváli (m) budemo zvále (f) budemo zvála (n)
vi	ste bili zváli (m) ste bile zvále (f) ste bila zvála (n)	vi	ćete zváti	vi	budete zváli (m) budete zvále (f) budete zvála (n)
oni (m)	su bili zváli	oni (m)	će zváti	oni (m)	budu zváli
one (f)	su bile zvále	one (f)	će zváti	one (f)	budu zvále
ona (n)	su bila zvála	ona (n)	će zváti	ona (n)	budu zvála

VERB MOODS					
Conditional 1		**Conditional 2**		**Imperative**	
ja	bih zváo	ja	bih bio zváo	ja	-
ti	bi zváo (m)	ti	bi bio zváo (m)	ti	zóvi
	bi zvála (f)		bi bila zvála (f)		
	bi zválo (n)		bi bilo zválo (n)		
on (m)	bi zváo	on (m)	bi bio zváo	on (m)	neka zóve
ona (f)	bi zvála	ona (f)	bi bila zvála	ona (f)	neka zóve
ono (n)	bi zválo	ono (n)	bi bilo zválo	ono (n)	neka zóve
mi	bismo zváli (m)	mi	bismo bili zváli (m)	mi	zóvimo
	bismo zvále (f)		bismo bile zvále (f)		
	bismo zvála (n)		bismo bila zvála (n)		
vi	biste zváli (m)	vi	biste bili zváli (m)	vi	zóvite
	biste zvále (f)		biste bile zvále (f)		
	biste zvála (n)		biste bila zvála (n)		
oni (m)	bi zváli	oni (m)	bi bili zváli	oni (m)	neka zóvu
one (f)	bi zvále	one (f)	bi bile zvále	one (f)	neka zóvu
ona (n)	bi zvála	ona (n)	bi bila zvála	ona (n)	neka zóvu

VERBAL ADJECTIVES			
Active participle		**Past participle**	
ja	zváo	ja	zván
ti	zváo (m)	ti	zván (m)
	zvála (f)		zvána (f)
	zválo (n)		zváno(n)
on (m)	zváo	on (m)	zván
ona (f)	zvála	ona (f)	zvána
ono (n)	zválo	ono (n)	zváno
mi	zváli (m)	mi	zváni (m)
	zvále (f)		zváne (f)
	zvála (n)		zváne (n)
vi	zváli (m)	vi	zváni (m)
	zvále (f)		zváne (f)
	zvála (n)		zvána (n)
oni (m)	zváli	oni (m)	zváni
one (f)	zvále	one (f)	zváne
ona (n)	zvála	ona (n)	zvána

VERBAL ADVERBS
Active participle
zóvući
Past participle
-

I'm calling you all day. – Zovem te cijeli dan.

I was calling your mother several times. – Zvao sam vašu majku više puta.

To Call (Pozvati) – Perfective

Present		Perfect		Aorist	
ja	pózovem	ja	sam pózvao	ja	pózvah
ti	pózoveš	ti	si pózvao (m) si pózvala (f) si pózvalo (n)	ti	pózva
on (m)	pózove	on (m)	je pózvao	on (m)	pózva
ona (f)	pózove	ona (f)	je pózvala	ona (f)	pózva
ono (n)	pózove	ono (n)	je pózvalo	ono (n)	pózva
mi	pózovemo	mi	smo pózvali (m) smo pózvale (f) smo pózvala (n)	mi	pózvasmo
vi	pózovete	vi	ste pózvali (m) ste pózvale (f) ste pózvala (n)	vi	pózvaste
oni (m)	pózovu	oni (m)	su pózvali	oni (m)	pózvaše
one (f)	pózovu	one (f)	su pózvale	one (f)	pózvaše
ona (n)	pózovu	ona (n)	su pózvala	ona (n)	pózvaše

Pluperfect		Futur 1		Futur 2	
ja	sam bio pózvao	ja	ću pózvati	ja	budem pózvao
ti	si bio pózvao (m) si bila pózvala (f) si bilo pózvalo (n)	ti	ćeš pózvati	ti	budeš pózvao (m) budeš pózvala (f) budeš pózvalo (n)
on (m)	je bio pózvao	on (m)	će pózvati	on (m)	bude pózvao
ona (f)	je bila pózvala	ona (f)	će pózvati	ona (f)	bude pózvala
ono (n)	je bilo pózvalo	ono (n)	će pózvati	ono (n)	bude pózvalo
mi	smo bili pózvali (m) smo bile pózvale (f) smo bila pózvala (n)	mi	ćemo pózvati	mi	budemo pózvali (m) budemo pózvale (f) budemo pózvala (n)
vi	ste bili pózvali (m) ste bile pózvale (f) ste bila pózvala (n)	vi	ćete pózvati	vi	budete pózvali (m) budete pózvale (f) budete pózvala (n)
oni (m)	su bili pózvali	oni (m)	će pózvati	oni (m)	budu pózvali
one (f)	su bile pózvale	one (f)	će pózvati	one (f)	budu pózvale
ona (n)	su bila pózvala	ona (n)	će pózvati	ona (n)	budu pózvala

VERB MOODS					
Conditional 1		**Conditional 2**		**Imperative**	
ja	bih pózvao	ja	bih bio pózvao	ja	-
ti	bi pózvao (m)	ti	bi bio pózvao (m)	ti	Pózovi
	bi pózvala (f)		bi bila pózvala (f)		
	bi pózvalo (n)		bi bilo pózvalo (n)		
on (m)	bi pózvao	on (m)	bi bio pózvao	on (m)	neka pózove
ona (f)	bi pózvala	ona (f)	bi bila pózvala	ona (f)	neka pózove
ono (n)	bi pózvalo	ono (n)	bi bilo pózvalo	ono (n)	neka pózove
mi	bismo pózvali (m)	mi	bismo bili pózvali (m)	mi	pozóvimo
	bismo pózvale (f)		bismo bile pózvale (f)		
	bismo pózvala (n)		bismo bila pózvala (n)		
vi	biste pózvali (m)	vi	biste bili pózvali (m)	vi	pozóvite
	biste pózvale (f)		biste bile pózvale (f)		
	biste pózvala (n)		biste bila pózvala (n)		
oni (m)	bi pózvali	oni (m)	bi bili pózvali	oni (m)	neka pózovu
one (f)	bi pózvale	one (f)	bi bile pózvale	one (f)	neka pózovu
ona (n)	bi pózvala	ona (n)	bi bila pózvala	ona (n)	neka pózovu

VERBAL ADJECTIVES			
Active participle		**Past participle**	
ja	pózvao	ja	pózvan
ti	pózvao (m)	ti	pózvan (m)
	pózvala (f)		pózvana (f)
	pózvalo (n)		pózvano(n)
on (m)	pózvao	on (m)	pózvan
ona (f)	pózvala	ona (f)	pózvana
ono (n)	pózvalo	ono (n)	pózvano
mi	pózvali (m)	mi	pózvani (m)
	pózvale (f)		pózvane (f)
	pózvala (n)		pózvane (n)
vi	pózvali (m)	vi	pózvani (m)
	pózvale (f)		pózvane (f)
	pózvala (n)		pózvana (n)
oni (m)	pózvali	oni (m)	pózvani
one (f)	pózvale	one (f)	pózvane
ona (n)	pózvala	ona (n)	pózvana

VERBAL ADVERBS
Active participle
-
Past participle
pózvavši

I called you to tell you something. – Pozvao sam te da bih ti nešto rekao.

I called your mother yesterday. – Pozvao sam vašu majku jučer.

To Can (Moći) – Imperfective

Present		Perfect		Imperfect	
ja	mógu	ja	sam mógao	ja	mógah
ti	móžeš	ti	si mógao (m) si mógla (f) si móglo (n)	ti	mógaše
on (m)	móže	on (m)	je mógao	on (m)	mógaše
ona (f)	móže	ona (f)	je mógla	ona (f)	mógaše
ono (n)	móže	ono (n)	je móglo	ono (n)	mógaše
mi	móžemo	mi	smo mógli (m) smo mógle (f) smo mógla (n)	mi	mógasmo
vi	móžete	vi	ste mógli (m) ste mógle (f) ste mógla (n)	vi	mógaste
oni (m)	mógu	oni (m)	su mógli	oni (m)	mógahu
one (f)	mógu	one (f)	su mógle	one (f)	mógahu
ona (n)	mógu	ona (n)	su mógla	ona (n)	mógahu

Pluperfect		Futur 1		Futur 2	
ja	sam bio mógao	ja	ću móći	ja	budem mógao
ti	si bio mógao (m) si bila mógla (f) si bilo móglo (n)	ti	ćeš móći	ti	budeš mógao (m) budeš mógla (f) budeš móglo (n)
on (m)	je bio mógao	on (m)	će móći	on (m)	bude mógao
ona (f)	je bila mógla	ona (f)	će móći	ona (f)	bude mógla
ono (n)	je bilo móglo	ono (n)	će móći	ono (n)	bude móglo
mi	smo bili mógli (m) smo bile mógle (f) smo bila mógla (n)	mi	ćemo móći	mi	budemo mógli (m) budemo mógle (f) budemo mógla (n)
vi	ste bili mógli (m) ste bile mógle (f) ste bila mógla (n)	vi	ćete móći	vi	budete mógli (m) budete mógle (f) budete mógla (n)
oni (m)	su bili mógli	oni (m)	će móći	oni (m)	budu mógli
one (f)	su bile mógle	one (f)	će móći	one (f)	budu mógle
ona (n)	su bila mógla	ona (n)	će móći	ona (n)	budu mógla

VERB MOODS

Conditional 1		Conditional 2		Imperative	
ja	bih mógao	ja	bih bio mógao	ja	-
ti	bi mógao (m)	ti	bi bio mógao (m)	ti	mógni
	bi mógla (f)		bi bila mógla (f)		
	bi móglo (n)		bi bilo móglo (n)		
on (m)	bi mógao	on (m)	bi bio mógao	on (m)	neka mógne
ona (f)	bi mógla	ona (f)	bi bila mógla	ona (f)	neka mógne
ono (n)	bi móglo	ono (n)	bi bilo móglo	ono (n)	neka mógne
mi	bismo mógli (m)	mi	bismo bili mógli (m)	mi	mógnimo
	bismo mógle (f)		bismo bile mógle (f)		
	bismo mógla (n)		bismo bila mógla (n)		
vi	biste mógli (m)	vi	biste bili mógli (m)	vi	mógnite
	biste mógle (f)		biste bile mógle (f)		
	biste mógla (n)		biste bila mógla (n)		
oni (m)	bi mógli	oni (m)	bi bili mógli	oni (m)	neka mógnu
one (f)	bi mógle	one (f)	bi bile mógle	one (f)	neka mógnu
ona (n)	bi mógla	ona (n)	bi bila mógla	ona (n)	neka mógnu

VERBAL ADJECTIVES

Active participle		Past participle	
ja	mógao	ja	
ti	mógao (m)	ti	
	mógla (f)		
	móglo (n)		
on (m)	mógao	on (m)	
ona (f)	mógla	ona (f)	
ono (n)	móglo	ono (n)	
mi	mógli (m)	mi	
	mógle (f)		
	mógla (n)		
vi	mógli (m)	vi	
	mógle (f)		
	mógla (n)		
oni (m)	mógli	oni (m)	
one (f)	mógle	one (f)	
ona (n)	mógla	ona (n)	

VERBAL ADVERBS
Active participle
mogući
Past participle
mógavši

I can do it. – Mogu to napraviti.

She can dance. – Ona može plesati.

To Choose (Birati) – Imperfective

Present		Perfect		Imperfect	
ja	bíram	ja	sam bírao	ja	bírah
ti	bíraš	ti	si bírao (m)	ti	bíraše
			si bírala (f)		
			si bíralo (n)		
on (m)	bíra	on (m)	je bírao	on (m)	bíraše
ona (f)	bíra	ona (f)	je bírala	ona (f)	bíraše
ono (n)	bíra	ono (n)	je bíralo	ono (n)	bíraše
mi	bíramo	mi	smo bírali (m)	mi	bírasmo
			smo bírale (f)		
			smo bírala (n)		
vi	bírate	vi	ste bírali (m)	vi	bíraste
			ste bírale (f)		
			ste bírala (n)		
oni (m)	bíraju	oni (m)	su bírali	oni (m)	bírahu
one (f)	bíraju	one (f)	su bírale	one (f)	bírahu
ona (n)	bíraju	ona (n)	su bírala	ona (n)	bírahu

Pluperfect		Futur 1		Futur 2	
ja	sam bio bírao	ja	ću bírati	ja	budem bírao
ti	si bio bírao (m)	ti	ćeš bírati	ti	budeš bírao (m)
	si bila bírala (f)				budeš bírala (f)
	si bilo bíralo (n)				budeš bíralo (n)
on (m)	je bio bírao	on (m)	će bírati	on (m)	bude bírao
ona (f)	je bila bírala	ona (f)	će bírati	ona (f)	bude bírala
ono (n)	je bilo bíralo	ono (n)	će bírati	ono (n)	bude bíralo
mi	smo bili bírali (m)	mi	ćemo bírati	mi	budemo bírali (m)
	smo bile bírale (f)				budemo bírale (f)
	smo bila bírala (n)				budemo bírala (n)
vi	ste bili bírali (m)	vi	ćete bírati	vi	budete bírali (m)
	ste bile bírale (f)				budete bírale (f)
	ste bila bírala (n)				budete bírala (n)
oni (m)	su bili bírali	oni (m)	će bírati	oni (m)	budu bírali
one (f)	su bile bírale	one (f)	će bírati	one (f)	budu bírale
ona (n)	su bila bírala	ona (n)	će bírati	ona (n)	budu bírala

VERB MOODS					
Conditional 1		**Conditional 2**		**Imperative**	
ja	bih bírao	ja	bih bio bírao	ja	-
ti	bi bírao (m)	ti	bi bio bírao (m)	ti	bíraj
	bi bírala (f)		bi bila bírala (f)		
	bi bíralo (n)		bi bilo bíralo (n)		
on (m)	bi bírao	on (m)	bi bio bírao	on (m)	neka bíra
ona (f)	bi bírala	ona (f)	bi bila bírala	ona (f)	neka bíra
ono (n)	bi bíralo	ono (n)	bi bilo bíralo	ono (n)	neka bíra
mi	bismo bírali (m)	mi	bismo bili bírali (m)	mi	bírajmo
	bismo bírale (f)		bismo bile bírale (f)		
	bismo bírala (n)		bismo bila bírala (n)		
vi	biste bírali (m)	vi	biste bili bírali (m)	vi	bírajte
	biste bírale (f)		biste bile bírale (f)		
	biste bírala (n)		biste bila bírala (n)		
oni (m)	bi bírali	oni (m)	bi bili bírali	oni (m)	neka bíraju
one (f)	bi bírale	one (f)	bi bile bírale	one (f)	neka bíraju
ona (n)	bi bírala	ona (n)	bi bila bírala	ona (n)	neka bíraju

VERBAL ADJECTIVES			
Active participle		**Past participle**	
ja	bírao	ja	bíran
ti	bírao (m)	ti	bíran (m)
	bírala (f)		bírana (f)
	bíralo (n)		bírano(n)
on (m)	bírao	on (m)	bíran
ona (f)	bírala	ona (f)	bírana
ono (n)	bíralo	ono (n)	bírano
mi	bírali (m)	mi	bírani (m)
	bírale (f)		bírane (f)
	bírala (n)		bírane (n)
vi	bírali (m)	vi	bírani (m)
	bírale (f)		bírane (f)
	bírala (n)		bírana (n)
oni (m)	bírali	oni (m)	bírani
one (f)	bírale	one (f)	bírane
ona (n)	bírala	ona (n)	bírana

VERBAL ADVERBS
Active participle
bírajući
Past participle
-

I'm choosing between red and black all day. – Biram između crnog i bijelog cijeli dan.

I was choosing and I failed. – Birao sam i pogriješio

To Choose (Izabrati) – Perfective

Present		Perfect		Aorist	
ja	izáberem	ja	sam ízabrao	ja	ízabrah
ti	izábereš	ti	si ízabrao (m) si ízabrala (f) si ízabralo (n)	ti	ízabra
on (m)	izábere	on (m)	je ízabrao	on (m)	ízabra
ona (f)	izábere	ona (f)	je ízabrala	ona (f)	ízabra
ono (n)	izábere	ono (n)	je ízabralo	ono (n)	ízabra
mi	izáberemo	mi	smo ízabrali (m) smo ízabrale (f) smo ízabrala (n)	mi	ízabrasmo
vi	izáberete	vi	ste ízabrali (m) ste ízabrale (f) ste ízabrala (n)	vi	ízabraste
oni (m)	izáberu	oni (m)	su ízabrali	oni (m)	ízabraše
one (f)	izáberu	one (f)	su ízabrale	one (f)	ízabraše
ona (n)	izáberu	ona (n)	su ízabrala	ona (n)	ízabraše

Pluperfect		Futur 1		Futur 2	
ja	sam bio ízabrao	ja	ću izábrati	ja	budem ízabrao
ti	si bio ízabrao (m) si bila ízabrala (f) si bilo ízabralo (n)	ti	ćeš izábrati	ti	budeš ízabrao (m) budeš ízabrala (f) budeš ízabralo (n)
on (m)	je bio ízabrao	on (m)	će izábrati	on (m)	bude ízabrao
ona (f)	je bila ízabrala	ona (f)	će izábrati	ona (f)	bude ízabrala
ono (n)	je bilo ízabralo	ono (n)	će izábrati	ono (n)	bude ízabralo
mi	smo bili ízabrali (m) smo bile ízabrale (f) smo bila ízabrala (n)	mi	ćemo izábrati	mi	budemo ízabrali (m) budemo ízabrale (f) budemo ízabrala (n)
vi	ste bili ízabrali (m) ste bile ízabrale (f) ste bila ízabrala (n)	vi	ćete izábrati	vi	budete ízabrali (m) budete ízabrale (f) budete ízabrala (n)
oni (m)	su bili ízabrali	oni (m)	će izábrati	oni (m)	budu ízabrali
one (f)	su bile ízabrale	one (f)	će izábrati	one (f)	budu ízabrale
ona (n)	su bila ízabrala	ona (n)	će izábrati	ona (n)	budu ízabrala

VERB MOODS

Conditional 1		Conditional 2		Imperative	
ja	bih ízabrao	ja	bih bio ízabrao	ja	-
ti	bi ízabrao (m)	ti	bi bio ízabrao (m)	ti	izabéri
	bi ízabrala (f)		bi bila ízabrala (f)		
	bi ízabralo (n)		bi bilo ízabralo (n)		
on (m)	bi ízabrao	on (m)	bi bio ízabrao	on (m)	neka izábere
ona (f)	bi ízabrala	ona (f)	bi bila ízabrala	ona (f)	neka izábere
ono (n)	bi ízabralo	ono (n)	bi bilo ízabralo	ono (n)	neka izábere
mi	bismo ízabrali (m)	mi	bismo bili ízabrali (m)	mi	izabérimo
	bismo ízabrale (f)		bismo bile ízabrale (f)		
	bismo ízabrala (n)		bismo bila ízabrala (n)		
vi	biste ízabrali (m)	vi	biste bili ízabrali (m)	vi	izabérite
	biste ízabrale (f)		biste bile ízabrale (f)		
	biste ízabrala (n)		biste bila ízabrala (n)		
oni (m)	bi ízabrali	oni (m)	bi bili ízabrali	oni (m)	neka izáberu
one (f)	bi ízabrale	one (f)	bi bile ízabrale	one (f)	neka izáberu
ona (n)	bi ízabrala	ona (n)	bi bila ízabrala	ona (n)	neka izáberu

VERBAL ADJECTIVES

Active participle		Past participle	
ja	ízabrao	ja	ízabran
ti	ízabrao (m)	ti	ízabran (m)
	ízabrala (f)		ízabrana (f)
	ízabralo (n)		ízabrano(n)
on (m)	ízabrao	on (m)	ízabran
ona (f)	ízabrala	ona (f)	ízabrana
ono (n)	ízabralo	ono (n)	ízabrano
mi	ízabrali (m)	mi	ízabrani (m)
	ízabrale (f)		ízabrane (f)
	ízabrala (n)		ízabrane (n)
vi	ízabrali (m)	vi	ízabrani (m)
	ízabrale (f)		ízabrane (f)
	ízabrala (n)		ízabrana (n)
oni (m)	ízabrali	oni (m)	ízabrani
one (f)	ízabrale	one (f)	ízabrane
ona (n)	ízabrala	ona (n)	ízabrana

VERBAL ADVERBS

Active participle
-
Past participle
izábravši

I choose you. – Izabrao sam tebe.

I have chosen my way. – Izabrao sam svoj put.

To Close (Zatvarati) – Imperfective

Present		Perfect		Imperfect	
ja	zátvaram	ja	sam zatvárao	ja	zatvárah
ti	zátvaraš	ti	si zatvárao (m) si zatvárala (f) si zatváralo (n)	ti	zatváraše
on (m)	zátvara	on (m)	je zatvárao	on (m)	zatváraše
ona (f)	zátvara	ona (f)	je zatvárala	ona (f)	zatváraše
ono (n)	zátvara	ono (n)	je zatváralo	ono (n)	zatváraše
mi	zátvaramo	mi	smo zatvárali (m) smo zatvárale (f) smo zatvárala (n)	mi	zatvárasmo
vi	zátvarate	vi	ste zatvárali (m) ste zatvárale (f) ste zatvárala (n)	vi	zatváraste
oni (m)	zatváraju	oni (m)	su zatvárali	oni (m)	zatvárahu
one (f)	zatváraju	one (f)	su zatvárale	one (f)	zatvárahu
ona (n)	zatváraju	ona (n)	su zatvárala	ona (n)	zatvárahu

Pluperfect		Futur 1		Futur 2	
ja	sam bio zatvárao	ja	ću zatvárati	ja	budem zatvárao
ti	si bio zatvárao (m) si bila zatvárala (f) si bilo zatváralo (n)	ti	ćeš zatvárati	ti	budeš zatvárao (m) budeš zatvárala (f) budeš zatváralo (n)
on (m)	je bio zatvárao	on (m)	će zatvárati	on (m)	bude zatvárao
ona (f)	je bila zatvárala	ona (f)	će zatvárati	ona (f)	bude zatvárala
ono (n)	je bilo zatváralo	ono (n)	će zatvárati	ono (n)	bude zatváralo
mi	smo bili zatvárali (m) smo bile zatvárale (f) smo bila zatvárala (n)	mi	ćemo zatvárati	mi	budemo zatvárali (m) budemo zatvárale (f) budemo zatvárala (n)
vi	ste bili zatvárali (m) ste bile zatvárale (f) ste bila zatvárala (n)	vi	ćete zatvárati	vi	budete zatvárali (m) budete zatvárale (f) budete zatvárala (n)
oni (m)	su bili zatvárali	oni (m)	će zatvárati	oni (m)	budu zatvárali
one (f)	su bile zatvárale	one (f)	će zatvárati	one (f)	budu zatvárale
ona (n)	su bila zatvárala	ona (n)	će zatvárati	ona (n)	budu zatvárala

VERB MOODS					
Conditional 1		**Conditional 2**		**Imperative**	
ja	bih zatvárao	ja	bih bio zatvárao	ja	-
ti	bi zatvárao (m)	ti	bi bio zatvárao (m)	ti	zátvaraj
	bi zatvárala (f)		bi bila zatvárala (f)		
	bi zatváralo (n)		bi bilo zatváralo (n)		
on (m)	bi zatvárao	on (m)	bi bio zatvárao	on (m)	neka zátvara
ona (f)	bi zatvárala	ona (f)	bi bila zatvárala	ona (f)	neka zátvara
ono (n)	bi zatváralo	ono (n)	bi bilo zatváralo	ono (n)	neka zátvara
mi	bismo zatvárali (m)	mi	bismo bili zatvárali (m)	mi	zátvarajmo
	bismo zatvárale (f)		bismo bile zatvárale (f)		
	bismo zatvárala (n)		bismo bila zatvárala (n)		
vi	biste zatvárali (m)	vi	biste bili zatvárali (m)	vi	zátvarajte
	biste zatvárale (f)		biste bile zatvárale (f)		
	biste zatvárala (n)		biste bila zatvárala (n)		
oni (m)	bi zatvárali	oni (m)	bi bili zatvárali	oni (m)	neka zatváraju
one (f)	bi zatvárale	one (f)	bi bile zatvárale	one (f)	neka zatváraju
ona (n)	bi zatvárala	ona (n)	bi bila zatvárala	ona (n)	neka zatváraju

VERBAL ADJECTIVES			
Active participle		**Past participle**	
ja	zatvárao	ja	zátvaran
ti	zatvárao (m)	ti	zátvaran (m)
	zatvárala (f)		zátvarana (f)
	zatváralo (n)		zátvarano(n)
on (m)	zatvárao	on (m)	zátvaran
ona (f)	zatvárala	ona (f)	zátvarana
ono (n)	zatváralo	ono (n)	zátvarano
mi	zatvárali (m)	mi	zátvarani (m)
	zatvárale (f)		zátvarane (f)
	zatvárala (n)		zátvarane (n)
vi	zatvárali (m)	vi	zátvarani (m)
	zatvárale (f)		zátvarane (f)
	zatvárala (n)		zátvarana (n)
oni (m)	zatvárali	oni (m)	zátvarani
one (f)	zatvárale	one (f)	zátvarane
ona (n)	zatvárala	ona (n)	zátvarana

VERBAL ADVERBS
Active participle
zatvárajući
Past participle
-

I'm closing this window all day. – Zatvaram ovaj prozor cijeli dan.

I was closing all opened files. – Zatvarao sam sve otvorene datoteke.

To Close (Zatvoriti) – Perfective

Present		Perfect		Aorist	
ja	zátvorim	ja	sam zatvório	ja	zatvórih
ti	zátvoriš	ti	si zatvório (m) si zatvórila (f) si zatvórilo (n)	ti	zatvóri
on (m)	zátvori	on (m)	je zatvório	on (m)	zatvóri
ona (f)	zátvori	ona (f)	je zatvórila	ona (f)	zatvóri
ono (n)	zátvori	ono (n)	je zatvórilo	ono (n)	zatvóri
mi	zátvorimo	mi	smo zatvórili (m) smo zatvórile (f) smo zatvórila (n)	mi	zatvórismo
vi	zátvorite	vi	ste zatvórili (m) ste zatvórile (f) ste zatvórila (n)	vi	zatvóriste
oni (m)	zátvore	oni (m)	su zatvórili	oni (m)	zatvóriše
one (f)	zátvore	one (f)	su zatvórile	one (f)	zatvóriše
ona (n)	zátvore	ona (n)	su zatvórila	ona (n)	zatvóriše

Pluperfect		Futur 1		Futur 2	
ja	sam bio zatvório	ja	ću zatvóriti	ja	budem zatvório
ti	si bio zatvório (m) si bila zatvórila (f) si bilo zatvórilo (n)	ti	ćeš zatvóriti	ti	budeš zatvório (m) budeš zatvórila (f) budeš zatvórilo (n)
on (m)	je bio zatvório	on (m)	će zatvóriti	on (m)	bude zatvório
ona (f)	je bila zatvórila	ona (f)	će zatvóriti	ona (f)	bude zatvórila
ono (n)	je bilo zatvórilo	ono (n)	će zatvóriti	ono (n)	bude zatvórilo
mi	smo bili zatvórili (m) smo bile zatvórile (f) smo bila zatvórila (n)	mi	ćemo zatvóriti	mi	budemo zatvórili (m) budemo zatvórile (f) budemo zatvórila (n)
vi	ste bili zatvórili (m) ste bile zatvórile (f) ste bila zatvórila (n)	vi	ćete zatvóriti	vi	budete zatvórili (m) budete zatvórile (f) budete zatvórila (n)
oni (m)	su bili zatvórili	oni (m)	će zatvóriti	oni (m)	budu zatvórili
one (f)	su bile zatvórile	one (f)	će zatvóriti	one (f)	budu zatvórile
ona (n)	su bila zatvórila	ona (n)	će zatvóriti	ona (n)	budu zatvórila

VERB MOODS					
Conditional 1		**Conditional 2**		**Imperative**	
ja	bih zatvório	ja	bih bio zatvório	ja	-
ti	bi zatvório (m)	ti	bi bio zatvório (m)	ti	zatvóri
	bi zatvórila (f)		bi bila zatvórila (f)		
	bi zatvórilo (n)		bi bilo zatvórilo (n)		
on (m)	bi zatvório	on (m)	bi bio zatvório	on (m)	neka zatvóri
ona (f)	bi zatvórila	ona (f)	bi bila zatvórila	ona (f)	neka zatvóri
ono (n)	bi zatvórilo	ono (n)	bi bilo zatvórilo	ono (n)	neka zatvóri
mi	bismo zatvórili (m)	mi	bismo bili zatvórili (m)	mi	zatvórimo
	bismo zatvórile (f)		bismo bile zatvórile (f)		
	bismo zatvórila (n)		bismo bila zatvórila (n)		
vi	biste zatvórili (m)	vi	biste bili zatvórili (m)	vi	zatvórite
	biste zatvórile (f)		biste bile zatvórile (f)		
	biste zatvórila (n)		biste bila zatvórila (n)		
oni (m)	bi zatvórili	oni (m)	bi bili zatvórili	oni (m)	neka zatvóre
one (f)	bi zatvórile	one (f)	bi bile zatvórile	one (f)	neka zatvóre
ona (n)	bi zatvórila	ona (n)	bi bila zatvórila	ona (n)	neka zatvóre

VERBAL ADJECTIVES			
Active participle		**Past participle**	
ja	zatvório	ja	zátvoren
ti	zatvório (m)	ti	zátvoren (m)
	zatvórila (f)		zátvorena (f)
	zatvórilo (n)		zátvoreno(n)
on (m)	zatvório	on (m)	zátvoren
ona (f)	zatvórila	ona (f)	zátvorena
ono (n)	zatvórilo	ono (n)	zátvoreno
mi	zatvórili (m)	mi	zátvoreni (m)
	zatvórile (f)		zátvorene (f)
	zatvórila (n)		zátvorene (n)
vi	zatvórili (m)	vi	zátvoreni (m)
	zatvórile (f)		zátvorene (f)
	zatvórila (n)		zátvorena (n)
oni (m)	zatvórili	oni (m)	zátvoreni
one (f)	zatvórile	one (f)	zátvorene
ona (n)	zatvórila	ona (n)	zátvorena

VERBAL ADVERBS
Active participle
-
Past participle
zatvórivši

I closed the window. – Zatvorio sam prozor.

Close that door! – Zatvori ta vrata!

To Come (Dolaziti) – Imperfective

Present		Perfect		Imperfect	
ja	dólazim	ja	sam dólazio	ja	dólazih
ti	dólaziš	ti	si dólazio (m) si dólazila (f) si dólazilo (n)	ti	dólaziše
on (m)	dólazi	on (m)	je dólazio	on (m)	dólaziše
ona (f)	dólazi	ona (f)	je dólazila	ona (f)	dólaziše
ono (n)	dólazi	ono (n)	je dólazilo	ono (n)	dólaziše
mi	dólazimo	mi	smo dólazili (m) smo dólazile (f) smo dólazila (n)	mi	dólazismo
vi	dólazite	vi	ste dólazili (m) ste dólazile (f) ste dólazila (n)	vi	dólaziste
oni (m)	dólaze	oni (m)	su dólazili	oni (m)	dólazihu
one (f)	dólaze	one (f)	su dólazile	one (f)	dólazihu
ona (n)	dólaze	ona (n)	su dólazila	ona (n)	dólazihu

Pluperfect		Futur 1		Futur 2	
ja	sam bio dólazio	ja	ću dólaziti	ja	budem dólazio
ti	si bio dólazio (m) si bila dólazila (f) si bilo dólazilo (n)	ti	ćeš dólaziti	ti	budeš dólazio (m) budeš dólazila (f) budeš dólazilo (n)
on (m)	je bio dólazio	on (m)	će dólaziti	on (m)	bude dólazio
ona (f)	je bila dólazila	ona (f)	će dólaziti	ona (f)	bude dólazila
ono (n)	je bilo dólazilo	ono (n)	će dólaziti	ono (n)	bude dólazilo
mi	smo bili dólazili (m) smo bile dólazile (f) smo bila dólazila (n)	mi	ćemo dólaziti	mi	budemo dólazili (m) budemo dólazile (f) budemo dólazila (n)
vi	ste bili dólazili (m) ste bile dólazile (f) ste bila dólazila (n)	vi	ćete dólaziti	vi	budete dólazili (m) budete dólazile (f) budete dólazila (n)
oni (m)	su bili dólazili	oni (m)	će dólaziti	oni (m)	budu dólazili
one (f)	su bile dólazile	one (f)	će dólaziti	one (f)	budu dólazile
ona (n)	su bila dólazila	ona (n)	će dólaziti	ona (n)	budu dólazila

VERB MOODS					
Conditional 1		**Conditional 2**		**Imperative**	
ja	bih dólazio	ja	bih bio dólazio	ja	-
ti	bi dólazio (m)	ti	bi bio dólazio (m)	ti	dólazi
	bi dólazila (f)		bi bila dólazila (f)		
	bi dólazilo (n)		bi bilo dólazilo (n)		
on (m)	bi dólazio	on (m)	bi bio dólazio	on (m)	neka dólazi
ona (f)	bi dólazila	ona (f)	bi bila dólazila	ona (f)	neka dólazi
ono (n)	bi dólazilo	ono (n)	bi bilo dólazilo	ono (n)	neka dólazi
mi	bismo dólazili (m)	mi	bismo bili dólazili (m)	mi	dólazimo
	bismo dólazile (f)		bismo bile dólazile (f)		
	bismo dólazila (n)		bismo bila dólazila (n)		
vi	biste dólazili (m)	vi	biste bili dólazili (m)	vi	dólazite
	biste dólazile (f)		biste bile dólazile (f)		
	biste dólazila (n)		biste bila dólazila (n)		
oni (m)	bi dólazili	oni (m)	bi bili dólazili	oni (m)	neka dólaze
one (f)	bi dólazile	one (f)	bi bile dólazile	one (f)	neka dólaze
ona (n)	bi dólazila	ona (n)	bi bila dólazila	ona (n)	neka dólaze

VERBAL ADJECTIVES			
Active participle		**Past participle**	
ja	dólazio	ja	dólažen
ti	dólazio (m)	ti	dólažen (m)
	dólazila (f)		dólažena (f)
	dólazilo (n)		dólaženo(n)
on (m)	dólazio	on (m)	dólažen
ona (f)	dólazila	ona (f)	dólažena
ono (n)	dólazilo	ono (n)	dólaženo
mi	dólazili (m)	mi	dólaženi (m)
	dólazile (f)		dólažene (f)
	dólazila (n)		dólažene (n)
vi	dólazili (m)	vi	dólaženi (m)
	dólazile (f)		dólažene (f)
	dólazila (n)		dólažena (n)
oni (m)	dólazili	oni (m)	dólaženi
one (f)	dólazile	one (f)	dólažene
ona (n)	dólazila	ona (n)	dólažena

VERBAL ADVERBS
Active participle
dólazeći
Past participle
-

I'm coming to this place every year. – Dolazim na ovo mjesto svake godine.

I was coming but not anymore. – Dolazio sam, ali neću više.

To Come (Doći) – Perfective

Present		Perfect		Aorist	
ja	dóđem	ja	sam dóšao	ja	dóđoh
ti	dóđeš	ti	si dóšao (m) si dóšla (f) si dóšlo (n)	ti	dóđe
on (m)	dóđe	on (m)	je dóšao	on (m)	dóđe
ona (f)	dóđe	ona (f)	je dóšla	ona (f)	dóđe
ono (n)	dóđe	ono (n)	je dóšlo	ono (n)	dóđe
mi	dóđemo	mi	smo dóšli (m) smo dóšle (f) smo dóšla (n)	mi	dóđosmo
vi	dóđete	vi	ste dóšli (m) ste dóšle (f) ste dóšla (n)	vi	dóđoste
oni (m)	dóđu	oni (m)	su dóšli	oni (m)	dóđoše
one (f)	dóđu	one (f)	su dóšle	one (f)	dóđoše
ona (n)	dóđu	ona (n)	su dóšla	ona (n)	dóđoše

Pluperfect		Futur 1		Futur 2	
ja	sam bio dóšao	ja	ću dóći	ja	budem dóšao
ti	si bio dóšao (m) si bila dóšla (f) si bilo dóšlo (n)	ti	ćeš dóći	ti	budeš dóšao (m) budeš dóšla (f) budeš dóšlo (n)
on (m)	je bio dóšao	on (m)	će dóći	on (m)	bude dóšao
ona (f)	je bila dóšla	ona (f)	će dóći	ona (f)	bude dóšla
ono (n)	je bilo dóšlo	ono (n)	će dóći	ono (n)	bude dóšlo
mi	smo bili dóšli (m) smo bile dóšle (f) smo bila dóšla (n)	mi	ćemo dóći	mi	budemo dóšli (m) budemo dóšle (f) budemo dóšla (n)
vi	ste bili dóšli (m) ste bile dóšle (f) ste bila dóšla (n)	vi	ćete dóći	vi	budete dóšli (m) budete dóšle (f) budete dóšla (n)
oni (m)	su bili dóšli	oni (m)	će dóći	oni (m)	budu dóšli
one (f)	su bile dóšle	one (f)	će dóći	one (f)	budu dóšle
ona (n)	su bila dóšla	ona (n)	će dóći	ona (n)	budu dóšla

VERB MOODS					
Conditional 1		**Conditional 2**		**Imperative**	
ja	bih dóšao	ja	bih bio dóšao	ja	-
ti	bi dóšao (m)	ti	bi bio dóšao (m)	ti	dóđi
	bi dóšla (f)		bi bila dóšla (f)		
	bi dóšlo (n)		bi bilo dóšlo (n)		
on (m)	bi dóšao	on (m)	bi bio dóšao	on (m)	neka dóđe
ona (f)	bi dóšla	ona (f)	bi bila dóšla	ona (f)	neka dóđe
ono (n)	bi dóšlo	ono (n)	bi bilo dóšlo	ono (n)	neka dóđe
mi	bismo dóšli (m)	mi	bismo bili dóšli (m)	mi	dóđimo
	bismo dóšle (f)		bismo bile dóšle (f)		
	bismo dóšla (n)		bismo bila dóšla (n)		
vi	biste dóšli (m)	vi	biste bili dóšli (m)	vi	dóđite
	biste dóšle (f)		biste bile dóšle (f)		
	biste dóšla (n)		biste bila dóšla (n)		
oni (m)	bi dóšli	oni (m)	bi bili dóšli	oni (m)	neka dóđu
one (f)	bi dóšle	one (f)	bi bile dóšle	one (f)	neka dóđu
ona (n)	bi dóšla	ona (n)	bi bila dóšla	ona (n)	neka dóđu

VERBAL ADJECTIVES			
Active participle		**Past participle**	
ja	dóšao	ja	dóđen
ti	dóšao (m)	ti	dóđen (m)
	dóšla (f)		dóđena (f)
	dóšlo (n)		dóđeno(n)
on (m)	dóšao	on (m)	dóđen
ona (f)	dóšla	ona (f)	dóđena
ono (n)	dóšlo	ono (n)	dóđeno
mi	dóšli (m)	mi	dóđeni (m)
	dóšle (f)		dóđene (f)
	dóšla (n)		dóđene (n)
vi	dóšli (m)	vi	dóđeni (m)
	dóšle (f)		dóđene (f)
	dóšla (n)		dóđena (n)
oni (m)	dóšli	oni (m)	dóđeni
one (f)	dóšle	one (f)	dóđene
ona (n)	dóšla	ona (n)	dóđena

VERBAL ADVERBS
Active participle
-
Past participle
dóšavši

I came to this place last year. – Došao sam na ovo mjesto prošle godine.

I will come to you. – Doći ću ti.

To Cook (Kuhati) – Imperfective

Present		Perfect		Imperfect	
ja	kúham	ja	sam kúhao	ja	kúhah
			si kúhao (m)		
ti	kúhaš	ti	si kúhala (f)	ti	kúhaše
			si kúhalo (n)		
on (m)	kúha	on (m)	je kúhao	on (m)	kúhaše
ona (f)	kúha	ona (f)	je kúhala	ona (f)	kúhaše
ono (n)	kúha	ono (n)	je kúhalo	ono (n)	kúhaše
			smo kúhali (m)		
mi	kúhamo	mi	smo kúhale (f)	mi	kúhasmo
			smo kúhala (n)		
			ste kúhali (m)		
vi	kúhate	vi	ste kúhale (f)	vi	kúhaste
			ste kúhala (n)		
oni (m)	kúhaju	oni (m)	su kúhali	oni (m)	kúhahu
one (f)	kúhaju	one (f)	su kúhale	one (f)	kúhahu
ona (n)	kúhaju	ona (n)	su kúhala	ona (n)	kúhahu

Pluperfect		Futur 1		Futur 2	
ja	sam bio kúhao	ja	ću kúhati	ja	budem kúhao
	si bio kúhao (m)				budeš kúhao (m)
ti	si bila kúhala (f)	ti	ćeš kúhati	ti	budeš kúhala (f)
	si bilo kúhalo (n)				budeš kúhalo (n)
on (m)	je bio kúhao	on (m)	će kúhati	on (m)	bude kúhao
ona (f)	je bila kúhala	ona (f)	će kúhati	ona (f)	bude kúhala
ono (n)	je bilo kúhalo	ono (n)	će kúhati	ono (n)	bude kúhalo
	smo bili kúhali (m)				budemo kúhali (m)
mi	smo bile kúhale (f)	mi	ćemo kúhati	mi	budemo kúhale (f)
	smo bila kúhala (n)				budemo kúhala (n)
	ste bili kúhali (m)				budete kúhali (m)
vi	ste bile kúhale (f)	vi	ćete kúhati	vi	budete kúhale (f)
	ste bila kúhala (n)				budete kúhala (n)
oni (m)	su bili kúhali	oni (m)	će kúhati	oni (m)	budu kúhali
one (f)	su bile kúhale	one (f)	će kúhati	one (f)	budu kúhale
ona (n)	su bila kúhala	ona (n)	će kúhati	ona (n)	budu kúhala

VERB MOODS					
Conditional 1		**Conditional 2**		**Imperative**	
ja	bih kúhao	ja	bih bio kúhao	ja	-
ti	bi kúhao (m)	ti	bi bio kúhao (m)	ti	kúhaj
	bi kúhala (f)		bi bila kúhala (f)		
	bi kúhalo (n)		bi bilo kúhalo (n)		
on (m)	bi kúhao	on (m)	bi bio kúhao	on (m)	neka kúha
ona (f)	bi kúhala	ona (f)	bi bila kúhala	ona (f)	neka kúha
ono (n)	bi kúhalo	ono (n)	bi bilo kúhalo	ono (n)	neka kúha
mi	bismo kúhali (m)	mi	bismo bili kúhali (m)	mi	kúhajmo
	bismo kúhale (f)		bismo bile kúhale (f)		
	bismo kúhala (n)		bismo bila kúhala (n)		
vi	biste kúhali (m)	vi	biste bili kúhali (m)	vi	kúhajte
	biste kúhale (f)		biste bile kúhale (f)		
	biste kúhala (n)		biste bila kúhala (n)		
oni (m)	bi kúhali	oni (m)	bi bili kúhali	oni (m)	neka kúhaju
one (f)	bi kúhale	one (f)	bi bile kúhale	one (f)	neka kúhaju
ona (n)	bi kúhala	ona (n)	bi bila kúhala	ona (n)	neka kúhaju

VERBAL ADJECTIVES			
Active participle		**Past participle**	
ja	kúhao	ja	kúhan
ti	kúhao (m)	ti	kúhan (m)
	kúhala (f)		kúhana (f)
	kúhalo (n)		kúhano(n)
on (m)	kúhao	on (m)	kúhan
ona (f)	kúhala	ona (f)	kúhana
ono (n)	kúhalo	ono (n)	kúhano
mi	kúhali (m)	mi	kúhani (m)
	kúhale (f)		kúhane (f)
	kúhala (n)		kúhane (n)
vi	kúhali (m)	vi	kúhani (m)
	kúhale (f)		kúhane (f)
	kúhala (n)		kúhana (n)
oni (m)	kúhali	oni (m)	kúhani
one (f)	kúhale	one (f)	kúhane
ona (n)	kúhala	ona (n)	kúhana

VERBAL ADVERBS
Active participle
kúhajući
Past participle
-

I'm cooking this meal all day. – Ovo jelo kuham cijeli dan

I was cooking much more when I was young. – Kad sam bila mlada više sam kuhala.

To Cook (Skuhati) – Perfective

Present		Perfect		Aorist	
ja	skúham	ja	sam skúhao	ja	skúhah
ti	skúhaš	ti	si skúhao (m) si skúhala (f) si skúhalo (n)	ti	skúha
on (m)	skúha	on (m)	je skúhao	on (m)	skúha
ona (f)	skúha	ona (f)	je skúhala	ona (f)	skúha
ono (n)	skúha	ono (n)	je skúhalo	ono (n)	skúha
mi	skúhamo	mi	smo skúhali (m) smo skúhale (f) smo skúhala (n)	mi	skúhasmo
vi	skúhate	vi	ste skúhali (m) ste skúhale (f) ste skúhala (n)	vi	skúhaste
oni (m)	skúhaju	oni (m)	su skúhali	oni (m)	skúhaše
one (f)	skúhaju	one (f)	su skúhale	one (f)	skúhaše
ona (n)	skúhaju	ona (n)	su skúhala	ona (n)	skúhaše

Pluperfect		Futur 1		Futur 2	
ja	sam bio skúhao	ja	ću skúhati	ja	budem skúhao
ti	si bio skúhao (m) si bila skúhala (f) si bilo skúhalo (n)	ti	ćeš skúhati	ti	budeš skúhao (m) budeš skúhala (f) budeš skúhalo (n)
on (m)	je bio skúhao	on (m)	će skúhati	on (m)	bude skúhao
ona (f)	je bila skúhala	ona (f)	će skúhati	ona (f)	bude skúhala
ono (n)	je bilo skúhalo	ono (n)	će skúhati	ono (n)	bude skúhalo
mi	smo bili skúhali (m) smo bile skúhale (f) smo bila skúhala (n)	mi	ćemo skúhati	mi	budemo skúhali (m) budemo skúhale (f) budemo skúhala (n)
vi	ste bili skúhali (m) ste bile skúhale (f) ste bila skúhala (n)	vi	ćete skúhati	vi	budete skúhali (m) budete skúhale (f) budete skúhala (n)
oni (m)	su bili skúhali	oni (m)	će skúhati	oni (m)	budu skúhali
one (f)	su bile skúhale	one (f)	će skúhati	one (f)	budu skúhale
ona (n)	su bila skúhala	ona (n)	će skúhati	ona (n)	budu skúhala

VERB MOODS					
Conditional 1		**Conditional 2**		**Imperative**	
ja	bih skúhao	ja	bih bio skúhao	ja	-
ti	bi skúhao (m)	ti	bi bio skúhao (m)	ti	skúhaj
	bi skúhala (f)		bi bila skúhala (f)		
	bi skúhalo (n)		bi bilo skúhalo (n)		
on (m)	bi skúhao	on (m)	bi bio skúhao	on (m)	neka skúha
ona (f)	bi skúhala	ona (f)	bi bila skúhala	ona (f)	neka skúha
ono (n)	bi skúhalo	ono (n)	bi bilo skúhalo	ono (n)	neka skúha
mi	bismo skúhali (m)	mi	bismo bili skúhali (m)	mi	skúhajmo
	bismo skúhale (f)		bismo bile skúhale (f)		
	bismo skúhala (n)		bismo bila skúhala (n)		
vi	biste skúhali (m)	vi	biste bili skúhali (m)	vi	skúhajte
	biste skúhale (f)		biste bile skúhale (f)		
	biste skúhala (n)		biste bila skúhala (n)		
oni (m)	bi skúhali	oni (m)	bi bili skúhali	oni (m)	neka skúhaju
one (f)	bi skúhale	one (f)	bi bile skúhale	one (f)	neka skúhaju
ona (n)	bi skúhala	ona (n)	bi bila skúhala	ona (n)	neka skúhaju

VERBAL ADJECTIVES			
Active participle		**Past participle**	
ja	skúhao	ja	skúhan
ti	skúhao (m)	ti	skúhan (m)
	skúhala (f)		skúhana (f)
	skúhalo (n)		skúhano(n)
on (m)	skúhao	on (m)	skúhan
ona (f)	skúhala	ona (f)	skúhana
ono (n)	skúhalo	ono (n)	skúhano
mi	skúhali (m)	mi	skúhani (m)
	skúhale (f)		skúhane (f)
	skúhala (n)		skúhane (n)
vi	skúhali (m)	vi	skúhani (m)
	skúhale (f)		skúhane (f)
	skúhala (n)		skúhana (n)
oni (m)	skúhali	oni (m)	skúhani
one (f)	skúhale	one (f)	skúhane
ona (n)	skúhala	ona (n)	skúhana

VERBAL ADVERBS
Active participle
-
Past participle
skúhavši

I will cook the lunch. – Ja ću skuhati ručak.

It will be tasty once cooked. – Kad se skuha bit će ukusan.

To Cry (Plakati) – Imperfective

Present		Perfect		Imperfect	
ja	plačem	ja	sam plákao	ja	plákah
ti	plačeš	ti	si plákao (m) si plákala (f) si plákalo (n)	ti	plákaše
on (m)	plače	on (m)	je plákao	on (m)	plákaše
ona (f)	plače	ona (f)	je plákala	ona (f)	plákaše
ono (n)	plače	ono (n)	je plákalo	ono (n)	plákaše
mi	plačemo	mi	smo plákali (m) smo plákale (f) smo plákala (n)	mi	plákasmo
vi	plačete	vi	ste plákali (m) ste plákale (f) ste plákala (n)	vi	plákaste
oni (m)	plaču	oni (m)	su plákali	oni (m)	plákahu
one (f)	plaču	one (f)	su plákale	one (f)	plákahu
ona (n)	plaču	ona (n)	su plákala	ona (n)	plákahu

Pluperfect		Futur 1		Futur 2	
ja	sam bio plákao	ja	ću plákati	ja	budem plákao
ti	si bio plákao (m) si bila plákala (f) si bilo plákalo (n)	ti	ćeš plákati	ti	budeš plákao (m) budeš plákala (f) budeš plákalo (n)
on (m)	je bio plákao	on (m)	će plákati	on (m)	bude plákao
ona (f)	je bila plákala	ona (f)	će plákati	ona (f)	bude plákala
ono (n)	je bilo plákalo	ono (n)	će plákati	ono (n)	bude plákalo
mi	smo bili plákali (m) smo bile plákale (f) smo bila plákala (n)	mi	ćemo plákati	mi	budemo plákali (m) budemo plákale (f) budemo plákala (n)
vi	ste bili plákali (m) ste bile plákale (f) ste bila plákala (n)	vi	ćete plákati	vi	budete plákali (m) budete plákale (f) budete plákala (n)
oni (m)	su bili plákali	oni (m)	će plákati	oni (m)	budu plákali
one (f)	su bile plákale	one (f)	će plákati	one (f)	budu plákale
ona (n)	su bila plákala	ona (n)	će plákati	ona (n)	budu plákala

VERB MOODS					
Conditional 1		Conditional 2		Imperative	
ja	bih plákao	ja	bih bio plákao	ja	-
ti	bi plákao (m)	ti	bi bio plákao (m)	ti	Pláči
	bi plákala (f)		bi bila plákala (f)		
	bi plákalo (n)		bi bilo plákalo (n)		
on (m)	bi plákao	on (m)	bi bio plákao	on (m)	neka pláče
ona (f)	bi plákala	ona (f)	bi bila plákala	ona (f)	neka pláče
ono (n)	bi plákalo	ono (n)	bi bilo plákalo	ono (n)	neka pláče
mi	bismo plákali (m)	mi	bismo bili plákali (m)	mi	Pláčimo
	bismo plákale (f)		bismo bile plákale (f)		
	bismo plákala (n)		bismo bila plákala (n)		
vi	biste plákali (m)	vi	biste bili plákali (m)	vi	Pláčite
	biste plákale (f)		biste bile plákale (f)		
	biste plákala (n)		biste bila plákala (n)		
oni (m)	bi plákali	oni (m)	bi bili plákali	oni (m)	neka pláču
one (f)	bi plákale	one (f)	bi bile plákale	one (f)	neka pláču
ona (n)	bi plákala	ona (n)	bi bila plákala	ona (n)	neka pláču

VERBAL ADJECTIVES			
Active participle		Past participle	
ja	plákao	ja	plákan
ti	plákao (m)	ti	plákan (m)
	plákala (f)		plákana (f)
	plákalo (n)		plákano(n)
on (m)	plákao	on (m)	plákan
ona (f)	plákala	ona (f)	plákana
ono (n)	plákalo	ono (n)	plákano
mi	plákali (m)	mi	plákani (m)
	plákale (f)		plákane (f)
	plákala (n)		plákane (n)
vi	plákali (m)	vi	plákani (m)
	plákale (f)		plákane (f)
	plákala (n)		plákana (n)
oni (m)	plákali	oni (m)	plákani
one (f)	plákale	one (f)	plákane
ona (n)	plákala	ona (n)	plákana

VERBAL ADVERBS
Active participle
plákajući
Past participle
-

I'm crying all day. – Plačem cijeli dan.

I was crying like a baby. – Plakao sam kao dijete.

To Cry (Zaplakati) – Perfective

Present		Perfect		Aorist	
ja	záplačem	ja	sam záplakao	ja	záplakah
ti	záplačeš	ti	si záplakao (m) si záplakala (f) si záplakalo (n)	ti	záplaka
on (m)	záplače	on (m)	je záplakao	on (m)	záplaka
ona (f)	záplače	ona (f)	je záplakala	ona (f)	záplaka
ono (n)	záplače	ono (n)	je záplakalo	ono (n)	záplaka
mi	záplačemo	mi	smo záplakali (m) smo záplakale (f) smo záplakala (n)	mi	záplakasmo
vi	záplačete	vi	ste záplakali (m) ste záplakale (f) ste záplakala (n)	vi	záplakaste
oni (m)	záplaču	oni (m)	su záplakali	oni (m)	záplakaše
one (f)	záplaču	one (f)	su záplakale	one (f)	záplakaše
ona (n)	záplaču	ona (n)	su záplakala	ona (n)	záplakaše

Pluperfect		Futur 1		Futur 2	
ja	sam bio záplakao	ja	ću záplakati	ja	budem záplakao
ti	si bio záplakao (m) si bila záplakala (f) si bilo záplakalo (n)	ti	ćeš záplakati	ti	budeš záplakao (m) budeš záplakala (f) budeš záplakalo (n)
on (m)	je bio záplakao	on (m)	će záplakati	on (m)	bude záplakao
ona (f)	je bila záplakala	ona (f)	će záplakati	ona (f)	bude záplakala
ono (n)	je bilo záplakalo	ono (n)	će záplakati	ono (n)	bude záplakalo
mi	smo bili záplakali (m) smo bile záplakale (f) smo bila záplakala (n)	mi	ćemo záplakati	mi	budemo záplakali (m) budemo záplakale (f) budemo záplakala (n)
vi	ste bili záplakali (m) ste bile záplakale (f) ste bila záplakala (n)	vi	ćete záplakati	vi	budete záplakali (m) budete záplakale (f) budete záplakala (n)
oni (m)	su bili záplakali	oni (m)	će záplakati	oni (m)	budu záplakali
one (f)	su bile záplakale	one (f)	će záplakati	one (f)	budu záplakale
ona (n)	su bila záplakala	ona (n)	će záplakati	ona (n)	budu záplakala

VERB MOODS					
Conditional 1		Conditional 2		Imperative	
ja	bih záplakao	ja	bih bio záplakao	ja	-
ti	bi záplakao (m)	ti	bi bio záplakao (m)	ti	záplači
	bi záplakala (f)		bi bila záplakala (f)		
	bi záplakalo (n)		bi bilo záplakalo (n)		
on (m)	bi záplakao	on (m)	bi bio záplakao	on (m)	neka záplače
ona (f)	bi záplakala	ona (f)	bi bila záplakala	ona (f)	neka záplače
ono (n)	bi záplakalo	ono (n)	bi bilo záplakalo	ono (n)	neka záplače
mi	bismo záplakali (m)	mi	bismo bili záplakali (m)	mi	záplačimo
	bismo záplakale (f)		bismo bile záplakale (f)		
	bismo záplakala (n)		bismo bila záplakala (n)		
vi	biste záplakali (m)	vi	biste bili záplakali (m)	vi	záplačite
	biste záplakale (f)		biste bile záplakale (f)		
	biste záplakala (n)		biste bila záplakala (n)		
oni (m)	bi záplakali	oni (m)	bi bili záplakali	oni (m)	neka záplaču
one (f)	bi záplakale	one (f)	bi bile záplakale	one (f)	neka záplaču
ona (n)	bi záplakala	ona (n)	bi bila záplakala	ona (n)	neka záplaču

VERBAL ADJECTIVES			
Active participle		Past participle	
ja	záplakao	ja	záplakan
ti	záplakao (m)	ti	záplakan (m)
	záplakala (f)		záplakana (f)
	záplakalo (n)		záplakano(n)
on (m)	záplakao	on (m)	záplakan
ona (f)	záplakala	ona (f)	záplakana
ono (n)	záplakalo	ono (n)	záplakano
mi	záplakali (m)	mi	záplakani (m)
	záplakale (f)		záplakane (f)
	záplakala (n)		záplakane (n)
vi	záplakali (m)	vi	záplakani (m)
	záplakale (f)		záplakane (f)
	záplakala (n)		záplakana (n)
oni (m)	záplakali	oni (m)	záplakani
one (f)	záplakale	one (f)	záplakane
ona (n)	záplakala	ona (n)	záplakana

VERBAL ADVERBS
Active participle
-
Past participle
záplakavši

Please, don't or I'll start to cry. – Molim te nemoj ili ću zaplakati.

I cried when I saw him. – Zaplakala sam kad sam ga vidjela.

To Dance (Plesati) – Imperfective

Present		Perfect		Imperfect	
ja	plėšem	ja	sam plésao	ja	plésah
ti	pléšeš	ti	si plésao (m)	ti	plésaše
			si plésala (f)		
			si plésalo (n)		
on (m)	pléše	on (m)	je plésao	on (m)	plésaše
ona (f)	pléše	ona (f)	je plésala	ona (f)	plésaše
ono (n)	pléše	ono (n)	je plésalo	ono (n)	plésaše
mi	pléšemo	mi	smo plésali (m)	mi	plésasmo
			smo plésale (f)		
			smo plésala (n)		
vi	pléšete	vi	ste plésali (m)	vi	plésaste
			ste plésale (f)		
			ste plésala (n)		
oni (m)	pléšu	oni (m)	su plésali	oni (m)	plésahu
one (f)	pléšu	one (f)	su plésale	one (f)	plésahu
ona (n)	pléšu	ona (n)	su plésala	ona (n)	plésahu

Pluperfect		Futur 1		Futur 2	
ja	sam bio plésao	ja	ću plésati	ja	budem plésao
ti	si bio plésao (m)	ti	ćeš plésati	ti	budeš plésao (m)
	si bila plésala (f)				budeš plésala (f)
	si bilo plésalo (n)				budeš plésalo (n)
on (m)	je bio plésao	on (m)	će plésati	on (m)	bude plésao
ona (f)	je bila plésala	ona (f)	će plésati	ona (f)	bude plésala
ono (n)	je bilo plésalo	ono (n)	će plésati	ono (n)	bude plésalo
mi	smo bili plésali (m)	mi	ćemo plésati	mi	budemo plésali (m)
	smo bile plésale (f)				budemo plésale (f)
	smo bila plésala (n)				budemo plésala (n)
vi	ste bili plésali (m)	vi	ćete plésati	vi	budete plésali (m)
	ste bile plésale (f)				budete plésale (f)
	ste bila plésala (n)				budete plésala (n)
oni (m)	su bili plésali	oni (m)	će plésati	oni (m)	budu plésali
one (f)	su bile plésale	one (f)	će plésati	one (f)	budu plésale
ona (n)	su bila plésala	ona (n)	će plésati	ona (n)	budu plésala

VERB MOODS					
Conditional 1		**Conditional 2**		**Imperative**	
ja	bih plésao	ja	bih bio plésao	ja	-
ti	bi plésao (m)	ti	bi bio plésao (m)	ti	Pléši
	bi plésala (f)		bi bila plésala (f)		
	bi plésalo (n)		bi bilo plésalo (n)		
on (m)	bi plésao	on (m)	bi bio plésao	on (m)	neka pléše
ona (f)	bi plésala	ona (f)	bi bila plésala	ona (f)	neka pléše
ono (n)	bi plésalo	ono (n)	bi bilo plésalo	ono (n)	neka pléše
mi	bismo plésali (m)	mi	bismo bili plésali (m)	mi	plešimo
	bismo plésale (f)		bismo bile plésale (f)		
	bismo plésala (n)		bismo bila plésala (n)		
vi	biste plésali (m)	vi	biste bili plésali (m)	vi	plešite
	biste plésale (f)		biste bile plésale (f)		
	biste plésala (n)		biste bila plésala (n)		
oni (m)	bi plésali	oni (m)	bi bili plésali	oni (m)	neka plešu
one (f)	bi plésale	one (f)	bi bile plésale	one (f)	neka plešu
ona (n)	bi plésala	ona (n)	bi bila plésala	ona (n)	neka plešu

VERBAL ADJECTIVES			
Active participle		**Past participle**	
ja	plésao	ja	plésan
ti	plésao (m)	ti	plésan (m)
	plésala (f)		plésana (f)
	plésalo (n)		plésano(n)
on (m)	plésao	on (m)	plésan
ona (f)	plésala	ona (f)	plésana
ono (n)	plésalo	ono (n)	plésano
mi	plésali (m)	mi	plésani (m)
	plésale (f)		plésane (f)
	plésala (n)		plésane (n)
vi	plésali (m)	vi	plésani (m)
	plésale (f)		plésane (f)
	plésala (n)		plésana (n)
oni (m)	plésali	oni (m)	plésani
one (f)	plésale	one (f)	plésane
ona (n)	plésala	ona (n)	plésana

VERBAL ADVERBS
Active participle
plésajući
Past participle
-

He was dancing yesterday. – On je plesao jučer.

I like to dance. – Volim plesati.

To Dance (Zaplesati) – Perfective

Present		Perfect		Aorist	
ja	záplešem	ja	sam zaplésao	ja	zaplésah
ti	záplešeš	ti	si zaplésao (m) si zaplésala (f) si zaplésalo (n)	ti	zaplésa
on (m)	záplеše	on (m)	je zaplésao	on (m)	zaplésa
ona (f)	záplеše	ona (f)	je zaplésala	ona (f)	zaplésa
ono (n)	záplеše	ono (n)	je zaplésalo	ono (n)	zaplésa
mi	záplešemo	mi	smo zaplésali (m) smo zaplésale (f) smo zaplésala (n)	mi	zaplésasmo
vi	záplešete	vi	ste zaplésali (m) ste zaplésale (f) ste zaplésala (n)	vi	zaplésaste
oni (m)	záplešu	oni (m)	su zaplésali	oni (m)	zaplésaše
one (f)	záplešu	one (f)	su zaplésale	one (f)	zaplésaše
ona (n)	záplešu	ona (n)	su zaplésala	ona (n)	zaplésaše

Pluperfect		Futur 1		Futur 2	
ja	sam bio zaplésao	ja	ću zaplésati	ja	budem zaplésao
ti	si bio zaplésao (m) si bila zaplésala (f) si bilo zaplésalo (n)	ti	ćeš zaplésati	ti	budeš zaplésao (m) budeš zaplésala (f) budeš zaplésalo (n)
on (m)	je bio zaplésao	on (m)	će zaplésati	on (m)	bude zaplésao
ona (f)	je bila zaplésala	ona (f)	će zaplésati	ona (f)	bude zaplésala
ono (n)	je bilo zaplésalo	ono (n)	će zaplésati	ono (n)	bude zaplésalo
mi	smo bili zaplésali (m) smo bile zaplésale (f) smo bila zaplésala (n)	mi	ćemo zaplésati	mi	budemo zaplésali (m) budemo zaplésale (f) budemo zaplésala (n)
vi	ste bili zaplésali (m) ste bile zaplésale (f) ste bila zaplésala (n)	vi	ćete zaplésati	vi	budete zaplésali (m) budete zaplésale (f) budete zaplésala (n)
oni (m)	su bili zaplésali	oni (m)	će zaplésati	oni (m)	budu zaplésali
one (f)	su bile zaplésale	one (f)	će zaplésati	one (f)	budu zaplésale
ona (n)	su bila zaplésala	ona (n)	će zaplésati	ona (n)	budu zaplésala

VERB MOODS					
Conditional 1		**Conditional 2**		**Imperative**	
ja	bih zaplésao	ja	bih bio zaplésao	ja	-
ti	bi zaplésao (m)	ti	bi bio zaplésao (m)	ti	zapléši
	bi zaplésala (f)		bi bila zaplésala (f)		
	bi zaplésalo (n)		bi bilo zaplésalo (n)		
on (m)	bi zaplésao	on (m)	bi bio zaplésao	on (m)	neka záplеše
ona (f)	bi zaplésala	ona (f)	bi bila zaplésala	ona (f)	neka záplеše
ono (n)	bi zaplésalo	ono (n)	bi bilo zaplésalo	ono (n)	neka záplеše
mi	bismo zaplésali (m)	mi	bismo bili zaplésali (m)	mi	zaplésimo
	bismo zaplésale (f)		bismo bile zaplésale (f)		
	bismo zaplésala (n)		bismo bila zaplésala (n)		
vi	biste zaplésali (m)	vi	biste bili zaplésali (m)	vi	zapléšite
	biste zaplésale (f)		biste bile zaplésale (f)		
	biste zaplésala (n)		biste bila zaplésala (n)		
oni (m)	bi zaplésali	oni (m)	bi bili zaplésali	oni (m)	neka záplešu
one (f)	bi zaplésale	one (f)	bi bile zaplésale	one (f)	neka záplešu
ona (n)	bi zaplésala	ona (n)	bi bila zaplésala	ona (n)	neka záplešu

VERBAL ADJECTIVES			
Active participle		**Past participle**	
ja	zaplésao	ja	záplesan
ti	zaplésao (m)	ti	záplesan (m)
	zaplésala (f)		záplesana (f)
	zaplésalo (n)		záplesano(n)
on (m)	zaplésao	on (m)	záplesan
ona (f)	zaplésala	ona (f)	záplesana
ono (n)	zaplésalo	ono (n)	záplesano
mi	zaplésali (m)	mi	záplesani (m)
	zaplésale (f)		záplesane (f)
	zaplésala (n)		záplesane (n)
vi	zaplésali (m)	vi	záplesani (m)
	zaplésale (f)		záplesane (f)
	zaplésala (n)		záplesana (n)
oni (m)	zaplésali	oni (m)	záplesani
one (f)	zaplésale	one (f)	záplesane
ona (n)	zaplésala	ona (n)	záplesana

VERBAL ADVERBS
Active participle
-
Past participle
zaplésavši

Let's dance. - Zaplešimo

I started to dance. – Zaplesao sam.

To Decide (Odlučivati) – Imperfective

Present		Perfect		Imperfect	
ja	odlúčujem	ja	sam odlučívao	ja	odlučívah
ti	odlúčuješ	ti	si odlučívao (m) si odlučívala (f) si odlučívalo (n)	ti	odlučívaše
on (m)	odlúčuje	on (m)	je odlučívao	on (m)	odlučívaše
ona (f)	odlúčuje	ona (f)	je odlučívala	ona (f)	odlučívaše
ono (n)	odlúčuje	ono (n)	je odlučívalo	ono (n)	odlučívaše
mi	odlúčujemo	mi	smo odlučívali (m) smo odlučívale (f) smo odlučívala (n)	mi	odlučívasmo
vi	odlúčujete	vi	ste odlučívali (m) ste odlučívale (f) ste odlučívala (n)	vi	odlučívaste
oni (m)	odlúčuju	oni (m)	su odlučívali	oni (m)	odlučívahu
one (f)	odlúčuju	one (f)	su odlučívale	one (f)	odlučívahu
ona (n)	odlúčuju	ona (n)	su odlučívala	ona (n)	odlučívahu

Pluperfect		Futur 1		Futur 2	
ja	sam bio odlučívao	ja	ću odlučívati	ja	budem odlučívao
ti	si bio odlučívao (m) si bila odlučívala (f) si bilo odlučívalo (n)	ti	ćeš odlučívati	ti	budeš odlučívao (m) budeš odlučívala (f) budeš odlučívalo (n)
on (m)	je bio odlučívao	on (m)	će odlučívati	on (m)	bude odlučívao
ona (f)	je bila odlučívala	ona (f)	će odlučívati	ona (f)	bude odlučívala
ono (n)	je bilo odlučívalo	ono (n)	će odlučívati	ono (n)	bude odlučívalo
mi	smo bili odlučívali (m) smo bile odlučívale (f) smo bila odlučívala (n)	mi	ćemo odlučívati	mi	budemo odlučívali (m) budemo odlučívale (f) budemo odlučívala (n)
vi	ste bili odlučívali (m) ste bile odlučívale (f) ste bila odlučívala (n)	vi	ćete odlučívati	vi	budete odlučívali (m) budete odlučívale (f) budete odlučívala (n)
oni (m)	su bili odlučívali	oni (m)	će odlučívati	oni (m)	budu odlučívali
one (f)	su bile odlučívale	one (f)	će odlučívati	one (f)	budu odlučívale
ona (n)	su bila odlučívala	ona (n)	će odlučívati	ona (n)	budu odlučívala

VERB MOODS

Conditional 1		Conditional 2		Imperative	
ja	bih odlučívao	ja	bih bio odlučívao	ja	-
ti	bi odlučívao (m)	ti	bi bio odlučívao (m)	ti	odlúčuj
	bi odlučívala (f)		bi bila odlučívala (f)		
	bi odlučívalo (n)		bi bilo odlučívalo (n)		
on (m)	bi odlučívao	on (m)	bi bio odlučívao	on (m)	neka odlúčuje
ona (f)	bi odlučívala	ona (f)	bi bila odlučívala	ona (f)	neka odlúčuje
ono (n)	bi odlučívalo	ono (n)	bi bilo odlučívalo	ono (n)	neka odlúčuje
mi	bismo odlučívali (m)	mi	bismo bili odlučívali (m)	mi	odlúčujmo
	bismo odlučívale (f)		bismo bile odlučívale (f)		
	bismo odlučívala (n)		bismo bila odlučívala (n)		
vi	biste odlučívali (m)	vi	biste bili odlučívali (m)	vi	odlúčujte
	biste odlučívale (f)		biste bile odlučívale (f)		
	biste odlučívala (n)		biste bila odlučívala (n)		
oni (m)	bi odlučívali	oni (m)	bi bili odlučívali	oni (m)	neka odlúčuju
one (f)	bi odlučívale	one (f)	bi bile odlučívale	one (f)	neka odlúčuju
ona (n)	bi odlučívala	ona (n)	bi bila odlučívala	ona (n)	neka odlúčuju

VERBAL ADJECTIVES

Active participle		Past participle	
ja	odlučívao	ja	odlúčivan
ti	odlučívao (m)	ti	odlúčivan (m)
	odlučívala (f)		odlúčivana (f)
	odlučívalo (n)		odlúčivano(n)
on (m)	odlučívao	on (m)	odlúčivan
ona (f)	odlučívala	ona (f)	odlúčivana
ono (n)	odlučívalo	ono (n)	odlúčivano
mi	odlučívali (m)	mi	odlúčivani (m)
	odlučívale (f)		odlúčivane (f)
	odlučívala (n)		odlúčivane (n)
vi	odlučívali (m)	vi	odlúčivani (m)
	odlučívale (f)		odlúčivane (f)
	odlučívala (n)		odlúčivana (n)
oni (m)	odlučívali	oni (m)	odlúčivani
one (f)	odlučívale	one (f)	odlúčivane
ona (n)	odlučívala	ona (n)	odlúčivana

VERBAL ADVERBS
Active participle
odlučívajući
Past participle
-

You will be deciding how to make it. – Oni će odlučivati o tome kako ga napraviti.

They decide about this. – Oni odlučuju o ovome.

To Decide (Odlučiti) – Perfective

Present		Perfect		Aorist	
ja	ódlučim	ja	sam odlúčio	ja	odlúčih
ti	ódlučiš	ti	si odlúčio (m) si odlúčila (f) si odlúčilo (n)	ti	odlúči
on (m)	ódluči	on (m)	je odlúčio	on (m)	odlúči
ona (f)	ódluči	ona (f)	je odlúčila	ona (f)	odlúči
ono (n)	ódluči	ono (n)	je odlúčilo	ono (n)	odlúči
mi	ódlučimo	mi	smo odlúčili (m) smo odlúčile (f) smo odlúčila (n)	mi	odlúčismo
vi	ódlučite	vi	ste odlúčili (m) ste odlúčile (f) ste odlúčila (n)	vi	odlúčiste
oni (m)	ódluče	oni (m)	su odlúčili	oni (m)	odlúčiše
one (f)	ódluče	one (f)	su odlúčile	one (f)	odlúčiše
ona (n)	ódluče	ona (n)	su odlúčila	ona (n)	odlúčiše

Pluperfect		Futur 1		Futur 2	
ja	sam bio odlúčio	ja	ću odlúčiti	ja	budem odlúčio
ti	si bio odlúčio (m) si bila odlúčila (f) si bilo odlúčilo (n)	ti	ćeš odlúčiti	ti	budeš odlúčio (m) budeš odlúčila (f) budeš odlúčilo (n)
on (m)	je bio odlúčio	on (m)	će odlúčiti	on (m)	bude odlúčio
ona (f)	je bila odlúčila	ona (f)	će odlúčiti	ona (f)	bude odlúčila
ono (n)	je bilo odlúčilo	ono (n)	će odlúčiti	ono (n)	bude odlúčilo
mi	smo bili odlúčili (m) smo bile odlúčile (f) smo bila odlúčila (n)	mi	ćemo odlúčiti	mi	budemo odlúčili (m) budemo odlúčile (f) budemo odlúčila (n)
vi	ste bili odlúčili (m) ste bile odlúčile (f) ste bila odlúčila (n)	vi	ćete odlúčiti	vi	budete odlúčili (m) budete odlúčile (f) budete odlúčila (n)
oni (m)	su bili odlúčili	oni (m)	će odlúčiti	oni (m)	budu odlúčili
one (f)	su bile odlúčile	one (f)	će odlúčiti	one (f)	budu odlúčile
ona (n)	su bila odlúčila	ona (n)	će odlúčiti	ona (n)	budu odlúčila

VERB MOODS					
Conditional 1		**Conditional 2**		**Imperative**	
ja	bih odlúčio	ja	bih bio odlúčio	ja	-
ti	bi odlúčio (m)	ti	bi bio odlúčio (m)	ti	odlúčuj
	bi odlúčila (f)		bi bila odlúčila (f)		
	bi odlúčilo (n)		bi bilo odlúčilo (n)		
on (m)	bi odlúčio	on (m)	bi bio odlúčio	on (m)	neka odlúči
ona (f)	bi odlúčila	ona (f)	bi bila odlúčila	ona (f)	neka odlúči
ono (n)	bi odlúčilo	ono (n)	bi bilo odlúčilo	ono (n)	neka odlúči
mi	bismo odlúčili (m)	mi	bismo bili odlúčili (m)	mi	odlúčujmo
	bismo odlúčile (f)		bismo bile odlúčile (f)		
	bismo odlúčila (n)		bismo bila odlúčila (n)		
vi	biste odlúčili (m)	vi	biste bili odlúčili (m)	vi	odlúčujte
	biste odlúčile (f)		biste bile odlúčile (f)		
	biste odlúčila (n)		biste bila odlúčila (n)		
oni (m)	bi odlúčili	oni (m)	bi bili odlúčili	oni (m)	neka odlúčuju
one (f)	bi odlúčile	one (f)	bi bile odlúčile	one (f)	neka odlúčuju
ona (n)	bi odlúčila	ona (n)	bi bila odlúčila	ona (n)	neka odlúčuju

VERBAL ADJECTIVES			
Active participle		**Past participle**	
ja	odlúčio	ja	odlúčen
ti	odlúčio (m)	ti	odlúčen (m)
	odlúčila (f)		odlúčena (f)
	odlúčilo (n)		odlúčeno(n)
on (m)	odlúčio	on (m)	odlúčen
ona (f)	odlúčila	ona (f)	odlúčena
ono (n)	odlúčilo	ono (n)	odlúčeno
mi	odlúčili (m)	mi	odlúčeni (m)
	odlúčile (f)		odlúčene (f)
	odlúčila (n)		odlúčene (n)
vi	odlúčili (m)	vi	odlúčeni (m)
	odlúčile (f)		odlúčene (f)
	odlúčila (n)		odlúčena (n)
oni (m)	odlúčili	oni (m)	odlúčeni
one (f)	odlúčile	one (f)	odlúčene
ona (n)	odlúčila	ona (n)	odlúčena

VERBAL ADVERBS
Active participle
-
Past participle
odlúčivši

They decided to take it. – Oni su odlučili da ga uzmu.

It was already decided. – Već je bilo odlučeno.

To Decrease (Smanjivati) – Imperfective

Present		Perfect		Imperfect	
ja	smánjujem	ja	sam smanjívao	ja	smanjívah
ti	smánjuješ	ti	si smanjívao (m)	ti	smanjívaše
			si smanjívala (f)		
			si smanjívalo (n)		
on (m)	smánjuje	on (m)	je smanjívao	on (m)	smanjívaše
ona (f)	smánjuje	ona (f)	je smanjívala	ona (f)	smanjívaše
ono (n)	smánjuje	ono (n)	je smanjívalo	ono (n)	smanjívaše
mi	smánjujemo	mi	smo smanjívali (m)	mi	smanjívasmo
			smo smanjívale (f)		
			smo smanjívala (n)		
vi	smánjujete	vi	ste smanjívali (m)	vi	smanjívaste
			ste smanjívale (f)		
			ste smanjívala (n)		
oni (m)	smánjuju	oni (m)	su smanjívali	oni (m)	smanjívahu
one (f)	smánjuju	one (f)	su smanjívale	one (f)	smanjívahu
ona (n)	smánjuju	ona (n)	su smanjívala	ona (n)	smanjívahu

Pluperfect		Futur 1		Futur 2	
ja	sam bio smanjívao	ja	ću odlučívati	ja	budem smanjívao
ti	si bio smanjívao (m)	ti	ćeš odlučívati	ti	budeš smanjívao (m)
	si bila smanjívala (f)				budeš smanjívala (f)
	si bilo smanjívalo (n)				budeš smanjívalo (n)
on (m)	je bio smanjívao	on (m)	će odlučívati	on (m)	bude smanjívao
ona (f)	je bila smanjívala	ona (f)	će odlučívati	ona (f)	bude smanjívala
ono (n)	je bilo smanjívalo	ono (n)	će odlučívati	ono (n)	bude smanjívalo
mi	smo bili smanjívali (m)	mi	ćemo odlučívati	mi	budemo smanjívali (m)
	smo bile smanjívale (f)				budemo smanjívale (f)
	smo bila smanjívala (n)				budemo smanjívala (n)
vi	ste bili smanjívali (m)	vi	ćete odlučívati	vi	budete smanjívali (m)
	ste bile smanjívale (f)				budete smanjívale (f)
	ste bila smanjívala (n)				budete smanjívala (n)
oni (m)	su bili smanjívali	oni (m)	će odlučívati	oni (m)	budu smanjívali
one (f)	su bile smanjívale	one (f)	će odlučívati	one (f)	budu smanjívale
ona (n)	su bila smanjívala	ona (n)	će odlučívati	ona (n)	budu smanjívala

VERB MOODS					
Conditional 1		**Conditional 2**		**Imperative**	
ja	bih smanjívao	ja	bih bio smanjívao	ja	-
ti	bi smanjívao (m) bi smanjívala (f) bi smanjívalo (n)	ti	bi bio smanjívao (m) bi bila smanjívala (f) bi bilo smanjívalo (n)	ti	smánjivaj
on (m)	bi smanjívao	on (m)	bi bio smanjívao	on (m)	neka smánjiva
ona (f)	bi smanjívala	ona (f)	bi bila smanjívala	ona (f)	neka smánjiva
ono (n)	bi smanjívalo	ono (n)	bi bilo smanjívalo	ono (n)	neka smánjiva
mi	bismo smanjívali (m) bismo smanjívale (f) bismo smanjívala (n)	mi	bismo bili smanjívali (m) bismo bile smanjívale (f) bismo bila smanjívala (n)	mi	smánjivajmo
vi	biste smanjívali (m) biste smanjívale (f) biste smanjívala (n)	vi	biste bili smanjívali (m) biste bile smanjívale (f) biste bila smanjívala (n)	vi	smánjivajte
oni (m)	bi smanjívali	oni (m)	bi bili smanjívali	oni (m)	neka smánjivaju
one (f)	bi smanjívale	one (f)	bi bile smanjívale	one (f)	neka smánjivaju
ona (n)	bi smanjívala	ona (n)	bi bila smanjívala	ona (n)	neka smánjivaju

VERBAL ADJECTIVES			
Active participle		**Past participle**	
ja	smanjívao	ja	smánjivan
ti	smanjívao (m) smanjívala (f) smanjívalo (n)	ti	smánjivan (m) smánjivana (f) smánjivano(n)
on (m)	smanjívao	on (m)	smánjivan
ona (f)	smanjívala	ona (f)	smánjivana
ono (n)	smanjívalo	ono (n)	smánjivano
mi	smanjívali (m) smanjívale (f) smanjívala (n)	mi	smánjivani (m) smánjivane (f) smánjivane (n)
vi	smanjívali (m) smanjívale (f) smanjívala (n)	vi	smánjivani (m) smánjivane (f) smánjivana (n)
oni (m)	smanjívali	oni (m)	smánjivani
one (f)	smanjívale	one (f)	smánjivane
ona (n)	smanjívala	ona (n)	smánjivana

VERBAL ADVERBS
Active participle
smanjívajući
Past participle
-

He was constantly decreasing the volume. – Stalno je smanjivao glasnoću.

They are decreasing the budget every year. – Oni smanjuju proračun svake godine.

To Decrease (Smanjiti) – Perfective

Present		Perfect		Aorist	
ja	smánjim	ja	sam smánjio	ja	smánjih
ti	smánjiš	ti	si smánjio (m) si smánjila (f) si smánjilo (n)	ti	smánji
on (m)	smánji	on (m)	je smánjio	on (m)	smánji
ona (f)	smánji	ona (f)	je smánjila	ona (f)	smánji
ono (n)	smánji	ono (n)	je smánjilo	ono (n)	smánji
mi	smánjimo	mi	smo smánjili (m) smo smánjile (f) smo smánjila (n)	mi	smánjismo
vi	smánjite	vi	ste smánjili (m) ste smánjile (f) ste smánjila (n)	vi	smánjiste
oni (m)	smánje	oni (m)	su smánjili	oni (m)	smánjiše
one (f)	smánje	one (f)	su smánjile	one (f)	smánjiše
ona (n)	smánje	ona (n)	su smánjila	ona (n)	smánjiše

Pluperfect		Futur 1		Futur 2	
ja	sam bio smánjio	ja	ću smánjiti	ja	budem smánjio
ti	si bio smánjio (m) si bila smánjila (f) si bilo smánjilo (n)	ti	ćeš smánjiti	ti	budeš smánjio (m) budeš smánjila (f) budeš smánjilo (n)
on (m)	je bio smánjio	on (m)	će smánjiti	on (m)	bude smánjio
ona (f)	je bila smánjila	ona (f)	će smánjiti	ona (f)	bude smánjila
ono (n)	je bilo smánjilo	ono (n)	će smánjiti	ono (n)	bude smánjilo
mi	smo bili smánjili (m) smo bile smánjile (f) smo bila smánjila (n)	mi	ćemo smánjiti	mi	budemo smánjili (m) budemo smánjile (f) budemo smánjila (n)
vi	ste bili smánjili (m) ste bile smánjile (f) ste bila smánjila (n)	vi	ćete smánjiti	vi	budete smánjili (m) budete smánjile (f) budete smánjila (n)
oni (m)	su bili smánjili	oni (m)	će smánjiti	oni (m)	budu smánjili
one (f)	su bile smánjile	one (f)	će smánjiti	one (f)	budu smánjile
ona (n)	su bila smánjila	ona (n)	će smánjiti	ona (n)	budu smánjila

VERB MOODS					
Conditional 1		**Conditional 2**		**Imperative**	
ja	bih smánjio	ja	bih bio smánjio	ja	-
ti	bi smánjio (m)	ti	bi bio smánjio (m)	ti	smánji
	bi smánjila (f)		bi bila smánjila (f)		
	bi smánjilo (n)		bi bilo smánjilo (n)		
on (m)	bi smánjio	on (m)	bi bio smánjio	on (m)	neka smánji
ona (f)	bi smánjila	ona (f)	bi bila smánjila	ona (f)	neka smánji
ono (n)	bi smánjilo	ono (n)	bi bilo smánjilo	ono (n)	neka smánji
mi	bismo smánjili (m)	mi	bismo bili smánjili (m)	mi	smánjimo
	bismo smánjile (f)		bismo bile smánjile (f)		
	bismo smánjila (n)		bismo bila smánjila (n)		
vi	biste smánjili (m)	vi	biste bili smánjili (m)	vi	smánjite
	biste smánjile (f)		biste bile smánjile (f)		
	biste smánjila (n)		biste bila smánjila (n)		
oni (m)	bi smánjili	oni (m)	bi bili smánjili	oni (m)	neka smánje
one (f)	bi smánjile	one (f)	bi bile smánjile	one (f)	neka smánje
ona (n)	bi smánjila	ona (n)	bi bila smánjila	ona (n)	neka smánje

VERBAL ADJECTIVES			
Active participle		**Past participle**	
ja	smánjio	ja	smánjen
ti	smánjio (m)	ti	smánjen (m)
	smánjila (f)		smánjena (f)
	smánjilo (n)		smánjeno(n)
on (m)	smánjio	on (m)	smánjen
ona (f)	smánjila	ona (f)	smánjena
ono (n)	smánjilo	ono (n)	smánjeno
mi	smánjili (m)	mi	smánjeni (m)
	smánjile (f)		smánjene (f)
	smánjila (n)		smánjene (n)
vi	smánjili (m)	vi	smánjeni (m)
	smánjile (f)		smánjene (f)
	smánjila (n)		smánjena (n)
oni (m)	smánjili	oni (m)	smánjeni
one (f)	smánjile	one (f)	smánjene
ona (n)	smánjila	ona (n)	smánjena

VERBAL ADVERBS
Active participle
-
Past participle
smánjivši

I decreased the volume. – Smanjio sam glasnoću.

They decreased the budget. – Oni su smanjili proračun.

To Die (Umirati) – Imperfective

Present		Perfect		Imperfect	
ja	úmirem	ja	sam úmirao	ja	úmirah
ti	úmireš	ti	si úmirao (m)	ti	úmiraše
			si úmirala (f)		
			si úmiralo (n)		
on (m)	úmire	on (m)	je úmirao	on (m)	úmiraše
ona (f)	úmire	ona (f)	je úmirala	ona (f)	úmiraše
ono (n)	úmire	ono (n)	je úmiralo	ono (n)	úmiraše
mi	úmiremo	mi	smo úmirali (m)	mi	úmirasmo
			smo úmirale (f)		
			smo úmirala (n)		
vi	úmirete	vi	ste úmirali (m)	vi	úmiraste
			ste úmirale (f)		
			ste úmirala (n)		
oni (m)	úmiru	oni (m)	su úmirali	oni (m)	úmirahu
one (f)	úmiru	one (f)	su úmirale	one (f)	úmirahu
ona (n)	úmiru	ona (n)	su úmirala	ona (n)	úmirahu

Pluperfect		Futur 1		Futur 2	
ja	sam bio úmirao	ja	ću úmirati	ja	budem úmirao
ti	si bio úmirao (m)	ti	ćeš úmirati	ti	budeš úmirao (m)
	si bila úmirala (f)				budeš úmirala (f)
	si bilo úmiralo (n)				budeš úmiralo (n)
on (m)	je bio úmirao	on (m)	će úmirati	on (m)	bude úmirao
ona (f)	je bila úmirala	ona (f)	će úmirati	ona (f)	bude úmirala
ono (n)	je bilo úmiralo	ono (n)	će úmirati	ono (n)	bude úmiralo
mi	smo bili úmirali (m)	mi	ćemo úmirati	mi	budemo úmirali (m)
	smo bile úmirale (f)				budemo úmirale (f)
	smo bila úmirala (n)				budemo úmirala (n)
vi	ste bili úmirali (m)	vi	ćete úmirati	vi	budete úmirali (m)
	ste bile úmirale (f)				budete úmirale (f)
	ste bila úmirala (n)				budete úmirala (n)
oni (m)	su bili úmirali	oni (m)	će úmirati	oni (m)	budu úmirali
one (f)	su bile úmirale	one (f)	će úmirati	one (f)	budu úmirale
ona (n)	su bila úmirala	ona (n)	će úmirati	ona (n)	budu úmirala

VERB MOODS					
Conditional 1		**Conditional 2**		**Imperative**	
ja	bih úmirao	ja	bih bio úmirao	ja	-
ti	bi úmirao (m)	ti	bi bio úmirao (m)	ti	úmiri
	bi úmirala (f)		bi bila úmirala (f)		
	bi úmiralo (n)		bi bilo úmiralo (n)		
on (m)	bi úmirao	on (m)	bi bio úmirao	on (m)	neka úmire
ona (f)	bi úmirala	ona (f)	bi bila úmirala	ona (f)	neka úmire
ono (n)	bi úmiralo	ono (n)	bi bilo úmiralo	ono (n)	neka úmire
mi	bismo úmirali (m)	mi	bismo bili úmirali (m)	mi	úmirimo
	bismo úmirale (f)		bismo bile úmirale (f)		
	bismo úmirala (n)		bismo bila úmirala (n)		
vi	biste úmirali (m)	vi	biste bili úmirali (m)	vi	úmirite
	biste úmirale (f)		biste bile úmirale (f)		
	biste úmirala (n)		biste bila úmirala (n)		
oni (m)	bi úmirali	oni (m)	bi bili úmirali	oni (m)	neka úmiru
one (f)	bi úmirale	one (f)	bi bile úmirale	one (f)	neka úmiru
ona (n)	bi úmirala	ona (n)	bi bila úmirala	ona (n)	neka úmiru

VERBAL ADJECTIVES			
Active participle		**Past participle**	
ja	úmirao	ja	úmiran
ti	úmirao (m)	ti	úmiran (m)
	úmirala (f)		úmirana (f)
	úmiralo (n)		úmirano(n)
on (m)	úmirao	on (m)	úmiran
ona (f)	úmirala	ona (f)	úmirana
ono (n)	úmiralo	ono (n)	úmirano
mi	úmirali (m)	mi	úmirani (m)
	úmirale (f)		úmirane (f)
	úmirala (n)		úmirane (n)
vi	úmirali (m)	vi	úmirani (m)
	úmirale (f)		úmirane (f)
	úmirala (n)		úmirana (n)
oni (m)	úmirali	oni (m)	úmirani
one (f)	úmirale	one (f)	úmirane
ona (n)	úmirala	ona (n)	úmirana

VERBAL ADVERBS
Active participle
úmirajući
Past participle
-

I'm dying on your arms. – Umirem na tvojim rukama.

He was dying due to heavy disease for two months. Umirao je dva mjeseca zbog teške bolesti.

To Die (Umrijeti) – Perfective

Present		Perfect		Aorist	
ja	úmrem	ja	sam úmro	ja	úmrih
ti	úmreš	ti	si úmro (m) si úmrla (f) si úmrlo (n)	ti	úmre
on (m)	úmre	on (m)	je úmro	on (m)	úmre
ona (f)	úmre	ona (f)	je úmrla	ona (f)	úmre
ono (n)	úmre	ono (n)	je úmrlo	ono (n)	úmre
mi	úmremo	mi	smo úmrli (m) smo úmrle (f) smo úmrla (n)	mi	úmrismo
vi	úmrete	vi	ste úmrli (m) ste úmrle (f) ste úmrla (n)	vi	úmriste
oni (m)	úmru	oni (m)	su úmrli	oni (m)	úmriše
one (f)	úmru	one (f)	su úmrle	one (f)	úmriše
ona (n)	úmru	ona (n)	su úmrla	ona (n)	úmriše

Pluperfect		Futur 1		Futur 2	
ja	sam bio úmro	ja	ću úmrijeti	ja	budem úmro
ti	si bio úmro (m) si bila úmrla (f) si bilo úmrlo (n)	ti	ćeš úmrijeti	ti	budeš úmro (m) budeš úmrla (f) budeš úmrlo (n)
on (m)	je bio úmro	on (m)	će úmrijeti	on (m)	bude úmro
ona (f)	je bila úmrla	ona (f)	će úmrijeti	ona (f)	bude úmrla
ono (n)	je bilo úmrlo	ono (n)	će úmrijeti	ono (n)	bude úmrlo
mi	smo bili úmrli (m) smo bile úmrle (f) smo bila úmrla (n)	mi	ćemo úmrijeti	mi	budemo úmrli (m) budemo úmrle (f) budemo úmrla (n)
vi	ste bili úmrli (m) ste bile úmrle (f) ste bila úmrla (n)	vi	ćete úmrijeti	vi	budete úmrli (m) budete úmrle (f) budete úmrla (n)
oni (m)	su bili úmrli	oni (m)	će úmrijeti	oni (m)	budu úmrli
one (f)	su bile úmrle	one (f)	će úmrijeti	one (f)	budu úmrle
ona (n)	su bila úmrla	ona (n)	će úmrijeti	ona (n)	budu úmrla

VERB MOODS

Conditional 1		Conditional 2		Imperative	
ja	bih úmro	ja	bih bio úmro	ja	-
ti	bi úmro (m)	ti	bi bio úmro (m)	ti	úmri
	bi úmrla (f)		bi bila úmrla (f)		
	bi úmrlo (n)		bi bilo úmrlo (n)		
on (m)	bi úmro	on (m)	bi bio úmro	on (m)	neka úmre
ona (f)	bi úmrla	ona (f)	bi bila úmrla	ona (f)	neka úmre
ono (n)	bi úmrlo	ono (n)	bi bilo úmrlo	ono (n)	neka úmre
mi	bismo úmrli (m)	mi	bismo bili úmrli (m)	mi	úmrimo
	bismo úmrle (f)		bismo bile úmrle (f)		
	bismo úmrla (n)		bismo bila úmrla (n)		
vi	biste úmrli (m)	vi	biste bili úmrli (m)	vi	úmrite
	biste úmrle (f)		biste bile úmrle (f)		
	biste úmrla (n)		biste bila úmrla (n)		
oni (m)	bi úmrli	oni (m)	bi bili úmrli	oni (m)	neka úmru
one (f)	bi úmrle	one (f)	bi bile úmrle	one (f)	neka úmru
ona (n)	bi úmrla	ona (n)	bi bila úmrla	ona (n)	neka úmru

VERBAL ADJECTIVES

Active participle		Past participle	
ja	úmro	ja	-
ti	úmro (m)	ti	-
	úmrla (f)		-
	úmrlo (n)		-
on (m)	úmro	on (m)	-
ona (f)	úmrla	ona (f)	-
ono (n)	úmrlo	ono (n)	-
mi	úmrli (m)	mi	-
	úmrle (f)		-
	úmrla (n)		-
vi	úmrli (m)	vi	-
	úmrle (f)		-
	úmrla (n)		-
oni (m)	úmrli	oni (m)	-
one (f)	úmrle	one (f)	-
ona (n)	úmrla	ona (n)	-

VERBAL ADVERBS

Active participle
-
Past participle
úmrijevši

I died on your arms. – Umro sam na tvojim rukama.

He died due to heavy disease last month. – Umro je zbog teške bolesti prošlog mjeseca.

To Do (Činiti) – Imperfective

Present		Perfect		Imperfect	
ja	čínim	ja	sam čínio	ja	čínjah
ti	číniš	ti	si čínio (m) si čínila (f) si čínilo (n)	ti	čínjaše
on (m)	číni	on (m)	je čínio	on (m)	čínjaše
ona (f)	číni	ona (f)	je čínila	ona (f)	čínjaše
ono (n)	číni	ono (n)	je čínilo	ono (n)	čínjaše
mi	čínimo	mi	smo čínili (m) smo čínile (f) smo čínila (n)	mi	čínjasmo
vi	čínite	vi	ste čínili (m) ste čínile (f) ste čínila (n)	vi	čínjaste
oni (m)	číne	oni (m)	su čínili	oni (m)	čínjahu
one (f)	číne	one (f)	su čínile	one (f)	čínjahu
ona (n)	číne	ona (n)	su čínila	ona (n)	čínjahu

Pluperfect		Futur 1		Futur 2	
ja	sam bio čínio	ja	ću číniti	ja	budem čínio
ti	si bio čínio (m) si bila čínila (f) si bilo čínilo (n)	ti	ćeš číniti	ti	budeš čínio (m) budeš čínila (f) budeš čínilo (n)
on (m)	je bio čínio	on (m)	će číniti	on (m)	bude čínio
ona (f)	je bila čínila	ona (f)	će číniti	ona (f)	bude čínila
ono (n)	je bilo čínilo	ono (n)	će číniti	ono (n)	bude čínilo
mi	smo bili čínili (m) smo bile čínile (f) smo bila čínila (n)	mi	ćemo číniti	mi	budemo čínili (m) budemo čínile (f) budemo čínila (n)
vi	ste bili čínili (m) ste bile čínile (f) ste bila čínila (n)	vi	ćete číniti	vi	budete čínili (m) budete čínile (f) budete čínila (n)
oni (m)	su bili čínili	oni (m)	će číniti	oni (m)	budu čínili
one (f)	su bile čínile	one (f)	će číniti	one (f)	budu čínile
ona (n)	su bila čínila	ona (n)	će číniti	ona (n)	budu čínila

VERB MOODS					
Conditional 1		**Conditional 2**		**Imperative**	
ja	bih čínio	ja	bih bio čínio	ja	-
ti	bi čínio (m)	ti	bi bio čínio (m)	ti	číni
	bi čínila (f)		bi bila čínila (f)		
	bi čínilo (n)		bi bilo čínilo (n)		
on (m)	bi čínio	on (m)	bi bio čínio	on (m)	neka číni
ona (f)	bi čínila	ona (f)	bi bila čínila	ona (f)	neka číni
ono (n)	bi čínilo	ono (n)	bi bilo čínilo	ono (n)	neka číni
mi	bismo čínili (m)	mi	bismo bili čínili (m)	mi	čínimo
	bismo čínile (f)		bismo bile čínile (f)		
	bismo čínila (n)		bismo bila čínila (n)		
vi	biste čínili (m)	vi	biste bili čínili (m)	vi	čínite
	biste čínile (f)		biste bile čínile (f)		
	biste čínila (n)		biste bila čínila (n)		
oni (m)	bi čínili	oni (m)	bi bili čínili	oni (m)	neka číne
one (f)	bi čínile	one (f)	bi bile čínile	one (f)	neka číne
ona (n)	bi čínila	ona (n)	bi bila čínila	ona (n)	neka číne

VERBAL ADJECTIVES			
Active participle		**Past participle**	
ja	čínio	ja	čínjen
ti	čínio (m)	ti	čínjen (m)
	čínila (f)		čínjena (f)
	čínilo (n)		čínjeno(n)
on (m)	čínio	on (m)	čínjen
ona (f)	čínila	ona (f)	čínjena
ono (n)	čínilo	ono (n)	čínjeno
mi	čínili (m)	mi	čínjeni (m)
	čínile (f)		čínjene (f)
	čínila (n)		čínjene (n)
vi	čínili (m)	vi	čínjeni (m)
	čínile (f)		čínjene (f)
	čínila (n)		čínjena (n)
oni (m)	čínili	oni (m)	čínjeni
one (f)	čínile	one (f)	čínjene
ona (n)	čínila	ona (n)	čínjena

VERBAL ADVERBS
Active participle
číneći
Past participle
-

I was doing my homework. – Činio sam domaći rad.

She is doing miracles. – Ona čini čuda.

To Do (Učiniti) – Perfective

Present		Perfect		Aorist	
ja	účinim	ja	sam učínio	ja	učínih
ti	účiniš	ti	si učínio (m) si učínila (f) si učínilo (n)	ti	učíni
on (m)	účini	on (m)	je učínio	on (m)	učíni
ona (f)	účini	ona (f)	je učínila	ona (f)	učíni
ono (n)	účini	ono (n)	je učínilo	ono (n)	učíni
mi	účinimo	mi	smo učínili (m) smo učínile (f) smo učínila (n)	mi	učínismo
vi	účinite	vi	ste učínili (m) ste učínile (f) ste učínila (n)	vi	učíniste
oni (m)	účine	oni (m)	su učínili	oni (m)	učíniše
one (f)	účine	one (f)	su učínile	one (f)	učíniše
ona (n)	účine	ona (n)	su učínila	ona (n)	učíniše

Pluperfect		Futur 1		Futur 2	
ja	sam bio učínio	ja	ću učíniti	ja	budem učínio
ti	si bio učínio (m) si bila učínila (f) si bilo učínilo (n)	ti	ćeš učíniti	ti	budeš učínio (m) budeš učínila (f) budeš učínilo (n)
on (m)	je bio učínio	on (m)	će učíniti	on (m)	bude učínio
ona (f)	je bila učínila	ona (f)	će učíniti	ona (f)	bude učínila
ono (n)	je bilo učínilo	ono (n)	će učíniti	ono (n)	bude učínilo
mi	smo bili učínili (m) smo bile učínile (f) smo bila učínila (n)	mi	ćemo učíniti	mi	budemo učínili (m) budemo učínile (f) budemo učínila (n)
vi	ste bili učínili (m) ste bile učínile (f) ste bila učínila (n)	vi	ćete učíniti	vi	budete učínili (m) budete učínile (f) budete učínila (n)
oni (m)	su bili učínili	oni (m)	će učíniti	oni (m)	budu učínili
one (f)	su bile učínile	one (f)	će učíniti	one (f)	budu učínile
ona (n)	su bila učínila	ona (n)	će učíniti	ona (n)	budu učínila

VERB MOODS					
Conditional 1		**Conditional 2**		**Imperative**	
ja	bih učínio	ja	bih bio učínio	ja	-
ti	bi učínio (m)	ti	bi bio učínio (m)	ti	učíni
	bi učínila (f)		bi bila učínila (f)		
	bi učínilo (n)		bi bilo učínilo (n)		
on (m)	bi učínio	on (m)	bi bio učínio	on (m)	neka účini
ona (f)	bi učínila	ona (f)	bi bila učínila	ona (f)	neka účini
ono (n)	bi učínilo	ono (n)	bi bilo učínilo	ono (n)	neka účini
mi	bismo učínili (m)	mi	bismo bili učínili (m)	mi	učínimo
	bismo učínile (f)		bismo bile učínile (f)		
	bismo učínila (n)		bismo bila učínila (n)		
vi	biste učínili (m)	vi	biste bili učínili (m)	vi	učínite
	biste učínile (f)		biste bile učínile (f)		
	biste učínila (n)		biste bila učínila (n)		
oni (m)	bi učínili	oni (m)	bi bili učínili	oni (m)	neka účine
one (f)	bi učínile	one (f)	bi bile učínile	one (f)	neka účine
ona (n)	bi učínila	ona (n)	bi bila učínila	ona (n)	neka účine

VERBAL ADJECTIVES			
Active participle		**Past participle**	
ja	učínio	ja	účinjen
ti	učínio (m)	ti	účinjen (m)
	učínila (f)		účinjena (f)
	učínilo (n)		účinjeno(n)
on (m)	učínio	on (m)	účinjen
ona (f)	učínila	ona (f)	účinjena
ono (n)	učínilo	ono (n)	účinjeno
mi	učínili (m)	mi	účinjeni (m)
	učínile (f)		účinjene (f)
	učínila (n)		účinjene (n)
vi	učínili (m)	vi	účinjeni (m)
	učínile (f)		účinjene (f)
	učínila (n)		účinjena (n)
oni (m)	učínili	oni (m)	účinjeni
one (f)	učínile	one (f)	účinjene
ona (n)	učínila	ona (n)	účinjena

VERBAL ADVERBS
Active participle
-
Past participle
učínivši

It is done. – To je učinjeno.

Let them to it. – Neka oni to učine.

To Drink (Piti) – Imperfective

Present		Perfect		Imperfect	
ja	píjem	ja	sam pío	ja	píjah
ti	píješ	ti	si pío (m)	ti	píjaše
			si píla (f)		
			si pílo (n)		
on (m)	píje	on (m)	je pío	on (m)	píjaše
ona (f)	píje	ona (f)	je píla	ona (f)	píjaše
ono (n)	píje	ono (n)	je pílo	ono (n)	píjaše
mi	píjemo	mi	smo píli (m)	mi	píjasmo
			smo píle (f)		
			smo píla (n)		
vi	píjete	vi	ste píli (m)	vi	píjaste
			ste píle (f)		
			ste píla (n)		
oni (m)	píju	oni (m)	su píli	oni (m)	píjahu
one (f)	píju	one (f)	su píle	one (f)	píjahu
ona (n)	píju	ona (n)	su píla	ona (n)	píjahu

Pluperfect		Futur 1		Futur 2	
ja	sam bio pío	ja	ću píti	ja	budem pío
ti	si bio pío (m)	ti	ćeš píti	ti	budeš pío (m)
	si bila píla (f)				budeš píla (f)
	si bilo pílo (n)				budeš pílo (n)
on (m)	je bio pío	on (m)	će píti	on (m)	bude pío
ona (f)	je bila píla	ona (f)	će píti	ona (f)	bude píla
ono (n)	je bilo pílo	ono (n)	će píti	ono (n)	bude pílo
mi	smo bili píli (m)	mi	ćemo píti	mi	budemo píli (m)
	smo bile píle (f)				budemo píle (f)
	smo bila píla (n)				budemo píla (n)
vi	ste bili píli (m)	vi	ćete píti	vi	budete píli (m)
	ste bile píle (f)				budete píle (f)
	ste bila píla (n)				budete píla (n)
oni (m)	su bili píli	oni (m)	će píti	oni (m)	budu píli
one (f)	su bile píle	one (f)	će píti	one (f)	budu píle
ona (n)	su bila píla	ona (n)	će píti	ona (n)	budu píla

VERB MOODS					
Conditional 1		Conditional 2		Imperative	
ja	bih píо	ja	bih bio pío	ja	-
ti	bi pío (m)	ti	bi bio pío (m)	ti	píj
	bi píla (f)		bi bila píla (f)		
	bi pílo (n)		bi bilo pílo (n)		
on (m)	bi pío	on (m)	bi bio pío	on (m)	neka píje
ona (f)	bi píla	ona (f)	bi bila píla	ona (f)	neka píje
ono (n)	bi pílo	ono (n)	bi bilo pílo	ono (n)	neka píje
mi	bismo píli (m)	mi	bismo bili píli (m)	mi	píjmo
	bismo píle (f)		bismo bile píle (f)		
	bismo píla (n)		bismo bila píla (n)		
vi	biste píli (m)	vi	biste bili píli (m)	vi	píjte
	biste píle (f)		biste bile píle (f)		
	biste píla (n)		biste bila píla (n)		
oni (m)	bi píli	oni (m)	bi bili píli	oni (m)	neka píju
one (f)	bi píle	one (f)	bi bile píle	one (f)	neka píju
ona (n)	bi píla	ona (n)	bi bila píla	ona (n)	neka píju

VERBAL ADJECTIVES			
Active participle		Past participle	
ja	pío	ja	pijen
ti	pío (m)	ti	pijen (m)
	píla (f)		pijena (f)
	pílo (n)		pijeno(n)
on (m)	pío	on (m)	pijen
ona (f)	píla	ona (f)	pijena
ono (n)	pílo	ono (n)	pijeno
mi	píli (m)	mi	pijeni (m)
	píle (f)		pijene (f)
	píla (n)		pijene (n)
vi	píli (m)	vi	pijeni (m)
	píle (f)		pijene (f)
	píla (n)		pijena (n)
oni (m)	píli	oni (m)	pijeni
one (f)	píle	one (f)	pijene
ona (n)	píla	ona (n)	pijena

VERBAL ADVERBS
Active participle
píjući
Past participle
-

I was drinking all day long. – Pio sam cijeli dan.

She was drinking the bear all night. – Ona je cijelu večer pila pivo.

To Drink (Popiti) – Perfective

Present		Perfect		Aorist	
ja	pópijem	ja	sam pópio	ja	pópih
ti	pópiješ	ti	si pópio (m) si pópila (f) si pópilo (n)	ti	pópi
on (m)	pópije	on (m)	je pópio	on (m)	pópi
ona (f)	pópije	ona (f)	je pópila	ona (f)	pópi
ono (n)	pópije	ono (n)	je pópilo	ono (n)	pópi
mi	pópijemo	mi	smo pópili (m) smo pópile (f) smo pópila (n)	mi	pópismo
vi	pópijete	vi	ste pópili (m) ste pópile (f) ste pópila (n)	vi	pópiste
oni (m)	pópiju	oni (m)	su pópili	oni (m)	pópiše
one (f)	pópiju	one (f)	su pópile	one (f)	pópiše
ona (n)	pópiju	ona (n)	su pópila	ona (n)	pópiše

Pluperfect		Futur 1		Futur 2	
ja	sam bio pópio	ja	ću pópiti	ja	budem pópio
ti	si bio pópio (m) si bila pópila (f) si bilo pópilo (n)	ti	ćeš pópiti	ti	budeš pópio (m) budeš pópila (f) budeš pópilo (n)
on (m)	je bio pópio	on (m)	će pópiti	on (m)	bude pópio
ona (f)	je bila pópila	ona (f)	će pópiti	ona (f)	bude pópila
ono (n)	je bilo pópilo	ono (n)	će pópiti	ono (n)	bude pópilo
mi	smo bili pópili (m) smo bile pópile (f) smo bila pópila (n)	mi	ćemo pópiti	mi	budemo pópili (m) budemo pópile (f) budemo pópila (n)
vi	ste bili pópili (m) ste bile pópile (f) ste bila pópila (n)	vi	ćete pópiti	vi	budete pópili (m) budete pópile (f) budete pópila (n)
oni (m)	su bili pópili	oni (m)	će pópiti	oni (m)	budu pópili
one (f)	su bile pópile	one (f)	će pópiti	one (f)	budu pópile
ona (n)	su bila pópila	ona (n)	će pópiti	ona (n)	budu pópila

VERB MOODS					
Conditional 1		**Conditional 2**		**Imperative**	
ja	bih pópio	ja	bih bio pópio	ja	-
ti	bi pópio (m)	ti	bi bio pópio (m)	ti	pópij
	bi pópila (f)		bi bila pópila (f)		
	bi pópilo (n)		bi bilo pópilo (n)		
on (m)	bi pópio	on (m)	bi bio pópio	on (m)	neka pópije
ona (f)	bi pópila	ona (f)	bi bila pópila	ona (f)	neka pópije
ono (n)	bi pópilo	ono (n)	bi bilo pópilo	ono (n)	neka pópije
mi	bismo pópili (m)	mi	bismo bili pópili (m)	mi	pópijmo
	bismo pópile (f)		bismo bile pópile (f)		
	bismo pópila (n)		bismo bila pópila (n)		
vi	biste pópili (m)	vi	biste bili pópili (m)	vi	pópijte
	biste pópile (f)		biste bile pópile (f)		
	biste pópila (n)		biste bila pópila (n)		
oni (m)	bi pópili	oni (m)	bi bili pópili	oni (m)	neka pópiju
one (f)	bi pópile	one (f)	bi bile pópile	one (f)	neka pópiju
ona (n)	bi pópila	ona (n)	bi bila pópila	ona (n)	neka pópiju

VERBAL ADJECTIVES			
Active participle		**Past participle**	
ja	pópio	ja	popíjen
ti	pópio (m)	ti	popíjen (m)
	pópila (f)		popíjena (f)
	pópilo (n)		popíjeno(n)
on (m)	pópio	on (m)	popíjen
ona (f)	pópila	ona (f)	popíjena
ono (n)	pópilo	ono (n)	popíjeno
mi	pópili (m)	mi	popíjeni (m)
	pópile (f)		popíjene (f)
	pópila (n)		popíjene (n)
vi	pópili (m)	vi	popíjeni (m)
	pópile (f)		popíjene (f)
	pópila (n)		popíjena (n)
oni (m)	pópili	oni (m)	popíjeni
one (f)	pópile	one (f)	popíjene
ona (n)	pópila	ona (n)	popíjena

VERBAL ADVERBS
Active participle
-
Past participle
pópivši

I drank my glass of wine. – Popio sam svoju čašu vina.

I will drink that in a minute. – Ja ću to popiti za tren.

To Drive (Voziti) – Imperfective

Present	
ja	vózim
ti	vóziš
on (m)	vózi
ona (f)	vózi
ono (n)	vózi
mi	vózimo
vi	vózite
oni (m)	vóze
one (f)	vóze
ona (n)	vóze

Perfect	
ja	sam vózio
ti	si vózio (m)
	si vózila (f)
	si vózilo (n)
on (m)	je vózio
ona (f)	je vózila
ono (n)	je vózilo
mi	smo vózili (m)
	smo vózile (f)
	smo vózila (n)
vi	ste vózili (m)
	ste vózile (f)
	ste vózila (n)
oni (m)	su vózili
one (f)	su vózile
ona (n)	su vózila

Imperfect	
ja	vóžah
ti	vóžaše
on (m)	vóžaše
ona (f)	vóžaše
ono (n)	vóžaše
mi	vóžasmo
vi	vóžaste
oni (m)	vóžahu
one (f)	vóžahu
ona (n)	vóžahu

Pluperfect	
ja	sam bio vózio
ti	si bio vózio (m)
	si bila vózila (f)
	si bilo vózilo (n)
on (m)	je bio vózio
ona (f)	je bila vózila
ono (n)	je bilo vózilo
mi	smo bili vózili (m)
	smo bile vózile (f)
	smo bila vózila (n)
vi	ste bili vózili (m)
	ste bile vózile (f)
	ste bila vózila (n)
oni (m)	su bili vózili
one (f)	su bile vózile
ona (n)	su bila vózila

Futur 1	
ja	ću vóziti
ti	ćeš vóziti
on (m)	će vóziti
ona (f)	će vóziti
ono (n)	će vóziti
mi	ćemo vóziti
vi	ćete vóziti
oni (m)	će vóziti
one (f)	će vóziti
ona (n)	će vóziti

Futur 2	
ja	budem vózio
ti	budeš vózio (m)
	budeš vózila (f)
	budeš vózilo (n)
on (m)	bude vózio
ona (f)	bude vózila
ono (n)	bude vózilo
mi	budemo vózili (m)
	budemo vózile (f)
	budemo vózila (n)
vi	budete vózili (m)
	budete vózile (f)
	budete vózila (n)
oni (m)	budu vózili
one (f)	budu vózile
ona (n)	budu vózila

VERB MOODS					
Conditional 1		**Conditional 2**		**Imperative**	
ja	bih vózio	ja	bih bio vózio	ja	-
ti	bi vózio (m)	ti	bi bio vózio (m)	ti	vózi
	bi vózila (f)		bi bila vózila (f)		
	bi vózilo (n)		bi bilo vózilo (n)		
on (m)	bi vózio	on (m)	bi bio vózio	on (m)	neka vóze
ona (f)	bi vózila	ona (f)	bi bila vózila	ona (f)	neka vóze
ono (n)	bi vózilo	ono (n)	bi bilo vózilo	ono (n)	neka vóze
mi	bismo vózili (m)	mi	bismo bili vózili (m)	mi	vózimo
	bismo vózile (f)		bismo bile vózile (f)		
	bismo vózila (n)		bismo bila vózila (n)		
vi	biste vózili (m)	vi	biste bili vózili (m)	vi	vózite
	biste vózile (f)		biste bile vózile (f)		
	biste vózila (n)		biste bila vózila (n)		
oni (m)	bi vózili	oni (m)	bi bili vózili	oni (m)	neka vóze
one (f)	bi vózile	one (f)	bi bile vózile	one (f)	neka vóze
ona (n)	bi vózila	ona (n)	bi bila vózila	ona (n)	neka vóze

VERBAL ADJECTIVES			
Active participle		**Past participle**	
ja	vózio	ja	vóžen
ti	vózio (m)	ti	vóžen (m)
	vózila (f)		vóžena (f)
	vózilo (n)		vóženo(n)
on (m)	vózio	on (m)	vóžen
ona (f)	vózila	ona (f)	vóžena
ono (n)	vózilo	ono (n)	vóženo
mi	vózili (m)	mi	vóženi (m)
	vózile (f)		vóžene (f)
	vózila (n)		vóžene (n)
vi	vózili (m)	vi	vóženi (m)
	vózile (f)		vóžene (f)
	vózila (n)		vóžena (n)
oni (m)	vózili	oni (m)	vóženi
one (f)	vózile	one (f)	vóžene
ona (n)	vózila	ona (n)	vóžena

VERBAL ADVERBS
Active participle
vózeći
Past participle
-

I drive a car every day. – Vozim automobil svaki dan.

She was driving all night. – Vozila je cijelu noć.

To Eat (Jesti) – Imperfective

Present		Perfect		Imperfect	
ja	jédem	ja	sam jéo	ja	jédah
ti	jédeš	ti	si jéo (m)	ti	jédaše
			si jéla (f)		
			si jélo (n)		
on (m)	jéde	on (m)	je jéo	on (m)	jédaše
ona (f)	jéde	ona (f)	je jéla	ona (f)	jédaše
ono (n)	jéde	ono (n)	je jélo	ono (n)	jédaše
mi	jédemo	mi	smo jéli (m)	mi	jédasmo
			smo jéle (f)		
			smo jéla (n)		
vi	jédete	vi	ste jéli (m)	vi	jédaste
			ste jéle (f)		
			ste jéla (n)		
oni (m)	jédu	oni (m)	su jéli	oni (m)	jédahu
one (f)	jédu	one (f)	su jéle	one (f)	jédahu
ona (n)	jédu	ona (n)	su jéla	ona (n)	jédahu

Pluperfect		Futur 1		Futur 2	
ja	sam bio jéo	ja	ću jésti	ja	budem jéo
ti	si bio jéo (m)	ti	ćeš jésti	ti	budeš jéo (m)
	si bila jéla (f)				budeš jéla (f)
	si bilo jélo (n)				budeš jélo (n)
on (m)	je bio jéo	on (m)	će jésti	on (m)	bude jéo
ona (f)	je bila jéla	ona (f)	će jésti	ona (f)	bude jéla
ono (n)	je bilo jélo	ono (n)	će jésti	ono (n)	bude jélo
mi	smo bili jéli (m)	mi	ćemo jésti	mi	budemo jéli (m)
	smo bile jéle (f)				budemo jéle (f)
	smo bila jéla (n)				budemo jéla (n)
vi	ste bili jéli (m)	vi	ćete jésti	vi	budete jéli (m)
	ste bile jéle (f)				budete jéle (f)
	ste bila jéla (n)				budete jéla (n)
oni (m)	su bili jéli	oni (m)	će jésti	oni (m)	budu jéli
one (f)	su bile jéle	one (f)	će jésti	one (f)	budu jéle
ona (n)	su bila jéla	ona (n)	će jésti	ona (n)	budu jéla

VERB MOODS					
Conditional 1		**Conditional 2**		**Imperative**	
ja	bih jéo	ja	bih bio jéo	ja	-
ti	bi jéo (m)	ti	bi bio jéo (m)	ti	jédi
	bi jéla (f)		bi bila jéla (f)		
	bi jélo (n)		bi bilo jélo (n)		
on (m)	bi jéo	on (m)	bi bio jéo	on (m)	neka jéde
ona (f)	bi jéla	ona (f)	bi bila jéla	ona (f)	neka jéde
ono (n)	bi jélo	ono (n)	bi bilo jélo	ono (n)	neka jéde
mi	bismo jéli (m)	mi	bismo bili jéli (m)	mi	jédimo
	bismo jéle (f)		bismo bile jéle (f)		
	bismo jéla (n)		bismo bila jéla (n)		
vi	biste jéli (m)	vi	biste bili jéli (m)	vi	jédite
	biste jéle (f)		biste bile jéle (f)		
	biste jéla (n)		biste bila jéla (n)		
oni (m)	bi jéli	oni (m)	bi bili jéli	oni (m)	neka jédu
one (f)	bi jéle	one (f)	bi bile jéle	one (f)	neka jédu
ona (n)	bi jéla	ona (n)	bi bila jéla	ona (n)	neka jédu

VERBAL ADJECTIVES			
Active participle		**Past participle**	
ja	jéo	ja	jéden
ti	jéo (m)	ti	jéden (m)
	jéla (f)		jédena (f)
	jélo (n)		jédeno(n)
on (m)	jéo	on (m)	jéden
ona (f)	jéla	ona (f)	jédena
ono (n)	jélo	ono (n)	jédeno
mi	jéli (m)	mi	jédeni (m)
	jéle (f)		jédene (f)
	jéla (n)		jédene (n)
vi	jéli (m)	vi	jédeni (m)
	jéle (f)		jédene (f)
	jéla (n)		jédena (n)
oni (m)	jéli	oni (m)	jédeni
one (f)	jéle	one (f)	jédene
ona (n)	jéla	ona (n)	jédena

VERBAL ADVERBS
Active participle
jédući
Past participle
-

We were eating for one hour. – Jeli smo sat vremena.

I was eating a big fish. – Jeo sam veliku ribu.

To Eat (Pojesti) – Perfective

Present		Perfect		Aorist	
ja	pojédem	ja	sam pójeo	ja	pojédoh
ti	pojédeš	ti	si pójeo (m) si pójela (f) si pójelo (n)	ti	pojédé
on (m)	pojéde	on (m)	je pójeo	on (m)	pojédé
ona (f)	pojéde	ona (f)	je pójela	ona (f)	pojédé
ono (n)	pojéde	ono (n)	je pójelo	ono (n)	pojédé
mi	pojédemo	mi	smo pójeli (m) smo pójele (f) smo pójela (n)	mi	pojédosmo
vi	pojédete	vi	ste pójeli (m) ste pójele (f) ste pójela (n)	vi	pojédosté
oni (m)	pojédu	oni (m)	su pójeli	oni (m)	pojédošé
one (f)	pojédu	one (f)	su pójele	one (f)	pojédošé
ona (n)	pojédu	ona (n)	su pójela	ona (n)	pojédošé

Pluperfect		Futur 1		Futur 2	
ja	sam bio pójeo	ja	ću pójesti	ja	budem pójeo
ti	si bio pójeo (m) si bila pójela (f) si bilo pójelo (n)	ti	ćeš pójesti	ti	budeš pójeo (m) budeš pójela (f) budeš pójelo (n)
on (m)	je bio pójeo	on (m)	će pójesti	on (m)	bude pójeo
ona (f)	je bila pójela	ona (f)	će pójesti	ona (f)	bude pójela
ono (n)	je bilo pójelo	ono (n)	će pójesti	ono (n)	bude pójelo
mi	smo bili pójeli (m) smo bile pójele (f) smo bila pójela (n)	mi	ćemo pójesti	mi	budemo pójeli (m) budemo pójele (f) budemo pójela (n)
vi	ste bili pójeli (m) ste bile pójele (f) ste bila pójela (n)	vi	ćete pójesti	vi	budete pójeli (m) budete pójele (f) budete pójela (n)
oni (m)	su bili pójeli	oni (m)	će pójesti	oni (m)	budu pójeli
one (f)	su bile pójele	one (f)	će pójesti	one (f)	budu pójele
ona (n)	su bila pójela	ona (n)	će pójesti	ona (n)	budu pójela

VERB MOODS					
Conditional 1		**Conditional 2**		**Imperative**	
ja	bih pójeo	ja	bih bio pójeo	ja	-
ti	bi pójeo (m)	ti	bi bio pójeo (m)	ti	pójedi
	bi pójela (f)		bi bila pójela (f)		
	bi pójelo (n)		bi bilo pójelo (n)		
on (m)	bi pójeo	on (m)	bi bio pójeo	on (m)	neka pójede
ona (f)	bi pójela	ona (f)	bi bila pójela	ona (f)	neka pójede
ono (n)	bi pójelo	ono (n)	bi bilo pójelo	ono (n)	neka pójede
mi	bismo pójeli (m)	mi	bismo bili pójeli (m)	mi	pójedimo
	bismo pójele (f)		bismo bile pójele (f)		
	bismo pójela (n)		bismo bila pójela (n)		
vi	biste pójeli (m)	vi	biste bili pójeli (m)	vi	pójedite
	biste pójele (f)		biste bile pójele (f)		
	biste pójela (n)		biste bila pójela (n)		
oni (m)	bi pójeli	oni (m)	bi bili pójeli	oni (m)	neka pójedu
one (f)	bi pójele	one (f)	bi bile pójele	one (f)	neka pójedu
ona (n)	bi pójela	ona (n)	bi bila pójela	ona (n)	neka pójedu

VERBAL ADJECTIVES			
Active participle		**Past participle**	
ja	pójeo	ja	pojéden
ti	pójeo (m)	ti	pojéden (m)
	pójela (f)		pojédena (f)
	pójelo (n)		pojédeno(n)
on (m)	pójeo	on (m)	pojéden
ona (f)	pójela	ona (f)	pojédena
ono (n)	pójelo	ono (n)	pojédeno
mi	pójeli (m)	mi	pojédeni (m)
	pójele (f)		pojédene (f)
	pójela (n)		pojédene (n)
vi	pójeli (m)	vi	pojédeni (m)
	pójele (f)		pojédene (f)
	pójela (n)		pojédena (n)
oni (m)	pójeli	oni (m)	pojédeni
one (f)	pójele	one (f)	pojédene
ona (n)	pójela	ona (n)	pojédena

VERBAL ADVERBS
Active participle
-
Past participle
pójevši

We ate everything and left. – Sve smo pojeli i otišli.

I will eat this. – Pojest ću ovo.

To Enter (Ulaziti) – Imperfective

Present		Perfect		Imperfect	
ja	úlazim	ja	sam úlazio	ja	úlažah
ti	úlaziš	ti	si úlazio (m) si úlazila (f) si úlazilo (n)	ti	úlažaše
on (m)	úlazi	on (m)	je úlazio	on (m)	úlažaše
ona (f)	úlazi	ona (f)	je úlazila	ona (f)	úlažaše
ono (n)	úlazi	ono (n)	je úlazilo	ono (n)	úlažaše
mi	úlazimo	mi	smo úlazili (m) smo úlazile (f) smo úlazila (n)	mi	úlažasmo
vi	úlazite	vi	ste úlazili (m) ste úlazile (f) ste úlazila (n)	vi	úlažaste
oni (m)	úlaze	oni (m)	su úlazili	oni (m)	úlažahu
one (f)	úlaze	one (f)	su úlazile	one (f)	úlažahu
ona (n)	úlaze	ona (n)	su úlazila	ona (n)	úlažahu

Pluperfect		Futur 1		Futur 2	
ja	sam bio úlazio	ja	ću úlaziti	ja	budem úlazio
ti	si bio úlazio (m) si bila úlazila (f) si bilo úlazilo (n)	ti	ćeš úlaziti	ti	budeš úlazio (m) budeš úlazila (f) budeš úlazilo (n)
on (m)	je bio úlazio	on (m)	će úlaziti	on (m)	bude úlazio
ona (f)	je bila úlazila	ona (f)	će úlaziti	ona (f)	bude úlazila
ono (n)	je bilo úlazilo	ono (n)	će úlaziti	ono (n)	bude úlazilo
mi	smo bili úlazili (m) smo bile úlazile (f) smo bila úlazila (n)	mi	ćemo úlaziti	mi	budemo úlazili (m) budemo úlazile (f) budemo úlazila (n)
vi	ste bili úlazili (m) ste bile úlazile (f) ste bila úlazila (n)	vi	ćete úlaziti	vi	budete úlazili (m) budete úlazile (f) budete úlazila (n)
oni (m)	su bili úlazili	oni (m)	će úlaziti	oni (m)	budu úlazili
one (f)	su bile úlazile	one (f)	će úlaziti	one (f)	budu úlazile
ona (n)	su bila úlazila	ona (n)	će úlaziti	ona (n)	budu úlazila

VERB MOODS					
Conditional 1		**Conditional 2**		**Imperative**	
ja	bih úlazio	ja	bih bio úlazio	ja	-
ti	bi úlazio (m)	ti	bi bio úlazio (m)	ti	úlazi
	bi úlazila (f)		bi bila úlazila (f)		
	bi úlazilo (n)		bi bilo úlazilo (n)		
on (m)	bi úlazio	on (m)	bi bio úlazio	on (m)	neka úlazi
ona (f)	bi úlazila	ona (f)	bi bila úlazila	ona (f)	neka úlazi
ono (n)	bi úlazilo	ono (n)	bi bilo úlazilo	ono (n)	neka úlazi
mi	bismo úlazili (m)	mi	bismo bili úlazili (m)	mi	úlazimo
	bismo úlazile (f)		bismo bile úlazile (f)		
	bismo úlazila (n)		bismo bila úlazila (n)		
vi	biste úlazili (m)	vi	biste bili úlazili (m)	vi	úlazite
	biste úlazile (f)		biste bile úlazile (f)		
	biste úlazila (n)		biste bila úlazila (n)		
oni (m)	bi úlazili	oni (m)	bi bili úlazili	oni (m)	neka úlaze
one (f)	bi úlazile	one (f)	bi bile úlazile	one (f)	neka úlaze
ona (n)	bi úlazila	ona (n)	bi bila úlazila	ona (n)	neka úlaze

VERBAL ADJECTIVES			
Active participle		**Past participle**	
ja	úlazio	ja	
ti	úlazio (m)	ti	
	úlazila (f)		
	úlazilo (n)		
on (m)	úlazio	on (m)	
ona (f)	úlazila	ona (f)	
ono (n)	úlazilo	ono (n)	
mi	úlazili (m)	mi	
	úlazile (f)		
	úlazila (n)		
vi	úlazili (m)	vi	
	úlazile (f)		
	úlazila (n)		
oni (m)	úlazili	oni (m)	
one (f)	úlazile	one (f)	
ona (n)	úlazila	ona (n)	

VERBAL ADVERBS
Active participle
úlazeći
Past participle
-

He will be entering through many doors. – Ulazit će kroz mnoga vrata.

I dropped while he was entering. – Ispustio sam ga dok je on ulazio.

To Enter (Ući) – Perfective

Present		Perfect		Aorist	
ja	úđem	ja	sam úšao	ja	úđoh
ti	úđeš	ti	si úšao (m) si úšla (f) si úšlo (n)	ti	úđe
on (m)	úđe	on (m)	je úšao	on (m)	úđe
ona (f)	úđe	ona (f)	je úšla	ona (f)	úđe
ono (n)	úđe	ono (n)	je úšlo	ono (n)	úđe
mi	úđemo	mi	smo úšli (m) smo úšle (f) smo úšla (n)	mi	úđosmo
vi	úđete	vi	ste úšli (m) ste úšle (f) ste úšla (n)	vi	úđoste
oni (m)	úđu	oni (m)	su úšli	oni (m)	úđoše
one (f)	úđu	one (f)	su úšle	one (f)	úđoše
ona (n)	úđu	ona (n)	su úšla	ona (n)	úđoše

Pluperfect		Futur 1		Futur 2	
ja	sam bio úšao	ja	ću úći	ja	budem úšao
ti	si bio úšao (m) si bila úšla (f) si bilo úšlo (n)	ti	ćeš úći	ti	budeš úšao (m) budeš úšla (f) budeš úšlo (n)
on (m)	je bio úšao	on (m)	će úći	on (m)	bude úšao
ona (f)	je bila úšla	ona (f)	će úći	ona (f)	bude úšla
ono (n)	je bilo úšlo	ono (n)	će úći	ono (n)	bude úšlo
mi	smo bili úšli (m) smo bile úšle (f) smo bila úšla (n)	mi	ćemo úći	mi	budemo úšli (m) budemo úšle (f) budemo úšla (n)
vi	ste bili úšli (m) ste bile úšle (f) ste bila úšla (n)	vi	ćete úći	vi	budete úšli (m) budete úšle (f) budete úšla (n)
oni (m)	su bili úšli	oni (m)	će úći	oni (m)	budu úšli
one (f)	su bile úšle	one (f)	će úći	one (f)	budu úšle
ona (n)	su bila úšla	ona (n)	će úći	ona (n)	budu úšla

VERB MOODS					
Conditional 1		**Conditional 2**		**Imperative**	
ja	bih úšao	ja	bih bio úšao	ja	-
ti	bi úšao (m)	ti	bi bio úšao (m)	ti	úđi
	bi úšla (f)		bi bila úšla (f)		
	bi úšlo (n)		bi bilo úšlo (n)		
on (m)	bi úšao	on (m)	bi bio úšao	on (m)	neka úđe
ona (f)	bi úšla	ona (f)	bi bila úšla	ona (f)	neka úđe
ono (n)	bi úšlo	ono (n)	bi bilo úšlo	ono (n)	neka úđe
mi	bismo úšli (m)	mi	bismo bili úšli (m)	mi	úđimo
	bismo úšle (f)		bismo bile úšle (f)		
	bismo úšla (n)		bismo bila úšla (n)		
vi	biste úšli (m)	vi	biste bili úšli (m)	vi	úđite
	biste úšle (f)		biste bile úšle (f)		
	biste úšla (n)		biste bila úšla (n)		
oni (m)	bi úšli	oni (m)	bi bili úšli	oni (m)	neka úđu
one (f)	bi úšle	one (f)	bi bile úšle	one (f)	neka úđu
ona (n)	bi úšla	ona (n)	bi bila úšla	ona (n)	neka úđu

VERBAL ADJECTIVES			
Active participle		**Past participle**	
ja	úšao	ja	
ti	úšao (m)	ti	
	úšla (f)		
	úšlo (n)		
on (m)	úšao	on (m)	
ona (f)	úšla	ona (f)	
ono (n)	úšlo	ono (n)	
mi	úšli (m)	mi	
	úšle (f)		
	úšla (n)		
vi	úšli (m)	vi	
	úšle (f)		
	úšla (n)		
oni (m)	úšli	oni (m)	
one (f)	úšle	one (f)	
ona (n)	úšla	ona (n)	

VERBAL ADVERBS
Active participle
-
Past participle
úšavši

He entered the house. – Ušao je u kuću.

I will enter right now. – Ući ću baš sad.

To Exit (Izlaziti) – Imperfective

Present		Perfect		Imperfect	
ja	ízlazim	ja	sam ízlazio	ja	izađoh
ti	ízlaziš	ti	si ízlazio (m) si ízlazila (f) si ízlazilo (n)	ti	ízađaše
on (m)	ízlazi	on (m)	je ízlazio	on (m)	ízađaše
ona (f)	ízlazi	ona (f)	je ízlazila	ona (f)	ízađaše
ono (n)	ízlazi	ono (n)	je ízlazilo	ono (n)	ízađaše
mi	ízlazimo	mi	smo ízlazili (m) smo ízlazile (f) smo ízlazila (n)	mi	ízađasmo
vi	ízlazite	vi	ste ízlazili (m) ste ízlazile (f) ste ízlazila (n)	vi	ízađaste
oni (m)	ízlaze	oni (m)	su ízlazili	oni (m)	ízlađahu
one (f)	ízlaze	one (f)	su ízlazile	one (f)	ízlađahu
ona (n)	ízlaze	ona (n)	su ízlazila	ona (n)	ízlađahu

Pluperfect		Futur 1		Futur 2	
ja	sam bio ízlazio	ja	ću ízlaziti	ja	budem ízlazio
ti	si bio ízlazio (m) si bila ízlazila (f) si bilo ízlazilo (n)	ti	ćeš ízlaziti	ti	budeš ízlazio (m) budeš ízlazila (f) budeš ízlazilo (n)
on (m)	je bio ízlazio	on (m)	će ízlaziti	on (m)	bude ízlazio
ona (f)	je bila ízlazila	ona (f)	će ízlaziti	ona (f)	bude ízlazila
ono (n)	je bilo ízlazilo	ono (n)	će ízlaziti	ono (n)	bude ízlazilo
mi	smo bili ízlazili (m) smo bile ízlazile (f) smo bila ízlazila (n)	mi	ćemo ízlaziti	mi	budemo ízlazili (m) budemo ízlazile (f) budemo ízlazila (n)
vi	ste bili ízlazili (m) ste bile ízlazile (f) ste bila ízlazila (n)	vi	ćete ízlaziti	vi	budete ízlazili (m) budete ízlazile (f) budete ízlazila (n)
oni (m)	su bili ízlazili	oni (m)	će ízlaziti	oni (m)	budu ízlazili
one (f)	su bile ízlazile	one (f)	će ízlaziti	one (f)	budu ízlazile
ona (n)	su bila ízlazila	ona (n)	će ízlaziti	ona (n)	budu ízlazila

VERB MOODS					
Conditional 1		**Conditional 2**		**Imperative**	
ja	bih ízlazio	ja	bih bio ízlazio	ja	-
ti	bi ízlazio (m)	ti	bi bio ízlazio (m)	ti	ízlazi
	bi ízlazila (f)		bi bila ízlazila (f)		
	bi ízlazilo (n)		bi bilo ízlazilo (n)		
on (m)	bi ízlazio	on (m)	bi bio ízlazio	on (m)	neka ízlazi
ona (f)	bi ízlazila	ona (f)	bi bila ízlazila	ona (f)	neka ízlazi
ono (n)	bi ízlazilo	ono (n)	bi bilo ízlazilo	ono (n)	neka ízlazi
mi	bismo ízlazili (m)	mi	bismo bili ízlazili (m)	mi	ízlazimo
	bismo ízlazile (f)		bismo bile ízlazile (f)		
	bismo ízlazila (n)		bismo bila ízlazila (n)		
vi	biste ízlazili (m)	vi	biste bili ízlazili (m)	vi	ízlazite
	biste ízlazile (f)		biste bile ízlazile (f)		
	biste ízlazila (n)		biste bila ízlazila (n)		
oni (m)	bi ízlazili	oni (m)	bi bili ízlazili	oni (m)	neka ízlaze
one (f)	bi ízlazile	one (f)	bi bile ízlazile	one (f)	neka ízlaze
ona (n)	bi ízlazila	ona (n)	bi bila ízlazila	ona (n)	neka ízlaze

VERBAL ADJECTIVES			
Active participle		**Past participle**	
ja	ízlazio	ja	
ti	ízlazio (m)	ti	
	ízlazila (f)		
	ízlazilo (n)		
on (m)	ízlazio	on (m)	
ona (f)	ízlazila	ona (f)	
ono (n)	ízlazilo	ono (n)	
mi	ízlazili (m)	mi	
	ízlazile (f)		
	ízlazila (n)		
vi	ízlazili (m)	vi	
	ízlazile (f)		
	ízlazila (n)		
oni (m)	ízlazili	oni (m)	
one (f)	ízlazile	one (f)	
ona (n)	ízlazila	ona (n)	

VERBAL ADVERBS
Active participle
ízlazeći
Past participle
-

We were exiting the house when everything disappeared. – Izlazili smo iz kuće kad je sve nestalo.

I was exiting the ship while he was singing. – Izlazio sam s broda dok je on pjevao.

To Exit (Izaći) – Perfective

Present		Perfect		Aorist	
ja	ízađem	ja	sam ízašao	ja	ízađoh
ti	ízađeš	ti	si ízašao (m) si ízašla (f) si ízašlo (n)	ti	ízađe
on (m)	ízađe	on (m)	je ízašao	on (m)	ízađe
ona (f)	ízađe	ona (f)	je ízašla	ona (f)	ízađe
ono (n)	ízađe	ono (n)	je ízašlo	ono (n)	ízađe
mi	ízađemo	mi	smo ízašli (m) smo ízašle (f) smo ízašla (n)	mi	ízađosmo
vi	ízađete	vi	ste ízašli (m) ste ízašle (f) ste ízašla (n)	vi	ízađoste
oni (m)	ízađu	oni (m)	su ízašli	oni (m)	ízađoše
one (f)	ízađu	one (f)	su ízašle	one (f)	ízađoše
ona (n)	ízađu	ona (n)	su ízašla	ona (n)	ízađoše

Pluperfect		Futur 1		Futur 2	
ja	sam bio ízašao	ja	ću ízaći	ja	budem ízašao
ti	si bio ízašao (m) si bila ízašla (f) si bilo ízašlo (n)	ti	ćeš ízaći	ti	budeš ízašao (m) budeš ízašla (f) budeš ízašlo (n)
on (m)	je bio ízašao	on (m)	će ízaći	on (m)	bude ízašao
ona (f)	je bila ízašla	ona (f)	će ízaći	ona (f)	bude ízašla
ono (n)	je bilo ízašlo	ono (n)	će ízaći	ono (n)	bude ízašlo
mi	smo bili ízašli (m) smo bile ízašle (f) smo bila ízašla (n)	mi	ćemo ízaći	mi	budemo ízašli (m) budemo ízašle (f) budemo ízašla (n)
vi	ste bili ízašli (m) ste bile ízašle (f) ste bila ízašla (n)	vi	ćete ízaći	vi	budete ízašli (m) budete ízašle (f) budete ízašla (n)
oni (m)	su bili ízašli	oni (m)	će ízaći	oni (m)	budu ízašli
one (f)	su bile ízašle	one (f)	će ízaći	one (f)	budu ízašle
ona (n)	su bila ízašla	ona (n)	će ízaći	ona (n)	budu ízašla

VERB MOODS					
Conditional 1		**Conditional 2**		**Imperative**	
ja	bih ízašao	ja	bih bio ízašao	ja	-
ti	bi ízašao (m)	ti	bi bio ízašao (m)	ti	ízađi
	bi ízašla (f)		bi bila ízašla (f)		
	bi ízašlo (n)		bi bilo ízašlo (n)		
on (m)	bi ízašao	on (m)	bi bio ízašao	on (m)	neka ízađe
ona (f)	bi ízašla	ona (f)	bi bila ízašla	ona (f)	neka ízađe
ono (n)	bi ízašlo	ono (n)	bi bilo ízašlo	ono (n)	neka ízađe
mi	bismo ízašli (m)	mi	bismo bili ízašli (m)	mi	ízađimo
	bismo ízašle (f)		bismo bile ízašle (f)		
	bismo ízašla (n)		bismo bila ízašla (n)		
vi	biste ízašli (m)	vi	biste bili ízašli (m)	vi	ízađite
	biste ízašle (f)		biste bile ízašle (f)		
	biste ízašla (n)		biste bila ízašla (n)		
oni (m)	bi ízašli	oni (m)	bi bili ízašli	oni (m)	neka ízađu
one (f)	bi ízašle	one (f)	bi bile ízašle	one (f)	neka ízađu
ona (n)	bi ízašla	ona (n)	bi bila ízašla	ona (n)	neka ízađu

VERBAL ADJECTIVES			
Active participle		**Past participle**	
ja	ízašao	ja	
ti	ízašao (m)	ti	
	ízašla (f)		
	ízašlo (n)		
on (m)	ízašao	on (m)	
ona (f)	ízašla	ona (f)	
ono (n)	ízašlo	ono (n)	
mi	ízašli (m)	mi	
	ízašle (f)		
	ízašla (n)		
vi	ízašli (m)	vi	
	ízašle (f)		
	ízašla (n)		
oni (m)	ízašli	oni (m)	
one (f)	ízašle	one (f)	
ona (n)	ízašla	ona (n)	

VERBL ADVERBS
Active participle
-
Past participle
ízašavši

He exited the house. – Izašao je iz kuće.

He will exit tomorrow. Izaći će sutra.

To Explain (Objašnjavati) – Imperfective

Present		Perfect		Imperfect	
ja	objášnjavam	ja	sam objašnjávao	ja	objašnjávah
ti	objášnjavaš	ti	si objašnjávao (m)	ti	objašnjávaše
			si objašnjávala (f)		
			si objašnjávalo (n)		
on (m)	objášnjava	on (m)	je objašnjávao	on (m)	objašnjávaše
ona (f)	objášnjava	ona (f)	je objašnjávala	ona (f)	objašnjávaše
ono (n)	objášnjava	ono (n)	je objašnjávalo	ono (n)	objašnjávaše
mi	objášnjavamo	mi	smo objašnjávali (m)	mi	objašnjávasmo
			smo objašnjávale (f)		
			smo objašnjávala (n)		
vi	objášnjavate	vi	ste objašnjávali (m)	vi	objašnjávaste
			ste objašnjávale (f)		
			ste objašnjávala (n)		
oni (m)	objášnjavaju	oni (m)	su objašnjávali	oni (m)	objašnjávahu
one (f)	objášnjavaju	one (f)	su objašnjávale	one (f)	objašnjávahu
ona (n)	objášnjavaju	ona (n)	su objašnjávala	ona (n)	objašnjávahu

Pluperfect		Futur 1		Futur 2	
ja	sam bio objašnjávao	ja	ću objašnjávati	ja	budem objašnjávao
ti	si bio objašnjávao (m)	ti	ćeš objašnjávati	ti	budeš objašnjávao (m)
	si bila objašnjávala (f)				budeš objašnjávala (f)
	si bilo objašnjávalo (n)				budeš objašnjávalo (n)
on (m)	je bio objašnjávao	on (m)	će objašnjávati	on (m)	bude objašnjávao
ona (f)	je bila objašnjávala	ona (f)	će objašnjávati	ona (f)	bude objašnjávala
ono (n)	je bilo objašnjávalo	ono (n)	će objašnjávati	ono (n)	bude objašnjávalo
mi	smo bili objašnjávali (m)	mi	ćemo objašnjávati	mi	budemo objašnjávali (m)
	smo bile objašnjávale (f)				budemo objašnjávale (f)
	smo bila objašnjávala (n)				budemo objašnjávala (n)
vi	ste bili objašnjávali (m)	vi	ćete objašnjávati	vi	budete objašnjávali (m)
	ste bile objašnjávale (f)				budete objašnjávale (f)
	ste bila objašnjávala (n)				budete objašnjávala (n)
oni (m)	su bili objašnjávali	oni (m)	će objašnjávati	oni (m)	budu objašnjávali
one (f)	su bile objašnjávale	one (f)	će objašnjávati	one (f)	budu objašnjávale
ona (n)	su bila objašnjávala	ona (n)	će objašnjávati	ona (n)	budu objašnjávala

VERB MOODS					
Conditional 1		**Conditional 2**		**Imperative**	
ja	bih objašnjávao	ja	bih bio objašnjávao	ja	-
ti	bi objašnjávao (m)	ti	bi bio objašnjávao (m)	ti	objášnjavaj
	bi objašnjávala (f)		bi bila objašnjávala (f)		
	bi objašnjávalo (n)		bi bilo objašnjávalo (n)		
on (m)	bi objašnjávao	on (m)	bi bio objašnjávao	on (m)	neka objášnjava
ona (f)	bi objašnjávala	ona (f)	bi bila objašnjávala	ona (f)	neka objášnjava
ono (n)	bi objašnjávalo	ono (n)	bi bilo objašnjávalo	ono (n)	neka objášnjava
mi	bismo objašnjávali (m)	mi	bismo bili objašnjávali (m)	mi	objášnjavajmo
	bismo objašnjávale (f)		bismo bile objašnjávale (f)		
	bismo objašnjávala (n)		bismo bila objašnjávala (n)		
vi	biste objašnjávali (m)	vi	biste bili objašnjávali (m)	vi	objášnjavajte
	biste objašnjávale (f)		biste bile objašnjávale (f)		
	biste objašnjávala (n)		biste bila objašnjávala (n)		
oni (m)	bi objašnjávali	oni (m)	bi bili objašnjávali	oni (m)	neka objašnjávaju
one (f)	bi objašnjávale	one (f)	bi bile objašnjávale	one (f)	neka objašnjávaju
ona (n)	bi objašnjávala	ona (n)	bi bila objašnjávala	ona (n)	neka objašnjávaju

VERBAL ADJECTIVES			
Active participle		**Past participle**	
ja	objašnjávao	ja	objášnjavan
ti	objašnjávao (m)	ti	objášnjavan (m)
	objašnjávala (f)		objášnjavana (f)
	objašnjávalo (n)		objášnjavano(n)
on (m)	objašnjávao	on (m)	objášnjavan
ona (f)	objašnjávala	ona (f)	objášnjavana
ono (n)	objašnjávalo	ono (n)	objášnjavano
mi	objašnjávali (m)	mi	objášnjavani (m)
	objašnjávale (f)		objášnjavane (f)
	objašnjávala (n)		objášnjavane (n)
vi	objašnjávali (m)	vi	objášnjavani (m)
	objašnjávale (f)		objášnjavane (f)
	objašnjávala (n)		objášnjavana (n)
oni (m)	objašnjávali	oni (m)	objášnjavani
one (f)	objašnjávale	one (f)	objášnjavane
ona (n)	objašnjávala	ona (n)	objášnjavana

VERBAL ADVERBS
Active participle
objašnjávajući
Past participle
-

I was explaining to him. – Ja sam mu objašnjavao.

They were explaining what they did. – Oni su objašnjavali što su uradili.

To Explain (Objasniti) – Perfective

Present		Perfect		Aorist	
ja	óbjasnim	ja	sam objásnio	ja	objásnih
ti	óbjasniš	ti	si objásnio (m) si objásnila (f) si objásnilo (n)	ti	objásni
on (m)	óbjasni	on (m)	je objásnio	on (m)	objásni
ona (f)	óbjasni	ona (f)	je objásnila	ona (f)	objásni
ono (n)	óbjasni	ono (n)	je objásnilo	ono (n)	objásni
mi	óbjasnimo	mi	smo objásnili (m) smo objásnile (f) smo objásnila (n)	mi	objásnismo
vi	óbjasnite	vi	ste objásnili (m) ste objásnile (f) ste objásnila (n)	vi	objásniste
oni (m)	óbjasne	oni (m)	su objásnili	oni (m)	objásniše
one (f)	óbjasne	one (f)	su objásnile	one (f)	objásniše
ona (n)	óbjasne	ona (n)	su objásnila	ona (n)	objásniše

Pluperfect		Futur 1		Futur 2	
ja	sam bio objásnio	ja	ću objásniti	ja	budem objásnio
ti	si bio objásnio (m) si bila objásnila (f) si bilo objásnilo (n)	ti	ćeš objásniti	ti	budeš objásnio (m) budeš objásnila (f) budeš objásnilo (n)
on (m)	je bio objásnio	on (m)	će objásniti	on (m)	bude objásnio
ona (f)	je bila objásnila	ona (f)	će objásniti	ona (f)	bude objásnila
ono (n)	je bilo objásnilo	ono (n)	će objásniti	ono (n)	bude objásnilo
mi	smo bili objásnili (m) smo bile objásnile (f) smo bila objásnila (n)	mi	ćemo objásniti	mi	budemo objásnili (m) budemo objásnile (f) budemo objásnila (n)
vi	ste bili objásnili (m) ste bile objásnile (f) ste bila objásnila (n)	vi	ćete objásniti	vi	budete objásnili (m) budete objásnile (f) budete objásnila (n)
oni (m)	su bili objásnili	oni (m)	će objásniti	oni (m)	budu objásnili
one (f)	su bile objásnile	one (f)	će objásniti	one (f)	budu objásnile
ona (n)	su bila objásnila	ona (n)	će objásniti	ona (n)	budu objásnila

VERB MOODS					
Conditional 1		Conditional 2		Imperative	
ja	bih objásnio	ja	bih bio objásnio	ja	-
ti	bi objásnio (m)	ti	bi bio objásnio (m)	ti	objásni
	bi objásnila (f)		bi bila objásnila (f)		
	bi objásnilo (n)		bi bilo objásnilo (n)		
on (m)	bi objásnio	on (m)	bi bio objásnio	on (m)	neka objásni
ona (f)	bi objásnila	ona (f)	bi bila objásnila	ona (f)	neka objásni
ono (n)	bi objásnilo	ono (n)	bi bilo objásnilo	ono (n)	neka objásni
mi	bismo objásnili (m)	mi	bismo bili objásnili (m)	mi	objásnimo
	bismo objásnile (f)		bismo bile objásnile (f)		
	bismo objásnila (n)		bismo bila objásnila (n)		
vi	biste objásnili (m)	vi	biste bili objásnili (m)	vi	objásnite
	biste objásnile (f)		biste bile objásnile (f)		
	biste objásnila (n)		biste bila objásnila (n)		
oni (m)	bi objásnili	oni (m)	bi bili objásnili	oni (m)	neka óbjasne
one (f)	bi objásnile	one (f)	bi bile objásnile	one (f)	neka óbjasne
ona (n)	bi objásnila	ona (n)	bi bila objásnila	ona (n)	neka óbjasne

VERBAL ADJECTIVES			
Active participle		Past participle	
ja	objásnio	ja	óbjašnjen
ti	objásnio (m)	ti	óbjašnjen (m)
	objásnila (f)		óbjašnjena (f)
	objásnilo (n)		óbjašnjeno(n)
on (m)	objásnio	on (m)	óbjašnjen
ona (f)	objásnila	ona (f)	óbjašnjena
ono (n)	objásnilo	ono (n)	óbjašnjeno
mi	objásnili (m)	mi	óbjašnjeni (m)
	objásnile (f)		óbjašnjene (f)
	objásnila (n)		óbjašnjene (n)
vi	objásnili (m)	vi	óbjašnjeni (m)
	objásnile (f)		óbjašnjene (f)
	objásnila (n)		óbjašnjena (n)
oni (m)	objásnili	oni (m)	óbjašnjeni
one (f)	objásnile	one (f)	óbjašnjene
ona (n)	objásnila	ona (n)	óbjašnjena

VERBAL ADVERBS
Active participle
-
Past participle
objásnivši

I explained all to him. – Sve sam mu objasnio.

It was well explained. – Bilo je dobro objašnjeno.

To Fall (Padati) – Imperfective

Present		Perfect		Imperfect	
ja	pádam	ja	sam pádao	ja	pádah
ti	pádaš	ti	si pádao (m) si pádala (f) si pádalo (n)	ti	pádaše
on (m)	páda	on (m)	je pádao	on (m)	pádaše
ona (f)	páda	ona (f)	je pádala	ona (f)	pádaše
ono (n)	páda	ono (n)	je pádalo	ono (n)	pádaše
mi	pádamo	mi	smo pádali (m) smo pádale (f) smo pádala (n)	mi	pádasmo
vi	pádate	vi	ste pádali (m) ste pádale (f) ste pádala (n)	vi	pádaste
oni (m)	pádaju	oni (m)	su pádali	oni (m)	pádahu
one (f)	pádaju	one (f)	su pádale	one (f)	pádahu
ona (n)	pádaju	ona (n)	su pádala	ona (n)	pádahu

Pluperfect		Futur 1		Futur 2	
ja	sam bio pádao	ja	ću pádati	ja	budem pádao
ti	si bio pádao (m) si bila pádala (f) si bilo pádalo (n)	ti	ćeš pádati	ti	budeš pádao (m) budeš pádala (f) budeš pádalo (n)
on (m)	je bio pádao	on (m)	će pádati	on (m)	bude pádao
ona (f)	je bila pádala	ona (f)	će pádati	ona (f)	bude pádala
ono (n)	je bilo pádalo	ono (n)	će pádati	ono (n)	bude pádalo
mi	smo bili pádali (m) smo bile pádale (f) smo bila pádala (n)	mi	ćemo pádati	mi	budemo pádali (m) budemo pádale (f) budemo pádala (n)
vi	ste bili pádali (m) ste bile pádale (f) ste bila pádala (n)	vi	ćete pádati	vi	budete pádali (m) budete pádale (f) budete pádala (n)
oni (m)	su bili pádali	oni (m)	će pádati	oni (m)	budu pádali
one (f)	su bile pádale	one (f)	će pádati	one (f)	budu pádale
ona (n)	su bila pádala	ona (n)	će pádati	ona (n)	budu pádala

VERB MOODS					
Conditional 1		**Conditional 2**		**Imperative**	
ja	bih pádao	ja	bih bio pádao	ja	-
ti	bi pádao (m)	ti	bi bio pádao (m)	ti	pádaj
	bi pádala (f)		bi bila pádala (f)		
	bi pádalo (n)		bi bilo pádalo (n)		
on (m)	bi pádao	on (m)	bi bio pádao	on (m)	neka páda
ona (f)	bi pádala	ona (f)	bi bila pádala	ona (f)	neka páda
ono (n)	bi pádalo	ono (n)	bi bilo pádalo	ono (n)	neka páda
mi	bismo pádali (m)	mi	bismo bili pádali (m)	mi	pádajmo
	bismo pádale (f)		bismo bile pádale (f)		
	bismo pádala (n)		bismo bila pádala (n)		
vi	biste pádali (m)	vi	biste bili pádali (m)	vi	pádajte
	biste pádale (f)		biste bile pádale (f)		
	biste pádala (n)		biste bila pádala (n)		
oni (m)	bi pádali	oni (m)	bi bili pádali	oni (m)	neka pádaju
one (f)	bi pádale	one (f)	bi bile pádale	one (f)	neka pádaju
ona (n)	bi pádala	ona (n)	bi bila pádala	ona (n)	neka pádaju

VERBAL ADJECTIVES			
Active participle		**Past participle**	
ja	pádao	ja	
ti	pádao (m)	ti	
	pádala (f)		
	pádalo (n)		
on (m)	pádao	on (m)	
ona (f)	pádala	ona (f)	
ono (n)	pádalo	ono (n)	
mi	pádali (m)	mi	
	pádale (f)		
	pádala (n)		
vi	pádali (m)	vi	
	pádale (f)		
	pádala (n)		
oni (m)	pádali	oni (m)	
one (f)	pádale	one (f)	
ona (n)	pádala	ona (n)	

VERBAL ADVERBS
Active participle
pádajući
Past participle
-

He was falling from the plain for 10 minutes. – Padao je iz aviona 10 minuta.

They fall on every step. – Padali su na svakom koraku.

To Fall (Pasti) – Perfective

Present		Perfect		Aorist	
ja	pádnem	ja	sam páo	ja	pádoh
ti	pádneš	ti	si páo (m) si pála (f) si pálo (n)	ti	páde
on (m)	pádne	on (m)	je páo	on (m)	páde
ona (f)	pádne	ona (f)	je pála	ona (f)	páde
ono (n)	pádne	ono (n)	je pálo	ono (n)	páde
mi	pádnemo	mi	smo páli (m) smo pále (f) smo pála (n)	mi	pádosmo
vi	pádnete	vi	ste páli (m) ste pále (f) ste pála (n)	vi	pádoste
oni (m)	pádnu	oni (m)	su páli	oni (m)	pádoše
one (f)	pádnu	one (f)	su pále	one (f)	pádoše
ona (n)	pádnu	ona (n)	su pála	ona (n)	pádoše

Pluperfect		Futur 1		Futur 2	
ja	sam bio páo	ja	ću pádati	ja	budem páo
ti	si bio páo (m) si bila pála (f) si bilo pálo (n)	ti	ćeš pádati	ti	budeš páo (m) budeš pála (f) budeš pálo (n)
on (m)	je bio páo	on (m)	će pádati	on (m)	bude páo
ona (f)	je bila pála	ona (f)	će pádati	ona (f)	bude pála
ono (n)	je bilo pálo	ono (n)	će pádati	ono (n)	bude pálo
mi	smo bili páli (m) smo bile pále (f) smo bila pála (n)	mi	ćemo pádati	mi	budemo páli (m) budemo pále (f) budemo pála (n)
vi	ste bili páli (m) ste bile pále (f) ste bila pála (n)	vi	ćete pádati	vi	budete páli (m) budete pále (f) budete pála (n)
oni (m)	su bili páli	oni (m)	će pádati	oni (m)	budu páli
one (f)	su bile pále	one (f)	će pádati	one (f)	budu pále
ona (n)	su bila pála	ona (n)	će pádati	ona (n)	budu pála

VERB MOODS					
Conditional 1		**Conditional 2**		**Imperative**	
ja	bih páo	ja	bih bio páo	ja	-
ti	bi páo (m)	ti	bi bio páo (m)	ti	pádni
	bi pála (f)		bi bila pála (f)		
	bi pálo (n)		bi bilo pálo (n)		
on (m)	bi páo	on (m)	bi bio páo	on (m)	neka pádne
ona (f)	bi pála	ona (f)	bi bila pála	ona (f)	neka pádne
ono (n)	bi pálo	ono (n)	bi bilo pálo	ono (n)	neka pádne
mi	bismo páli (m)	mi	bismo bili páli (m)	mi	pádnimo
	bismo pále (f)		bismo bile pále (f)		
	bismo pála (n)		bismo bila pála (n)		
vi	biste páli (m)	vi	biste bili páli (m)	vi	pádnite
	biste pále (f)		biste bile pále (f)		
	biste pála (n)		biste bila pála (n)		
oni (m)	bi páli	oni (m)	bi bili páli	oni (m)	neka pádnu
one (f)	bi pále	one (f)	bi bile pále	one (f)	neka pádnu
ona (n)	bi pála	ona (n)	bi bila pála	ona (n)	neka pádnu

VERBAL ADJECTIVES			
Active participle		**Past participle**	
ja	páo	ja	
ti	páo (m)	ti	
	pála (f)		
	pálo (n)		
on (m)	páo	on (m)	
ona (f)	pála	ona (f)	
ono (n)	pálo	ono (n)	
mi	páli (m)	mi	
	pále (f)		
	pála (n)		
vi	páli (m)	vi	
	pále (f)		
	pála (n)		
oni (m)	páli	oni (m)	
one (f)	pále	one (f)	
ona (n)	pála	ona (n)	

VERBAL ADVERBS
Active participle
-
Past participle
pávši

They fell over the chair. – Pao je preko stolice.

He will fall over this trap. – Past će preko ove zamke.

To Feel (Osjećati) – Imperfective

Present		Perfect		Imperfect	
ja	ósjećam	ja	sam osjéćao	ja	osjéćah
ti	ósjećaš	ti	si osjéćao (m) si osjéćala (f) si osjéćalo (n)	ti	osjéćaše
on (m)	ósjeća	on (m)	je osjéćao	on (m)	osjéćaše
ona (f)	ósjeća	ona (f)	je osjéćala	ona (f)	osjéćaše
ono (n)	ósjeća	ono (n)	je osjéćalo	ono (n)	osjéćaše
mi	ósjećamo	mi	smo osjéćali (m) smo osjéćale (f) smo osjéćala (n)	mi	osjéćasmo
vi	ósjećate	vi	ste osjéćali (m) ste osjéćale (f) ste osjéćala (n)	vi	osjéćaste
oni (m)	ósjećaju	oni (m)	su osjéćali	oni (m)	osjéćahu
one (f)	ósjećaju	one (f)	su osjéćale	one (f)	osjéćahu
ona (n)	ósjećaju	ona (n)	su osjéćala	ona (n)	osjéćahu

Pluperfect		Futur 1		Futur 2	
ja	sam bio osjéćao	ja	ću osjéćati	ja	budem osjéćao
ti	si bio osjéćao (m) si bila osjéćala (f) si bilo osjéćalo (n)	ti	ćeš osjéćati	ti	budeš osjéćao (m) budeš osjéćala (f) budeš osjéćalo (n)
on (m)	je bio osjéćao	on (m)	će osjéćati	on (m)	bude osjéćao
ona (f)	je bila osjéćala	ona (f)	će osjéćati	ona (f)	bude osjéćala
ono (n)	je bilo osjéćalo	ono (n)	će osjéćati	ono (n)	bude osjéćalo
mi	smo bili osjéćali (m) smo bile osjéćale (f) smo bila osjéćala (n)	mi	ćemo osjéćati	mi	budemo osjéćali (m) budemo osjéćale (f) budemo osjéćala (n)
vi	ste bili osjéćali (m) ste bile osjéćale (f) ste bila osjéćala (n)	vi	ćete osjéćati	vi	budete osjéćali (m) budete osjéćale (f) budete osjéćala (n)
oni (m)	su bili osjéćali	oni (m)	će osjéćati	oni (m)	budu osjéćali
one (f)	su bile osjéćale	one (f)	će osjéćati	one (f)	budu osjéćale
ona (n)	su bila osjéćala	ona (n)	će osjéćati	ona (n)	budu osjéćala

VERB MOODS					
Conditional 1		**Conditional 2**		**Imperative**	
ja	bih osjéćao	ja	bih bio osjéćao	ja	-
ti	bi osjéćao (m)	ti	bi bio osjéćao (m)	ti	ósjećaj
	bi osjéćala (f)		bi bila osjéćala (f)		
	bi osjéćalo (n)		bi bilo osjéćalo (n)		
on (m)	bi osjéćao	on (m)	bi bio osjéćao	on (m)	neka ósjeća
ona (f)	bi osjéćala	ona (f)	bi bila osjéćala	ona (f)	neka ósjeća
ono (n)	bi osjéćalo	ono (n)	bi bilo osjéćalo	ono (n)	neka ósjeća
mi	bismo osjéćali (m)	mi	bismo bili osjéćali (m)	mi	ósjećajmo
	bismo osjéćale (f)		bismo bile osjéćale (f)		
	bismo osjéćala (n)		bismo bila osjéćala (n)		
vi	biste osjéćali (m)	vi	biste bili osjéćali (m)	vi	ósjećajte
	biste osjéćale (f)		biste bile osjéćale (f)		
	biste osjéćala (n)		biste bila osjéćala (n)		
oni (m)	bi osjéćali	oni (m)	bi bili osjéćali	oni (m)	neka ósjećaju
one (f)	bi osjéćale	one (f)	bi bile osjéćale	one (f)	neka ósjećaju
ona (n)	bi osjéćala	ona (n)	bi bila osjéćala	ona (n)	neka ósjećaju

VERBAL ADJECTIVES			
Active participle		**Past participle**	
ja	osjéćao	ja	
ti	osjéćao (m)	ti	
	osjéćala (f)		
	osjéćalo (n)		
on (m)	osjéćao	on (m)	
ona (f)	osjéćala	ona (f)	
ono (n)	osjéćalo	ono (n)	
mi	osjéćali (m)	mi	
	osjéćale (f)		
	osjéćala (n)		
vi	osjéćali (m)	vi	
	osjéćale (f)		
	osjéćala (n)		
oni (m)	osjéćali	oni (m)	
one (f)	osjéćale	one (f)	
ona (n)	osjéćala	ona (n)	

VERBAL ADVERBS
Active participle
osjéćajući
Past participle
-

I was feeling anger to him. – Osjećao sam ljutnju prema njemu.

I feel that this is not right. – Osjećam da ovo nije u redu.

To Feel (Osjetiti) – Perfective

Present		Perfect		Aorist	
ja	ósjetim	ja	sam ósjetio	ja	ósjetih
ti	ósjetiš	ti	si ósjetio (m) si ósjetila (f) si ósjetilo (n)	ti	ósjeti
on (m)	ósjeti	on (m)	je ósjetio	on (m)	ósjeti
ona (f)	ósjeti	ona (f)	je ósjetila	ona (f)	ósjeti
ono (n)	ósjeti	ono (n)	je ósjetilo	ono (n)	ósjeti
mi	ósjetimo	mi	smo ósjetili (m) smo ósjetile (f) smo ósjetila (n)	mi	ósjetismo
vi	ósjetite	vi	ste ósjetili (m) ste ósjetile (f) ste ósjetila (n)	vi	ósjetiste
oni (m)	ósjete	oni (m)	su ósjetili	oni (m)	ósjetiše
one (f)	ósjete	one (f)	su ósjetile	one (f)	ósjetiše
ona (n)	ósjete	ona (n)	su ósjetila	ona (n)	ósjetiše

Pluperfect		Futur 1		Futur 2	
ja	sam bio ósjetio	ja	ću ósjetiti	ja	budem ósjetio
ti	si bio ósjetio (m) si bila ósjetila (f) si bilo ósjetilo (n)	ti	ćeš ósjetiti	ti	budeš ósjetio (m) budeš ósjetila (f) budeš ósjetilo (n)
on (m)	je bio ósjetio	on (m)	će ósjetiti	on (m)	bude ósjetio
ona (f)	je bila ósjetila	ona (f)	će ósjetiti	ona (f)	bude ósjetila
ono (n)	je bilo ósjetilo	ono (n)	će ósjetiti	ono (n)	bude ósjetilo
mi	smo bili ósjetili (m) smo bile ósjetile (f) smo bila ósjetila (n)	mi	ćemo ósjetiti	mi	budemo ósjetili (m) budemo ósjetile (f) budemo ósjetila (n)
vi	ste bili ósjetili (m) ste bile ósjetile (f) ste bila ósjetila (n)	vi	ćete ósjetiti	vi	budete ósjetili (m) budete ósjetile (f) budete ósjetila (n)
oni (m)	su bili ósjetili	oni (m)	će ósjetiti	oni (m)	budu ósjetili
one (f)	su bile ósjetile	one (f)	će ósjetiti	one (f)	budu ósjetile
ona (n)	su bila ósjetila	ona (n)	će ósjetiti	ona (n)	budu ósjetila

VERB MOODS					
Conditional 1		Conditional 2		Imperative	
ja	bih ósjetio	ja	bih bio ósjetio	ja	-
ti	bi ósjetio (m)	ti	bi bio ósjetio (m)	ti	ósjeti
	bi ósjetila (f)		bi bila ósjetila (f)		
	bi ósjetilo (n)		bi bilo ósjetilo (n)		
on (m)	bi ósjetio	on (m)	bi bio ósjetio	on (m)	neka ósjeti
ona (f)	bi ósjetila	ona (f)	bi bila ósjetila	ona (f)	neka ósjeti
ono (n)	bi ósjetilo	ono (n)	bi bilo ósjetilo	ono (n)	neka ósjeti
mi	bismo ósjetili (m)	mi	bismo bili ósjetili (m)	mi	ósjetismo
	bismo ósjetile (f)		bismo bile ósjetile (f)		
	bismo ósjetila (n)		bismo bila ósjetila (n)		
vi	biste ósjetili (m)	vi	biste bili ósjetili (m)	vi	ósjetite
	biste ósjetile (f)		biste bile ósjetile (f)		
	biste ósjetila (n)		biste bila ósjetila (n)		
oni (m)	bi ósjetili	oni (m)	bi bili ósjetili	oni (m)	neka ósjete
one (f)	bi ósjetile	one (f)	bi bile ósjetile	one (f)	neka ósjete
ona (n)	bi ósjetila	ona (n)	bi bila ósjetila	ona (n)	neka ósjete

VERBAL ADJECTIVES			
Active participle		Past participle	
ja	ósjetio	ja	
ti	ósjetio (m)	ti	
	ósjetila (f)		
	ósjetilo (n)		
on (m)	ósjetio	on (m)	
ona (f)	ósjetila	ona (f)	
ono (n)	ósjetilo	ono (n)	
mi	ósjetili (m)	mi	
	ósjetile (f)		
	ósjetila (n)		
vi	ósjetili (m)	vi	
	ósjetile (f)		
	ósjetila (n)		
oni (m)	ósjetili	oni (m)	
one (f)	ósjetile	one (f)	
ona (n)	ósjetila	ona (n)	

VERBAL ADVERBS
Active participle
-
Past participle
ósjetivši

I felt something is wrong. – Osjetio sam da nešto nije u redu.

They will fell my revenge. – Osjetit će moju osvetu.

To Fight (Boriti se) – Imperfective

Present	
ja	se bórim
ti	se bóriš
on (m)	se bóri
ona (f)	se bóri
ono (n)	se bóri
mi	se bórimo
vi	se bórite
oni (m)	se bóre
one (f)	se bóre
ona (n)	se bóre

Perfect	
ja	sam se bório
ti	si se bório (m)
	si se bórila (f)
	si se bórilo (n)
on (m)	se je bório
ona (f)	se je bórila
ono (n)	se je bórilo
mi	smo se bórili (m)
	smo se bórile (f)
	smo se bórila (n)
vi	ste se bórili (m)
	ste se bórile (f)
	ste se bórila (n)
oni (m)	su se bórili
one (f)	su se bórile
ona (n)	su se bórila

Imperfect	
ja	se bórah
ti	se bóraše
on (m)	se bóraše
ona (f)	se bóraše
ono (n)	se bóraše
mi	se bórasmo
vi	se bóraste
oni (m)	se bórahu
one (f)	se bórahu
ona (n)	se bórahu

Pluperfect	
ja	sam se bio bório
ti	si se bio bório (m)
	si se bila bórila (f)
	si se bilo bórilo (n)
on (m)	se je bio bório
ona (f)	se je bila bórila
ono (n)	se je bilo bórilo
mi	smo se bili bórili (m)
	smo se bile bórile (f)
	smo se bila bórila (n)
vi	ste se bili bórili (m)
	ste se bile bórile (f)
	ste se bila bórila (n)
oni (m)	su se bili bórili
one (f)	su se bile bórile
ona (n)	su se bila bórila

Futur 1	
ja	ću se bóriti
ti	ćeš se bóriti
on (m)	će se bóriti
ona (f)	će se bóriti
ono (n)	će se bóriti
mi	ćemo se bóriti
vi	ćete se bóriti
oni (m)	će se bóriti
one (f)	će se bóriti
ona (n)	će se bóriti

Futur 2	
ja	se budem bório
ti	se budeš bório (m)
	se budeš bórila (f)
	se budeš bórilo (n)
on (m)	se bude bório
ona (f)	se bude bórila
ono (n)	se bude bórilo
mi	se budemo bórili (m)
	se budemo bórile (f)
	se budemo bórila (n)
vi	se budete bórili (m)
	se budete bórile (f)
	se budete bórila (n)
oni (m)	se budu bórili
one (f)	se budu bórile
ona (n)	se budu bórila

VERB MOODS					
Conditional 1		**Conditional 2**		**Imperative**	
ja	bih se bório	ja	bih se bio bório	ja	-
ti	bi se bório (m)	ti	bi se bio bório (m)	ti	se bóri
	bi se bórila (f)		bi se bila bórila (f)		
	bi se bórilo (n)		bi se bilo bórilo (n)		
on (m)	bi se bório	on (m)	bi se bio bório	on (m)	neka se bóri
ona (f)	bi se bórila	ona (f)	bi se bila bórila	ona (f)	neka se bóri
ono (n)	bi se bórilo	ono (n)	bi se bilo bórilo	ono (n)	neka se bóra
mi	bismo se bórili (m)	mi	bismo se bili bórili (m)	mi	se bórimo
	bismo se bórile (f)		bismo se bile bórile (f)		
	bismo se bórila (n)		bismo se bila bórila (n)		
vi	biste se bórili (m)	vi	biste se bili bórili (m)	vi	se bórite
	biste se bórile (f)		biste se bile bórile (f)		
	biste se bórila (n)		biste se bila bórila (n)		
oni (m)	bi se bórili	oni (m)	bi se bili bórili	oni (m)	neka se bóre
one (f)	bi se bórile	one (f)	bi se bile bórile	one (f)	neka se bóre
ona (n)	bi se bórila	ona (n)	bi se bila bórila	ona (n)	neka se bóre

VERBAL ADJECTIVES			
Active participle		**Past participle**	
ja	bório se	ja	
ti	bório se (m)	ti	
	bórila se (f)		
	bórilo se (n)		
on (m)	bório se	on (m)	
ona (f)	bórila se	ona (f)	
ono (n)	bórilo se	ono (n)	
mi	bórili se (m)	mi	
	bórile se (f)		
	bórila se (n)		
vi	bórili se (m)	vi	
	bórile se (f)		
	bórila se (n)		
oni (m)	bórili se	oni (m)	
one (f)	bórile se	one (f)	
ona (n)	bórila se	ona (n)	

VERBAL ADVERBS
Active participle
bóreći se
Past participle
-

I was fighting with him. – Borio sam se s njim.

Cat is fighting with the dog. – Mačka se bori s psom.

To Find (Nalaziti) – Imperfective

Present		Perfect		Imperfect	
ja	nálazim	ja	sam nálazio	ja	nálažah
ti	náláziš	ti	si nálazio (m) si nálazila (f) si nálazilo (n)	ti	nálažaše
on (m)	nálazi	on (m)	je nálazio	on (m)	nálažaše
ona (f)	nálazi	ona (f)	je nálazila	ona (f)	nálažaše
ono (n)	nálazi	ono (n)	je nálazilo	ono (n)	nálažaše
mi	nálazimo	mi	smo nálazili (m) smo nálazile (f) smo nálazila (n)	mi	nálažasmo
vi	nálazite	vi	ste nálazili (m) ste nálazile (f) ste nálazila (n)	vi	nálažaste
oni (m)	nálaze	oni (m)	su nálazili	oni (m)	nálažahu
one (f)	nálaze	one (f)	su nálazile	one (f)	nálažahu
ona (n)	nálaze	ona (n)	su nálazila	ona (n)	nálažahu

Pluperfect		Futur 1		Futur 2	
ja	sam bio nálazio	ja	ću nálaziti	ja	budem nálazio
ti	si bio nálazio (m) si bila nálazila (f) si bilo nálazilo (n)	ti	ćeš nálaziti	ti	budeš nálazio (m) budeš nálazila (f) budeš nálazilo (n)
on (m)	je bio nálazio	on (m)	će nálaziti	on (m)	bude nálazio
ona (f)	je bila nálazila	ona (f)	će nálaziti	ona (f)	bude nálazila
ono (n)	je bilo nálazilo	ono (n)	će nálaziti	ono (n)	bude nálazilo
mi	smo bili nálazili (m) smo bile nálazile (f) smo bila nálazila (n)	mi	ćemo nálaziti	mi	budemo nálazili (m) budemo nálazile (f) budemo nálazila (n)
vi	ste bili nálazili (m) ste bile nálazile (f) ste bila nálazila (n)	vi	ćete nálaziti	vi	budete nálazili (m) budete nálazile (f) budete nálazila (n)
oni (m)	su bili nálazili	oni (m)	će nálaziti	oni (m)	budu nálazili
one (f)	su bile nálazile	one (f)	će nálaziti	one (f)	budu nálazile
ona (n)	su bila nálazila	ona (n)	će nálaziti	ona (n)	budu nálazila

VERB MOODS					
Conditional 1		**Conditional 2**		**Imperative**	
ja	bih nálazio	ja	bih bio nálazio	ja	-
ti	bi nálazio (m)	ti	bi bio nálazio (m)	ti	nálazi
	bi nálazila (f)		bi bila nálazila (f)		
	bi nálazilo (n)		bi bilo nálazilo (n)		
on (m)	bi nálazio	on (m)	bi bio nálazio	on (m)	neka nálazi
ona (f)	bi nálazila	ona (f)	bi bila nálazila	ona (f)	neka nálazi
ono (n)	bi nálazilo	ono (n)	bi bilo nálazilo	ono (n)	neka nálazi
mi	bismo nálazili (m)	mi	bismo bili nálazili (m)	mi	nálazimo
	bismo nálazile (f)		bismo bile nálazile (f)		
	bismo nálazila (n)		bismo bila nálazila (n)		
vi	biste nálazili (m)	vi	biste bili nálazili (m)	vi	nálazite
	biste nálazile (f)		biste bile nálazile (f)		
	biste nálazila (n)		biste bila nálazila (n)		
oni (m)	bi nálazili	oni (m)	bi bili nálazili	oni (m)	neka nálaze
one (f)	bi nálazile	one (f)	bi bile nálazile	one (f)	neka nálaze
ona (n)	bi nálazila	ona (n)	bi bila nálazila	ona (n)	neka nálaze

VERBAL ADJECTIVES			
Active participle		**Past participle**	
ja	nálazio	ja	
ti	nálazio (m)	ti	
	nálazila (f)		
	nálazilo (n)		
on (m)	nálazio	on (m)	
ona (f)	nálazila	ona (f)	
ono (n)	nálazilo	ono (n)	
mi	nálazili (m)	mi	
	nálazile (f)		
	nálazila (n)		
vi	nálazili (m)	vi	
	nálazile (f)		
	nálazila (n)		
oni (m)	nálazili	oni (m)	
one (f)	nálazile	one (f)	
ona (n)	nálazila	ona (n)	

VERBAL ADVERBS
Active participle
nálazeći
Past participle
-

I'm finding a lot of gold every day. – Nalazim mnogo zlata svaki dan.

They were finding many new things. – Nalazili su mnoge nove stvari.

To Find (Naći) – Perfective

Present		Perfect		Aorist	
ja	nádem	ja	sam nášao	ja	náđoh
ti	nádeš	ti	si nášao (m) si nášla (f) si nášlo (n)	ti	náđe
on (m)	náđe	on (m)	je nášao	on (m)	náđe
ona (f)	náđe	ona (f)	je nášla	ona (f)	náđe
ono (n)	náđe	ono (n)	je nášlo	ono (n)	náđe
mi	náđemo	mi	smo nášli (m) smo nášle (f) smo nášla (n)	mi	náđosmo
vi	náđete	vi	ste nášli (m) ste nášle (f) ste nášla (n)	vi	náđoste
oni (m)	náđu	oni (m)	su nášli	oni (m)	náđoše
one (f)	náđu	one (f)	su nášle	one (f)	náđoše
ona (n)	náđu	ona (n)	su nášla	ona (n)	náđoše

Pluperfect		Futur 1		Futur 2	
ja	sam bio nášao	ja	ću náći	ja	budem nášao
ti	si bio nášao (m) si bila nášla (f) si bilo nášlo (n)	ti	ćeš náći	ti	budeš nášao (m) budeš nášla (f) budeš nášlo (n)
on (m)	je bio nášao	on (m)	će náći	on (m)	bude nášao
ona (f)	je bila nášla	ona (f)	će náći	ona (f)	bude nášla
ono (n)	je bilo nášlo	ono (n)	će náći	ono (n)	bude nášlo
mi	smo bili nášli (m) smo bile nášle (f) smo bila nášla (n)	mi	ćemo náći	mi	budemo nášli (m) budemo nášle (f) budemo nášla (n)
vi	ste bili nášli (m) ste bile nášle (f) ste bila nášla (n)	vi	ćete náći	vi	budete nášli (m) budete nášle (f) budete nášla (n)
oni (m)	su bili nášli	oni (m)	će náći	oni (m)	budu nášli
one (f)	su bile nášle	one (f)	će náći	one (f)	budu nášle
ona (n)	su bila nášla	ona (n)	će náći	ona (n)	budu nášla

VERB MOODS					
Conditional 1		**Conditional 2**		**Imperative**	
ja	bih nášao	ja	bih bio nášao	ja	-
ti	bi nášao (m)	ti	bi bio nášao (m)	ti	náđite
	bi nášla (f)		bi bila nášla (f)		
	bi nášlo (n)		bi bilo nášlo (n)		
on (m)	bi nášao	on (m)	bi bio nášao	on (m)	neka náđe
ona (f)	bi nášla	ona (f)	bi bila nášla	ona (f)	neka náđe
ono (n)	bi nášlo	ono (n)	bi bilo nášlo	ono (n)	neka náđe
mi	bismo nášli (m)	mi	bismo bili nášli (m)	mi	náđimo
	bismo nášle (f)		bismo bile nášle (f)		
	bismo nášla (n)		bismo bila nášla (n)		
vi	biste nášli (m)	vi	biste bili nášli (m)	vi	náđite
	biste nášle (f)		biste bile nášle (f)		
	biste nášla (n)		biste bila nášla (n)		
oni (m)	bi nášli	oni (m)	bi bili nášli	oni (m)	neka náđu
one (f)	bi nášle	one (f)	bi bile nášle	one (f)	neka náđu
ona (n)	bi nášla	ona (n)	bi bila nášla	ona (n)	neka náđu

VERBAL ADJECTIVES			
Active participle		**Past participle**	
ja	nášao	ja	náđen
ti	nášao (m)	ti	náđen (m)
	nášla (f)		náđena (f)
	nášlo (n)		náđeno(n)
on (m)	nášao	on (m)	náđen
ona (f)	nášla	ona (f)	náđena
ono (n)	nášlo	ono (n)	náđeno
mi	nášli (m)	mi	náđeni (m)
	nášle (f)		náđene (f)
	nášla (n)		náđene (n)
vi	nášli (m)	vi	náđeni (m)
	nášle (f)		náđene (f)
	nášla (n)		náđena (n)
oni (m)	nášli	oni (m)	náđeni
one (f)	nášle	one (f)	náđene
ona (n)	nášla	ona (n)	náđena

VERBAL ADVERBS
Active participle
-
Past participle
nášavši

They found me. – Našli su me.

He will find me. – On će me naći.

To Finish (Završavati) – Imperfective

Present		Perfect		Imperfect	
ja	zavŕšavam	ja	sam završávao	ja	završávah
ti	zavŕšavaš	ti	si završávao (m)	ti	završávaše
			si završávala (f)		
			si završávalo (n)		
on (m)	zavŕšava	on (m)	je završávao	on (m)	završávaše
ona (f)	zavŕšava	ona (f)	je završávala	ona (f)	završávaše
ono (n)	zavŕšava	ono (n)	je završávalo	ono (n)	završávaše
mi	zavŕšavamo	mi	smo završávali (m)	mi	završávasmo
			smo završávale (f)		
			smo završávala (n)		
vi	zavŕšavate	vi	ste završávali (m)	vi	završávaste
			ste završávale (f)		
			ste završávala (n)		
oni (m)	zavŕšavaju	oni (m)	su završávali	oni (m)	završávahu
one (f)	zavŕšavaju	one (f)	su završávale	one (f)	završávahu
ona (n)	zavŕšavaju	ona (n)	su završávala	ona (n)	završávahu

Pluperfect		Futur 1		Futur 2	
ja	sam bio završávao	ja	ću završávati	ja	budem završávao
ti	si bio završávao (m)	ti	ćeš završávati	ti	budeš završávao (m)
	si bila završávala (f)				budeš završávala (f)
	si bilo završávalo (n)				budeš završávalo (n)
on (m)	je bio završávao	on (m)	će završávati	on (m)	bude završávao
ona (f)	je bila završávala	ona (f)	će završávati	ona (f)	bude završávala
ono (n)	je bilo završávalo	ono (n)	će završávati	ono (n)	bude završávalo
mi	smo bili završávali (m)	mi	ćemo završávati	mi	budemo završávali (m)
	smo bile završávale (f)				budemo završávale (f)
	smo bila završávala (n)				budemo završávala (n)
vi	ste bili završávali (m)	vi	ćete završávati	vi	budete završávali (m)
	ste bile završávale (f)				budete završávale (f)
	ste bila završávala (n)				budete završávala (n)
oni (m)	su bili završávali	oni (m)	će završávati	oni (m)	budu završávali
one (f)	su bile završávale	one (f)	će završávati	one (f)	budu završávale
ona (n)	su bila završávala	ona (n)	će završávati	ona (n)	budu završávala

VERB MOODS					
Conditional 1		**Conditional 2**		**Imperative**	
ja	bih završávao	ja	bih bio završávao	ja	-
ti	bi završávao (m)	ti	bi bio završávao (m)	ti	zavŕšavaj
	bi završávala (f)		bi bila završávala (f)		
	bi završávalo (n)		bi bilo završávalo (n)		
on (m)	bi završávao	on (m)	bi bio završávao	on (m)	neka zavŕšava
ona (f)	bi završávala	ona (f)	bi bila završávala	ona (f)	neka zavŕšava
ono (n)	bi završávalo	ono (n)	bi bilo završávalo	ono (n)	neka zavŕšava
mi	bismo završávali (m)	mi	bismo bili završávali (m)	mi	zavŕšavajmo
	bismo završávale (f)		bismo bile završávale (f)		
	bismo završávala (n)		bismo bila završávala (n)		
vi	biste završávali (m)	vi	biste bili završávali (m)	vi	zavŕšavajte
	biste završávale (f)		biste bile završávale (f)		
	biste završávala (n)		biste bila završávala (n)		
oni (m)	bi završávali	oni (m)	bi bili završávali	oni (m)	neka završávaju
one (f)	bi završávale	one (f)	bi bile završávale	one (f)	neka završávaju
ona (n)	bi završávala	ona (n)	bi bila završávala	ona (n)	neka završávaju

VERBAL ADJECTIVES			
Active participle		**Past participle**	
ja	završávao	ja	zavŕšavan
ti	završávao (m)	ti	zavŕšavan (m)
	završávala (f)		zavŕšavana (f)
	završávalo (n)		zavŕšavano(n)
on (m)	završávao	on (m)	zavŕšavan
ona (f)	završávala	ona (f)	zavŕšavana
ono (n)	završávalo	ono (n)	zavŕšavano
mi	završávali (m)	mi	zavŕšavani (m)
	završávale (f)		zavŕšavane (f)
	završávala (n)		zavŕšavane (n)
vi	završávali (m)	vi	zavŕšavani (m)
	završávale (f)		zavŕšavane (f)
	završávala (n)		zavŕšavana (n)
oni (m)	završávali	oni (m)	zavŕšavani
one (f)	završávale	one (f)	zavŕšavane
ona (n)	završávala	ona (n)	zavŕšavana

VERBAL ADVERBS
Active participle
završávajući
Past participle
-

I'm finishing please wait. Završavam, molim te pričekaj.

He was finishing his work when she arrived. – On je završavao posao kad je ona došla.

To Finish (Završiti) – Perfective

Present		Perfect		Aorist	
ja	závršim	ja	sam završio	ja	završih
ti	závršiš	ti	si završio (m) si završila (f) si završilo (n)	ti	završi
on (m)	závrši	on (m)	je završio	on (m)	završi
ona (f)	závrši	ona (f)	je završila	ona (f)	završi
ono (n)	závrši	ono (n)	je završilo	ono (n)	završi
mi	závršimo	mi	smo završili (m) smo završile (f) smo završila (n)	mi	završismo
vi	závršite	vi	ste završili (m) ste završile (f) ste završila (n)	vi	završiste
oni (m)	závrše	oni (m)	su završili	oni (m)	završiše
one (f)	závrše	one (f)	su završile	one (f)	završiše
ona (n)	závrše	ona (n)	su završila	ona (n)	završiše

Pluperfect		Futur 1		Futur 2	
ja	sam bio završio	ja	ću završiti	ja	budem završio
ti	si bio završio (m) si bila završila (f) si bilo završilo (n)	ti	ćeš završiti	ti	budeš završio (m) budeš završila (f) budeš završilo (n)
on (m)	je bio završio	on (m)	će završiti	on (m)	bude završio
ona (f)	je bila završila	ona (f)	će završiti	ona (f)	bude završila
ono (n)	je bilo završilo	ono (n)	će završiti	ono (n)	bude završilo
mi	smo bili završili (m) smo bile završile (f) smo bila završila (n)	mi	ćemo završiti	mi	budemo završili (m) budemo završile (f) budemo završila (n)
vi	ste bili završili (m) ste bile završile (f) ste bila završila (n)	vi	ćete završiti	vi	budete završili (m) budete završile (f) budete završila (n)
oni (m)	su bili završili	oni (m)	će završiti	oni (m)	budu završili
one (f)	su bile završile	one (f)	će završiti	one (f)	budu završile
ona (n)	su bila završila	ona (n)	će završiti	ona (n)	budu završila

VERB MOODS					
Conditional 1		**Conditional 2**		**Imperative**	
ja	bih zavŕšio	ja	bih bio zavŕšio	ja	-
ti	bi zavŕšio (m)	ti	bi bio zavŕšio (m)	ti	zavŕši
	bi zavŕšila (f)		bi bila zavŕšila (f)		
	bi zavŕšilo (n)		bi bilo zavŕšilo (n)		
on (m)	bi zavŕšio	on (m)	bi bio zavŕšio	on (m)	neka zavŕši
ona (f)	bi zavŕšila	ona (f)	bi bila zavŕšila	ona (f)	neka zavŕši
ono (n)	bi zavŕšilo	ono (n)	bi bilo zavŕšilo	ono (n)	neka zavŕši
mi	bismo zavŕšili (m)	mi	bismo bili zavŕšili (m)	mi	zavŕšimo
	bismo zavŕšile (f)		bismo bile zavŕšile (f)		
	bismo zavŕšila (n)		bismo bila zavŕšila (n)		
vi	biste zavŕšili (m)	vi	biste bili zavŕšili (m)	vi	zavŕšite
	biste zavŕšile (f)		biste bile zavŕšile (f)		
	biste zavŕšila (n)		biste bila zavŕšila (n)		
oni (m)	bi zavŕšili	oni (m)	bi bili zavŕšili	oni (m)	neka závrše
one (f)	bi zavŕšile	one (f)	bi bile zavŕšile	one (f)	neka závrše
ona (n)	bi zavŕšila	ona (n)	bi bila zavŕšila	ona (n)	neka závrše

VERBAL ADJECTIVES			
Active participle		**Past participle**	
ja	zavŕšio	ja	závršen
ti	zavŕšio (m)	ti	závršen (m)
	zavŕšila (f)		závršena (f)
	zavŕšilo (n)		závršeno(n)
on (m)	zavŕšio	on (m)	závršen
ona (f)	zavŕšila	ona (f)	závršena
ono (n)	zavŕšilo	ono (n)	závršeno
mi	zavŕšili (m)	mi	závršeni (m)
	zavŕšile (f)		závršene (f)
	zavŕšila (n)		závršene (n)
vi	zavŕšili (m)	vi	závršeni (m)
	zavŕšile (f)		závršene (f)
	zavŕšila (n)		závršena (n)
oni (m)	zavŕšili	oni (m)	závršeni
one (f)	zavŕšile	one (f)	závršene
ona (n)	zavŕšila	ona (n)	závršena

VERBAL ADVERBS
Active participle
-
Past participle
zavŕšivši

I finished thank you. – Završio sam, hvala.

He finished yesterday. – On je završio jučer.

To Fly (Letjeti) – Imperfective

Present		Perfect		Imperfect	
ja	létim	ja	sam létio	ja	lécah
ti	létiš	ti	si létio (m) si létjela (f) si létjelo (n)	ti	lećaše
on (m)	léti	on (m)	je létio	on (m)	lećaše
ona (f)	léti	ona (f)	je létjela	ona (f)	Léćaše
ono (n)	léti	ono (n)	je létjelo	ono (n)	léćaše
mi	létimo	mi	smo létjeli (m) smo létjele (f) smo létjela (n)	mi	léćasmo
vi	létite	vi	ste létjeli (m) ste létjele (f) ste létjela (n)	vi	léćaste
oni (m)	léte	oni (m)	su létjeli	oni (m)	léćahu
one (f)	léte	one (f)	su létjele	one (f)	léćahu
ona (n)	léte	ona (n)	su létjela	ona (n)	léćahu

Pluperfect		Futur 1		Futur 2	
ja	sam bio létio	ja	ću létjeti	ja	budem létio
ti	si bio létio (m) si bila létjela (f) si bilo létjelo (n)	ti	ćeš létjeti	ti	budeš létio (m) budeš létjela (f) budeš létjelo (n)
on (m)	je bio létio	on (m)	će létjeti	on (m)	bude létio
ona (f)	je bila létjela	ona (f)	će létjeti	ona (f)	bude létjela
ono (n)	je bilo létjelo	ono (n)	će létjeti	ono (n)	bude létjelo
mi	smo bili létjeli (m) smo bile létjele (f) smo bila létjela (n)	mi	ćemo létjeti	mi	budemo létjeli (m) budemo létjele (f) budemo létjela (n)
vi	ste bili létjeli (m) ste bile létjele (f) ste bila létjela (n)	vi	ćete létjeti	vi	budete létjeli (m) budete létjele (f) budete létjela (n)
oni (m)	su bili létjeli	oni (m)	će létjeti	oni (m)	budu létjeli
one (f)	su bile létjele	one (f)	će létjeti	one (f)	budu létjele
ona (n)	su bila létjela	ona (n)	će létjeti	ona (n)	budu létjela

VERB MOODS

Conditional 1		Conditional 2		Imperative	
ja	bih létio	ja	bih bio létio	ja	-
ti	bi létio (m)	ti	bi bio létio (m)	ti	léti
	bi létjela (f)		bi bila létjela (f)		
	bi létjelo (n)		bi bilo létjelo (n)		
on (m)	bi létio	on (m)	bi bio létio	on (m)	neka léti
ona (f)	bi létjela	ona (f)	bi bila létjela	ona (f)	neka léti
ono (n)	bi létjelo	ono (n)	bi bilo létjelo	ono (n)	neka léti
mi	bismo létjeli (m)	mi	bismo bili létjeli (m)	mi	létimo
	bismo létjele (f)		bismo bile létjele (f)		
	bismo létjela (n)		bismo bila létjela (n)		
vi	biste létjeli (m)	vi	biste bili létjeli (m)	vi	létite
	biste létjele (f)		biste bile létjele (f)		
	biste létjela (n)		biste bila létjela (n)		
oni (m)	bi létjeli	oni (m)	bi bili létjeli	oni (m)	neka léte
one (f)	bi létjele	one (f)	bi bile létjele	one (f)	neka léte
ona (n)	bi létjela	ona (n)	bi bila létjela	ona (n)	neka léte

VERBAL ADJECTIVES

Active participle		Past participle	
ja	létio	ja	
ti	létio (m)	ti	
	létjela (f)		
	létjelo (n)		
on (m)	létio	on (m)	
ona (f)	létjela	ona (f)	
ono (n)	létjelo	ono (n)	
mi	létjeli (m)	mi	
	létjele (f)		
	létjela (n)		
vi	létjeli (m)	vi	
	létjele (f)		
	létjela (n)		
oni (m)	létjeli	oni (m)	
one (f)	létjele	one (f)	
ona (n)	létjela	ona (n)	

VERBAL ADVERBS

Active participle
léteći

Past participle
-

I was flying like a bird. – Letio sam kao ptica.

Birds fly. – Ptice lete.

To Fly (Poletjeti) – Perfective

Present		Perfect		Aorist	
ja	póletim	ja	sam polétio	ja	polétjeh
ti	póletiš	ti	si polétio (m) si polétjela (f) si polétjelo (n)	ti	polétje
on (m)	póleti	on (m)	je polétio	on (m)	polétje
ona (f)	póleti	ona (f)	je polétjela	ona (f)	polétje
ono (n)	póleti	ono (n)	je polétjelo	ono (n)	polétje
mi	póletimo	mi	smo polétjeli (m) smo polétjele (f) smo polétjela (n)	mi	polétjesmo
vi	póletite	vi	ste polétjeli (m) ste polétjele (f) ste polétjela (n)	vi	polétjeste
oni (m)	pólete	oni (m)	su polétjeli	oni (m)	polétješe
one (f)	pólete	one (f)	su polétjele	one (f)	polétješe
ona (n)	pólete	ona (n)	su polétjela	ona (n)	polétješe

Pluperfect		Futur 1		Futur 2	
ja	sam bio polétio	ja	ću polétjeti	ja	budem polétio
ti	si bio polétio (m) si bila polétjela (f) si bilo polétjelo (n)	ti	ćeš polétjeti	ti	budeš polétio (m) budeš polétjela (f) budeš polétjelo (n)
on (m)	je bio polétio	on (m)	će polétjeti	on (m)	bude polétio
ona (f)	je bila polétjela	ona (f)	će polétjeti	ona (f)	bude polétjela
ono (n)	je bilo polétjelo	ono (n)	će polétjeti	ono (n)	bude polétjelo
mi	smo bili polétjeli (m) smo bile polétjele (f) smo bila polétjela (n)	mi	ćemo polétjeti	mi	budemo polétjeli (m) budemo polétjele (f) budemo polétjela (n)
vi	ste bili polétjeli (m) ste bile polétjele (f) ste bila polétjela (n)	vi	ćete polétjeti	vi	budete polétjeli (m) budete polétjele (f) budete polétjela (n)
oni (m)	su bili polétjeli	oni (m)	će polétjeti	oni (m)	budu polétjeli
one (f)	su bile polétjele	one (f)	će polétjeti	one (f)	budu polétjele
ona (n)	su bila polétjela	ona (n)	će polétjeti	ona (n)	budu polétjela

VERB MOODS					
Conditional 1		**Conditional 2**		**Imperative**	
ja	bih polétio	ja	bih bio polétio	ja	-
ti	bi polétio (m)	ti	bi bio polétio (m)	ti	poléti
	bi polétjela (f)		bi bila polétjela (f)		
	bi polétjelo (n)		bi bilo polétjelo (n)		
on (m)	bi polétio	on (m)	bi bio polétio	on (m)	neka póleti
ona (f)	bi polétjela	ona (f)	bi bila polétjela	ona (f)	neka póleti
ono (n)	bi polétjelo	ono (n)	bi bilo polétjelo	ono (n)	neka póleti
mi	bismo polétjeli (m)	mi	bismo bili polétjeli (m)	mi	polétimo
	bismo polétjele (f)		bismo bile polétjele (f)		
	bismo polétjela (n)		bismo bila polétjela (n)		
vi	biste polétjeli (m)	vi	biste bili polétjeli (m)	vi	polétite
	biste polétjele (f)		biste bile polétjele (f)		
	biste polétjela (n)		biste bila polétjela (n)		
oni (m)	bi polétjeli	oni (m)	bi bili polétjeli	oni (m)	neka pólete
one (f)	bi polétjele	one (f)	bi bile polétjele	one (f)	neka pólete
ona (n)	bi polétjela	ona (n)	bi bila polétjela	ona (n)	neka pólete

VERBAL ADJECTIVES			
Active participle		**Past participle**	
ja	polétio	ja	
ti	polétio (m)	ti	
	polétjela (f)		
	polétjelo (n)		
on (m)	polétio	on (m)	
ona (f)	polétjela	ona (f)	
ono (n)	polétjelo	ono (n)	
mi	polétjeli (m)	mi	
	polétjele (f)		
	polétjela (n)		
vi	polétjeli (m)	vi	
	polétjele (f)		
	polétjela (n)		
oni (m)	polétjeli	oni (m)	
one (f)	polétjele	one (f)	
ona (n)	polétjela	ona (n)	

VERBAL ADVERBS
Active participle
-
Past participle
polétjevši

They flied to the sky. – Poletjele su u nebo.

He flied and has never returned. – Poletio je i više se nije vratio.

To Forget (Zaboravljati) – Imperfective

Present		Perfect		Imperfect	
ja	zabóravljam	ja	sam zaborávljao	ja	zaborávljah
ti	zabóravljaš	ti	si zaborávljao (m) si zaborávljala (f) si zaborávljalo (n)	ti	zaborávljaše
on (m)	zabóravlja	on (m)	je zaborávljao	on (m)	zaborávljaše
ona (f)	zabóravlja	ona (f)	je zaborávljala	ona (f)	zaborávljaše
ono (n)	zabóravlja	ono (n)	je zaborávljalo	ono (n)	zaborávljaše
mi	zabóravljamo	mi	smo zaborávljali (m) smo zaborávljale (f) smo zaborávljala (n)	mi	zaborávljasmo
vi	zabóravljate	vi	ste zaborávljali (m) ste zaborávljale (f) ste zaborávljala (n)	vi	zaborávljaste
oni (m)	zabóravljaju	oni (m)	su zaborávljali	oni (m)	zaborávljahu
one (f)	zabóravljaju	one (f)	su zaborávljale	one (f)	zaborávljahu
ona (n)	zabóravljaju	ona (n)	su zaborávljala	ona (n)	zaborávljahu

Pluperfect		Futur 1		Futur 2	
ja	sam bio zaborávljao	ja	ću zaborávljati	ja	budem zaborávljao
ti	si bio zaborávljao (m) si bila zaborávljala (f) si bilo zaborávljalo (n)	ti	ćeš zaborávljati	ti	budeš zaborávljao (m) budeš zaborávljala (f) budeš zaborávljalo (n)
on (m)	je bio zaborávljao	on (m)	će zaborávljati	on (m)	bude zaborávljao
ona (f)	je bila zaborávljala	ona (f)	će zaborávljati	ona (f)	bude zaborávljala
ono (n)	je bilo zaborávljalo	ono (n)	će zaborávljati	ono (n)	bude zaborávljalo
mi	smo bili zaborávljali (m) smo bile zaborávljale (f) smo bila zaborávljala (n)	mi	ćemo zaborávljati	mi	budemo zaborávljali (m) budemo zaborávljale (f) budemo zaborávljala (n)
vi	ste bili zaborávljali (m) ste bile zaborávljale (f) ste bila zaborávljala (n)	vi	ćete zaborávljati	vi	budete zaborávljali (m) budete zaborávljale (f) budete zaborávljala (n)
oni (m)	su bili zaborávljali	oni (m)	će zaborávljati	oni (m)	budu zaborávljali
one (f)	su bile zaborávljale	one (f)	će zaborávljati	one (f)	budu zaborávljale
ona (n)	su bila zaborávljala	ona (n)	će zaborávljati	ona (n)	budu zaborávljala

VERB MOODS					
Conditional 1		**Conditional 2**		**Imperative**	
ja	bih zaborávljao	ja	bih bio zaborávljao	ja	-
ti	bi zaborávljao (m)	ti	bi bio zaborávljao (m)	ti	zabóravljaj
	bi zaborávljala (f)		bi bila zaborávljala (f)		
	bi zaborávljalo (n)		bi bilo zaborávljalo (n)		
on (m)	bi zaborávljao	on (m)	bi bio zaborávljao	on (m)	neka zabóravlja
ona (f)	bi zaborávljala	ona (f)	bi bila zaborávljala	ona (f)	neka zabóravlja
ono (n)	bi zaborávljalo	ono (n)	bi bilo zaborávljalo	ono (n)	neka zabóravlja
mi	bismo zaborávljali (m)	mi	bismo bili zaborávljali (m)	mi	zabóravljajmo
	bismo zaborávljale (f)		bismo bile zaborávljale (f)		
	bismo zaborávljala (n)		bismo bila zaborávljala (n)		
vi	biste zaborávljali (m)	vi	biste bili zaborávljali (m)	vi	zabóravljajte
	biste zaborávljale (f)		biste bile zaborávljale (f)		
	biste zaborávljala (n)		biste bila zaborávljala (n)		
oni (m)	bi zaborávljali	oni (m)	bi bili zaborávljali	oni (m)	neka zabóravljaju
one (f)	bi zaborávljale	one (f)	bi bile zaborávljale	one (f)	neka zabóravljaju
ona (n)	bi zaborávljala	ona (n)	bi bila zaborávljala	ona (n)	neka zabóravljaju

VERBAL ADJECTIVES			
Active participle		**Past participle**	
ja	zaborávljao	ja	zabóravljan
ti	zaborávljao (m)	ti	zabóravljan (m)
	zaborávljala (f)		zabóravljana (f)
	zaborávljalo (n)		zabóravljano(n)
on (m)	zaborávljao	on (m)	zabóravljan
ona (f)	zaborávljala	ona (f)	zabóravljana
ono (n)	zaborávljalo	ono (n)	zabóravljano
mi	zaborávljali (m)	mi	zabóravljani (m)
	zaborávljale (f)		zabóravljane (f)
	zaborávljala (n)		zabóravljane (n)
vi	zaborávljali (m)	vi	zabóravljani (m)
	zaborávljale (f)		zabóravljane (f)
	zaborávljala (n)		zabóravljana (n)
oni (m)	zaborávljali	oni (m)	zabóravljani
one (f)	zaborávljale	one (f)	zabóravljane
ona (n)	zaborávljala	ona (n)	zabóravljana

VERBAL ADVERBS
Active participle
zaborávljajući
Past participle
-

I'm more and more forgetting things. – Sve više i više stvari zaboravljam.

You are forgetting me. – Zaboravljaš me.

To Forget (Zaboraviti) – Perfective

Present		Perfect		Aorist	
ja	zabóravim	ja	sam zabóravio	ja	zabóravih
ti	zabóraviš	ti	si zabóravio (m) si zabóravila (f) si zabóravilo (n)	ti	zabóravi
on (m)	zabóravi	on (m)	je zabóravio	on (m)	zabóravi
ona (f)	zabóravi	ona (f)	je zabóravila	ona (f)	zabóravi
ono (n)	zabóravi	ono (n)	je zabóravilo	ono (n)	zabóravi
mi	zabóravimo	mi	smo zabóravili (m) smo zabóravile (f) smo zabóravila (n)	mi	zabóravismo
vi	zabóravite	vi	ste zabóravili (m) ste zabóravile (f) ste zabóravila (n)	vi	zabóraviste
oni (m)	zabórave	oni (m)	su zabóravili	oni (m)	zabóraviše
one (f)	zabórave	one (f)	su zabóravile	one (f)	zabóraviše
ona (n)	zabórave	ona (n)	su zabóravila	ona (n)	zabóraviše

Pluperfect		Futur 1		Futur 2	
ja	sam bio zabóravio	ja	ću zabóraviti	ja	budem zabóravio
ti	si bio zabóravio (m) si bila zabóravila (f) si bilo zabóravilo (n)	ti	ćeš zabóraviti	ti	budeš zabóravio (m) budeš zabóravila (f) budeš zabóravilo (n)
on (m)	je bio zabóravio	on (m)	će zabóraviti	on (m)	bude zabóravio
ona (f)	je bila zabóravila	ona (f)	će zabóraviti	ona (f)	bude zabóravila
ono (n)	je bilo zabóravilo	ono (n)	će zabóraviti	ono (n)	bude zabóravilo
mi	smo bili zabóravili (m) smo bile zabóravile (f) smo bila zabóravila (n)	mi	ćemo zabóraviti	mi	budemo zabóravili (m) budemo zabóravile (f) budemo zabóravila (n)
vi	ste bili zabóravili (m) ste bile zabóravile (f) ste bila zabóravila (n)	vi	ćete zabóraviti	vi	budete zabóravili (m) budete zabóravile (f) budete zabóravila (n)
oni (m)	su bili zabóravili	oni (m)	će zabóraviti	oni (m)	budu zabóravili
one (f)	su bile zabóravile	one (f)	će zabóraviti	one (f)	budu zabóravile
ona (n)	su bila zabóravila	ona (n)	će zabóraviti	ona (n)	budu zabóravila

VERB MOODS					
Conditional 1		**Conditional 2**		**Imperative**	
ja	bih zabóravio	ja	bih bio zabóravio	ja	-
ti	bi zabóravio (m)	ti	bi bio zabóravio (m)	ti	zabóravi
	bi zabóravila (f)		bi bila zabóravila (f)		
	bi zabóravilo (n)		bi bilo zabóravilo (n)		
on (m)	bi zabóravio	on (m)	bi bio zabóravio	on (m)	neka zabóravi
ona (f)	bi zabóravila	ona (f)	bi bila zabóravila	ona (f)	neka zabóravi
ono (n)	bi zabóravilo	ono (n)	bi bilo zabóravilo	ono (n)	neka zabóravi
mi	bismo zabóravili (m)	mi	bismo bili zabóravili (m)	mi	zabóravimo
	bismo zabóravile (f)		bismo bile zabóravile (f)		
	bismo zabóravila (n)		bismo bila zabóravila (n)		
vi	biste zabóravili (m)	vi	biste bili zabóravili (m)	vi	zabóravite
	biste zabóravile (f)		biste bile zabóravile (f)		
	biste zabóravila (n)		biste bila zabóravila (n)		
oni (m)	bi zabóravili	oni (m)	bi bili zabóravili	oni (m)	neka zabórave
one (f)	bi zabóravile	one (f)	bi bile zabóravile	one (f)	neka zabórave
ona (n)	bi zabóravila	ona (n)	bi bila zabóravila	ona (n)	neka zabórave

VERBAL ADJECTIVES			
Active participle		**Past participle**	
ja	zabóravio	ja	zabóravljen
ti	zabóravio (m)	ti	zabóravljen (m)
	zabóravila (f)		zabóravljena (f)
	zabóravilo (n)		zabóravljeno(n)
on (m)	zabóravio	on (m)	zabóravljen
ona (f)	zabóravila	ona (f)	zabóravljena
ono (n)	zabóravilo	ono (n)	zabóravljeno
mi	zabóravili (m)	mi	zabóravljeni (m)
	zabóravile (f)		zabóravljene (f)
	zabóravila (n)		zabóravljene (n)
vi	zabóravili (m)	vi	zabóravljeni (m)
	zabóravile (f)		zabóravljene (f)
	zabóravila (n)		zabóravljena (n)
oni (m)	zabóravili	oni (m)	zabóravljeni
one (f)	zabóravile	one (f)	zabóravljene
ona (n)	zabóravila	ona (n)	zabóravljena

VERBAL ADVERBS
Active participle
-
Past participle
zabóravivši

I have already forgotten. – Već sam zaboravio.

They will forget this. – Oni će ovo zaboraviti.

To Get up (Ustajati) – Imperfective

Present		Perfect		Imperfect	
ja	ústajem	ja	sam ústajao	ja	ústajah
ti	ústaješ	ti	si ústajao (m) si ústajala (f) si ústajalo (n)	ti	ústajaše
on (m)	ústaje	on (m)	je ústajao	on (m)	ústajaše
ona (f)	ústaje	ona (f)	je ústajala	ona (f)	ústajaše
ono (n)	ústaje	ono (n)	je ústajalo	ono (n)	ústajaše
mi	ústajemo	mi	smo ústajali (m) smo ústajale (f) smo ústajala (n)	mi	ústajasmo
vi	ústajete	vi	ste ústajali (m) ste ústajale (f) ste ústajala (n)	vi	ústajaste
oni (m)	ústaju	oni (m)	su ústajali	oni (m)	ústajahu
one (f)	ústaju	one (f)	su ústajale	one (f)	ústajahu
ona (n)	ústaju	ona (n)	su ústajala	ona (n)	ústajahu

Pluperfect		Futur 1		Futur 2	
ja	sam bio ústajao	ja	ću ústajati	ja	budem ústajao
ti	si bio ústajao (m) si bila ústajala (f) si bilo ústajalo (n)	ti	ćeš ústajati	ti	budeš ústajao (m) budeš ústajala (f) budeš ústajalo (n)
on (m)	je bio ústajao	on (m)	će ústajati	on (m)	bude ústajao
ona (f)	je bila ústajala	ona (f)	će ústajati	ona (f)	bude ústajala
ono (n)	je bilo ústajalo	ono (n)	će ústajati	ono (n)	bude ústajalo
mi	smo bili ústajali (m) smo bile ústajale (f) smo bila ústajala (n)	mi	ćemo ústajati	mi	budemo ústajali (m) budemo ústajale (f) budemo ústajala (n)
vi	ste bili ústajali (m) ste bile ústajale (f) ste bila ústajala (n)	vi	ćete ústajati	vi	budete ústajali (m) budete ústajale (f) budete ústajala (n)
oni (m)	su bili ústajali	oni (m)	će ústajati	oni (m)	budu ústajali
one (f)	su bile ústajale	one (f)	će ústajati	one (f)	budu ústajale
ona (n)	su bila ústajala	ona (n)	će ústajati	ona (n)	budu ústajala

VERB MOODS					
Conditional 1		**Conditional 2**		**Imperative**	
ja	bih ústajao	ja	bih bio ústajao	ja	-
ti	bi ústajao (m)	ti	bi bio ústajao (m)	ti	ústaj
	bi ústajala (f)		bi bila ústajala (f)		
	bi ústajalo (n)		bi bilo ústajalo (n)		
on (m)	bi ústajao	on (m)	bi bio ústajao	on (m)	neka ústaje
ona (f)	bi ústajala	ona (f)	bi bila ústajala	ona (f)	neka ústaje
ono (n)	bi ústajalo	ono (n)	bi bilo ústajalo	ono (n)	neka ústaje
mi	bismo ústajali (m)	mi	bismo bili ústajali (m)	mi	ústajmo
	bismo ústajale (f)		bismo bile ústajale (f)		
	bismo ústajala (n)		bismo bila ústajala (n)		
vi	biste ústajali (m)	vi	biste bili ústajali (m)	vi	ústajte
	biste ústajale (f)		biste bile ústajale (f)		
	biste ústajala (n)		biste bila ústajala (n)		
oni (m)	bi ústajali	oni (m)	bi bili ústajali	oni (m)	neka ústaju
one (f)	bi ústajale	one (f)	bi bile ústajale	one (f)	neka ústaju
ona (n)	bi ústajala	ona (n)	bi bila ústajala	ona (n)	neka ústaju

VERBAL ADJECTIVES			
Active participle		**Past participle**	
ja	ústajao	ja	
ti	ústajao (m)	ti	
	ústajala (f)		
	ústajalo (n)		
on (m)	ústajao	on (m)	
ona (f)	ústajala	ona (f)	
ono (n)	ústajalo	ono (n)	
mi	ústajali (m)	mi	
	ústajale (f)		
	ústajala (n)		
vi	ústajali (m)	vi	
	ústajale (f)		
	ústajala (n)		
oni (m)	ústajali	oni (m)	
one (f)	ústajale	one (f)	
ona (n)	ústajala	ona (n)	

VERBAL ADVERBS
Active participle
ústajajući
Past participle
-

Wait I'm getting up. – Sačekaj, ustajem.

You are getting up for an hour. – Ustaješ sat vremena.

To Get up (Ustati) – Perfective

Present		Perfect		Aorist	
ja	ústanem	ja	sam ústao	ja	ústah
ti	ústaneš	ti	si ústao (m) si ústala (f) si ústalo (n)	ti	ústa
on (m)	ústane	on (m)	je ústao	on (m)	ústa
ona (f)	ústane	ona (f)	je ústala	ona (f)	ústa
ono (n)	ústane	ono (n)	je ústalo	ono (n)	ústa
mi	ústanemo	mi	smo ústali (m) smo ústale (f) smo ústala (n)	mi	ústasmo
vi	ústanete	vi	ste ústali (m) ste ústale (f) ste ústala (n)	vi	ústaste
oni (m)	ústanu	oni (m)	su ústali	oni (m)	ústaše
one (f)	ústanu	one (f)	su ústale	one (f)	ústaše
ona (n)	ústanu	ona (n)	su ústala	ona (n)	ústaše

Pluperfect		Futur 1		Futur 2	
ja	sam bio ústao	ja	ću ústati	ja	budem ústao
ti	si bio ústao (m) si bila ústala (f) si bilo ústalo (n)	ti	ćeš ústati	ti	budeš ústao (m) budeš ústala (f) budeš ústalo (n)
on (m)	je bio ústao	on (m)	će ústati	on (m)	bude ústao
ona (f)	je bila ústala	ona (f)	će ústati	ona (f)	bude ústala
ono (n)	je bilo ústalo	ono (n)	će ústati	ono (n)	bude ústalo
mi	smo bili ústali (m) smo bile ústale (f) smo bila ústala (n)	mi	ćemo ústati	mi	budemo ústali (m) budemo ústale (f) budemo ústala (n)
vi	ste bili ústali (m) ste bile ústale (f) ste bila ústala (n)	vi	ćete ústati	vi	budete ústali (m) budete ústale (f) budete ústala (n)
oni (m)	su bili ústali	oni (m)	će ústati	oni (m)	budu ústali
one (f)	su bile ústale	one (f)	će ústati	one (f)	budu ústale
ona (n)	su bila ústala	ona (n)	će ústati	ona (n)	budu ústala

VERB MOODS					
Conditional 1		**Conditional 2**		**Imperative**	
ja	bih ústao	ja	bih bio ústao	ja	-
ti	bi ústao (m)	ti	bi bio ústao (m)	ti	ústaj
	bi ústala (f)		bi bila ústala (f)		
	bi ústalo (n)		bi bilo ústalo (n)		
on (m)	bi ústao	on (m)	bi bio ústao	on (m)	neka ústane
ona (f)	bi ústala	ona (f)	bi bila ústala	ona (f)	neka ústane
ono (n)	bi ústalo	ono (n)	bi bilo ústalo	ono (n)	neka ústane
mi	bismo ústali (m)	mi	bismo bili ústali (m)	mi	ústanimo
	bismo ústale (f)		bismo bile ústale (f)		
	bismo ústala (n)		bismo bila ústala (n)		
vi	biste ústali (m)	vi	biste bili ústali (m)	vi	ústanite
	biste ústale (f)		biste bile ústale (f)		
	biste ústala (n)		biste bila ústala (n)		
oni (m)	bi ústali	oni (m)	bi bili ústali	oni (m)	neka ústanu
one (f)	bi ústale	one (f)	bi bile ústale	one (f)	neka ústanu
ona (n)	bi ústala	ona (n)	bi bila ústala	ona (n)	neka ústanu

VERBAL ADJECTIVES			
Active participle		**Past participle**	
ja	ústao	ja	
ti	ústao (m)	ti	
	ústala (f)		
	ústalo (n)		
on (m)	ústao	on (m)	
ona (f)	ústala	ona (f)	
ono (n)	ústalo	ono (n)	
mi	ústali (m)	mi	
	ústale (f)		
	ústala (n)		
vi	ústali (m)	vi	
	ústale (f)		
	ústala (n)		
oni (m)	ústali	oni (m)	
one (f)	ústale	one (f)	
ona (n)	ústala	ona (n)	

VERBAL ADVERBS
Active participle
-
Past participle
ústavši

I got up this morning. Ustao sam jutros.

You will get up when I tell you. – Ustat ćeš kad ti ja kažem.

To Give (Davati) – Imperfective

Present		**Perfect**		**Imperfect**	
ja	dájem	ja	sam dávao	ja	dávah
			si dávao (m)		
ti	dáješ	ti	si dávala (f)	ti	dávaše
			si dávalo (n)		
on (m)	dáje	on (m)	je dávao	on (m)	dávaše
ona (f)	dáje	ona (f)	je dávala	ona (f)	dávaše
ono (n)	dáje	ono (n)	je dávalo	ono (n)	dávaše
			smo dávali (m)		
mi	dájemo	mi	smo dávale (f)	mi	dávasmo
			smo dávala (n)		
			ste dávali (m)		
vi	dájete	vi	ste dávale (f)	vi	dávaste
			ste dávala (n)		
oni (m)	dáju	oni (m)	su dávali	oni (m)	dávahu
one (f)	dáju	one (f)	su dávale	one (f)	dávahu
ona (n)	dáju	ona (n)	su dávala	ona (n)	dávahu

Pluperfect		**Futur 1**		**Futur 2**	
ja	sam bio dávao	ja	ću dávati	ja	budem dávao
	si bio dávao (m)				budeš dávao (m)
ti	si bila dávala (f)	ti	ćeš dávati	ti	budeš dávala (f)
	si bilo dávalo (n)				budeš dávalo (n)
on (m)	je bio dávao	on (m)	će dávati	on (m)	bude dávao
ona (f)	je bila dávala	ona (f)	će dávati	ona (f)	bude dávala
ono (n)	je bilo dávalo	ono (n)	će dávati	ono (n)	bude dávalo
	smo bili dávali (m)				budemo dávali (m)
mi	smo bile dávale (f)	mi	ćemo dávati	mi	budemo dávale (f)
	smo bila dávala (n)				budemo dávala (n)
	ste bili dávali (m)				budete dávali (m)
vi	ste bile dávale (f)	vi	ćete dávati	vi	budete dávale (f)
	ste bila dávala (n)				budete dávala (n)
oni (m)	su bili dávali	oni (m)	će dávati	oni (m)	budu dávali
one (f)	su bile dávale	one (f)	će dávati	one (f)	budu dávale
ona (n)	su bila dávala	ona (n)	će dávati	ona (n)	budu dávala

VERB MOODS					
Conditional 1		**Conditional 2**		**Imperative**	
ja	bih dávao	ja	bih bio dávao	ja	-
ti	bi dávao (m)	ti	bi bio dávao (m)	ti	dávaj
	bi dávala (f)		bi bila dávala (f)		
	bi dávalo (n)		bi bilo dávalo (n)		
on (m)	bi dávao	on (m)	bi bio dávao	on (m)	neka dáje
ona (f)	bi dávala	ona (f)	bi bila dávala	ona (f)	neka dáje
ono (n)	bi dávalo	ono (n)	bi bilo dávalo	ono (n)	neka dáje
mi	bismo dávali (m)	mi	bismo bili dávali (m)	mi	dávajmo
	bismo dávale (f)		bismo bile dávale (f)		
	bismo dávala (n)		bismo bila dávala (n)		
vi	biste dávali (m)	vi	biste bili dávali (m)	vi	dávajte
	biste dávale (f)		biste bile dávale (f)		
	biste dávala (n)		biste bila dávala (n)		
oni (m)	bi dávali	oni (m)	bi bili dávali	oni (m)	neka dávaju
one (f)	bi dávale	one (f)	bi bile dávale	one (f)	neka dávaju
ona (n)	bi dávala	ona (n)	bi bila dávala	ona (n)	neka dávaju

VERBAL ADJECTIVES			
Active participle		**Past participle**	
ja	dávao	ja	dávan
ti	dávao (m)	ti	dávan (m)
	dávala (f)		dávana (f)
	dávalo (n)		dávano(n)
on (m)	dávao	on (m)	dávan
ona (f)	dávala	ona (f)	dávana
ono (n)	dávalo	ono (n)	dávano
mi	dávali (m)	mi	dávani (m)
	dávale (f)		dávane (f)
	dávala (n)		dávane (n)
vi	dávali (m)	vi	dávani (m)
	dávale (f)		dávane (f)
	dávala (n)		dávana (n)
oni (m)	dávali	oni (m)	dávani
one (f)	dávale	one (f)	dávane
ona (n)	dávala	ona (n)	dávana

VERBAL ADVERBS
Active participle
dávajući
Past participle
-

I'm giving all my money to you. – Dajem ti sav novac.

I like giving. Volim davati.

To Give (Dati) – Perfective

Present		Perfect		Aorist	
ja	dam	ja	sam dáo	ja	dádoh
ti	daš	ti	si dáo (m) si dála (f) si dálo (n)	ti	dáde
on (m)	da	on (m)	je dáo	on (m)	dáde
ona (f)	da	ona (f)	je dála	ona (f)	dáde
ono (n)	da	ono (n)	je dálo	ono (n)	dáde
mi	damo	mi	smo dáli (m) smo dále (f) smo dála (n)	mi	dádosmo
vi	date	vi	ste dáli (m) ste dále (f) ste dála (n)	vi	dádoste
oni (m)	daju	oni (m)	su dáli	oni (m)	dádoše
one (f)	daju	one (f)	su dále	one (f)	dádoše
ona (n)	daju	ona (n)	su dála	ona (n)	dádoše

Pluperfect		Futur 1		Futur 2	
ja	sam bio dáo	ja	ću dáti	ja	budem dáo
ti	si bio dáo (m) si bila dála (f) si bilo dálo (n)	ti	ćeš dáti	ti	budeš dáo (m) budeš dála (f) budeš dálo (n)
on (m)	je bio dáo	on (m)	će dáti	on (m)	bude dáo
ona (f)	je bila dála	ona (f)	će dáti	ona (f)	bude dála
ono (n)	je bilo dálo	ono (n)	će dáti	ono (n)	bude dálo
mi	smo bili dáli (m) smo bile dále (f) smo bila dála (n)	mi	ćemo dáti	mi	budemo dáli (m) budemo dále (f) budemo dála (n)
vi	ste bili dáli (m) ste bile dále (f) ste bila dála (n)	vi	ćete dáti	vi	budete dáli (m) budete dále (f) budete dála (n)
oni (m)	su bili dáli	oni (m)	će dáti	oni (m)	budu dáli
one (f)	su bile dále	one (f)	će dáti	one (f)	budu dále
ona (n)	su bila dála	ona (n)	će dáti	ona (n)	budu dála

VERB MOODS					
Conditional 1		**Conditional 2**		**Imperative**	
ja	bih dáo	ja	bih bio dáo	ja	-
ti	bi dáo (m)	ti	bi bio dáo (m)	ti	dáj
	bi dála (f)		bi bila dála (f)		
	bi dálo (n)		bi bilo dálo (n)		
on (m)	bi dáo	on (m)	bi bio dáo	on (m)	neka dá
ona (f)	bi dála	ona (f)	bi bila dála	ona (f)	neka dá
ono (n)	bi dálo	ono (n)	bi bilo dálo	ono (n)	neka dá
mi	bismo dáli (m)	mi	bismo bili dáli (m)	mi	dájmo
	bismo dále (f)		bismo bile dále (f)		
	bismo dála (n)		bismo bila dála (n)		
vi	biste dáli (m)	vi	biste bili dáli (m)	vi	dájte
	biste dále (f)		biste bile dále (f)		
	biste dála (n)		biste bila dála (n)		
oni (m)	bi dáli	oni (m)	bi bili dáli	oni (m)	neka dáju
one (f)	bi dále	one (f)	bi bile dále	one (f)	neka dáju
ona (n)	bi dála	ona (n)	bi bila dála	ona (n)	neka dáju

VERBAL ADJECTIVES			
Active participle		**Past participle**	
ja	dáo	ja	dán
ti	dáo (m)	ti	dán (m)
	dála (f)		dána (f)
	dálo (n)		dáno(n)
on (m)	dáo	on (m)	dán
ona (f)	dála	ona (f)	dána
ono (n)	dálo	ono (n)	dáno
mi	dáli (m)	mi	dáni (m)
	dále (f)		dáne (f)
	dála (n)		dáne (n)
vi	dáli (m)	vi	dáni (m)
	dále (f)		dáne (f)
	dála (n)		dána (n)
oni (m)	dáli	oni (m)	dáni
one (f)	dále	one (f)	dáne
ona (n)	dála	ona (n)	dána

VERBAL ADVERBS
Active participle
-
Past participle
dávši

I gave you my money. – Dao sam ti novac.

Give me the wine. – Daj mi vino.

To Go (Ići) – Imperfective

Present		Perfect		Imperfect	
ja	ídem	ja	sam íšao	ja	íđah
ti	ídeš	ti	si íšao (m)	ti	íđaše
			si íšla (f)		
			si íšlo (n)		
on (m)	íde	on (m)	je íšao	on (m)	íđaše
ona (f)	íde	ona (f)	je íšla	ona (f)	íđaše
ono (n)	íde	ono (n)	je íšlo	ono (n)	íđaše
mi	ídemo	mi	smo íšli (m)	mi	íđasmo
			smo íšle (f)		
			smo íšla (n)		
vi	ídete	vi	ste íšli (m)	vi	íđaste
			ste íšle (f)		
			ste íšla (n)		
oni (m)	ídu	oni (m)	su íšli	oni (m)	íđahu
one (f)	ídu	one (f)	su íšle	one (f)	íđahu
ona (n)	ídu	ona (n)	su íšla	ona (n)	íđahu

Pluperfect		Futur 1		Futur 2	
ja	sam bio íšao	ja	ću íći	ja	budem íšao
ti	si bio íšao (m)	ti	ćeš íći	ti	budeš íšao (m)
	si bila íšla (f)				budeš íšla (f)
	si bilo íšlo (n)				budeš íšlo (n)
on (m)	je bio íšao	on (m)	će íći	on (m)	bude íšao
ona (f)	je bila íšla	ona (f)	će íći	ona (f)	bude íšla
ono (n)	je bilo íšlo	ono (n)	će íći	ono (n)	bude íšlo
mi	smo bili íšli (m)	mi	ćemo íći	mi	budemo íšli (m)
	smo bile íšle (f)				budemo íšle (f)
	smo bila íšla (n)				budemo íšla (n)
vi	ste bili íšli (m)	vi	ćete íći	vi	budete íšli (m)
	ste bile íšle (f)				budete íšle (f)
	ste bila íšla (n)				budete íšla (n)
oni (m)	su bili íšli	oni (m)	će íći	oni (m)	budu íšli
one (f)	su bile íšle	one (f)	će íći	one (f)	budu íšle
ona (n)	su bila íšla	ona (n)	će íći	ona (n)	budu íšla

VERB MOODS					
Conditional 1		**Conditional 2**		**Imperative**	
ja	bih íšao	ja	bih bio íšao	ja	-
ti	bi íšao (m)	ti	bi bio íšao (m)	ti	ídi
	bi íšla (f)		bi bila íšla (f)		
	bi íšlo (n)		bi bilo íšlo (n)		
on (m)	bi íšao	on (m)	bi bio íšao	on (m)	neka íde
ona (f)	bi íšla	ona (f)	bi bila íšla	ona (f)	neka íde
ono (n)	bi íšlo	ono (n)	bi bilo íšlo	ono (n)	neka íde
mi	bismo íšli (m)	mi	bismo bili íšli (m)	mi	ídimo
	bismo íšle (f)		bismo bile íšle (f)		
	bismo íšla (n)		bismo bila íšla (n)		
vi	biste íšli (m)	vi	biste bili íšli (m)	vi	ídite
	biste íšle (f)		biste bile íšle (f)		
	biste íšla (n)		biste bila íšla (n)		
oni (m)	bi íšli	oni (m)	bi bili íšli	oni (m)	neka ídu
one (f)	bi íšle	one (f)	bi bile íšle	one (f)	neka ídu
ona (n)	bi íšla	ona (n)	bi bila íšla	ona (n)	neka ídu

VERBAL ADJECTIVES			
Active participle		**Past participle**	
ja	íšao	ja	
ti	íšao (m)	ti	
	íšla (f)		
	íšlo (n)		
on (m)	íšao	on (m)	
ona (f)	íšla	ona (f)	
ono (n)	íšlo	ono (n)	
mi	íšli (m)	mi	
	íšle (f)		
	íšla (n)		
vi	íšli (m)	vi	
	íšle (f)		
	íšla (n)		
oni (m)	íšli	oni (m)	
one (f)	íšle	one (f)	
ona (n)	íšla	ona (n)	

VERBAL ADVERBS
Active participle
ídući
Past participle
-

I'm going to school. – Idem u školu.

I will go next weeek. – Ići ću slijedeći tjedan.

To Happen (događati se) – Imperfective

Present		Perfect		Imperfect	
ja	se dógađam	ja	sam se dogáđao	ja	se dogáđah
ti	se dógađaš	ti	si se dogáđao (m)	ti	se dogáđaše
			si se dogáđala (f)		
			si se dogáđalo (n)		
on (m)	se dógađa	on (m)	se je dogáđao	on (m)	se dogáđaše
ona (f)	se dógađa	ona (f)	se je dogáđala	ona (f)	se dogáđaše
ono (n)	se dógađa	ono (n)	se je dogáđalo	ono (n)	se dogáđaše
mi	se dógađamo	mi	smo se dogáđali (m)	mi	se dogáđasmo
			smo se dogáđale (f)		
			smo se dogáđala (n)		
vi	se dógađate	vi	ste se dogáđali (m)	vi	se dogáđaste
			ste se dogáđale (f)		
			ste se dogáđala (n)		
oni (m)	se dógađaju	oni (m)	su se dogáđali	oni (m)	se dogáđahu
one (f)	se dógađaju	one (f)	su se dogáđale	one (f)	se dogáđahu
ona (n)	se dógađaju	ona (n)	su se dogáđala	ona (n)	se dogáđahu

Pluperfect		Futur 1		Futur 2	
ja	sam se bio dogáđao	ja	ću se dogáđati	ja	se budem dogáđao
ti	si se bio dogáđao (m)	ti	ćeš se dogáđati	ti	se budeš dogáđao (m)
	si se bila dogáđala (f)				se budeš dogáđala (f)
	si se bilo dogáđalo (n)				se budeš dogáđalo (n)
on (m)	se je bio dogáđao	on (m)	će se dogáđati	on (m)	se bude dogáđao
ona (f)	se je bila dogáđala	ona (f)	će se dogáđati	ona (f)	se bude dogáđala
ono (n)	se je bilo dogáđalo	ono (n)	će se dogáđati	ono (n)	se bude dogáđalo
mi	smo se bili dogáđali (m)	mi	ćemo se dogáđati	mi	se budemo dogáđali (m)
	smo se bile dogáđale (f)				se budemo dogáđale (f)
	smo se bila dogáđala (n)				se budemo dogáđala (n)
vi	ste se bili dogáđali (m)	vi	ćete se dogáđati	vi	se budete dogáđali (m)
	ste se bile dogáđale (f)				se budete dogáđale (f)
	ste se bila dogáđala (n)				se budete dogáđala (n)
oni (m)	su se bili dogáđali	oni (m)	će se dogáđati	oni (m)	se budu dogáđali
one (f)	su se bile dogáđale	one (f)	će se dogáđati	one (f)	se budu dogáđale
ona (n)	su se bila dogáđala	ona (n)	će se dogáđati	ona (n)	se budu dogáđala

VERB MOODS					
Conditional 1		Conditional 2		Imperative	
ja	bih se dogáđao	ja	bih se bio dogáđao	ja	-
ti	bi se dogáđao (m)	ti	bi se bio dogáđao (m)	ti	se dógađaj
	bi se dogáđala (f)		bi se bila dogáđala (f)		
	bi se dogáđalo (n)		bi se bilo dogáđalo (n)		
on (m)	bi se dogáđao	on (m)	bi se bio dogáđao	on (m)	neka se dógađa
ona (f)	bi se dogáđala	ona (f)	bi se bila dogáđala	ona (f)	neka se dógađa
ono (n)	bi se dogáđalo	ono (n)	bi se bilo dogáđalo	ono (n)	neka se dógađa
mi	bismo se dogáđali (m)	mi	bismo se bili dogáđali (m)	mi	se dógađajmo
	bismo se dogáđale (f)		bismo se bile dogáđale (f)		
	bismo se dogáđala (n)		bismo se bila dogáđala (n)		
vi	biste se dogáđali (m)	vi	biste se bili dogáđali (m)	vi	se dógađajte
	biste se dogáđale (f)		biste se bile dogáđale (f)		
	biste se dogáđala (n)		biste se bila dogáđala (n)		
oni (m)	bi se dogáđali	oni (m)	bi se bili dogáđali	oni (m)	neka se dógađaju
one (f)	bi se dogáđale	one (f)	bi se bile dogáđale	one (f)	neka se dógađaju
ona (n)	bi se dogáđala	ona (n)	bi se bila dogáđala	ona (n)	neka se dógađaju

VERBAL ADJECTIVES			
Active participle		Past participle	
ja	se dogáđao	ja	
ti	se dogáđao (m)	ti	
	se dogáđala (f)		
	se dogáđalo (n)		
on (m)	se dogáđao	on (m)	
ona (f)	se dogáđala	ona (f)	
ono (n)	se dogáđalo	ono (n)	
mi	se dogáđali (m)	mi	
	se dogáđale (f)		
	se dogáđala (n)		
vi	se dogáđali (m)	vi	
	se dogáđale (f)		
	se dogáđala (n)		
oni (m)	se dogáđali	oni (m)	
one (f)	se dogáđale	one (f)	
ona (n)	se dogáđala	ona (n)	

VERBAL ADVERBS
Active participle
dogáđajući se
Past participle
-

What is happening? – Što se događa?

It is happening right now. – Događa se upravo sad.

To Happen (Dogoditi se) – Perfective

Present		Perfect		Aorist	
ja	se dógodim	ja	sam se dogódio	ja	se dogódih
ti	se dógodiš	ti	si se dogódio (m) si se dogódila (f) si se dogódilo (n)	ti	se dogódi
on (m)	se dógodi	on (m)	se je dogódio	on (m)	se dogódi
ona (f)	se dógodi	ona (f)	se je dogódila	ona (f)	se dogódi
ono (n)	se dógodi	ono (n)	se je dogódilo	ono (n)	se dogódi
mi	se dógodimo	mi	smo se dogódili (m) smo se dogódile (f) smo se dogódila (n)	mi	se dogódismo
vi	se dógodite	vi	ste se dogódili (m) ste se dogódile (f) ste se dogódila (n)	vi	se dogódiste
oni (m)	se dógode	oni (m)	su se dogódili	oni (m)	se dogódiše
one (f)	se dógode	one (f)	su se dogódile	one (f)	se dogódiše
ona (n)	se dógode	ona (n)	su se dogódila	ona (n)	se dogódiše

Pluperfect		Futur 1		Futur 2	
ja	sam se bio dogódio	ja	ću se dogóditi	ja	se budem dogódio
ti	si se bio dogódio (m) si se bila dogódila (f) si se bilo dogódilo (n)	ti	ćeš se dogóditi	ti	se budeš dogódio (m) se budeš dogódila (f) se budeš dogódilo (n)
on (m)	se je bio dogódio	on (m)	će se dogóditi	on (m)	se bude dogódio
ona (f)	se je bila dogódila	ona (f)	će se dogóditi	ona (f)	se bude dogódila
ono (n)	se je bilo dogódilo	ono (n)	će se dogóditi	ono (n)	se bude dogódilo
mi	smo se bili dogódili (m) smo se bile dogódile (f) smo se bila dogódila (n)	mi	ćemo se dogóditi	mi	se budemo dogódili (m) se budemo dogódile (f) se budemo dogódila (n)
vi	ste se bili dogódili (m) ste se bile dogódile (f) ste se bila dogódila (n)	vi	ćete se dogóditi	vi	se budete dogódili (m) se budete dogódile (f) se budete dogódila (n)
oni (m)	su se bili dogódili	oni (m)	će se dogóditi	oni (m)	se budu dogódili
one (f)	su se bile dogódile	one (f)	će se dogóditi	one (f)	se budu dogódile
ona (n)	su se bila dogódila	ona (n)	će se dogóditi	ona (n)	se budu dogódila

VERB MOODS					
Conditional 1		**Conditional 2**		**Imperative**	
ja	bih se dogódio	ja	bih se bio dogódio	ja	-
ti	bi se dogódio (m)	ti	bi se bio dogódio (m)	ti	se dogódi
	bi se dogódila (f)		bi se bila dogódila (f)		
	bi se dogódilo (n)		bi se bilo dogódilo (n)		
on (m)	bi se dogódio	on (m)	bi se bio dogódio	on (m)	neka se dogódi
ona (f)	bi se dogódila	ona (f)	bi se bila dogódila	ona (f)	neka se dogódi
ono (n)	bi se dogódilo	ono (n)	bi se bilo dogódilo	ono (n)	neka se dogódi
mi	bismo se dogódili (m)	mi	bismo se bili dogódili (m)	mi	se dogódimo
	bismo se dogódile (f)		bismo se bile dogódile (f)		
	bismo se dogódila (n)		bismo se bila dogódila (n)		
vi	biste se dogódili (m)	vi	biste se bili dogódili (m)	vi	se dogódite
	biste se dogódile (f)		biste se bile dogódile (f)		
	biste se dogódila (n)		biste se bila dogódila (n)		
oni (m)	bi se dogódili	oni (m)	bi se bili dogódili	oni (m)	neka se dógode
one (f)	bi se dogódile	one (f)	bi se bile dogódile	one (f)	neka se dógode
ona (n)	bi se dogódila	ona (n)	bi se bila dogódila	ona (n)	neka se dógode

VERBAL ADJECTIVES			
Active participle		**Past participle**	
ja	se dogódio	ja	
ti	se dogódio (m)	ti	
	se dogódila (f)		
	se dogódilo (n)		
on (m)	se dogódio	on (m)	
ona (f)	se dogódila	ona (f)	
ono (n)	se dogódilo	ono (n)	
mi	se dogódili (m)	mi	
	se dogódile (f)		
	se dogódila (n)		
vi	se dogódili (m)	vi	
	se dogódile (f)		
	se dogódila (n)		
oni (m)	se dogódili	oni (m)	
one (f)	se dogódile	one (f)	
ona (n)	se dogódila	ona (n)	

VERBAL ADVERBS
Active participle
-
Past participle
dogódivši se

What has happened? – Što se dogodilo?

It happened right now. – Dogodilo se upravo sad.

To Have (Imati) – Imperfective

Present		Perfect		Imperfect	
ja	ímam	ja	sam ímao	ja	ímah
			si ímao (m)		
ti	ímaš	ti	si ímala (f)	ti	ímaše
			si ímalo (n)		
on (m)	íma	on (m)	je ímao	on (m)	ímaše
ona (f)	íma	ona (f)	je ímala	ona (f)	ímaše
ono (n)	íma	ono (n)	je ímalo	ono (n)	ímaše
			smo ímali (m)		
mi	ímamo	mi	smo ímale (f)	mi	ímasmo
			smo ímala (n)		
			ste ímali (m)		
vi	ímate	vi	ste ímale (f)	vi	ímaste
			ste ímala (n)		
oni (m)	ímaju	oni (m)	su ímali	oni (m)	ímahu
one (f)	ímaju	one (f)	su ímale	one (f)	ímahu
ona (n)	ímaju	ona (n)	su ímala	ona (n)	ímahu

Pluperfect		Futur 1		Futur 2	
ja	sam bio ímao	ja	ću ímati	ja	budem ímao
	si bio ímao (m)				budeš ímao (m)
ti	si bila ímala (f)	ti	ćeš ímati	ti	budeš ímala (f)
	si bilo ímalo (n)				budeš ímalo (n)
on (m)	je bio ímao	on (m)	će ímati	on (m)	bude ímao
ona (f)	je bila ímala	ona (f)	će ímati	ona (f)	bude ímala
ono (n)	je bilo ímalo	ono (n)	će ímati	ono (n)	bude ímalo
	smo bili ímali (m)				budemo ímali (m)
mi	smo bile ímale (f)	mi	ćemo ímati	mi	budemo ímale (f)
	smo bila ímala (n)				budemo ímala (n)
	ste bili ímali (m)				budete ímali (m)
vi	ste bile ímale (f)	vi	ćete ímati	vi	budete ímale (f)
	ste bila ímala (n)				budete ímala (n)
oni (m)	su bili ímali	oni (m)	će ímati	oni (m)	budu ímali
one (f)	su bile ímale	one (f)	će ímati	one (f)	budu ímale
ona (n)	su bila ímala	ona (n)	će ímati	ona (n)	budu ímala

VERB MOODS					
Conditional 1		Conditional 2		Imperative	
ja	bih ímao	ja	bih bio ímao	ja	-
ti	bi ímao (m)	ti	bi bio ímao (m)	ti	ímaj
	bi ímala (f)		bi bila ímala (f)		
	bi ímalo (n)		bi bilo ímalo (n)		
on (m)	bi ímao	on (m)	bi bio ímao	on (m)	neka íma
ona (f)	bi ímala	ona (f)	bi bila ímala	ona (f)	neka íma
ono (n)	bi ímalo	ono (n)	bi bilo ímalo	ono (n)	neka íma
mi	bismo ímali (m)	mi	bismo bili ímali (m)	mi	ímajmo
	bismo ímale (f)		bismo bile ímale (f)		
	bismo ímala (n)		bismo bila ímala (n)		
vi	biste ímali (m)	vi	biste bili ímali (m)	vi	ímajte
	biste ímale (f)		biste bile ímale (f)		
	biste ímala (n)		biste bila ímala (n)		
oni (m)	bi ímali	oni (m)	bi bili ímali	oni (m)	neka ímaju
one (f)	bi ímale	one (f)	bi bile ímale	one (f)	neka ímaju
ona (n)	bi ímala	ona (n)	bi bila ímala	ona (n)	neka ímaju

VERBAL ADJECTIVES			
Active participle		Past participle	
ja	ímao	ja	
ti	ímao (m)	ti	
	ímala (f)		
	ímalo (n)		
on (m)	ímao	on (m)	
ona (f)	ímala	ona (f)	
ono (n)	ímalo	ono (n)	
mi	ímali (m)	mi	
	ímale (f)		
	ímala (n)		
vi	ímali (m)	vi	
	ímale (f)		
	ímala (n)		
oni (m)	ímali	oni (m)	
one (f)	ímale	one (f)	
ona (n)	ímala	ona (n)	

VERBAL ADVERBS
Active participle
ímajući
Past participle
-

I have all that I need. – Imam sve što trebam.

Do you have my book? – Da li imaš moju knjigu?

To Hear (Čuti) – Imperfective

Present	
ja	čújem
ti	čúješ
on (m)	čúje
ona (f)	čúje
ono (n)	čúje
mi	čújemo
vi	čújete
oni (m)	čúju
one (f)	čúju
ona (n)	čúju

Perfect	
ja	sam čúo
ti	si čúo (m)
	si čúla (f)
	si čúlo (n)
on (m)	je čúo
ona (f)	je čúla
ono (n)	je čúlo
mi	smo čúli (m)
	smo čúle (f)
	smo čúla (n)
vi	ste čúli (m)
	ste čúle (f)
	ste čúla (n)
oni (m)	su čúli
one (f)	su čúle
ona (n)	su čúla

Imperfect	
ja	čúh
ti	čú
on (m)	čú
ona (f)	čú
ono (n)	čú
mi	čúsmo
vi	čúste
oni (m)	čúše
one (f)	čúše
ona (n)	čúše

Pluperfect	
ja	sam bio čúo
ti	si bio čúo (m)
	si bila čúla (f)
	si bilo čúlo (n)
on (m)	je bio čúo
ona (f)	je bila čúla
ono (n)	je bilo čúlo
mi	smo bili čúli (m)
	smo bile čúle (f)
	smo bila čúla (n)
vi	ste bili čúli (m)
	ste bile čúle (f)
	ste bila čúla (n)
oni (m)	su bili čúli
one (f)	su bile čúle
ona (n)	su bila čúla

Futur 1	
ja	ću čúti
ti	ćeš čúti
on (m)	će čúti
ona (f)	će čúti
ono (n)	će čúti
mi	ćemo čúti
vi	ćete čúti
oni (m)	će čúti
one (f)	će čúti
ona (n)	će čúti

Futur 2	
ja	budem čúo
ti	budeš čúo (m)
	budeš čúla (f)
	budeš čúlo (n)
on (m)	bude čúo
ona (f)	bude čúla
ono (n)	bude čúlo
mi	budemo čúli (m)
	budemo čúle (f)
	budemo čúla (n)
vi	budete čúli (m)
	budete čúle (f)
	budete čúla (n)
oni (m)	budu čúli
one (f)	budu čúle
ona (n)	budu čúla

VERB MOODS					
Conditional 1		Conditional 2		Imperative	
ja	bih čúo	ja	bih bio čúo	ja	-
ti	bi čúo (m)	ti	bi bio čúo (m)	ti	čúj
	bi čúla (f)		bi bila čúla (f)		
	bi čúlo (n)		bi bilo čúlo (n)		
on (m)	bi čúo	on (m)	bi bio čúo	on (m)	neka čúje
ona (f)	bi čúla	ona (f)	bi bila čúla	ona (f)	neka čúje
ono (n)	bi čúlo	ono (n)	bi bilo čúlo	ono (n)	neka čúje
mi	bismo čúli (m)	mi	bismo bili čúli (m)	mi	čújmo
	bismo čúle (f)		bismo bile čúle (f)		
	bismo čúla (n)		bismo bila čúla (n)		
vi	biste čúli (m)	vi	biste bili čúli (m)	vi	čújte
	biste čúle (f)		biste bile čúle (f)		
	biste čúla (n)		biste bila čúla (n)		
oni (m)	bi čúli	oni (m)	bi bili čúli	oni (m)	neka čúju
one (f)	bi čúle	one (f)	bi bile čúle	one (f)	neka čúju
ona (n)	bi čúla	ona (n)	bi bila čúla	ona (n)	neka čúju

VERBAL ADJECTIVES			
Active participle		Past participle	
ja	čúo	ja	čúven
ti	čúo (m)	ti	čúven (m)
	čúla (f)		čúvena (f)
	čúlo (n)		čúveno(n)
on (m)	čúo	on (m)	čúven
ona (f)	čúla	ona (f)	čúvena
ono (n)	čúlo	ono (n)	čúveno
mi	čúli (m)	mi	čúveni (m)
	čúle (f)		čúvene (f)
	čúla (n)		čúvene (n)
vi	čúli (m)	vi	čúveni (m)
	čúle (f)		čúvene (f)
	čúla (n)		čúvena (n)
oni (m)	čúli	oni (m)	čúveni
one (f)	čúle	one (f)	čúvene
ona (n)	čúla	ona (n)	čúvena

VERBAL ADVERBS
Active participle
čújući
Past participle
-

She was hearing his voice. – Ona je slušala njegov glas.

They were hearing a song. – Oni su slušali pjesmu.

To Hear (Začuti) – Perfective

Present		Perfect		Aorist	
ja	záčujem	ja	sam záčuo	ja	záčuh
ti	záčuješ	ti	si záčuo (m) si záčula (f) si záčulo (n)	ti	záču
on (m)	záčuje	on (m)	je záčuo	on (m)	záču
ona (f)	záčuje	ona (f)	je záčula	ona (f)	záču
ono (n)	záčuje	ono (n)	je záčulo	ono (n)	záču
mi	záčujemo	mi	smo záčuli (m) smo záčule (f) smo záčula (n)	mi	záčusmo
vi	záčujete	vi	ste záčuli (m) ste záčule (f) ste záčula (n)	vi	záčuste
oni (m)	záčuju	oni (m)	su záčuli	oni (m)	záčuše
one (f)	záčuju	one (f)	su záčule	one (f)	záčuše
ona (n)	záčuju	ona (n)	su záčula	ona (n)	záčuše

Pluperfect		Futur 1		Futur 2	
ja	sam bio záčuo	ja	ću záčuti	ja	budem záčuo
ti	si bio záčuo (m) si bila záčula (f) si bilo záčulo (n)	ti	ćeš záčuti	ti	budeš záčuo (m) budeš záčula (f) budeš záčulo (n)
on (m)	je bio záčuo	on (m)	će záčuti	on (m)	bude záčuo
ona (f)	je bila záčula	ona (f)	će záčuti	ona (f)	bude záčula
ono (n)	je bilo záčulo	ono (n)	će záčuti	ono (n)	bude záčulo
mi	smo bili záčuli (m) smo bile záčule (f) smo bila záčula (n)	mi	ćemo záčuti	mi	budemo záčuli (m) budemo záčule (f) budemo záčula (n)
vi	ste bili záčuli (m) ste bile záčule (f) ste bila záčula (n)	vi	ćete záčuti	vi	budete záčuli (m) budete záčule (f) budete záčula (n)
oni (m)	su bili záčuli	oni (m)	će záčuti	oni (m)	budu záčuli
one (f)	su bile záčule	one (f)	će záčuti	one (f)	budu záčule
ona (n)	su bila záčula	ona (n)	će záčuti	ona (n)	budu záčula

VERB MOODS					
Conditional 1		**Conditional 2**		**Imperative**	
ja	bih záčuo	ja	bih bio záčuo	ja	-
ti	bi záčuo (m)	ti	bi bio záčuo (m)	ti	záčuj
	bi záčula (f)		bi bila záčula (f)		
	bi záčulo (n)		bi bilo záčulo (n)		
on (m)	bi záčuo	on (m)	bi bio záčuo	on (m)	neka záčuje
ona (f)	bi záčula	ona (f)	bi bila záčula	ona (f)	neka záčuje
ono (n)	bi záčulo	ono (n)	bi bilo záčulo	ono (n)	neka záčuje
mi	bismo záčuli (m)	mi	bismo bili záčuli (m)	mi	záčujmo
	bismo záčule (f)		bismo bile záčule (f)		
	bismo záčula (n)		bismo bila záčula (n)		
vi	biste záčuli (m)	vi	biste bili záčuli (m)	vi	záčujte
	biste záčule (f)		biste bile záčule (f)		
	biste záčula (n)		biste bila záčula (n)		
oni (m)	bi záčuli	oni (m)	bi bili záčuli	oni (m)	neka záčuju
one (f)	bi záčule	one (f)	bi bile záčule	one (f)	neka záčuju
ona (n)	bi záčula	ona (n)	bi bila záčula	ona (n)	neka záčuju

VERBAL ADJECTIVES			
Active participle		**Past participle**	
ja	záčuo	ja	
ti	záčuo (m)	ti	
	záčula (f)		
	záčulo (n)		
on (m)	záčuo	on (m)	
ona (f)	záčula	ona (f)	
ono (n)	záčulo	ono (n)	
mi	záčuli (m)	mi	
	záčule (f)		
	záčula (n)		
vi	záčuli (m)	vi	
	záčule (f)		
	záčula (n)		
oni (m)	záčuli	oni (m)	
one (f)	záčule	one (f)	
ona (n)	záčula	ona (n)	

VERBAL ADVERBS
Active participle
-
Past participle
záčuvši

They heard the steps. – Začulli su korake.

I heared a tiny voice. – Začuo sam sićušan glas.

To Help (Pomagati) – Imperfective

Present		Perfect		Imperfect	
ja	pómažem	ja	sam pomágao	ja	pomágah
ti	pómažeš	ti	si pomágao (m) si pomágala (f) si pomágalo (n)	ti	pomágaše
on (m)	pómaže	on (m)	je pomágao	on (m)	pomágaše
ona (f)	pómaže	ona (f)	je pomágala	ona (f)	pomágaše
ono (n)	pómaže	ono (n)	je pomágalo	ono (n)	pomágaše
mi	pómažemo	mi	smo pomágali (m) smo pomágale (f) smo pomágala (n)	mi	pomágasmo
vi	pómažete	vi	ste pomágali (m) ste pomágale (f) ste pomágala (n)	vi	pomágaste
oni (m)	pómažu	oni (m)	su pomágali	oni (m)	pomágahu
one (f)	pómažu	one (f)	su pomágale	one (f)	pomágahu
ona (n)	pómažu	ona (n)	su pomágala	ona (n)	pomágahu

Pluperfect		Futur 1		Futur 2	
ja	sam bio pomágao	ja	ću pomágati	ja	budem pomágao
ti	si bio pomágao (m) si bila pomágala (f) si bilo pomágalo (n)	ti	ćeš pomágati	ti	budeš pomágao (m) budeš pomágala (f) budeš pomágalo (n)
on (m)	je bio pomágao	on (m)	će pomágati	on (m)	bude pomágao
ona (f)	je bila pomágala	ona (f)	će pomágati	ona (f)	bude pomágala
ono (n)	je bilo pomágalo	ono (n)	će pomágati	ono (n)	bude pomágalo
mi	smo bili pomágali (m) smo bile pomágale (f) smo bila pomágala (n)	mi	ćemo pomágati	mi	budemo pomágali (m) budemo pomágale (f) budemo pomágala (n)
vi	ste bili pomágali (m) ste bile pomágale (f) ste bila pomágala (n)	vi	ćete pomágati	vi	budete pomágali (m) budete pomágale (f) budete pomágala (n)
oni (m)	su bili pomágali	oni (m)	će pomágati	oni (m)	budu pomágali
one (f)	su bile pomágale	one (f)	će pomágati	one (f)	budu pomágale
ona (n)	su bila pomágala	ona (n)	će pomágati	ona (n)	budu pomágala

VERB MOODS					
Conditional 1		**Conditional 2**		**Imperative**	
ja	bih pomágao	ja	bih bio pomágao	ja	-
ti	bi pomágao (m)	ti	bi bio pomágao (m)	ti	pomáži
	bi pomágala (f)		bi bila pomágala (f)		
	bi pomágalo (n)		bi bilo pomágalo (n)		
on (m)	bi pomágao	on (m)	bi bio pomágao	on (m)	neka pómaže
ona (f)	bi pomágala	ona (f)	bi bila pomágala	ona (f)	neka pómaže
ono (n)	bi pomágalo	ono (n)	bi bilo pomágalo	ono (n)	neka pómaže
mi	bismo pomágali (m)	mi	bismo bili pomágali (m)	mi	pomážimo
	bismo pomágale (f)		bismo bile pomágale (f)		
	bismo pomágala (n)		bismo bila pomágala (n)		
vi	biste pomágali (m)	vi	biste bili pomágali (m)	vi	pomážite
	biste pomágale (f)		biste bile pomágale (f)		
	biste pomágala (n)		biste bila pomágala (n)		
oni (m)	bi pomágali	oni (m)	bi bili pomágali	oni (m)	neka pómažu
one (f)	bi pomágale	one (f)	bi bile pomágale	one (f)	neka pómažu
ona (n)	bi pomágala	ona (n)	bi bila pomágala	ona (n)	neka pómažu

VERBAL ADJECTIVES			
Active participle		**Past participle**	
ja	pomágao	ja	pómagan
ti	pomágao (m)	ti	pómagan (m)
	pomágala (f)		pómagana (f)
	pomágalo (n)		pómagano(n)
on (m)	pomágao	on (m)	pómagan
ona (f)	pomágala	ona (f)	pómagana
ono (n)	pomágalo	ono (n)	pómagano
mi	pomágali (m)	mi	pómagani (m)
	pomágale (f)		pómagane (f)
	pomágala (n)		pómagane (n)
vi	pomágali (m)	vi	pómagani (m)
	pomágale (f)		pómagane (f)
	pomágala (n)		pómagana (n)
oni (m)	pomágali	oni (m)	pómagani
one (f)	pomágale	one (f)	pómagane
ona (n)	pomágala	ona (n)	pómagana

VERBAL ADVERBS
Active participle
pomágajući
Past participle
-

I was helping in the kitchen. – Pomagao sam u kuhinji.

He will be helping us. – On će nam pomagati.

To Help (Pomoći) – Perfective

Present		Perfect		Aorist	
ja	pómognem	ja	sam pómogao	ja	pómogoh
ti	pómogneš	ti	si pómogao (m) si pómogla (f) si pómoglo (n)	ti	pómože
on (m)	pómogne	on (m)	je pómogao	on (m)	pómože
ona (f)	pómogne	ona (f)	je pómogla	ona (f)	pómože
ono (n)	pómogne	ono (n)	je pómoglo	ono (n)	pómože
mi	pómognemo	mi	smo pómogli (m) smo pómogle (f) smo pómogla (n)	mi	pómogosmo
vi	pómognete	vi	ste pómogli (m) ste pómogle (f) ste pómogla (n)	vi	pómogoste
oni (m)	pómognu	oni (m)	su pómogli	oni (m)	pómogoše
one (f)	pómognu	one (f)	su pómogle	one (f)	pómogoše
ona (n)	pómognu	ona (n)	su pómogla	ona (n)	pómogoše

Pluperfect		Futur 1		Futur 2	
ja	sam bio pómogao	ja	ću pómoći	ja	budem pómogao
ti	si bio pómogao (m) si bila pómogla (f) si bilo pómoglo (n)	ti	ćeš pómoći	ti	budeš pómogao (m) budeš pómogla (f) budeš pómoglo (n)
on (m)	je bio pómogao	on (m)	će pómoći	on (m)	bude pómogao
ona (f)	je bila pómogla	ona (f)	će pómoći	ona (f)	bude pómogla
ono (n)	je bilo pómoglo	ono (n)	će pómoći	ono (n)	bude pómoglo
mi	smo bili pómogli (m) smo bile pómogle (f) smo bila pómogla (n)	mi	ćemo pómoći	mi	budemo pómogli (m) budemo pómogle (f) budemo pómogla (n)
vi	ste bili pómogli (m) ste bile pómogle (f) ste bila pómogla (n)	vi	ćete pómoći	vi	budete pómogli (m) budete pómogle (f) budete pómogla (n)
oni (m)	su bili pómogli	oni (m)	će pómoći	oni (m)	budu pómogli
one (f)	su bile pómogle	one (f)	će pómoći	one (f)	budu pómogle
ona (n)	su bila pómogla	ona (n)	će pómoći	ona (n)	budu pómogla

VERB MOODS					
Conditionl 1		**Conditionl 2**		**Imperative**	
ja	bih pómogao	ja	bih bio pómogao	ja	-
ti	bi pómogao (m)	ti	bi bio pómogao (m)	ti	pomógni
	bi pómogla (f)		bi bila pómogla (f)		
	bi pómoglo (n)		bi bilo pómoglo (n)		
on (m)	bi pómogao	on (m)	bi bio pómogao	on (m)	neka pómogne
ona (f)	bi pómogla	ona (f)	bi bila pómogla	ona (f)	neka pómogne
ono (n)	bi pómoglo	ono (n)	bi bilo pómoglo	ono (n)	neka pómogne
mi	bismo pómogli (m)	mi	bismo bili pómogli (m)	mi	pomógnimo
	bismo pómogle (f)		bismo bile pómogle (f)		
	bismo pómogla (n)		bismo bila pómogla (n)		
vi	biste pómogli (m)	vi	biste bili pómogli (m)	vi	pomógnite
	biste pómogle (f)		biste bile pómogle (f)		
	biste pómogla (n)		biste bila pómogla (n)		
oni (m)	bi pómogli	oni (m)	bi bili pómogli	oni (m)	neka pómognu
one (f)	bi pómogle	one (f)	bi bile pómogle	one (f)	neka pómognu
ona (n)	bi pómogla	ona (n)	bi bila pómogla	ona (n)	neka pómognu

VERBL ADJECTIVES			
Active participle		**Past participle**	
ja	pómogao	ja	
ti	pómogao (m)	ti	
	pómogla (f)		
	pómoglo (n)		
on (m)	pómogao	on (m)	
ona (f)	pómogla	ona (f)	
ono (n)	pómoglo	ono (n)	
mi	pómogli (m)	mi	
	pómogle (f)		
	pómogla (n)		
vi	pómogli (m)	vi	
	pómogle (f)		
	pómogla (n)		
oni (m)	pómogli	oni (m)	
one (f)	pómogle	one (f)	
ona (n)	pómogla	ona (n)	

VERBL ADVERBS
Active participle
-
Past participle
pómogavši

I helped him. – Pomogao sam mu.

They will help us. – Oni će nam pomoći.

To Hold (Držati) – Imperfective

Present		Perfect		Imperfect	
ja	dŕžim	ja	sam dŕžao	ja	dŕžah
			si dŕžao (m)		
ti	dŕžiš	ti	si dŕžala (f)	ti	dŕžaše
			si dŕžalo (n)		
on (m)	dŕži	on (m)	je dŕžao	on (m)	dŕžaše
ona (f)	dŕži	ona (f)	je dŕžala	ona (f)	dŕžaše
ono (n)	dŕži	ono (n)	je dŕžalo	ono (n)	dŕžaše
			smo dŕžali (m)		
mi	dŕžimo	mi	smo dŕžale (f)	mi	dŕžasmo
			smo dŕžala (n)		
			ste dŕžali (m)		
vi	dŕžite	vi	ste dŕžale (f)	vi	dŕžaste
			ste dŕžala (n)		
oni (m)	dŕže	oni (m)	su dŕžali	oni (m)	dŕžahu
one (f)	dŕže	one (f)	su dŕžale	one (f)	dŕžahu
ona (n)	dŕže	ona (n)	su dŕžala	ona (n)	dŕžahu

Pluperfect		Futur 1		Futur 2	
ja	sam bio dŕžao	ja	ću dŕžati	ja	budem dŕžao
	si bio dŕžao (m)				budeš dŕžao (m)
ti	si bila dŕžala (f)	ti	ćeš dŕžati	ti	budeš dŕžala (f)
	si bilo dŕžalo (n)				budeš dŕžalo (n)
on (m)	je bio dŕžao	on (m)	će dŕžati	on (m)	bude dŕžao
ona (f)	je bila dŕžala	ona (f)	će dŕžati	ona (f)	bude dŕžala
ono (n)	je bilo dŕžalo	ono (n)	će dŕžati	ono (n)	bude dŕžalo
	smo bili dŕžali (m)				budemo dŕžali (m)
mi	smo bile dŕžale (f)	mi	ćemo dŕžati	mi	budemo dŕžale (f)
	smo bila dŕžala (n)				budemo dŕžala (n)
	ste bili dŕžali (m)				budete dŕžali (m)
vi	ste bile dŕžale (f)	vi	ćete dŕžati	vi	budete dŕžale (f)
	ste bila dŕžala (n)				budete dŕžala (n)
oni (m)	su bili dŕžali	oni (m)	će dŕžati	oni (m)	budu dŕžali
one (f)	su bile dŕžale	one (f)	će dŕžati	one (f)	budu dŕžale
ona (n)	su bila dŕžala	ona (n)	će dŕžati	ona (n)	budu dŕžala

VERB MOODS					
Conditional 1		**Conditional 2**		**Imperative**	
ja	bih dŕžao	ja	bih bio dŕžao	ja	-
ti	bi dŕžao (m)	ti	bi bio dŕžao (m)	ti	dŕži
	bi dŕžala (f)		bi bila dŕžala (f)		
	bi dŕžalo (n)		bi bilo dŕžalo (n)		
on (m)	bi dŕžao	on (m)	bi bio dŕžao	on (m)	neka dŕži
ona (f)	bi dŕžala	ona (f)	bi bila dŕžala	ona (f)	neka dŕži
ono (n)	bi dŕžalo	ono (n)	bi bilo dŕžalo	ono (n)	neka dŕži
mi	bismo dŕžali (m)	mi	bismo bili dŕžali (m)	mi	dŕžimo
	bismo dŕžale (f)		bismo bile dŕžale (f)		
	bismo dŕžala (n)		bismo bila dŕžala (n)		
vi	biste dŕžali (m)	vi	biste bili dŕžali (m)	vi	dŕžite
	biste dŕžale (f)		biste bile dŕžale (f)		
	biste dŕžala (n)		biste bila dŕžala (n)		
oni (m)	bi dŕžali	oni (m)	bi bili dŕžali	oni (m)	neka dŕže
one (f)	bi dŕžale	one (f)	bi bile dŕžale	one (f)	neka dŕže
ona (n)	bi dŕžala	ona (n)	bi bila dŕžala	ona (n)	neka dŕže

VERBAL ADJECTIVES			
Active participle		**Past participle**	
ja	dŕžao	ja	dŕžan
ti	dŕžao (m)	ti	dŕžan (m)
	dŕžala (f)		dŕžana (f)
	dŕžalo (n)		dŕžano(n)
on (m)	dŕžao	on (m)	dŕžan
ona (f)	dŕžala	ona (f)	dŕžana
ono (n)	dŕžalo	ono (n)	dŕžano
mi	dŕžali (m)	mi	dŕžani (m)
	dŕžale (f)		dŕžane (f)
	dŕžala (n)		dŕžane (n)
vi	dŕžali (m)	vi	dŕžani (m)
	dŕžale (f)		dŕžane (f)
	dŕžala (n)		dŕžana (n)
oni (m)	dŕžali	oni (m)	dŕžani
one (f)	dŕžale	one (f)	dŕžane
ona (n)	dŕžala	ona (n)	dŕžana

VERBAL ADVERBS
Active participle
dŕžeći
Past participle
-

I'm holding your hand. – Držim te za ruku.

I will hold you. – Držat ću te.

To Hold (Pridržati) – Perfective

Present		Perfect		Aorist	
ja	prídržim	ja	sam prídržao	ja	prídržah
ti	prídržiš	ti	si prídržao (m) si prídržala (f) si prídržalo (n)	ti	prídrža
on (m)	prídrži	on (m)	je prídržao	on (m)	prídrža
ona (f)	prídrži	ona (f)	je prídržala	ona (f)	prídrža
ono (n)	prídrži	ono (n)	je prídržalo	ono (n)	prídrža
mi	prídržimo	mi	smo prídržali (m) smo prídržale (f) smo prídržala (n)	mi	prídržasmo
vi	prídržite	vi	ste prídržali (m) ste prídržale (f) ste prídržala (n)	vi	prídržaste
oni (m)	prídrže	oni (m)	su prídržali	oni (m)	prídržaše
one (f)	prídrže	one (f)	su prídržale	one (f)	prídržaše
ona (n)	prídrže	ona (n)	su prídržala	ona (n)	prídržaše

Pluperfect		Futur 1		Futur 2	
ja	sam bio prídržao	ja	ću pridŕžati	ja	budem prídržao
ti	si bio prídržao (m) si bila prídržala (f) si bilo prídržalo (n)	ti	ćeš pridŕžati	ti	budeš prídržao (m) budeš prídržala (f) budeš prídržalo (n)
on (m)	je bio prídržao	on (m)	će pridŕžati	on (m)	bude prídržao
ona (f)	je bila prídržala	ona (f)	će pridŕžati	ona (f)	bude prídržala
ono (n)	je bilo prídržalo	ono (n)	će pridŕžati	ono (n)	bude prídržalo
mi	smo bili prídržali (m) smo bile prídržale (f) smo bila prídržala (n)	mi	ćemo pridŕžati	mi	budemo prídržali (m) budemo prídržale (f) budemo prídržala (n)
vi	ste bili prídržali (m) ste bile prídržale (f) ste bila prídržala (n)	vi	ćete pridŕžati	vi	budete prídržali (m) budete prídržale (f) budete prídržala (n)
oni (m)	su bili prídržali	oni (m)	će pridŕžati	oni (m)	budu prídržali
one (f)	su bile prídržale	one (f)	će pridŕžati	one (f)	budu prídržale
ona (n)	su bila prídržala	ona (n)	će pridŕžati	ona (n)	budu prídržala

VERB MOODS					
Conditional 1		**Conditional 2**		**Imperative**	
ja	bih prídržao	ja	bih bio prídržao	ja	-
ti	bi prídržao (m)	ti	bi bio prídržao (m)	ti	prídrži
	bi prídržala (f)		bi bila prídržala (f)		
	bi prídržalo (n)		bi bilo prídržalo (n)		
on (m)	bi prídržao	on (m)	bi bio prídržao	on (m)	neka prídrže
ona (f)	bi prídržala	ona (f)	bi bila prídržala	ona (f)	neka prídrže
ono (n)	bi prídržalo	ono (n)	bi bilo prídržalo	ono (n)	neka prídrže
mi	bismo prídržali (m)	mi	bismo bili prídržali (m)	mi	prídržimo
	bismo prídržale (f)		bismo bile prídržale (f)		
	bismo prídržala (n)		bismo bila prídržala (n)		
vi	biste prídržali (m)	vi	biste bili prídržali (m)	vi	prídržite
	biste prídržale (f)		biste bile prídržale (f)		
	biste prídržala (n)		biste bila prídržala (n)		
oni (m)	bi prídržali	oni (m)	bi bili prídržali	oni (m)	neka prídrže
one (f)	bi prídržale	one (f)	bi bile prídržale	one (f)	neka prídrže
ona (n)	bi prídržala	ona (n)	bi bila prídržala	ona (n)	neka prídrže

VERBAL ADJECTIVES			
Active participle		**Past participle**	
ja	prídržao	ja	prídržan
ti	prídržao (m)	ti	prídržan (m)
	prídržala (f)		prídržana (f)
	prídržalo (n)		prídržano(n)
on (m)	prídržao	on (m)	prídržan
ona (f)	prídržala	ona (f)	prídržana
ono (n)	prídržalo	ono (n)	prídržano
mi	prídržali (m)	mi	prídržani (m)
	prídržale (f)		prídržane (f)
	prídržala (n)		prídržane (n)
vi	prídržali (m)	vi	prídržani (m)
	prídržale (f)		prídržane (f)
	prídržala (n)		prídržana (n)
oni (m)	prídržali	oni (m)	prídržani
one (f)	prídržale	one (f)	prídržane
ona (n)	prídržala	ona (n)	prídržana

VERBAL ADVERBS
Active participle
-
Past participle
prídržavši

If you slip I will hold you. – Ako se poskliznеš, pridržat ću te.

Hold this for a minute. – Pridrži ovo na trenutak.

To Increase (Povećavati) – Imperfective

Present		Perfect		Imperfect	
ja	povéćavam	ja	sam povećávao	ja	povećávah
ti	povéćavaš	ti	si povećávao (m)	ti	povećávaše
			si povećávala (f)		
			si povećávalo (n)		
on (m)	povéćava	on (m)	je povećávao	on (m)	povećávaše
ona (f)	povéćava	ona (f)	je povećávala	ona (f)	povećávaše
ono (n)	povéćava	ono (n)	je povećávalo	ono (n)	povećávaše
mi	povéćavamo	mi	smo povećávali (m)	mi	povećávasmo
			smo povećávale (f)		
			smo povećávala (n)		
vi	povéćavate	vi	ste povećávali (m)	vi	povećávaste
			ste povećávale (f)		
			ste povećávala (n)		
oni (m)	povéćavaju	oni (m)	su povećávali	oni (m)	povećávahu
one (f)	povéćavaju	one (f)	su povećávale	one (f)	povećávahu
ona (n)	povéćavaju	ona (n)	su povećávala	ona (n)	povećávahu

Pluperfect		Futur 1		Futur 2	
ja	sam bio povećávao	ja	ću povećávati	ja	budem povećávao
ti	si bio povećávao (m)	ti	ćeš povećávati	ti	budeš povećávao (m)
	si bila povećávala (f)				budeš povećávala (f)
	si bilo povećávalo (n)				budeš povećávalo (n)
on (m)	je bio povećávao	on (m)	će povećávati	on (m)	bude povećávao
ona (f)	je bila povećávala	ona (f)	će povećávati	ona (f)	bude povećávala
ono (n)	je bilo povećávalo	ono (n)	će povećávati	ono (n)	bude povećávalo
mi	smo bili povećávali (m)	mi	ćemo povećávati	mi	budemo povećávali (m)
	smo bile povećávale (f)				budemo povećávale (f)
	smo bila povećávala (n)				budemo povećávala (n)
vi	ste bili povećávali (m)	vi	ćete povećávati	vi	budete povećávali (m)
	ste bile povećávale (f)				budete povećávale (f)
	ste bila povećávala (n)				budete povećávala (n)
oni (m)	su bili povećávali	oni (m)	će povećávati	oni (m)	budu povećávali
one (f)	su bile povećávale	one (f)	će povećávati	one (f)	budu povećávale
ona (n)	su bila povećávala	ona (n)	će povećávati	ona (n)	budu povećávala

VERB MOODS					
Conditional 1		**Conditional 2**		**Imperative**	
ja	bih povećávao	ja	bih bio povećávao	ja	-
ti	bi povećávao (m)	ti	bi bio povećávao (m)	ti	povéćavaj
	bi povećávala (f)		bi bila povećávala (f)		
	bi povećávalo (n)		bi bilo povećávalo (n)		
on (m)	bi povećávao	on (m)	bi bio povećávao	on (m)	neka povéćava
ona (f)	bi povećávala	ona (f)	bi bila povećávala	ona (f)	neka povéćava
ono (n)	bi povećávalo	ono (n)	bi bilo povećávalo	ono (n)	neka povéćava
mi	bismo povećávali (m)	mi	bismo bili povećávali (m)	mi	povéćavajmo
	bismo povećávale (f)		bismo bile povećávale (f)		
	bismo povećávala (n)		bismo bila povećávala (n)		
vi	biste povećávali (m)	vi	biste bili povećávali (m)	vi	povéćavajte
	biste povećávale (f)		biste bile povećávale (f)		
	biste povećávala (n)		biste bila povećávala (n)		
oni (m)	bi povećávali	oni (m)	bi bili povećávali	oni (m)	neka povéćavaju
one (f)	bi povećávale	one (f)	bi bile povećávale	one (f)	neka povéćavaju
ona (n)	bi povećávala	ona (n)	bi bila povećávala	ona (n)	neka povéćavaju

VERBAL ADJECTIVES			
Active participle		**Past participle**	
ja	povećávao	ja	povéćavan
ti	povećávao (m)	ti	povéćavan (m)
	povećávala (f)		povéćavana (f)
	povećávalo (n)		povéćavano(n)
on (m)	povećávao	on (m)	povéćavan
ona (f)	povećávala	ona (f)	povéćavana
ono (n)	povećávalo	ono (n)	povéćavano
mi	povećávali (m)	mi	povéćavani (m)
	povećávale (f)		povéćavane (f)
	povećávala (n)		povéćavane (n)
vi	povećávali (m)	vi	povéćavani (m)
	povećávale (f)		povéćavane (f)
	povećávala (n)		povéćavana (n)
oni (m)	povećávali	oni (m)	povéćavani
one (f)	povećávale	one (f)	povéćavane
ona (n)	povećávala	ona (n)	povéćavana

VERBAL ADVERBS
Active participle
povećávajući
Past participle
-

I'm increasing the temperature. – Povećavam temperaturu.

They are increasing the level. – Oni povećavaju razinu.

To Increase (Povećati) – Perfective

Present		Perfect		Aorist	
ja	povéćam	ja	sam póvećao	ja	povéćah
ti	povéćaš	ti	si póvećao (m) si póvećala (f) si póvećalo (n)	ti	povéća
on (m)	povéća	on (m)	je póvećao	on (m)	povéća
ona (f)	povéća	ona (f)	je póvećala	ona (f)	povéća
ono (n)	povéća	ono (n)	je póvećalo	ono (n)	povéća
mi	povéćamo	mi	smo póvećali (m) smo póvećale (f) smo póvećala (n)	mi	povéćasmo
vi	povéćate	vi	ste póvećali (m) ste póvećale (f) ste póvećala (n)	vi	povéćaste
oni (m)	povéćaju	oni (m)	su póvećali	oni (m)	povéćaše
one (f)	povéćaju	one (f)	su póvećale	one (f)	povéćaše
ona (n)	povéćaju	ona (n)	su póvećala	ona (n)	povéćaše

Pluperfect		Futur 1		Futur 2	
ja	sam bio póvećao	ja	ću povéćati	ja	budem póvećao
ti	si bio póvećao (m) si bila póvećala (f) si bilo póvećalo (n)	ti	ćeš povéćati	ti	budeš póvećao (m) budeš póvećala (f) budeš póvećalo (n)
on (m)	je bio póvećao	on (m)	će povéćati	on (m)	bude póvećao
ona (f)	je bila póvećala	ona (f)	će povéćati	ona (f)	bude póvećala
ono (n)	je bilo póvećalo	ono (n)	će povéćati	ono (n)	bude póvećalo
mi	smo bili póvećali (m) smo bile póvećale (f) smo bila póvećala (n)	mi	ćemo povéćati	mi	budemo póvećali (m) budemo póvećale (f) budemo póvećala (n)
vi	ste bili póvećali (m) ste bile póvećale (f) ste bila póvećala (n)	vi	ćete povéćati	vi	budete póvećali (m) budete póvećale (f) budete póvećala (n)
oni (m)	su bili póvećali	oni (m)	će povéćati	oni (m)	budu póvećali
one (f)	su bile póvećale	one (f)	će povéćati	one (f)	budu póvećale
ona (n)	su bila póvećala	ona (n)	će povéćati	ona (n)	budu póvećala

VERB MOODS					
Conditional 1		**Conditional 2**		**Imperative**	
ja	bih póvećao	ja	bih bio póvećao	ja	-
ti	bi póvećao (m)	ti	bi bio póvećao (m)	ti	povéćaj
	bi póvećala (f)		bi bila póvećala (f)		
	bi póvećalo (n)		bi bilo póvećalo (n)		
on (m)	bi póvećao	on (m)	bi bio póvećao	on (m)	neka povéća
ona (f)	bi póvećala	ona (f)	bi bila póvećala	ona (f)	neka povéća
ono (n)	bi póvećalo	ono (n)	bi bilo póvećalo	ono (n)	neka povéća
mi	bismo póvećali (m)	mi	bismo bili póvećali (m)	mi	povéćajmo
	bismo póvećale (f)		bismo bile póvećale (f)		
	bismo póvećala (n)		bismo bila póvećala (n)		
vi	biste póvećali (m)	vi	biste bili póvećali (m)	vi	povéćajte
	biste póvećale (f)		biste bile póvećale (f)		
	biste póvećala (n)		biste bila póvećala (n)		
oni (m)	bi póvećali	oni (m)	bi bili póvećali	oni (m)	neka povéćaju
one (f)	bi póvećale	one (f)	bi bile póvećale	one (f)	neka povéćaju
ona (n)	bi póvećala	ona (n)	bi bila póvećala	ona (n)	neka povéćaju

VERBAL ADJECTIVES			
Active participle		**Past participle**	
ja	póvećao	ja	póvećan
ti	póvećao (m)	ti	póvećan (m)
	póvećala (f)		póvećana (f)
	póvećalo (n)		póvećano(n)
on (m)	póvećao	on (m)	póvećan
ona (f)	póvećala	ona (f)	póvećana
ono (n)	póvećalo	ono (n)	póvećano
mi	póvećali (m)	mi	póvećani (m)
	póvećale (f)		póvećane (f)
	póvećala (n)		póvećane (n)
vi	póvećali (m)	vi	póvećani (m)
	póvećale (f)		póvećane (f)
	póvećala (n)		póvećana (n)
oni (m)	póvećali	oni (m)	póvećani
one (f)	póvećale	one (f)	póvećane
ona (n)	póvećala	ona (n)	póvećana

VERBAL ADVERBS
Active participle
-
Past participle
povéćavši

They increased the price. – Oni su povećali cijenu.

This is increased. Ovo je povećano.

To Introduce (Predstavljati) – Imperfective

Present		Perfect		Imperfect	
ja	prédstavljam	ja	sam predstávljao	ja	predstávljah
ti	prédstavljaš	ti	si predstávljao (m)	ti	predstávljaše
			si predstávljala (f)		
			si predstávljalo (n)		
on (m)	prédstavlja	on (m)	je predstávljao	on (m)	predstávljaše
ona (f)	prédstavlja	ona (f)	je predstávljala	ona (f)	predstávljaše
ono (n)	prédstavlja	ono (n)	je predstávljalo	ono (n)	predstávljaše
mi	prédstavljamo	mi	smo predstávljali (m)	mi	predstávljasmo
			smo predstávljale (f)		
			smo predstávljala (n)		
vi	prédstavljate	vi	ste predstávljali (m)	vi	predstávljaste
			ste predstávljale (f)		
			ste predstávljala (n)		
oni (m)	prédstavljaju	oni (m)	su predstávljali	oni (m)	predstávljahu
one (f)	prédstavljaju	one (f)	su predstávljale	one (f)	predstávljahu
ona (n)	prédstavljaju	ona (n)	su predstávljala	ona (n)	predstávljahu

Pluperfect		Futur 1		Futur 2	
ja	sam bio predstávljao	ja	ću predstávljati	ja	budem predstávljao
ti	si bio predstávljao (m)	ti	ćeš predstávljati	ti	budeš predstávljao (m)
	si bila predstávljala (f)				budeš predstávljala (f)
	si bilo predstávljalo (n)				budeš predstávljalo (n)
on (m)	je bio predstávljao	on (m)	će predstávljati	on (m)	bude predstávljao
ona (f)	je bila predstávljala	ona (f)	će predstávljati	ona (f)	bude predstávljala
ono (n)	je bilo predstávljalo	ono (n)	će predstávljati	ono (n)	bude predstávljalo
mi	smo bili predstávljali (m)	mi	ćemo predstávljati	mi	budemo predstávljali (m)
	smo bile predstávljale (f)				budemo predstávljale (f)
	smo bila predstávljala (n)				budemo predstávljala (n)
vi	ste bili predstávljali (m)	vi	ćete predstávljati	vi	budete predstávljali (m)
	ste bile predstávljale (f)				budete predstávljale (f)
	ste bila predstávljala (n)				budete predstávljala (n)
oni (m)	su bili predstávljali	oni (m)	će predstávljati	oni (m)	budu predstávljali
one (f)	su bile predstávljale	one (f)	će predstávljati	one (f)	budu predstávljale
ona (n)	su bila predstávljala	ona (n)	će predstávljati	ona (n)	budu predstávljala

VERB MOODS					
Conditional 1		**Conditional 2**		**Imperative**	
ja	bih predstávljao	ja	bih bio predstávljao	ja	-
ti	bi predstávljao (m)	ti	bi bio predstávljao (m)	ti	prédstavljaj
	bi predstávljala (f)		bi bila predstávljala (f)		
	bi predstávljalo (n)		bi bilo predstávljalo (n)		
on (m)	bi predstávljao	on (m)	bi bio predstávljao	on (m)	neka prédstavlja
ona (f)	bi predstávljala	ona (f)	bi bila predstávljala	ona (f)	neka prédstavlja
ono (n)	bi predstávljalo	ono (n)	bi bilo predstávljalo	ono (n)	neka prédstavlja
mi	bismo predstávljali (m)	mi	bismo bili predstávljali (m)	mi	prédstavljajmo
	bismo predstávljale (f)		bismo bile predstávljale (f)		
	bismo predstávljala (n)		bismo bila predstávljala (n)		
vi	biste predstávljali (m)	vi	biste bili predstávljali (m)	vi	prédstavljajte
	biste predstávljale (f)		biste bile predstávljale (f)		
	biste predstávljala (n)		biste bila predstávljala (n)		
oni (m)	bi predstávljali	oni (m)	bi bili predstávljali	oni (m)	neka predstávljaju
one (f)	bi predstávljale	one (f)	bi bile predstávljale	one (f)	neka predstávljaju
ona (n)	bi predstávljala	ona (n)	bi bila predstávljala	ona (n)	neka predstávljaju

VERBAL ADJECTIVES			
Active participle		**Past participle**	
ja	predstávljao	ja	prédstavljan
ti	predstávljao (m)	ti	prédstavljan (m)
	predstávljala (f)		prédstavljana (f)
	predstávljalo (n)		prédstavljano(n)
on (m)	predstávljao	on (m)	prédstavljan
ona (f)	predstávljala	ona (f)	prédstavljana
ono (n)	predstávljalo	ono (n)	prédstavljano
mi	predstávljali (m)	mi	prédstavljani (m)
	predstávljale (f)		prédstavljane (f)
	predstávljala (n)		prédstavljane (n)
vi	predstávljali (m)	vi	prédstavljani (m)
	predstávljale (f)		prédstavljane (f)
	predstávljala (n)		prédstavljana (n)
oni (m)	predstávljali	oni (m)	prédstavljani
one (f)	predstávljale	one (f)	prédstavljane
ona (n)	predstávljala	ona (n)	prédstavljana

VERBAL ADVERBS
Active participle
predstávljajući
Past participle
-

Every day I introduce something new. – Svaki dan upoznajem nešto novo.

He was introducing us for an hour. – Predstavljao nas je sat vremena.

To Introduce (Predstaviti) – Perfective

Present		Perfect		Aorist	
ja	prédstavim	ja	sam prédstavio	ja	prédstavih
ti	prédstaviš	ti	si prédstavio (m) si prédstavila (f) si prédstavilo (n)	ti	prédstavi
on (m)	prédstavi	on (m)	je prédstavio	on (m)	prédstavi
ona (f)	prédstavi	ona (f)	je prédstavila	ona (f)	prédstavi
ono (n)	prédstavi	ono (n)	je prédstavilo	ono (n)	prédstavi
mi	prédstavimo	mi	smo prédstavili (m) smo prédstavile (f) smo prédstavila (n)	mi	prédstavismo
vi	prédstavite	vi	ste prédstavili (m) ste prédstavile (f) ste prédstavila (n)	vi	prédstaviste
oni (m)	prédstave	oni (m)	su prédstavili	oni (m)	prédstaviše
one (f)	prédstave	one (f)	su prédstavile	one (f)	prédstaviše
ona (n)	prédstave	ona (n)	su prédstavila	ona (n)	prédstaviše

Pluperfect		Futur 1		Futur 2	
ja	sam bio prédstavio	ja	ću prédstaviti	ja	budem prédstavio
ti	si bio prédstavio (m) si bila prédstavila (f) si bilo prédstavilo (n)	ti	ćeš prédstaviti	ti	budeš prédstavio (m) budeš prédstavila (f) budeš prédstavilo (n)
on (m)	je bio prédstavio	on (m)	će prédstaviti	on (m)	bude prédstavio
ona (f)	je bila prédstavila	ona (f)	će prédstaviti	ona (f)	bude prédstavila
ono (n)	je bilo prédstavilo	ono (n)	će prédstaviti	ono (n)	bude prédstavilo
mi	smo bili prédstavili (m) smo bile prédstavile (f) smo bila prédstavila (n)	mi	ćemo prédstaviti	mi	budemo prédstavili (m) budemo prédstavile (f) budemo prédstavila (n)
vi	ste bili prédstavili (m) ste bile prédstavile (f) ste bila prédstavila (n)	vi	ćete prédstaviti	vi	budete prédstavili (m) budete prédstavile (f) budete prédstavila (n)
oni (m)	su bili prédstavili	oni (m)	će prédstaviti	oni (m)	budu prédstavili
one (f)	su bile prédstavile	one (f)	će prédstaviti	one (f)	budu prédstavile
ona (n)	su bila prédstavila	ona (n)	će prédstaviti	ona (n)	budu prédstavila

VERB MOODS					
Conditional 1		Conditional 2		Imperative	
ja	bih prédstavio	ja	bih bio prédstavio	ja	-
ti	bi prédstavio (m)	ti	bi bio prédstavio (m)	ti	prédstavi
	bi prédstavila (f)		bi bila prédstavila (f)		
	bi prédstavilo (n)		bi bilo prédstavilo (n)		
on (m)	bi prédstavio	on (m)	bi bio prédstavio	on (m)	neka prédstavi
ona (f)	bi prédstavila	ona (f)	bi bila prédstavila	ona (f)	neka prédstavi
ono (n)	bi prédstavilo	ono (n)	bi bilo prédstavilo	ono (n)	neka prédstavi
mi	bismo prédstavili (m)	mi	bismo bili prédstavili (m)	mi	prédstavimo
	bismo prédstavile (f)		bismo bile prédstavile (f)		
	bismo prédstavila (n)		bismo bila prédstavila (n)		
vi	biste prédstavili (m)	vi	biste bili prédstavili (m)	vi	prédstavite
	biste prédstavile (f)		biste bile prédstavile (f)		
	biste prédstavila (n)		biste bila prédstavila (n)		
oni (m)	bi prédstavili	oni (m)	bi bili prédstavili	oni (m)	neka prédstave
one (f)	bi prédstavile	one (f)	bi bile prédstavile	one (f)	neka prédstave
ona (n)	bi prédstavila	ona (n)	bi bila prédstavila	ona (n)	neka prédstave

VERBAL ADJECTIVES			
Active participle		Past participle	
ja	prédstavio	ja	prédstavljen
ti	prédstavio (m)	ti	prédstavljen (m)
	prédstavila (f)		prédstavljena (f)
	prédstavilo (n)		prédstavljeno(n)
on (m)	prédstavio	on (m)	prédstavljen
ona (f)	prédstavila	ona (f)	prédstavljena
ono (n)	prédstavilo	ono (n)	prédstavljeno
mi	prédstavili (m)	mi	prédstavljeni (m)
	prédstavile (f)		prédstavljene (f)
	prédstavila (n)		prédstavljene (n)
vi	prédstavili (m)	vi	prédstavljeni (m)
	prédstavile (f)		prédstavljene (f)
	prédstavila (n)		prédstavljena (n)
oni (m)	prédstavili	oni (m)	prédstavljeni
one (f)	prédstavile	one (f)	prédstavljene
ona (n)	prédstavila	ona (n)	prédstavljena

VERBAL ADVERBS
Active participle
-
Past participle
prédstavivši

She introduced him to me. – Ona mi ga je predstavila.

A new car will be introduced tomorrow. - Sutra će biti predstavljen novi automobil.

To Invite (Pozivati) – Imperfective

Present		Perfect		Imperfect	
ja	pózivam	ja	sam pozívao	ja	pozívah
ti	pózivaš	ti	si pozívao (m) si pozívala (f) si pozívalo (n)	ti	pozívaše
on (m)	póziva	on (m)	je pozívao	on (m)	pozívaše
ona (f)	póziva	ona (f)	je pozívala	ona (f)	pozívaše
ono (n)	póziva	ono (n)	je pozívalo	ono (n)	pozívaše
mi	pózivamo	mi	smo pozívali (m) smo pozívale (f) smo pozívala (n)	mi	pozívasmo
vi	pózivate	vi	ste pozívali (m) ste pozívale (f) ste pozívala (n)	vi	pozívaste
oni (m)	pózivaju	oni (m)	su pozívali	oni (m)	pozívaše
one (f)	pózivaju	one (f)	su pozívale	one (f)	pozívaše
ona (n)	pózivaju	ona (n)	su pozívala	ona (n)	pozívaše

Pluperfect		Futur 1		Futur 2	
ja	sam bio pozívao	ja	ću pozívati	ja	budem pozívao
ti	si bio pozívao (m) si bila pozívala (f) si bilo pozívalo (n)	ti	ćeš pozívati	ti	budeš pozívao (m) budeš pozívala (f) budeš pozívalo (n)
on (m)	je bio pozívao	on (m)	će pozívati	on (m)	bude pozívao
ona (f)	je bila pozívala	ona (f)	će pozívati	ona (f)	bude pozívala
ono (n)	je bilo pozívalo	ono (n)	će pozívati	ono (n)	bude pozívalo
mi	smo bili pozívali (m) smo bile pozívale (f) smo bila pozívala (n)	mi	ćemo pozívati	mi	budemo pozívali (m) budemo pozívale (f) budemo pozívala (n)
vi	ste bili pozívali (m) ste bile pozívale (f) ste bila pozívala (n)	vi	ćete pozívati	vi	budete pozívali (m) budete pozívale (f) budete pozívala (n)
oni (m)	su bili pozívali	oni (m)	će pozívati	oni (m)	budu pozívali
one (f)	su bile pozívale	one (f)	će pozívati	one (f)	budu pozívale
ona (n)	su bila pozívala	ona (n)	će pozívati	ona (n)	budu pozívala

VERB MOODS					
Conditional 1		**Conditional 2**		**Imperative**	
ja	bih pozívao	ja	bih bio pozívao	ja	-
ti	bi pozívao (m)	ti	bi bio pozívao (m)	ti	pózivaj
	bi pozívala (f)		bi bila pozívala (f)		
	bi pozívalo (n)		bi bilo pozívalo (n)		
on (m)	bi pozívao	on (m)	bi bio pozívao	on (m)	neka póziva
ona (f)	bi pozívala	ona (f)	bi bila pozívala	ona (f)	neka póziva
ono (n)	bi pozívalo	ono (n)	bi bilo pozívalo	ono (n)	neka póziva
mi	bismo pozívali (m)	mi	bismo bili pozívali (m)	mi	pózivajmo
	bismo pozívale (f)		bismo bile pozívale (f)		
	bismo pozívala (n)		bismo bila pozívala (n)		
vi	biste pozívali (m)	vi	biste bili pozívali (m)	vi	pózivajte
	biste pozívale (f)		biste bile pozívale (f)		
	biste pozívala (n)		biste bila pozívala (n)		
oni (m)	bi pozívali	oni (m)	bi bili pozívali	oni (m)	neka pózivaju
one (f)	bi pozívale	one (f)	bi bile pozívale	one (f)	neka pózivaju
ona (n)	bi pozívala	ona (n)	bi bila pozívala	ona (n)	neka pózivaju

VERBAL ADJECTIVES			
Active participle		**Past participle**	
ja	pozívao	ja	pozívan
ti	pozívao (m)	ti	pozívan (m)
	pozívala (f)		pozívana (f)
	pozívalo (n)		pozívano(n)
on (m)	pozívao	on (m)	pozívan
ona (f)	pozívala	ona (f)	pozívana
ono (n)	pozívalo	ono (n)	pozívano
mi	pozívali (m)	mi	pozívani (m)
	pozívale (f)		pozívane (f)
	pozívala (n)		pozívane (n)
vi	pozívali (m)	vi	pozívani (m)
	pozívale (f)		pozívane (f)
	pozívala (n)		pozívana (n)
oni (m)	pozívali	oni (m)	pozívani
one (f)	pozívale	one (f)	pozívane
ona (n)	pozívala	ona (n)	pozívana

VERBAL ADVERBS
Active participle
pozívajući
Past participle
-

She was inviting him for a year but he didn't come. – Pozivala ga je godinu dana, ali nije došao.

They invite people every year. – Oni pozivaju ljude svake godine.

To Invite (Pozvati) – Perfective

Present		Perfect		Aorist	
ja	pózovem	ja	sam pózvao	ja	pózvah
ti	pózoveš	ti	si pózvao (m) si pózvala (f) si pózvalo (n)	ti	pózva
on (m)	pózove	on (m)	je pózvao	on (m)	pózva
ona (f)	pózove	ona (f)	je pózvala	ona (f)	pózva
ono (n)	pózove	ono (n)	je pózvalo	ono (n)	pózva
mi	pózovemo	mi	smo pózvali (m) smo pózvale (f) smo pózvala (n)	mi	pózvasmo
vi	pózovete	vi	ste pózvali (m) ste pózvale (f) ste pózvala (n)	vi	pózvaste
oni (m)	pózovu	oni (m)	su pózvali	oni (m)	pózvaše
one (f)	pózovu	one (f)	su pózvale	one (f)	pózvaše
ona (n)	pózovu	ona (n)	su pózvala	ona (n)	pózvaše

Pluperfect		Futur 1		Futur 2	
ja	sam bio pózvao	ja	ću pózvati	ja	budem pózvao
ti	si bio pózvao (m) si bila pózvala (f) si bilo pózvalo (n)	ti	ćeš pózvati	ti	budeš pózvao (m) budeš pózvala (f) budeš pózvalo (n)
on (m)	je bio pózvao	on (m)	će pózvati	on (m)	bude pózvao
ona (f)	je bila pózvala	ona (f)	će pózvati	ona (f)	bude pózvala
ono (n)	je bilo pózvalo	ono (n)	će pózvati	ono (n)	bude pózvalo
mi	smo bili pózvali (m) smo bile pózvale (f) smo bila pózvala (n)	mi	ćemo pózvati	mi	budemo pózvali (m) budemo pózvale (f) budemo pózvala (n)
vi	ste bili pózvali (m) ste bile pózvale (f) ste bila pózvala (n)	vi	ćete pózvati	vi	budete pózvali (m) budete pózvale (f) budete pózvala (n)
oni (m)	su bili pózvali	oni (m)	će pózvati	oni (m)	budu pózvali
one (f)	su bile pózvale	one (f)	će pózvati	one (f)	budu pózvale
ona (n)	su bila pózvala	ona (n)	će pózvati	ona (n)	budu pózvala

VERB MOODS					
Conditional 1		**Conditional 2**		**Imperative**	
ja	bih pózvao	ja	bih bio pózvao	ja	-
ti	bi pózvao (m)	ti	bi bio pózvao (m)	ti	pozóvi
	bi pózvala (f)		bi bila pózvala (f)		
	bi pózvalo (n)		bi bilo pózvalo (n)		
on (m)	bi pózvao	on (m)	bi bio pózvao	on (m)	neka pózove
ona (f)	bi pózvala	ona (f)	bi bila pózvala	ona (f)	neka pózove
ono (n)	bi pózvalo	ono (n)	bi bilo pózvalo	ono (n)	neka pózove
mi	bismo pózvali (m)	mi	bismo bili pózvali (m)	mi	pozóvimo
	bismo pózvale (f)		bismo bile pózvale (f)		
	bismo pózvala (n)		bismo bila pózvala (n)		
vi	biste pózvali (m)	vi	biste bili pózvali (m)	vi	pozóvite
	biste pózvale (f)		biste bile pózvale (f)		
	biste pózvala (n)		biste bila pózvala (n)		
oni (m)	bi pózvali	oni (m)	bi bili pózvali	oni (m)	neka pózovu
one (f)	bi pózvale	one (f)	bi bile pózvale	one (f)	neka pózovu
ona (n)	bi pózvala	ona (n)	bi bila pózvala	ona (n)	neka pózovu

VERBAL ADJECTIVES			
Active participle		**Past participle**	
ja	pózvao	ja	pózvan
ti	pózvao (m)	ti	pózvan (m)
	pózvala (f)		pózvana (f)
	pózvalo (n)		pózvano(n)
on (m)	pózvao	on (m)	pózvan
ona (f)	pózvala	ona (f)	pózvana
ono (n)	pózvalo	ono (n)	pózvano
mi	pózvali (m)	mi	pózvani (m)
	pózvale (f)		pózvane (f)
	pózvala (n)		pózvane (n)
vi	pózvali (m)	vi	pózvani (m)
	pózvale (f)		pózvane (f)
	pózvala (n)		pózvana (n)
oni (m)	pózvali	oni (m)	pózvani
one (f)	pózvale	one (f)	pózvane
ona (n)	pózvala	ona (n)	pózvana

VERBAL ADVERBS
Active participle
-
Past participle
pózvavši

They invited me to the party. – Pozvali su me na zabavu.

He was invited to the opening. – On je pozvan na otvorenje.

To Kill (Ubijati) – Imperfective

Present		Perfect		Imperfect	
ja	úbijam	ja	sam ubíjao	ja	ubíjah
ti	úbijaš	ti	si ubíjao (m)	ti	ubíjaše
			si ubíjala (f)		
			si ubíjalo (n)		
on (m)	úbija	on (m)	je ubíjao	on (m)	ubíjaše
ona (f)	úbija	ona (f)	je ubíjala	ona (f)	ubíjaše
ono (n)	úbija	ono (n)	je ubíjalo	ono (n)	ubíjaše
mi	úbijamo	mi	smo ubíjali (m)	mi	ubíjasmo
			smo ubíjale (f)		
			smo ubíjala (n)		
vi	úbijate	vi	ste ubíjali (m)	vi	ubíjaste
			ste ubíjale (f)		
			ste ubíjala (n)		
oni (m)	úbijaju	oni (m)	su ubíjali	oni (m)	ubíjahu
one (f)	úbijaju	one (f)	su ubíjale	one (f)	ubíjahu
ona (n)	úbijaju	ona (n)	su ubíjala	ona (n)	ubíjahu

Pluperfect		Futur 1		Futur 2	
ja	sam bio ubíjao	ja	ću ubíjati	ja	budem ubíjao
ti	si bio ubíjao (m)	ti	ćeš ubíjati	ti	budeš ubíjao (m)
	si bila ubíjala (f)				budeš ubíjala (f)
	si bilo ubíjalo (n)				budeš ubíjalo (n)
on (m)	je bio ubíjao	on (m)	će ubíjati	on (m)	bude ubíjao
ona (f)	je bila ubíjala	ona (f)	će ubíjati	ona (f)	bude ubíjala
ono (n)	je bilo ubíjalo	ono (n)	će ubíjati	ono (n)	bude ubíjalo
mi	smo bili ubíjali (m)	mi	ćemo ubíjati	mi	budemo ubíjali (m)
	smo bile ubíjale (f)				budemo ubíjale (f)
	smo bila ubíjala (n)				budemo ubíjala (n)
vi	ste bili ubíjali (m)	vi	ćete ubíjati	vi	budete ubíjali (m)
	ste bile ubíjale (f)				budete ubíjale (f)
	ste bila ubíjala (n)				budete ubíjala (n)
oni (m)	su bili ubíjali	oni (m)	će ubíjati	oni (m)	budu ubíjali
one (f)	su bile ubíjale	one (f)	će ubíjati	one (f)	budu ubíjale
ona (n)	su bila ubíjala	ona (n)	će ubíjati	ona (n)	budu ubíjala

VERB MOODS					
Conditional 1		**Conditional 2**		**Imperative**	
ja	bih ubíjao	ja	bih bio ubíjao	ja	-
ti	bi ubíjao (m)	ti	bi bio ubíjao (m)	ti	úbijaj
	bi ubíjala (f)		bi bila ubíjala (f)		
	bi ubíjalo (n)		bi bilo ubíjalo (n)		
on (m)	bi ubíjao	on (m)	bi bio ubíjao	on (m)	neka úbija
ona (f)	bi ubíjala	ona (f)	bi bila ubíjala	ona (f)	neka úbija
ono (n)	bi ubíjalo	ono (n)	bi bilo ubíjalo	ono (n)	neka úbija
mi	bismo ubíjali (m)	mi	bismo bili ubíjali (m)	mi	úbijajmo
	bismo ubíjale (f)		bismo bile ubíjale (f)		
	bismo ubíjala (n)		bismo bila ubíjala (n)		
vi	biste ubíjali (m)	vi	biste bili ubíjali (m)	vi	úbijajte
	biste ubíjale (f)		biste bile ubíjale (f)		
	biste ubíjala (n)		biste bila ubíjala (n)		
oni (m)	bi ubíjali	oni (m)	bi bili ubíjali	oni (m)	neka úbijaju
one (f)	bi ubíjale	one (f)	bi bile ubíjale	one (f)	neka úbijaju
ona (n)	bi ubíjala	ona (n)	bi bila ubíjala	ona (n)	neka úbijaju

VERBAL ADJECTIVES			
Active participle		**Past participle**	
ja	ubíjao	ja	úbijan
ti	ubíjao (m)	ti	úbijan (m)
	ubíjala (f)		úbijana (f)
	ubíjalo (n)		úbijano(n)
on (m)	ubíjao	on (m)	úbijan
ona (f)	ubíjala	ona (f)	úbijana
ono (n)	ubíjalo	ono (n)	úbijano
mi	ubíjali (m)	mi	úbijani (m)
	ubíjale (f)		úbijane (f)
	ubíjala (n)		úbijane (n)
vi	ubíjali (m)	vi	úbijani (m)
	ubíjale (f)		úbijane (f)
	ubíjala (n)		úbijana (n)
oni (m)	ubíjali	oni (m)	úbijani
one (f)	ubíjale	one (f)	úbijane
ona (n)	ubíjala	ona (n)	úbijana

VERBAL ADVERBS
Active participle
ubíjajući
Past participle
-

You are killing me with your stories. – Ubijaš me svojim pričama.

This weather is killing me. – Ovo me vrijeme ubija.

To Kill (Ubiti) – Perfective

Present		Perfect		Aorist	
ja	úbijem	ja	sam úbio	ja	úbih
ti	úbiješ	ti	si úbio (m) si úbila (f) si úbilo (n)	ti	úbi
on (m)	úbije	on (m)	je úbio	on (m)	úbi
ona (f)	úbije	ona (f)	je úbila	ona (f)	úbi
ono (n)	úbije	ono (n)	je úbilo	ono (n)	úbi
mi	úbijemo	mi	smo úbili (m) smo úbile (f) smo úbila (n)	mi	úbismo
vi	úbijete	vi	ste úbili (m) ste úbile (f) ste úbila (n)	vi	úbiste
oni (m)	úbiju	oni (m)	su úbili	oni (m)	úbiše
one (f)	úbiju	one (f)	su úbile	one (f)	úbiše
ona (n)	úbiju	ona (n)	su úbila	ona (n)	úbiše

Pluperfect		Futur 1		Futur 2	
ja	sam bio úbio	ja	ću ubíjati	ja	budem úbio
ti	si bio úbio (m) si bila úbila (f) si bilo úbilo (n)	ti	ćeš ubíjati	ti	budeš úbio (m) budeš úbila (f) budeš úbilo (n)
on (m)	je bio úbio	on (m)	će ubíjati	on (m)	bude úbio
ona (f)	je bila úbila	ona (f)	će ubíjati	ona (f)	bude úbila
ono (n)	je bilo úbilo	ono (n)	će ubíjati	ono (n)	bude úbilo
mi	smo bili úbili (m) smo bile úbile (f) smo bila úbila (n)	mi	ćemo ubíjati	mi	budemo úbili (m) budemo úbile (f) budemo úbila (n)
vi	ste bili úbili (m) ste bile úbile (f) ste bila úbila (n)	vi	ćete ubíjati	vi	budete úbili (m) budete úbile (f) budete úbila (n)
oni (m)	su bili úbili	oni (m)	će ubíjati	oni (m)	budu úbili
one (f)	su bile úbile	one (f)	će ubíjati	one (f)	budu úbile
ona (n)	su bila úbila	ona (n)	će ubíjati	ona (n)	budu úbila

VERB MOODS					
Conditional 1		Conditional 2		Imperative	
ja	bih úbio	ja	bih bio úbio	ja	-
ti	bi úbio (m)	ti	bi bio úbio (m)	ti	úbij
	bi úbila (f)		bi bila úbila (f)		
	bi úbilo (n)		bi bilo úbilo (n)		
on (m)	bi úbio	on (m)	bi bio úbio	on (m)	neka úbi
ona (f)	bi úbila	ona (f)	bi bila úbila	ona (f)	neka úbi
ono (n)	bi úbilo	ono (n)	bi bilo úbilo	ono (n)	neka úbi
mi	bismo úbili (m)	mi	bismo bili úbili (m)	mi	úbijmo
	bismo úbile (f)		bismo bile úbile (f)		
	bismo úbila (n)		bismo bila úbila (n)		
vi	biste úbili (m)	vi	biste bili úbili (m)	vi	úbijte
	biste úbile (f)		biste bile úbile (f)		
	biste úbila (n)		biste bila úbila (n)		
oni (m)	bi úbili	oni (m)	bi bili úbili	oni (m)	neka úbiju
one (f)	bi úbile	one (f)	bi bile úbile	one (f)	neka úbiju
ona (n)	bi úbila	ona (n)	bi bila úbila	ona (n)	neka úbiju

VERBAL ADJECTIVES			
Active participle		Past participle	
ja	úbio	ja	ubíjen
ti	úbio (m)	ti	ubíjen (m)
	úbila (f)		ubíjena (f)
	úbilo (n)		ubíjeno(n)
on (m)	úbio	on (m)	ubíjen
ona (f)	úbila	ona (f)	ubíjena
ono (n)	úbilo	ono (n)	ubíjeno
mi	úbili (m)	mi	ubíjeni (m)
	úbile (f)		ubíjene (f)
	úbila (n)		ubíjene (n)
vi	úbili (m)	vi	ubíjeni (m)
	úbile (f)		ubíjene (f)
	úbila (n)		ubíjena (n)
oni (m)	úbili	oni (m)	ubíjeni
one (f)	úbile	one (f)	ubíjene
ona (n)	úbila	ona (n)	ubíjena

VERBAL ADVERBS
Active participle
-
Past participle
úbivši

He will kill the rabbit. – On će ubiti zeca.

They have killed many mosquitos. – Oni su ubili mnogo komaraca.

To Kiss (Ljubiti) – Imperfective

Present		Perfect		Imperfect	
ja	ljúbim	ja	sam ljúbio	ja	ljúbljah
ti	ljúbiš	ti	si ljúbio (m) si ljúbila (f) si ljúbilo (n)	ti	ljúbljaše
on (m)	ljúbi	on (m)	je ljúbio	on (m)	ljúbljaše
ona (f)	ljúbi	ona (f)	je ljúbila	ona (f)	ljúbljaše
ono (n)	ljúbi	ono (n)	je ljúbilo	ono (n)	ljúbljaše
mi	ljúbimo	mi	smo ljúbili (m) smo ljúbile (f) smo ljúbila (n)	mi	ljúbljasmo
vi	ljúbite	vi	ste ljúbili (m) ste ljúbile (f) ste ljúbila (n)	vi	ljúbljaste
oni (m)	ljúbe	oni (m)	su ljúbili	oni (m)	ljúbljahu
one (f)	ljúbe	one (f)	su ljúbile	one (f)	ljúbljahu
ona (n)	ljúbe	ona (n)	su ljúbila	ona (n)	ljúbljahu

Pluperfect		Futur 1		Futur 2	
ja	sam bio ljúbio	ja	ću ljúbiti	ja	budem ljúbio
ti	si bio ljúbio (m) si bila ljúbila (f) si bilo ljúbilo (n)	ti	ćeš ljúbiti	ti	budeš ljúbio (m) budeš ljúbila (f) budeš ljúbilo (n)
on (m)	je bio ljúbio	on (m)	će ljúbiti	on (m)	bude ljúbio
ona (f)	je bila ljúbila	ona (f)	će ljúbiti	ona (f)	bude ljúbila
ono (n)	je bilo ljúbilo	ono (n)	će ljúbiti	ono (n)	bude ljúbilo
mi	smo bili ljúbili (m) smo bile ljúbile (f) smo bila ljúbila (n)	mi	ćemo ljúbiti	mi	budemo ljúbili (m) budemo ljúbile (f) budemo ljúbila (n)
vi	ste bili ljúbili (m) ste bile ljúbile (f) ste bila ljúbila (n)	vi	ćete ljúbiti	vi	budete ljúbili (m) budete ljúbile (f) budete ljúbila (n)
oni (m)	su bili ljúbili	oni (m)	će ljúbiti	oni (m)	budu ljúbili
one (f)	su bile ljúbile	one (f)	će ljúbiti	one (f)	budu ljúbile
ona (n)	su bila ljúbila	ona (n)	će ljúbiti	ona (n)	budu ljúbila

VERB MOODS					
Conditional 1		**Conditional 2**		**Imperative**	
ja	bih ljúbio	ja	bih bio ljúbio	ja	-
ti	bi ljúbio (m)	ti	bi bio ljúbio (m)	ti	ljúbi
	bi ljúbila (f)		bi bila ljúbila (f)		
	bi ljúbilo (n)		bi bilo ljúbilo (n)		
on (m)	bi ljúbio	on (m)	bi bio ljúbio	on (m)	neka ljúbi
ona (f)	bi ljúbila	ona (f)	bi bila ljúbila	ona (f)	neka ljúbi
ono (n)	bi ljúbilo	ono (n)	bi bilo ljúbilo	ono (n)	neka ljúbi
mi	bismo ljúbili (m)	mi	bismo bili ljúbili (m)	mi	ljúbimo
	bismo ljúbile (f)		bismo bile ljúbile (f)		
	bismo ljúbila (n)		bismo bila ljúbila (n)		
vi	biste ljúbili (m)	vi	biste bili ljúbili (m)	vi	ljúbite
	biste ljúbile (f)		biste bile ljúbile (f)		
	biste ljúbila (n)		biste bila ljúbila (n)		
oni (m)	bi ljúbili	oni (m)	bi bili ljúbili	oni (m)	neka ljúbe
one (f)	bi ljúbile	one (f)	bi bile ljúbile	one (f)	neka ljúbe
ona (n)	bi ljúbila	ona (n)	bi bila ljúbila	ona (n)	neka ljúbe

VERBAL ADJECTIVES			
Active participle		**Past participle**	
ja	ljúbio	ja	ljúbljen
ti	ljúbio (m)	ti	ljúbljen (m)
	ljúbila (f)		ljúbljena (f)
	ljúbilo (n)		ljúbljeno(n)
on (m)	ljúbio	on (m)	ljúbljen
ona (f)	ljúbila	ona (f)	ljúbljena
ono (n)	ljúbilo	ono (n)	ljúbljeno
mi	ljúbili (m)	mi	ljúbljeni (m)
	ljúbile (f)		ljúbljene (f)
	ljúbila (n)		ljúbljene (n)
vi	ljúbili (m)	vi	ljúbljeni (m)
	ljúbile (f)		ljúbljene (f)
	ljúbila (n)		ljúbljena (n)
oni (m)	ljúbili	oni (m)	ljúbljeni
one (f)	ljúbile	one (f)	ljúbljene
ona (n)	ljúbila	ona (n)	ljúbljena

VERBAL ADVERBS
Active participle
ljúbeći
Past participle
-

They were kissing all day long. – Oni su se ljubili cijeli dan.

I will kiss you for the rest of your life. – Ljubit ću te do kraja života.

To Kiss (Poljubiti) – Perfective

Present		Perfect		Aorist	
ja	pöljubim	ja	sam poljúbio	ja	poljúbih
ti	pöljubiš	ti	si poljúbio (m) si poljúbila (f) si poljúbilo (n)	ti	poljúbi
on (m)	pöljubi	on (m)	je poljúbio	on (m)	poljúbi
ona (f)	pöljubi	ona (f)	je poljúbila	ona (f)	poljúbi
ono (n)	pöljubi	ono (n)	je poljúbilo	ono (n)	poljúbi
mi	pöljubimo	mi	smo poljúbili (m) smo poljúbile (f) smo poljúbila (n)	mi	poljúbismo
vi	pöljubite	vi	ste poljúbili (m) ste poljúbile (f) ste poljúbila (n)	vi	poljúbiste
oni (m)	pöljube	oni (m)	su poljúbili	oni (m)	poljúbiše
one (f)	pöljube	one (f)	su poljúbile	one (f)	poljúbiše
ona (n)	pöljube	ona (n)	su poljúbila	ona (n)	poljúbiše

Pluperfect		Futur 1		Futur 2	
ja	sam bio poljúbio	ja	ću poljúbiti	ja	budem poljúbio
ti	si bio poljúbio (m) si bila poljúbila (f) si bilo poljúbilo (n)	ti	ćeš poljúbiti	ti	budeš poljúbio (m) budeš poljúbila (f) budeš poljúbilo (n)
on (m)	je bio poljúbio	on (m)	će poljúbiti	on (m)	bude poljúbio
ona (f)	je bila poljúbila	ona (f)	će poljúbiti	ona (f)	bude poljúbila
ono (n)	je bilo poljúbilo	ono (n)	će poljúbiti	ono (n)	bude poljúbilo
mi	smo bili poljúbili (m) smo bile poljúbile (f) smo bila poljúbila (n)	mi	ćemo poljúbiti	mi	budemo poljúbili (m) budemo poljúbile (f) budemo poljúbila (n)
vi	ste bili poljúbili (m) ste bile poljúbile (f) ste bila poljúbila (n)	vi	ćete poljúbiti	vi	budete poljúbili (m) budete poljúbile (f) budete poljúbila (n)
oni (m)	su bili poljúbili	oni (m)	će poljúbiti	oni (m)	budu poljúbili
one (f)	su bile poljúbile	one (f)	će poljúbiti	one (f)	budu poljúbile
ona (n)	su bila poljúbila	ona (n)	će poljúbiti	ona (n)	budu poljúbila

VERB MOODS					
Conditional 1		**Conditional 2**		**Imperative**	
ja	bih poljúbio	ja	bih bio poljúbio	ja	-
ti	bi poljúbio (m)	ti	bi bio poljúbio (m)	ti	poljúbi
	bi poljúbila (f)		bi bila poljúbila (f)		
	bi poljúbilo (n)		bi bilo poljúbilo (n)		
on (m)	bi poljúbio	on (m)	bi bio poljúbio	on (m)	neka poljúbi
ona (f)	bi poljúbila	ona (f)	bi bila poljúbila	ona (f)	neka poljúbi
ono (n)	bi poljúbilo	ono (n)	bi bilo poljúbilo	ono (n)	neka poljúbi
mi	bismo poljúbili (m)	mi	bismo bili poljúbili (m)	mi	poljúbimo
	bismo poljúbile (f)		bismo bile poljúbile (f)		
	bismo poljúbila (n)		bismo bila poljúbila (n)		
vi	biste poljúbili (m)	vi	biste bili poljúbili (m)	vi	poljúbite
	biste poljúbile (f)		biste bile poljúbile (f)		
	biste poljúbila (n)		biste bila poljúbila (n)		
oni (m)	bi poljúbili	oni (m)	bi bili poljúbili	oni (m)	neka poljube
one (f)	bi poljúbile	one (f)	bi bile poljúbile	one (f)	neka póljube
ona (n)	bi poljúbila	ona (n)	bi bila poljúbila	ona (n)	neka póljube

VERBAL ADJECTIVES			
Active participle		**Past participle**	
ja	poljúbio	ja	poljúbljen
ti	poljúbio (m)	ti	poljúbljen (m)
	poljúbila (f)		poljúbljena (f)
	poljúbilo (n)		poljúbljeno(n)
on (m)	poljúbio	on (m)	poljúbljen
ona (f)	poljúbila	ona (f)	poljúbljena
ono (n)	poljúbilo	ono (n)	poljúbljeno
mi	poljúbili (m)	mi	poljúbljeni (m)
	poljúbile (f)		poljúbljene (f)
	poljúbila (n)		poljúbljene (n)
vi	poljúbili (m)	vi	poljúbljeni (m)
	poljúbile (f)		poljúbljene (f)
	poljúbila (n)		poljúbljena (n)
oni (m)	poljúbili	oni (m)	poljúbljeni
one (f)	poljúbile	one (f)	poljúbljene
ona (n)	poljúbila	ona (n)	poljúbljena

VERBAL ADVERBS
Active participle
-
Past participle
poljúbivši

I will kiss you now. – Sad ću te poljubiti.

Than he kissed the bride. – Onda je poljubio mladenku.

To Know (Znati) – Imperfective

Present		Perfect		Imperfect	
ja	znám	ja	sam znáo	ja	znáh
ti	znáš	ti	si znáo (m)	ti	znáše
			si znála (f)		
			si ználo (n)		
on (m)	zná	on (m)	je znáo	on (m)	znáše
ona (f)	zná	ona (f)	je znála	ona (f)	znáše
ono (n)	zná	ono (n)	je ználo	ono (n)	znáše
mi	známo	mi	smo ználi (m)	mi	znásmo
			smo znále (f)		
			smo znála (n)		
vi	znáte	vi	ste ználi (m)	vi	znáste
			ste znále (f)		
			ste znála (n)		
oni (m)	znáju	oni (m)	su ználi	oni (m)	znáhu
one (f)	znáju	one (f)	su znále	one (f)	znáhu
ona (n)	znáju	ona (n)	su znála	ona (n)	znáhu

Pluperfect		Futur 1		Futur 2	
ja	sam bio znáo	ja	ću znáti	ja	budem znáo
ti	si bio znáo (m)	ti	ćeš znáti	ti	budeš znáo (m)
	si bila znála (f)				budeš znála (f)
	si bilo ználo (n)				budeš ználo (n)
on (m)	je bio znáo	on (m)	će znáti	on (m)	bude znáo
ona (f)	je bila znála	ona (f)	će znáti	ona (f)	bude znála
ono (n)	je bilo ználo	ono (n)	će znáti	ono (n)	bude ználo
mi	smo bili ználi (m)	mi	ćemo znáti	mi	budemo ználi (m)
	smo bile znále (f)				budemo znále (f)
	smo bila znála (n)				budemo znála (n)
vi	ste bili ználi (m)	vi	ćete znáti	vi	budete ználi (m)
	ste bile znále (f)				budete znále (f)
	ste bila znála (n)				budete znála (n)
oni (m)	su bili ználi	oni (m)	će znáti	oni (m)	budu ználi
one (f)	su bile znále	one (f)	će znáti	one (f)	budu znále
ona (n)	su bila znála	ona (n)	će znáti	ona (n)	budu znála

VERB MOODS					
Conditional 1		Conditional 2		Imperative	
ja	bih znáo	ja	bih bio znáo	ja	-
ti	bi znáo (m)	ti	bi bio znáo (m)	ti	znáj
	bi znála (f)		bi bila znála (f)		
	bi ználo (n)		bi bilo ználo (n)		
on (m)	bi znáo	on (m)	bi bio znáo	on (m)	neka zná
ona (f)	bi znála	ona (f)	bi bila znála	ona (f)	neka zná
ono (n)	bi ználo	ono (n)	bi bilo ználo	ono (n)	neka zná
mi	bismo ználi (m)	mi	bismo bili ználi (m)	mi	znájmo
	bismo znále (f)		bismo bile znále (f)		
	bismo znála (n)		bismo bila znála (n)		
vi	biste ználi (m)	vi	biste bili ználi (m)	vi	znájte
	biste znále (f)		biste bile znále (f)		
	biste znála (n)		biste bila znála (n)		
oni (m)	bi ználi	oni (m)	bi bili ználi	oni (m)	neka znáju
one (f)	bi znále	one (f)	bi bile znále	one (f)	neka znáju
ona (n)	bi znála	ona (n)	bi bila znála	ona (n)	neka znáju

VERBAL ADJECTIVES			
Active participle		Past participle	
ja	znáo	ja	znán
ti	znáo (m)	ti	znán (m)
	znála (f)		znána (f)
	ználo (n)		znáno(n)
on (m)	znáo	on (m)	znán
ona (f)	znála	ona (f)	znána
ono (n)	ználo	ono (n)	znáno
mi	ználi (m)	mi	znáni (m)
	znále (f)		znáne (f)
	znála (n)		znáne (n)
vi	ználi (m)	vi	znáni (m)
	znále (f)		znáne (f)
	znála (n)		znána (n)
oni (m)	ználi	oni (m)	znáni
one (f)	znále	one (f)	znáne
ona (n)	znála	ona (n)	znána

VERBAL ADVERBS
Active participle
znájući
Past participle
-

They know how to do it. – Oni znaju kako to napraviti.

How do you know my name? – Kako znaš moje ime?

To Know (Saznati) – Perfective

Present		Perfect		Aorist	
ja	sáznam	ja	sam sáznao	ja	sáznah
ti	sáznaš	ti	si sáznao (m) si sáznala (f) si sáznalo (n)	ti	sázna
on (m)	sázna	on (m)	je sáznao	on (m)	sázna
ona (f)	sázna	ona (f)	je sáznala	ona (f)	sázna
ono (n)	sázna	ono (n)	je sáznalo	ono (n)	sázna
mi	sáznamo	mi	smo sáznali (m) smo sáznale (f) smo sáznala (n)	mi	sáznasmo
vi	sáznate	vi	ste sáznali (m) ste sáznale (f) ste sáznala (n)	vi	sáznaste
oni (m)	sáznaju	oni (m)	su sáznali	oni (m)	sáznaše
one (f)	sáznaju	one (f)	su sáznale	one (f)	sáznaše
ona (n)	sáznaju	ona (n)	su sáznala	ona (n)	sáznaše

Pluperfect		Futur 1		Futur 2	
ja	sam bio sáznao	ja	ću sáznati	ja	budem sáznao
ti	si bio sáznao (m) si bila sáznala (f) si bilo sáznalo (n)	ti	ćeš sáznati	ti	budeš sáznao (m) budeš sáznala (f) budeš sáznalo (n)
on (m)	je bio sáznao	on (m)	će sáznati	on (m)	bude sáznao
ona (f)	je bila sáznala	ona (f)	će sáznati	ona (f)	bude sáznala
ono (n)	je bilo sáznalo	ono (n)	će sáznati	ono (n)	bude sáznalo
mi	smo bili sáznali (m) smo bile sáznale (f) smo bila sáznala (n)	mi	ćemo sáznati	mi	budemo sáznali (m) budemo sáznale (f) budemo sáznala (n)
vi	ste bili sáznali (m) ste bile sáznale (f) ste bila sáznala (n)	vi	ćete sáznati	vi	budete sáznali (m) budete sáznale (f) budete sáznala (n)
oni (m)	su bili sáznali	oni (m)	će sáznati	oni (m)	budu sáznali
one (f)	su bile sáznale	one (f)	će sáznati	one (f)	budu sáznale
ona (n)	su bila sáznala	ona (n)	će sáznati	ona (n)	budu sáznala

VERB MOODS					
Conditional 1		**Conditional 2**		**Imperative**	
ja	bih sáznao	ja	bih bio sáznao	ja	-
ti	bi sáznao (m)	ti	bi bio sáznao (m)	ti	sáznaj
	bi sáznala (f)		bi bila sáznala (f)		
	bi sáznalo (n)		bi bilo sáznalo (n)		
on (m)	bi sáznao	on (m)	bi bio sáznao	on (m)	neka sázna
ona (f)	bi sáznala	ona (f)	bi bila sáznala	ona (f)	neka sázna
ono (n)	bi sáznalo	ono (n)	bi bilo sáznalo	ono (n)	neka sázna
mi	bismo sáznali (m)	mi	bismo bili sáznali (m)	mi	sáznajmo
	bismo sáznale (f)		bismo bile sáznale (f)		
	bismo sáznala (n)		bismo bila sáznala (n)		
vi	biste sáznali (m)	vi	biste bili sáznali (m)	vi	sáznajte
	biste sáznale (f)		biste bile sáznale (f)		
	biste sáznala (n)		biste bila sáznala (n)		
oni (m)	bi sáznali	oni (m)	bi bili sáznali	oni (m)	neka sáznaju
one (f)	bi sáznale	one (f)	bi bile sáznale	one (f)	neka sáznaju
ona (n)	bi sáznala	ona (n)	bi bila sáznala	ona (n)	neka sáznaju

VERBAL ADJECTIVES			
Active participle		**Past participle**	
ja	sáznao	ja	sáznan
ti	sáznao (m)	ti	sáznan (m)
	sáznala (f)		sáznana (f)
	sáznalo (n)		sáznano(n)
on (m)	sáznao	on (m)	sáznan
ona (f)	sáznala	ona (f)	sáznana
ono (n)	sáznalo	ono (n)	sáznano
mi	sáznali (m)	mi	sáznani (m)
	sáznale (f)		sáznane (f)
	sáznala (n)		sáznane (n)
vi	sáznali (m)	vi	sáznani (m)
	sáznale (f)		sáznane (f)
	sáznala (n)		sáznana (n)
oni (m)	sáznali	oni (m)	sáznani
one (f)	sáznale	one (f)	sáznane
ona (n)	sáznala	ona (n)	sáznana

VERBAL ADVERBS
Active participle
-
Past participle
sáznavši

He managed to know when he got up. – Saznao je kad je ustao.

By the time he will know who he was. – S vremenom će saznati tko je bio.

To Laugh (Smijati se) – Imperfective

Present		Perfect		Imperfect	
ja	se smíjem	ja	sam se smíjao	ja	se smíjah
ti	se smíješ	ti	si se smíjao (m)	ti	se smíjaše
			si se smíjala (f)		
			si se smíjalo (n)		
on (m)	se smíje	on (m)	se je smíjao	on (m)	se smíjaše
ona (f)	se smíje	ona (f)	se je smíjala	ona (f)	se smíjaše
ono (n)	se smíje	ono (n)	se je smíjalo	ono (n)	se smíjaše
mi	se smíjemo	mi	smo se smíjali (m)	mi	se smíjasmo
			smo se smíjale (f)		
			smo se smíjala (n)		
vi	se smíjete	vi	ste se smíjali (m)	vi	se smíjaste
			ste se smíjale (f)		
			ste se smíjala (n)		
oni (m)	se smíju	oni (m)	su se smíjali	oni (m)	se smíjahu
one (f)	se smíju	one (f)	su se smíjale	one (f)	se smíjahu
ona (n)	se smíju	ona (n)	su se smíjala	ona (n)	se smíjahu

Pluperfect		Futur 1		Futur 2	
ja	sam se bio smíjao	ja	ću se smíjati	ja	se budem smíjao
ti	si se bio smíjao (m)	ti	ćeš se smíjati	ti	se budeš smíjao (m)
	si se bila smíjala (f)				se budeš smíjala (f)
	si se bilo smíjalo (n)				se budeš smíjalo (n)
on (m)	se je bio smíjao	on (m)	će se smíjati	on (m)	se bude smíjao
ona (f)	se je bila smíjala	ona (f)	će se smíjati	ona (f)	se bude smíjala
ono (n)	se je bilo smíjalo	ono (n)	će se smíjati	ono (n)	se bude smíjalo
mi	smo se bili smíjali (m)	mi	ćemo se smíjati	mi	se budemo smíjali (m)
	smo se bile smíjale (f)				se budemo smíjale (f)
	smo se bila smíjala (n)				se budemo smíjala (n)
vi	ste se bili smíjali (m)	vi	ćete se smíjati	vi	se budete smíjali (m)
	ste se bile smíjale (f)				se budete smíjale (f)
	ste se bila smíjala (n)				se budete smíjala (n)
oni (m)	su se bili smíjali	oni (m)	će se smíjati	oni (m)	se budu smíjali
one (f)	su se bile smíjale	one (f)	će se smíjati	one (f)	se budu smíjale
ona (n)	su se bila smíjala	ona (n)	će se smíjati	ona (n)	se budu smíjala

VERB MOODS					
Conditional 1		**Conditional 2**		**Imperative**	
ja	bih se smíjao	ja	bih se bio smíjao	ja	-
ti	bi se smíjao (m)	ti	bi se bio smíjao (m)	ti	se smíj
	bi se smíjala (f)		bi se bila smíjala (f)		
	bi se smíjalo (n)		bi se bilo smíjalo (n)		
on (m)	bi se smíjao	on (m)	bi se bio smíjao	on (m)	neka se smíje
ona (f)	bi se smíjala	ona (f)	bi se bila smíjala	ona (f)	neka se smíje
ono (n)	bi se smíjalo	ono (n)	bi se bilo smíjalo	ono (n)	neka se smíje
mi	bismo se smíjali (m)	mi	bismo se bili smíjali (m)	mi	se smíjmo
	bismo se smíjale (f)		bismo se bile smíjale (f)		
	bismo se smíjala (n)		bismo se bila smíjala (n)		
vi	biste se smíjali (m)	vi	biste se bili smíjali (m)	vi	se smíjte
	biste se smíjale (f)		biste se bile smíjale (f)		
	biste se smíjala (n)		biste se bila smíjala (n)		
oni (m)	bi se smíjali	oni (m)	bi se bili smíjali	oni (m)	neka se smíju
one (f)	bi se smíjale	one (f)	bi se bile smíjale	one (f)	neka se smíju
ona (n)	bi se smíjala	ona (n)	bi se bila smíjala	ona (n)	neka se smíju

VERBAL ADJECTIVES			
Active participle		**Past participle**	
ja	smíjao se	ja	
ti	smíjao se (m)	ti	
	smíjala se (f)		
	smíjalo se (n)		
on (m)	smíjao se	on (m)	
ona (f)	smíjala se	ona (f)	
ono (n)	smíjalo se	ono (n)	
mi	smíjali se (m)	mi	
	smíjale se (f)		
	smíjala se (n)		
vi	smíjali se (m)	vi	
	smíjale se (f)		
	smíjala se (n)		
oni (m)	smíjali se	oni (m)	
one (f)	smíjale se	one (f)	
ona (n)	smíjala se	ona (n)	

VERBAL ADVERBS
Active participle
smíjući se
Past participle
-

I was laughing to his jokes. – Smijao sam se njegovim šalama.

She was laughing to me. – Ona mi se smijala.

To Laugh (Nasmijati se) – Perfective

Present	
ja	se násmijem
ti	se násmiješ
on (m)	se násmije
ona (f)	se násmije
ono (n)	se násmije
mi	se násmijemo
vi	se násmijete
oni (m)	se násmiju
one (f)	se násmiju
ona (n)	se násmiju

Perfect	
ja	sam se nasmíjao
ti	si se nasmíjao (m)
	si se nasmíjala (f)
	si se nasmíjalo (n)
on (m)	se je nasmíjao
ona (f)	se je nasmíjala
ono (n)	se je nasmíjalo
mi	smo se nasmíjali (m)
	smo se nasmíjale (f)
	smo se nasmíjala (n)
vi	ste se nasmíjali (m)
	ste se nasmíjale (f)
	ste se nasmíjala (n)
oni (m)	su se nasmíjali
one (f)	su se nasmíjale
ona (n)	su se nasmíjala

Aorist	
ja	se nasmíjah
ti	se nasmíja
on (m)	se nasmíja
ona (f)	se nasmíja
ono (n)	se nasmíja
mi	se nasmíjasmo
vi	se nasmíjaste
oni (m)	se nasmíjaše
one (f)	se nasmíjaše
ona (n)	se nasmíjaše

Pluperfect	
ja	sam se bio nasmíjao
ti	si se bio nasmíjao (m)
	si se bila nasmíjala (f)
	si se bilo nasmíjalo (n)
on (m)	se je bio nasmíjao
ona (f)	se je bila nasmíjala
ono (n)	se je bilo nasmíjalo
mi	smo se bili nasmíjali (m)
	smo se bile nasmíjale (f)
	smo se bila nasmíjala (n)
vi	ste se bili nasmíjali (m)
	ste se bile nasmíjale (f)
	ste se bila nasmíjala (n)
oni (m)	su se bili nasmíjali
one (f)	su se bile nasmíjale
ona (n)	su se bila nasmíjala

Futur 1	
ja	ću se nasmíjati
ti	ćeš se nasmíjati
on (m)	će se nasmíjati
ona (f)	će se nasmíjati
ono (n)	će se nasmíjati
mi	ćemo se nasmíjati
vi	ćete se nasmíjati
oni (m)	će se nasmíjati
one (f)	će se nasmíjati
ona (n)	će se nasmíjati

Futur 2	
ja	se budem nasmíjao
ti	se budeš nasmíjao (m)
	se budeš nasmíjala (f)
	se budeš nasmíjalo (n)
on (m)	se bude nasmíjao
ona (f)	se bude nasmíjala
ono (n)	se bude nasmíjalo
mi	se budemo nasmíjali (m)
	se budemo nasmíjale (f)
	se budemo nasmíjala (n)
vi	se budete nasmíjali (m)
	se budete nasmíjale (f)
	se budete nasmíjala (n)
oni (m)	se budu nasmíjali
one (f)	se budu nasmíjale
ona (n)	se budu nasmíjala

VERB MOODS					
Conditional 1		**Conditional 2**		**Imperative**	
ja	bih se nasmíjao	ja	bih se bio nasmíjao	ja	-
ti	bi se nasmíjao (m)	ti	bi se bio nasmíjao (m)	ti	se násmij
	bi se nasmíjala (f)		bi se bila nasmíjala (f)		
	bi se nasmíjalo (n)		bi se bilo nasmíjalo (n)		
on (m)	bi se nasmíjao	on (m)	bi se bio nasmíjao	on (m)	neka se násmije
ona (f)	bi se nasmíjala	ona (f)	bi se bila nasmíjala	ona (f)	neka se násmije
ono (n)	bi se nasmíjalo	ono (n)	bi se bilo nasmíjalo	ono (n)	neka se násmije
mi	bismo se nasmíjali (m)	mi	bismo se bili nasmíjali (m)	mi	se násmijmo
	bismo se nasmíjale (f)		bismo se bile nasmíjale (f)		
	bismo se nasmíjala (n)		bismo se bila nasmíjala (n)		
vi	biste se nasmíjali (m)	vi	biste se bili nasmíjali (m)	vi	se násmijte
	biste se nasmíjale (f)		biste se bile nasmíjale (f)		
	biste se nasmíjala (n)		biste se bila nasmíjala (n)		
oni (m)	bi se nasmíjali	oni (m)	bi se bili nasmíjali	oni (m)	neka se násmiju
one (f)	bi se nasmíjale	one (f)	bi se bile nasmíjale	one (f)	neka se násmiju
ona (n)	bi se nasmíjala	ona (n)	bi se bila nasmíjala	ona (n)	neka se násmiju

VERBAL ADJECTIVES			
Active participle		**Past participle**	
ja	nasmíjao se	ja	nasmíjan
ti	nasmíjao se (m)	ti	nasmíjan (m)
	nasmíjala se (f)		nasmíjana (f)
	nasmíjalo se (n)		nasmíjano(n)
on (m)	nasmíjao se	on (m)	nasmíjan
ona (f)	nasmíjala se	ona (f)	nasmíjana
ono (n)	nasmíjalo se	ono (n)	nasmíjano
mi	nasmíjali se (m)	mi	nasmíjani (m)
	nasmíjale se (f)		nasmíjane (f)
	nasmíjala se (n)		nasmíjane (n)
vi	nasmíjali se (m)	vi	nasmíjani (m)
	nasmíjale se (f)		nasmíjane (f)
	nasmíjala se (n)		nasmíjana (n)
oni (m)	nasmíjali se	oni (m)	nasmíjani
one (f)	nasmíjale se	one (f)	nasmíjane
ona (n)	nasmíjala se	ona (n)	nasmíjana

VERBAL ADVERBS
Active participle
-
Past participle
nasmíjavši se

She laughed at me. – Nasmijala mi se.

I will laugh at you. – Nasmijat ću ti se.

To Learn (Učiti) – Imperfective

Present		Perfect		Imperfect	
ja	účim	ja	sam účio	ja	účah
ti	účiš	ti	si účio (m) si účila (f) si účilo (n)	ti	účaše
on (m)	úči	on (m)	je účio	on (m)	účaše
ona (f)	úči	ona (f)	je účila	ona (f)	účaše
ono (n)	úči	ono (n)	je účilo	ono (n)	účaše
mi	účimo	mi	smo účili (m) smo účile (f) smo účila (n)	mi	účasmo
vi	účite	vi	ste účili (m) ste účile (f) ste účila (n)	vi	účaste
oni (m)	úče	oni (m)	su účili	oni (m)	účahu
one (f)	úče	one (f)	su účile	one (f)	účahu
ona (n)	úče	ona (n)	su účila	ona (n)	účahu

Pluperfect		Futur 1		Futur 2	
ja	sam bio účio	ja	ću účiti	ja	budem účio
ti	si bio účio (m) si bila účila (f) si bilo účilo (n)	ti	ćeš účiti	ti	budeš účio (m) budeš účila (f) budeš účilo (n)
on (m)	je bio účio	on (m)	će účiti	on (m)	bude účio
ona (f)	je bila účila	ona (f)	će účiti	ona (f)	bude účila
ono (n)	je bilo účilo	ono (n)	će účiti	ono (n)	bude účilo
mi	smo bili účili (m) smo bile účile (f) smo bila účila (n)	mi	ćemo účiti	mi	budemo účili (m) budemo účile (f) budemo účila (n)
vi	ste bili účili (m) ste bile účile (f) ste bila účila (n)	vi	ćete účiti	vi	budete účili (m) budete účile (f) budete účila (n)
oni (m)	su bili účili	oni (m)	će účiti	oni (m)	budu účili
one (f)	su bile účile	one (f)	će účiti	one (f)	budu účile
ona (n)	su bila účila	ona (n)	će účiti	ona (n)	budu účila

VERB MOODS					
Conditional 1		**Conditional 2**		**Imperative**	
ja	bih účio	ja	bih bio účio	ja	-
ti	bi účio (m)	ti	bi bio účio (m)	ti	úči
	bi účila (f)		bi bila účila (f)		
	bi účilo (n)		bi bilo účilo (n)		
on (m)	bi účio	on (m)	bi bio účio	on (m)	neka úči
ona (f)	bi účila	ona (f)	bi bila účila	ona (f)	neka úči
ono (n)	bi účilo	ono (n)	bi bilo účilo	ono (n)	neka úči
mi	bismo účili (m)	mi	bismo bili účili (m)	mi	účimo
	bismo účile (f)		bismo bile účile (f)		
	bismo účila (n)		bismo bila účila (n)		
vi	biste účili (m)	vi	biste bili účili (m)	vi	účite
	biste účile (f)		biste bile účile (f)		
	biste účila (n)		biste bila účila (n)		
oni (m)	bi účili	oni (m)	bi bili účili	oni (m)	neka úče
one (f)	bi účile	one (f)	bi bile účile	one (f)	neka úče
ona (n)	bi účila	ona (n)	bi bila účila	ona (n)	neka úče

VERBAL ADJECTIVES			
Active participle		**Past participle**	
ja	účio	ja	účen
ti	účio (m)	ti	účen (m)
	účila (f)		účena (f)
	účilo (n)		účeno(n)
on (m)	účio	on (m)	účen
ona (f)	účila	ona (f)	účena
ono (n)	účilo	ono (n)	účeno
mi	účili (m)	mi	účeni (m)
	účile (f)		účene (f)
	účila (n)		účene (n)
vi	účili (m)	vi	účeni (m)
	účile (f)		účene (f)
	účila (n)		účena (n)
oni (m)	účili	oni (m)	účeni
one (f)	účile	one (f)	účene
ona (n)	účila	ona (n)	účena

VERBAL ADVERBS
Active participle
účeći
Past participle
-

I am learning history. – Učim povijest.

She was learning how to drive. – Učila je kako voziti.

To Learn (Naučiti) – Perfective

Present		Perfect		Aorist	
ja	náučim	ja	sam naúčio	ja	naúčih
ti	náučiš	ti	si naúčio (m) si naúčila (f) si naúčilo (n)	ti	naúči
on (m)	náuči	on (m)	je naúčio	on (m)	naúči
ona (f)	náuči	ona (f)	je naúčila	ona (f)	naúči
ono (n)	náuči	ono (n)	je naúčilo	ono (n)	naúči
mi	náučimo	mi	smo naúčili (m) smo naúčile (f) smo naúčila (n)	mi	naúčismo
vi	náučite	vi	ste naúčili (m) ste naúčile (f) ste naúčila (n)	vi	naúčiste
oni (m)	náuče	oni (m)	su naúčili	oni (m)	naúčiše
one (f)	náuče	one (f)	su naúčile	one (f)	naúčiše
ona (n)	náuče	ona (n)	su naúčila	ona (n)	naúčiše

Pluperfect		Futur 1		Futur 2	
ja	sam bio naúčio	ja	ću naúčiti	ja	budem naúčio
ti	si bio naúčio (m) si bila naúčila (f) si bilo naúčilo (n)	ti	ćeš naúčiti	ti	budeš naúčio (m) budeš naúčila (f) budeš naúčilo (n)
on (m)	je bio naúčio	on (m)	će naúčiti	on (m)	bude naúčio
ona (f)	je bila naúčila	ona (f)	će naúčiti	ona (f)	bude naúčila
ono (n)	je bilo naúčilo	ono (n)	će naúčiti	ono (n)	bude naúčilo
mi	smo bili naúčili (m) smo bile naúčile (f) smo bila naúčila (n)	mi	ćemo naúčiti	mi	budemo naúčili (m) budemo naúčile (f) budemo naúčila (n)
vi	ste bili naúčili (m) ste bile naúčile (f) ste bila naúčila (n)	vi	ćete naúčiti	vi	budete naúčili (m) budete naúčile (f) budete naúčila (n)
oni (m)	su bili naúčili	oni (m)	će naúčiti	oni (m)	budu naúčili
one (f)	su bile naúčile	one (f)	će naúčiti	one (f)	budu naúčile
ona (n)	su bila naúčila	ona (n)	će naúčiti	ona (n)	budu naúčila

VERB MOODS					
Conditional 1		**Conditional 2**		**Imperative**	
ja	bih naúčio	ja	bih bio naúčio	ja	-
ti	bi naúčio (m)	ti	bi bio naúčio (m)	ti	naúči
	bi naúčila (f)		bi bila naúčila (f)		
	bi naúčilo (n)		bi bilo naúčilo (n)		
on (m)	bi naúčio	on (m)	bi bio naúčio	on (m)	neka naúči
ona (f)	bi naúčila	ona (f)	bi bila naúčila	ona (f)	neka naúči
ono (n)	bi naúčilo	ono (n)	bi bilo naúčilo	ono (n)	neka naúči
mi	bismo naúčili (m)	mi	bismo bili naúčili (m)	mi	naúčimo
	bismo naúčile (f)		bismo bile naúčile (f)		
	bismo naúčila (n)		bismo bila naúčila (n)		
vi	biste naúčili (m)	vi	biste bili naúčili (m)	vi	naúčite
	biste naúčile (f)		biste bile naúčile (f)		
	biste naúčila (n)		biste bila naúčila (n)		
oni (m)	bi naúčili	oni (m)	bi bili naúčili	oni (m)	neka náuče
one (f)	bi naúčile	one (f)	bi bile naúčile	one (f)	neka náuče
ona (n)	bi naúčila	ona (n)	bi bila naúčila	ona (n)	neka náuče

VERBAL ADJECTIVES			
Active participle		**Past participle**	
ja	naúčio	ja	náučen
ti	naúčio (m)	ti	náučen (m)
	naúčila (f)		náučena (f)
	naúčilo (n)		náučeno(n)
on (m)	naúčio	on (m)	náučen
ona (f)	naúčila	ona (f)	náučena
ono (n)	naúčilo	ono (n)	náučeno
mi	naúčili (m)	mi	náučeni (m)
	naúčile (f)		náučene (f)
	naúčila (n)		náučene (n)
vi	naúčili (m)	vi	náučeni (m)
	naúčile (f)		náučene (f)
	naúčila (n)		náučena (n)
oni (m)	naúčili	oni (m)	náučeni
one (f)	naúčile	one (f)	náučene
ona (n)	naúčila	ona (n)	náučena

VERBAL ADVERBS
Active participle
-
Past participle
naúčivši

He have learned how to drive. – Naučio je kako voziti.

They will learn the lesson. – Oni će naučiti lekciju

To Lie down (Lijegati) – Imperfective

Present		Perfect		Imperfect	
ja	lijégam	ja	sam lijégao	ja	lijégah
ti	lijégaš	ti	si lijégao (m)	ti	lijégaše
			si lijégala (f)		
			si lijégalo (n)		
on (m)	liјéga	on (m)	je lijégao	on (m)	lijégaše
ona (f)	liјéga	ona (f)	je lijégala	ona (f)	lijégaše
ono (n)	liјéga	ono (n)	je lijégalo	ono (n)	lijégaše
mi	lijégamo	mi	smo lijégali (m)	mi	lijégasmo
			smo lijégale (f)		
			smo lijégala (n)		
vi	lijégate	vi	ste lijégali (m)	vi	lijégaste
			ste lijégale (f)		
			ste lijégala (n)		
oni (m)	lijégaju	oni (m)	su lijégali	oni (m)	lijégahu
one (f)	lijégaju	one (f)	su lijégale	one (f)	lijégahu
ona (n)	lijégaju	ona (n)	su lijégala	ona (n)	lijégahu

Pluperfect		Futur 1		Futur 2	
ja	sam bio lijégao	ja	ću lijégati	ja	budem lijégao
ti	si bio lijégao (m)	ti	ćeš lijégati	ti	budeš lijégao (m)
	si bila lijégala (f)				budeš lijégala (f)
	si bilo lijégalo (n)				budeš lijégalo (n)
on (m)	je bio lijégao	on (m)	će lijégati	on (m)	bude lijégao
ona (f)	je bila lijégala	ona (f)	će lijégati	ona (f)	bude lijégala
ono (n)	je bilo lijégalo	ono (n)	će lijégati	ono (n)	bude lijégalo
mi	smo bili lijégali (m)	mi	ćemo lijégati	mi	budemo lijégali (m)
	smo bile lijégale (f)				budemo lijégale (f)
	smo bila lijégala (n)				budemo lijégala (n)
vi	ste bili lijégali (m)	vi	ćete lijégati	vi	budete lijégali (m)
	ste bile lijégale (f)				budete lijégale (f)
	ste bila lijégala (n)				budete lijégala (n)
oni (m)	su bili lijégali	oni (m)	će lijégati	oni (m)	budu lijégali
one (f)	su bile lijégale	one (f)	će lijégati	one (f)	budu lijégale
ona (n)	su bila lijégala	ona (n)	će lijégati	ona (n)	budu lijégala

VERB MOODS					
Conditional 1		**Conditional 2**		**Imperative**	
ja	bih lijégao	ja	bih bio lijégao	ja	-
ti	bi lijégao (m)	ti	bi bio lijégao (m)	ti	lijégaj
	bi lijégala (f)		bi bila lijégala (f)		
	bi lijégalo (n)		bi bilo lijégalo (n)		
on (m)	bi lijégao	on (m)	bi bio lijégao	on (m)	neka lijéga
ona (f)	bi lijégala	ona (f)	bi bila lijégala	ona (f)	neka lijéga
ono (n)	bi lijégalo	ono (n)	bi bilo lijégalo	ono (n)	neka lijéga
mi	bismo lijégali (m)	mi	bismo bili lijégali (m)	mi	lijégajmo
	bismo lijégale (f)		bismo bile lijégale (f)		
	bismo lijégala (n)		bismo bila lijégala (n)		
vi	biste lijégali (m)	vi	biste bili lijégali (m)	vi	lijégajte
	biste lijégale (f)		biste bile lijégale (f)		
	biste lijégala (n)		biste bila lijégala (n)		
oni (m)	bi lijégali	oni (m)	bi bili lijégali	oni (m)	neka lijégaju
one (f)	bi lijégale	one (f)	bi bile lijégale	one (f)	neka lijégaju
ona (n)	bi lijégala	ona (n)	bi bila lijégala	ona (n)	neka lijégaju

VERBAL ADJECTIVES			
Active participle		**Past participle**	
ja	lijégao	ja	lijégan
ti	lijégao (m)	ti	lijégan (m)
	lijégala (f)		lijégana (f)
	lijégalo (n)		lijégano(n)
on (m)	lijégao	on (m)	lijégan
ona (f)	lijégala	ona (f)	lijégana
ono (n)	lijégalo	ono (n)	lijégano
mi	lijégali (m)	mi	lijégani (m)
	lijégale (f)		lijégane (f)
	lijégala (n)		lijégane (n)
vi	lijégali (m)	vi	lijégani (m)
	lijégale (f)		lijégane (f)
	lijégala (n)		lijégana (n)
oni (m)	lijégali	oni (m)	lijégani
one (f)	lijégale	one (f)	lijégane
ona (n)	lijégala	ona (n)	lijégana

VERBAL ADVERBS
Active participle
lijégajući
Past participle
-

I'm lying down every night. – Lijegam svake večeri.

He will be lying down after this. – On će lijegati nakon ovoga.

To Lie down (Leći) – Perfective

Present		Perfect		Aorist	
ja	léžim	ja	sam légao	ja	légoh
ti	léžiš	ti	si légao (m) si légla (f) si léglo (n)	ti	léže
on (m)	léži	on (m)	je légao	on (m)	léže
ona (f)	léži	ona (f)	je légla	ona (f)	léže
ono (n)	léži	ono (n)	je léglo	ono (n)	léže
mi	ležimo	mi	smo légli (m) smo légle (f) smo légla (n)	mi	légosmo
vi	léžite	vi	ste légli (m) ste légle (f) ste légla (n)	vi	légoste
oni (m)	léže	oni (m)	su légli	oni (m)	légoše
one (f)	léže	one (f)	su légle	one (f)	légoše
ona (n)	léže	ona (n)	su légla	ona (n)	légoše

Pluperfect		Futur 1		Futur 2	
ja	sam bio légao	ja	ću léći	ja	budem légao
ti	si bio légao (m) si bila légla (f) si bilo léglo (n)	ti	ćeš léći	ti	budeš légao (m) budeš légla (f) budeš léglo (n)
on (m)	je bio légao	on (m)	će léći	on (m)	bude légao
ona (f)	je bila légla	ona (f)	će léći	ona (f)	bude légla
ono (n)	je bilo léglo	ono (n)	će léći	ono (n)	bude léglo
mi	smo bili légli (m) smo bile légle (f) smo bila légla (n)	mi	ćemo léći	mi	budemo légli (m) budemo légle (f) budemo légla (n)
vi	ste bili légli (m) ste bile légle (f) ste bila légla (n)	vi	ćete léći	vi	budete légli (m) budete légle (f) budete légla (n)
oni (m)	su bili légli	oni (m)	će léći	oni (m)	budu légli
one (f)	su bile légle	one (f)	će léći	one (f)	budu légle
ona (n)	su bila légla	ona (n)	će léći	ona (n)	budu légla

VERB MOODS					
Conditionl 1		**Conditionl 2**		**Imperative**	
ja	bih légao	ja	bih bio légao	ja	-
ti	bi légao (m)	ti	bi bio légao (m)	ti	légani
	bi légla (f)		bi bila légla (f)		
	bi léglo (n)		bi bilo léglo (n)		
on (m)	bi légao	on (m)	bi bio légao	on (m)	neka légne
ona (f)	bi légla	ona (f)	bi bila légla	ona (f)	neka légne
ono (n)	bi léglo	ono (n)	bi bilo léglo	ono (n)	neka légne
mi	bismo légli (m)	mi	bismo bili légli (m)	mi	légnimo
	bismo légle (f)		bismo bile légle (f)		
	bismo légla (n)		bismo bila légla (n)		
vi	biste légli (m)	vi	biste bili légli (m)	vi	légnite
	biste légle (f)		biste bile légle (f)		
	biste légla (n)		biste bila légla (n)		
oni (m)	bi légli	oni (m)	bi bili légli	oni (m)	neka légnu
one (f)	bi légle	one (f)	bi bile légle	one (f)	neka légnu
ona (n)	bi légla	ona (n)	bi bila légla	ona (n)	neka légnu

VERBL ADJECTIVES			
Active participle		**Past participle**	
ja	légao	ja	légnut
ti	légao (m)	ti	légnut (m)
	légla (f)		légnuta (f)
	léglo (n)		légnuto(n)
on (m)	légao	on (m)	légnut
ona (f)	légla	ona (f)	légnuta
ono (n)	léglo	ono (n)	légnuto
mi	légli (m)	mi	légnuti (m)
	légle (f)		légnute (f)
	légla (n)		légnute (n)
vi	légli (m)	vi	légnuti (m)
	légle (f)		légnute (f)
	légla (n)		légnuta (n)
oni (m)	légli	oni (m)	légnuti
one (f)	légle	one (f)	légnute
ona (n)	légla	ona (n)	légnuta

VERBL ADVERBS
Active participle
-
Past participle
légavši

He lied down to his bed. – Legao je u svoj krevet.

They will lie here. – Oni će ovdje leći.

To Like (Sviđati se) – Imperfective

Present		Perfect		Imperfect	
ja	se svíđam	ja	sam se svíđao	ja	se svíđah
ti	se svíđaš	ti	si se svíđao (m)	ti	se svíđaše
			si se svíđala (f)		
			si se svíđalo (n)		
on (m)	se svíđa	on (m)	je se svíđao	on (m)	se svíđaše
ona (f)	se svíđa	ona (f)	je se svíđala	ona (f)	se svíđaše
ono (n)	se svíđa	ono (n)	je se svíđalo	ono (n)	se svíđaše
mi	se svíđamo	mi	smo se svíđali (m)	mi	se svíđasmo
			smo se svíđale (f)		
			smo se svíđala (n)		
vi	se svíđate	vi	ste se svíđali (m)	vi	se svíđaste
			ste se svíđale (f)		
			ste se svíđala (n)		
oni (m)	se svíđaju	oni (m)	su se svíđali	oni (m)	se svíđahu
one (f)	se svíđaju	one (f)	su se svíđale	one (f)	se svíđahu
ona (n)	se svíđaju	ona (n)	su se svíđala	ona (n)	se svíđahu

Pluperfect		Futur 1		Futur 2	
ja	sam se bio svíđao	ja	ću se svíđati	ja	se budem svíđao
ti	si se bio svíđao (m)	ti	ćeš se svíđati	ti	se budeš svíđao (m)
	si se bila svíđala (f)				se budeš svíđala (f)
	si se bilo svíđalo (n)				se budeš svíđalo (n)
on (m)	se je bio svíđao	on (m)	će se svíđati	on (m)	se bude svíđao
ona (f)	se je bila svíđala	ona (f)	će se svíđati	ona (f)	se bude svíđala
ono (n)	se je bilo svíđalo	ono (n)	će se svíđati	ono (n)	se bude svíđalo
mi	smo se bili svíđali (m)	mi	ćemo se svíđati	mi	se budemo svíđali (m)
	smo se bile svíđale (f)				se budemo svíđale (f)
	smo se bila svíđala (n)				se budemo svíđala (n)
vi	ste se bili svíđali (m)	vi	ćete se svíđati	vi	se budete svíđali (m)
	ste se bile svíđale (f)				se budete svíđale (f)
	ste se bila svíđala (n)				se budete svíđala (n)
oni (m)	su se bili svíđali	oni (m)	će se svíđati	oni (m)	se budu svíđali
one (f)	su se bile svíđale	one (f)	će se svíđati	one (f)	se budu svíđale
ona (n)	su se bila svíđala	ona (n)	će se svíđati	ona (n)	se budu svíđala

VERB MOODS					
Conditional 1		**Conditional 2**		**Imperative**	
ja	bih se svíđao	ja	bih se bio svíđao	ja	-
ti	bi se svíđao (m)	ti	bi se bio svíđao (m)	ti	se svíđaj
	bi se svíđala (f)		bi se bila svíđala (f)		
	bi se svíđalo (n)		bi se bilo svíđalo (n)		
on (m)	bi se svíđao	on (m)	bi se bio svíđao	on (m)	neka se svíđa
ona (f)	bi se svíđala	ona (f)	bi se bila svíđala	ona (f)	neka se svíđa
ono (n)	bi se svíđalo	ono (n)	bi se bilo svíđalo	ono (n)	neka se svíđa
mi	bismo se svíđali (m)	mi	bismo se bili svíđali (m)	mi	se svíđajmo
	bismo se svíđale (f)		bismo se bile svíđale (f)		
	bismo se svíđala (n)		bismo se bila svíđala (n)		
vi	biste se svíđali (m)	vi	biste se bili svíđali (m)	vi	se svíđajte
	biste se svíđale (f)		biste se bile svíđale (f)		
	biste se svíđala (n)		biste se bila svíđala (n)		
oni (m)	bi se svíđali	oni (m)	bi se bili svíđali	oni (m)	neka se svíđaju
one (f)	bi se svíđale	one (f)	bi se bile svíđale	one (f)	neka se svíđaju
ona (n)	bi se svíđala	ona (n)	bi se bila svíđala	ona (n)	neka se svíđaju

VERBAL ADJECTIVES			
Active participle		**Past participle**	
ja	svíđao se	ja	
ti	svíđao se (m)	ti	
	svíđala se (f)		
	svíđalo se (n)		
on (m)	svíđao se	on (m)	
ona (f)	svíđala se	ona (f)	
ono (n)	svíđalo se	ono (n)	
mi	svíđali se (m)	mi	
	svíđale se (f)		
	svíđala se (n)		
vi	svíđali se (m)	vi	
	svíđale se (f)		
	svíđala se (n)		
oni (m)	svíđali se	oni (m)	
one (f)	svíđale se	one (f)	
ona (n)	svíđala se	ona (n)	

VERBAL ADVERBS
Active participle
svíđajući se
Past participle
-

I like him. Sviđa mi se.

She likes my book. Sviđa njoj se moja knjiga.

To Like (Svidjeti se) – Perfective

Present		Perfect		Aorist	
ja	se svídim	ja	sam se svídio	ja	se svídih
ti	se svídiš	ti	si se svídio (m) si se svídila (f) si se svídilo (n)	ti	se svídi
on (m)	se svídi	on (m)	Se je svídio	on (m)	se svídi
ona (f)	se svídi	ona (f)	se je svídjela	ona (f)	se svídi
ono (n)	se svídi	ono (n)	se je svídjelo	ono (n)	se svídi
mi	se svídimo	mi	smo se svídjeli (m) smo se svídjele (f) smo se svídjela (n)	mi	se svídjesmo
vi	se svídite	vi	ste se svídjeli (m) ste se svídjele (f) ste se svídjela (n)	vi	se svídjeste
oni (m)	se svíde	oni (m)	su se svídjeli	oni (m)	se svídješe
one (f)	se svíde	one (f)	su se svídjele	one (f)	se svídješe
ona (n)	se svíde	ona (n)	su se svídjela	ona (n)	se svídješe

Pluperfect		Futur 1		Futur 2	
ja	sam se bio svídio	ja	ću se svídjeti	ja	se budem svídio
ti	si se bio svídio (m) si se bila svídila (f) si se bilo svídilo (n)	ti	ćeš se svídjeti	ti	se budeš svídio (m) se budeš svídila (f) se budeš svídilo (n)
on (m)	se je bio svídio	on (m)	će se svídjeti	on (m)	se bude svídio
ona (f)	se je bila svídjela	ona (f)	će se svídjeti	ona (f)	se bude svídjela
ono (n)	se je bilo svídjelo	ono (n)	će se svídjeti	ono (n)	se bude svídjelo
mi	smo se bili svídjeli (m) smo se bile svídjele (f) smo se bila svídjela (n)	mi	ćemo se svídjeti	mi	se budemo svídjeli (m) se budemo svídjele (f) se budemo svídjela (n)
vi	ste se bili svídjeli (m) ste se bile svídjele (f) ste se bila svídjela (n)	vi	ćete se svídjeti	vi	se budete svídjeli (m) se budete svídjele (f) se budete svídjela (n)
oni (m)	su se bili svídjeli	oni (m)	će se svídjeti	oni (m)	se budu svídjeli
one (f)	su se bile svídjele	one (f)	će se svídjeti	one (f)	se budu svídjele
ona (n)	su se bila svídjela	ona (n)	će se svídjeti	ona (n)	se budu svídjela

VERB MOODS					
Conditional 1		Conditional 2		Imperative	
ja	bih se svídio	ja	bih se bio svídio	ja	-
ti	bi se svídio (m)	ti	bi se bio svídio (m)	ti	se svídi
	bi se svídila (f)		bi se bila svídila (f)		
	bi se svídilo (n)		bi se bilo svídilo (n)		
on (m)	bi se svídio	on (m)	bi se bio svídio	on (m)	neka se svídi
ona (f)	bi se svídjela	ona (f)	bi se bila svídjela	ona (f)	neka se svídi
ono (n)	bi se svídjelo	ono (n)	bi se bilo svídjelo	ono (n)	neka se svídi
mi	bismo se svídjeli (m)	mi	bismo se bili svídjeli (m)	mi	se svídimo
	bismo se svídjele (f)		bismo se bile svídjele (f)		
	bismo se svídjela (n)		bismo se bila svídjela (n)		
vi	biste se svídjeli (m)	vi	biste se bili svídjeli (m)	vi	se svídite
	biste se svídjele (f)		biste se bile svídjele (f)		
	biste se svídjela (n)		biste se bila svídjela (n)		
oni (m)	bi se svídjeli	oni (m)	bi se bili svídjeli	oni (m)	neka se svíde
one (f)	bi se svídjele	one (f)	bi se bile svídjele	one (f)	neka se svíde
ona (n)	bi se svídjela	ona (n)	bi se bila svídjela	ona (n)	neka se svíde

VERBAL ADJECTIVES			
Active participle		Past participle	
ja	svídio se	ja	
ti	svídio se (m)	ti	
	svídila se (f)		
	svídilo se (n)		
on (m)	svídio se	on (m)	
ona (f)	svídjela se	ona (f)	
ono (n)	svídjelo se	ono (n)	
mi	svídjeli se (m)	mi	
	svídjele se (f)		
	svídjela se (n)		
vi	svídjeli se (m)	vi	
	svídjele se (f)		
	svídjela se (n)		
oni (m)	svídjeli se	oni (m)	
one (f)	svídjele se	one (f)	
ona (n)	svídjela se	ona (n)	

VERBAL ADVERBS
Active participle
-
Past participle
svídjevši se

She liked me. - Svidio sam joj se.

She liked my jockes. - Svidjele su joj se moje šale.

To Listen (Slušati) – Imperfective

Present		Perfect		Imperfect	
ja	slúšam	ja	sam slúšao	ja	slúšah
ti	slúšaš	ti	si slúšao (m) si slúšala (f) si slúšalo (n)	ti	slúšaše
on (m)	slúša	on (m)	je slúšao	on (m)	slúšaše
ona (f)	slúša	ona (f)	je slúšala	ona (f)	slúšaše
ono (n)	slúša	ono (n)	je slúšalo	ono (n)	slúšaše
mi	slúšamo	mi	smo slúšali (m) smo slúšale (f) smo slúšala (n)	mi	slúšasmo
vi	slúšate	vi	ste slúšali (m) ste slúšale (f) ste slúšala (n)	vi	slúšaste
oni (m)	slúšaju	oni (m)	su slúšali	oni (m)	slúšahu
one (f)	slúšaju	one (f)	su slúšale	one (f)	slúšahu
ona (n)	slúšaju	ona (n)	su slúšala	ona (n)	slúšahu

Pluperfect		Futur 1		Futur 2	
ja	sam bio slúšao	ja	ću slúšati	ja	budem slúšao
ti	si bio slúšao (m) si bila slúšala (f) si bilo slúšalo (n)	ti	ćeš slúšati	ti	budeš slúšao (m) budeš slúšala (f) budeš slúšalo (n)
on (m)	je bio slúšao	on (m)	će slúšati	on (m)	bude slúšao
ona (f)	je bila slúšala	ona (f)	će slúšati	ona (f)	bude slúšala
ono (n)	je bilo slúšalo	ono (n)	će slúšati	ono (n)	bude slúšalo
mi	smo bili slúšali (m) smo bile slúšale (f) smo bila slúšala (n)	mi	ćemo slúšati	mi	budemo slúšali (m) budemo slúšale (f) budemo slúšala (n)
vi	ste bili slúšali (m) ste bile slúšale (f) ste bila slúšala (n)	vi	ćete slúšati	vi	budete slúšali (m) budete slúšale (f) budete slúšala (n)
oni (m)	su bili slúšali	oni (m)	će slúšati	oni (m)	budu slúšali
one (f)	su bile slúšale	one (f)	će slúšati	one (f)	budu slúšale
ona (n)	su bila slúšala	ona (n)	će slúšati	ona (n)	budu slúšala

VERB MOODS					
Conditional 1		**Conditional 2**		**Imperative**	
ja	bih slúšao	ja	bih bio slúšao	ja	-
ti	bi slúšao (m)	ti	bi bio slúšao (m)	ti	slúšaj
	bi slúšala (f)		bi bila slúšala (f)		
	bi slúšalo (n)		bi bilo slúšalo (n)		
on (m)	bi slúšao	on (m)	bi bio slúšao	on (m)	neka slúša
ona (f)	bi slúšala	ona (f)	bi bila slúšala	ona (f)	neka slúša
ono (n)	bi slúšalo	ono (n)	bi bilo slúšalo	ono (n)	neka slúša
mi	bismo slúšali (m)	mi	bismo bili slúšali (m)	mi	slúšajmo
	bismo slúšale (f)		bismo bile slúšale (f)		
	bismo slúšala (n)		bismo bila slúšala (n)		
vi	biste slúšali (m)	vi	biste bili slúšali (m)	vi	slúšajte
	biste slúšale (f)		biste bile slúšale (f)		
	biste slúšala (n)		biste bila slúšala (n)		
oni (m)	bi slúšali	oni (m)	bi bili slúšali	oni (m)	neka slúšaju
one (f)	bi slúšale	one (f)	bi bile slúšale	one (f)	neka slúšaju
ona (n)	bi slúšala	ona (n)	bi bila slúšala	ona (n)	neka slúšaju

VERBAL ADJECTIVES			
Active participle		**Past participle**	
ja	slúšao	ja	slúšan
ti	slúšao (m)	ti	slúšan (m)
	slúšala (f)		slúšana (f)
	slúšalo (n)		slúšano(n)
on (m)	slúšao	on (m)	slúšan
ona (f)	slúšala	ona (f)	slúšana
ono (n)	slúšalo	ono (n)	slúšano
mi	slúšali (m)	mi	slúšani (m)
	slúšale (f)		slúšane (f)
	slúšala (n)		slúšane (n)
vi	slúšali (m)	vi	slúšani (m)
	slúšale (f)		slúšane (f)
	slúšala (n)		slúšana (n)
oni (m)	slúšali	oni (m)	slúšani
one (f)	slúšale	one (f)	slúšane
ona (n)	slúšala	ona (n)	slúšana

VERBAL ADVERBS
Active participle
slúšajući
Past participle
-

I'm listening the radio. – Slušam radio.

They were listening their master. – Slušali su svoga gospodara.

To Listen (Poslušati) – Perfective

Present		Perfect		Aorist	
ja	póslušam	ja	sam póslušao	ja	póslušah
ti	póslušaš	ti	si póslušao (m) si póslušala (f) si póslušalo (n)	ti	pósluša
on (m)	pósluša	on (m)	je póslušao	on (m)	pósluša
ona (f)	pósluša	ona (f)	je póslušala	ona (f)	pósluša
ono (n)	pósluša	ono (n)	je póslušalo	ono (n)	pósluša
mi	póslušamo	mi	smo póslušali (m) smo póslušale (f) smo póslušala (n)	mi	póslušasmo
vi	póslušate	vi	ste póslušali (m) ste póslušale (f) ste póslušala (n)	vi	póslušaste
oni (m)	póslušaju	oni (m)	su póslušali	oni (m)	póslušaše
one (f)	póslušaju	one (f)	su póslušale	one (f)	póslušaše
ona (n)	póslušaju	ona (n)	su póslušala	ona (n)	póslušaše

Pluperfect		Futur 1		Futur 2	
ja	sam bio póslušao	ja	ću póslušati	ja	budem póslušao
ti	si bio póslušao (m) si bila póslušala (f) si bilo póslušalo (n)	ti	ćeš póslušati	ti	budeš póslušao (m) budeš póslušala (f) budeš póslušalo (n)
on (m)	je bio póslušao	on (m)	će póslušati	on (m)	bude póslušao
ona (f)	je bila póslušala	ona (f)	će póslušati	ona (f)	bude póslušala
ono (n)	je bilo póslušalo	ono (n)	će póslušati	ono (n)	bude póslušalo
mi	smo bili póslušali (m) smo bile póslušale (f) smo bila póslušala (n)	mi	ćemo póslušati	mi	budemo póslušali (m) budemo póslušale (f) budemo póslušala (n)
vi	ste bili póslušali (m) ste bile póslušale (f) ste bila póslušala (n)	vi	ćete póslušati	vi	budete póslušali (m) budete póslušale (f) budete póslušala (n)
oni (m)	su bili póslušali	oni (m)	će póslušati	oni (m)	budu póslušali
one (f)	su bile póslušale	one (f)	će póslušati	one (f)	budu póslušale
ona (n)	su bila póslušala	ona (n)	će póslušati	ona (n)	budu póslušala

VERB MOODS					
Conditional 1		Conditional 2		Imperative	
ja	bih póslušao	ja	bih bio póslušao	ja	-
ti	bi póslušao (m)	ti	bi bio póslušao (m)	ti	póslušaj
	bi póslušala (f)		bi bila póslušala (f)		
	bi póslušalo (n)		bi bilo póslušalo (n)		
on (m)	bi póslušao	on (m)	bi bio póslušao	on (m)	neka pósluša
ona (f)	bi póslušala	ona (f)	bi bila póslušala	ona (f)	neka pósluša
ono (n)	bi póslušalo	ono (n)	bi bilo póslušalo	ono (n)	neka pósluša
mi	bismo póslušali (m)	mi	bismo bili póslušali (m)	mi	póslušajmo
	bismo póslušale (f)		bismo bile póslušale (f)		
	bismo póslušala (n)		bismo bila póslušala (n)		
vi	biste póslušali (m)	vi	biste bili póslušali (m)	vi	póslušajte
	biste póslušale (f)		biste bile póslušale (f)		
	biste póslušala (n)		biste bila póslušala (n)		
oni (m)	bi póslušali	oni (m)	bi bili póslušali	oni (m)	neka póslušaju
one (f)	bi póslušale	one (f)	bi bile póslušale	one (f)	neka póslušaju
ona (n)	bi póslušala	ona (n)	bi bila póslušala	ona (n)	neka póslušaju

VERBAL ADJECTIVES			
Active participle		Past participle	
ja	póslušao	ja	póslušan
ti	póslušao (m)	ti	póslušan (m)
	póslušala (f)		póslušana (f)
	póslušalo (n)		póslušano(n)
on (m)	póslušao	on (m)	póslušan
ona (f)	póslušala	ona (f)	póslušana
ono (n)	póslušalo	ono (n)	póslušano
mi	póslušali (m)	mi	póslušani (m)
	póslušale (f)		póslušane (f)
	póslušala (n)		póslušane (n)
vi	póslušali (m)	vi	póslušani (m)
	póslušale (f)		póslušane (f)
	póslušala (n)		póslušana (n)
oni (m)	póslušali	oni (m)	póslušani
one (f)	póslušale	one (f)	póslušane
ona (n)	póslušala	ona (n)	póslušana

VERBAL ADVERBS
Active participle
-
Past participle
póslušavši

Please listen to me. – Molim te poslušaj me.

They listened the music and left. Poslušali su glazbu i otišli.

To Live (Živjeti) – Imperfective

Present		Perfect		Imperfect	
ja	živim	ja	sam živio	ja	živjah
ti	živiš	ti	si živio (m) si živjela (f) si živjelo (n)	ti	živjaše
on (m)	živi	on (m)	je živio	on (m)	živjaše
ona (f)	živi	ona (f)	je živjela	ona (f)	živjaše
ono (n)	živi	ono (n)	je živjelo	ono (n)	živjaše
mi	živimo	mi	smo živjeli (m) smo živjele (f) smo živjela (n)	mi	živjasmo
vi	živite	vi	ste živjeli (m) ste živjele (f) ste živjela (n)	vi	živjaste
oni (m)	žive	oni (m)	su živjeli	oni (m)	živjahu
one (f)	žive	one (f)	su živjele	one (f)	živjahu
ona (n)	žive	ona (n)	su živjela	ona (n)	živjahu

Pluperfect		Futur 1		Futur 2	
ja	sam bio živio	ja	ću živjeti	ja	budem živio
ti	si bio živio (m) si bila živjela (f) si bilo živjelo (n)	ti	ćeš živjeti	ti	budeš živio (m) budeš živjela (f) budeš živjelo (n)
on (m)	je bio živio	on (m)	će živjeti	on (m)	bude živio
ona (f)	je bila živjela	ona (f)	će živjeti	ona (f)	bude živjela
ono (n)	je bilo živjelo	ono (n)	će živjeti	ono (n)	bude živjelo
mi	smo bili živjeli (m) smo bile živjele (f) smo bila živjela (n)	mi	ćemo živjeti	mi	budemo živjeli (m) budemo živjele (f) budemo živjela (n)
vi	ste bili živjeli (m) ste bile živjele (f) ste bila živjela (n)	vi	ćete živjeti	vi	budete živjeli (m) budete živjele (f) budete živjela (n)
oni (m)	su bili živjeli	oni (m)	će živjeti	oni (m)	budu živjeli
one (f)	su bile živjele	one (f)	će živjeti	one (f)	budu živjele
ona (n)	su bila živjela	ona (n)	će živjeti	ona (n)	budu živjela

VERB MOODS					
Conditional 1		**Conditional 2**		**Imperative**	
ja	bih žívio	ja	bih bio žívio	ja	-
ti	bi žívio (m)	ti	bi bio žívio (m)	ti	žívi
	bi žívjela (f)		bi bila žívjela (f)		
	bi žívjelo (n)		bi bilo žívjelo (n)		
on (m)	bi žívio	on (m)	bi bio žívio	on (m)	neka žívi
ona (f)	bi žívjela	ona (f)	bi bila žívjela	ona (f)	neka žívi
ono (n)	bi žívjelo	ono (n)	bi bilo žívjelo	ono (n)	neka žívi
mi	bismo žívjeli (m)	mi	bismo bili žívjeli (m)	mi	žívimo
	bismo žívjele (f)		bismo bile žívjele (f)		
	bismo žívjela (n)		bismo bila žívjela (n)		
vi	biste žívjeli (m)	vi	biste bili žívjeli (m)	vi	žívite
	biste žívjele (f)		biste bile žívjele (f)		
	biste žívjela (n)		biste bila žívjela (n)		
oni (m)	bi žívjeli	oni (m)	bi bili žívjeli	oni (m)	neka žíve
one (f)	bi žívjele	one (f)	bi bile žívjele	one (f)	neka žíve
ona (n)	bi žívjela	ona (n)	bi bila žívjela	ona (n)	neka žíve

VERBAL ADJECTIVES			
Active participle		**Past participle**	
ja	žívio	ja	žívljen
ti	žívio (m)	ti	žívljen (m)
	žívjela (f)		žívljena (f)
	žívjelo (n)		žívljeno(n)
on (m)	žívio	on (m)	žívljen
ona (f)	žívjela	ona (f)	žívljena
ono (n)	žívjelo	ono (n)	žívljeno
mi	žívjeli (m)	mi	žívljeni (m)
	žívjele (f)		žívljene (f)
	žívjela (n)		žívljene (n)
vi	žívjeli (m)	vi	žívljeni (m)
	žívjele (f)		žívljene (f)
	žívjela (n)		žívljena (n)
oni (m)	žívjeli	oni (m)	žívljeni
one (f)	žívjele	one (f)	žívljene
ona (n)	žívjela	ona (n)	žívljena

VERBAL ADVERBS
Active participle
žíveći
Past participle
-

I'm living in the town. – Živim u gradu.

They live in our neighborhood. – Oni žive u našem susjedstvu.

To Live (Doživjeti) – Perfective

Present		Perfect		Aorist	
ja	dóživim	ja	sam doživio	ja	doživih
ti	dóživiš	ti	si doživio (m) si doživjela (f) si doživjelo (n)	ti	doživi
on (m)	dóživi	on (m)	je doživio	on (m)	doživi
ona (f)	dóživi	ona (f)	je doživjela	ona (f)	doživi
ono (n)	dóživi	ono (n)	je doživjelo	ono (n)	doživi
mi	dóživimo	mi	smo doživjeli (m) smo doživjele (f) smo doživjela (n)	mi	doživismo
vi	dóživite	vi	ste doživjeli (m) ste doživjele (f) ste doživjela (n)	vi	doživiste
oni (m)	dóžive	oni (m)	su doživjeli	oni (m)	doživiše
one (f)	dóžive	one (f)	su doživjele	one (f)	doživiše
ona (n)	dóžive	ona (n)	su doživjela	ona (n)	doživiše

Pluperfect		Futur 1		Futur 2	
ja	sam bio doživio	ja	ću doživjeti	ja	budem doživio
ti	si bio doživio (m) si bila doživjela (f) si bilo doživjelo (n)	ti	ćeš doživjeti	ti	budeš doživio (m) budeš doživjela (f) budeš doživjelo (n)
on (m)	je bio doživio	on (m)	će doživjeti	on (m)	bude doživio
ona (f)	je bila doživjela	ona (f)	će doživjeti	ona (f)	bude doživjela
ono (n)	je bilo doživjelo	ono (n)	će doživjeti	ono (n)	bude doživjelo
mi	smo bili doživjeli (m) smo bile doživjele (f) smo bila doživjela (n)	mi	ćemo doživjeti	mi	budemo doživjeli (m) budemo doživjele (f) budemo doživjela (n)
vi	ste bili doživjeli (m) ste bile doživjele (f) ste bila doživjela (n)	vi	ćete doživjeti	vi	budete doživjeli (m) budete doživjele (f) budete doživjela (n)
oni (m)	su bili doživjeli	oni (m)	će doživjeti	oni (m)	budu doživjeli
one (f)	su bile doživjele	one (f)	će doživjeti	one (f)	budu doživjele
ona (n)	su bila doživjela	ona (n)	će doživjeti	ona (n)	budu doživjela

VERB MOODS					
Conditional 1		**Conditional 2**		**Imperative**	
ja	bih doživio	ja	bih bio doživio	ja	-
ti	bi doživio (m)	ti	bi bio doživio (m)	ti	doživi
	bi doživjela (f)		bi bila doživjela (f)		
	bi doživjelo (n)		bi bilo doživjelo (n)		
on (m)	bi doživio	on (m)	bi bio doživio	on (m)	neka dóživi
ona (f)	bi doživjela	ona (f)	bi bila doživjela	ona (f)	neka dóživi
ono (n)	bi doživjelo	ono (n)	bi bilo doživjelo	ono (n)	neka dóživi
mi	bismo doživjeli (m)	mi	bismo bili doživjeli (m)	mi	doživimo
	bismo doživjele (f)		bismo bile doživjele (f)		
	bismo doživjela (n)		bismo bila doživjela (n)		
vi	biste doživjeli (m)	vi	biste bili doživjeli (m)	vi	doživite
	biste doživjele (f)		biste bile doživjele (f)		
	biste doživjela (n)		biste bila doživjela (n)		
oni (m)	bi doživjeli	oni (m)	bi bili doživjeli	oni (m)	neka dóžive
one (f)	bi doživjele	one (f)	bi bile doživjele	one (f)	neka dóžive
ona (n)	bi doživjela	ona (n)	bi bila doživjela	ona (n)	neka dóžive

VERBAL ADJECTIVES			
Active participle		**Past participle**	
ja	doživio	ja	doživljen
ti	doživio (m)	ti	doživljen (m)
	doživjela (f)		doživljena (f)
	doživjelo (n)		doživljeno(n)
on (m)	Doživio	on (m)	doživljen
ona (f)	doživjela	ona (f)	doživljena
ono (n)	doživjelo	ono (n)	doživljeno
mi	doživjeli (m)	mi	doživljeni (m)
	doživjele (f)		doživljene (f)
	doživjela (n)		doživljene (n)
vi	doživjeli (m)	vi	doživljeni (m)
	doživjele (f)		doživljene (f)
	doživjela (n)		doživljena (n)
oni (m)	doživjeli	oni (m)	doživljeni
one (f)	doživjele	one (f)	doživljene
ona (n)	doživjela	ona (n)	doživljena

VERBAL ADVERBS
Active participle
-
Past participle
doživjevši

I lived to see this. – Doživio sam da ovo vidim.

I lived many hard situations. – Doživio sam brojne teške situacije.

To Lose (Gubiti) – Imperfective

Present		Perfect		Imperfect	
ja	gúbim	ja	sam gúbio	ja	gúbljah
ti	gúbiš	ti	si gúbio (m) si gúbila (f) si gúbilo (n)	ti	gúbljaše
on (m)	gúbi	on (m)	je gúbio	on (m)	gúbljaše
ona (f)	gúbi	ona (f)	je gúbila	ona (f)	gúbljaše
ono (n)	gúbi	ono (n)	je gúbilo	ono (n)	gúbljaše
mi	gúbimo	mi	smo gúbili (m) smo gúbile (f) smo gúbila (n)	mi	gúbljasmo
vi	gúbite	vi	ste gúbili (m) ste gúbile (f) ste gúbila (n)	vi	gúbljaste
oni (m)	gúbe	oni (m)	su gúbili	oni (m)	gúbljahu
one (f)	gúbe	one (f)	su gúbile	one (f)	gúbljahu
ona (n)	gúbe	ona (n)	su gúbila	ona (n)	gúbljahu

Pluperfect		Futur 1		Futur 2	
ja	sam bio gúbio	ja	ću gúbiti	ja	budem gúbio
ti	si bio gúbio (m) si bila gúbila (f) si bilo gúbilo (n)	ti	ćeš gúbiti	ti	budeš gúbio (m) budeš gúbila (f) budeš gúbilo (n)
on (m)	je bio gúbio	on (m)	će gúbiti	on (m)	bude gúbio
ona (f)	je bila gúbila	ona (f)	će gúbiti	ona (f)	bude gúbila
ono (n)	je bilo gúbilo	ono (n)	će gúbiti	ono (n)	bude gúbilo
mi	smo bili gúbili (m) smo bile gúbile (f) smo bila gúbila (n)	mi	ćemo gúbiti	mi	budemo gúbili (m) budemo gúbile (f) budemo gúbila (n)
vi	ste bili gúbili (m) ste bile gúbile (f) ste bila gúbila (n)	vi	ćete gúbiti	vi	budete gúbili (m) budete gúbile (f) budete gúbila (n)
oni (m)	su bili gúbili	oni (m)	će gúbiti	oni (m)	budu gúbili
one (f)	su bile gúbile	one (f)	će gúbiti	one (f)	budu gúbile
ona (n)	su bila gúbila	ona (n)	će gúbiti	ona (n)	budu gúbila

VERB MOODS					
Conditional 1		**Conditional 2**		**Imperative**	
ja	bih gúbio	ja	bih bio gúbio	ja	-
ti	bi gúbio (m)	ti	bi bio gúbio (m)	ti	gúbi
	bi gúbila (f)		bi bila gúbila (f)		
	bi gúbilo (n)		bi bilo gúbilo (n)		
on (m)	bi gúbio	on (m)	bi bio gúbio	on (m)	neka gúbi
ona (f)	bi gúbila	ona (f)	bi bila gúbila	ona (f)	neka gúbi
ono (n)	bi gúbilo	ono (n)	bi bilo gúbilo	ono (n)	neka gúbi
mi	bismo gúbili (m)	mi	bismo bili gúbili (m)	mi	gúbimo
	bismo gúbile (f)		bismo bile gúbile (f)		
	bismo gúbila (n)		bismo bila gúbila (n)		
vi	biste gúbili (m)	vi	biste bili gúbili (m)	vi	gúbite
	biste gúbile (f)		biste bile gúbile (f)		
	biste gúbila (n)		biste bila gúbila (n)		
oni (m)	bi gúbili	oni (m)	bi bili gúbili	oni (m)	neka gúbe
one (f)	bi gúbile	one (f)	bi bile gúbile	one (f)	neka gúbe
ona (n)	bi gúbila	ona (n)	bi bila gúbila	ona (n)	neka gúbe

VERBAL ADJECTIVES			
Active participle		**Past participle**	
ja	gúbio	ja	gúbljen
ti	gúbio (m)	ti	gúbljen (m)
	gúbila (f)		gúbljena (f)
	gúbilo (n)		gúbljeno(n)
on (m)	gúbio	on (m)	gúbljen
ona (f)	gúbila	ona (f)	gúbljena
ono (n)	gúbilo	ono (n)	gúbljeno
mi	gúbili (m)	mi	gúbljenlje (m)
	gúbile (f)		gúbljene (f)
	gúbila (n)		gúbljene (n)
vi	gúbili (m)	vi	gúbljenlje (m)
	gúbile (f)		gúbljene (f)
	gúbila (n)		gúbljena (n)
oni (m)	gúbili	oni (m)	gúbljenlje
one (f)	gúbile	one (f)	gúbljene
ona (n)	gúbila	ona (n)	gúbljena

VERBAL ADVERBS
Active participle
gúbeći
Past participle
-

I'm losing your trust. – Gubim tvoje povjerenje.

They were losing in the casino every night. – Oni su gubili u casinu svake večeri.

To Lose (Izgubiti) – Imperfective

Present		Perfect		Aorist	
ja	ízgubim	ja	sam izgúbio	ja	izgúbih
ti	ízgubiš	ti	si izgúbio (m) si izgúbila (f) si izgúbilo (n)	ti	izgúbi
on (m)	ízgubi	on (m)	je izgúbio	on (m)	izgúbi
ona (f)	ízgubi	ona (f)	je izgúbila	ona (f)	izgúbi
ono (n)	ízgubi	ono (n)	je izgúbilo	ono (n)	izgúbi
mi	ízgubimo	mi	smo izgúbili (m) smo izgúbile (f) smo izgúbila (n)	mi	izgúbismo
vi	ízgubite	vi	ste izgúbili (m) ste izgúbile (f) ste izgúbila (n)	vi	izgúbiste
oni (m)	ízgube	oni (m)	su izgúbili	oni (m)	izgúbiše
one (f)	ízgube	one (f)	su izgúbile	one (f)	izgúbiše
ona (n)	ízgube	ona (n)	su izgúbila	ona (n)	izgúbiše

Pluperfect		Futur 1		Futur 2	
ja	sam bio izgúbio	ja	ću izgúbiti	ja	budem izgúbio
ti	si bio izgúbio (m) si bila izgúbila (f) si bilo izgúbilo (n)	ti	ćeš izgúbiti	ti	budeš izgúbio (m) budeš izgúbila (f) budeš izgúbilo (n)
on (m)	je bio izgúbio	on (m)	će izgúbiti	on (m)	bude izgúbio
ona (f)	je bila izgúbila	ona (f)	će izgúbiti	ona (f)	bude izgúbila
ono (n)	je bilo izgúbilo	ono (n)	će izgúbiti	ono (n)	bude izgúbilo
mi	smo bili izgúbili (m) smo bile izgúbile (f) smo bila izgúbila (n)	mi	ćemo izgúbiti	mi	budemo izgúbili (m) budemo izgúbile (f) budemo izgúbila (n)
vi	ste bili izgúbili (m) ste bile izgúbile (f) ste bila izgúbila (n)	vi	ćete izgúbiti	vi	budete izgúbili (m) budete izgúbile (f) budete izgúbila (n)
oni (m)	su bili izgúbili	oni (m)	će izgúbiti	oni (m)	budu izgúbili
one (f)	su bile izgúbile	one (f)	će izgúbiti	one (f)	budu izgúbile
ona (n)	su bila izgúbila	ona (n)	će izgúbiti	ona (n)	budu izgúbila

VERB MOODS					
Conditional 1		**Conditional 2**		**Imperative**	
ja	bih izgúbio	ja	bih bio izgúbio	ja	-
ti	bi izgúbio (m)	ti	bi bio izgúbio (m)	ti	izgúbi
	bi izgúbila (f)		bi bila izgúbila (f)		
	bi izgúbilo (n)		bi bilo izgúbilo (n)		
on (m)	bi izgúbio	on (m)	bi bio izgúbio	on (m)	neka izgúbi
ona (f)	bi izgúbila	ona (f)	bi bila izgúbila	ona (f)	neka izgúbi
ono (n)	bi izgúbilo	ono (n)	bi bilo izgúbilo	ono (n)	neka izgúbi
mi	bismo izgúbili (m)	mi	bismo bili izgúbili (m)	mi	izgúbimo
	bismo izgúbile (f)		bismo bile izgúbile (f)		
	bismo izgúbila (n)		bismo bila izgúbila (n)		
vi	biste izgúbili (m)	vi	biste bili izgúbili (m)	vi	izgúbite
	biste izgúbile (f)		biste bile izgúbile (f)		
	biste izgúbila (n)		biste bila izgúbila (n)		
oni (m)	bi izgúbili	oni (m)	bi bili izgúbili	oni (m)	neka izgúbe
one (f)	bi izgúbile	one (f)	bi bile izgúbile	one (f)	neka izgúbe
ona (n)	bi izgúbila	ona (n)	bi bila izgúbila	ona (n)	neka izgúbe

VERBAL ADJECTIVES			
Active participle		**Past participle**	
ja	izgúbio	ja	izgúbljen
ti	izgúbio (m)	ti	izgúbljen (m)
	izgúbila (f)		izgúbljena (f)
	izgúbilo (n)		izgúbljeno(n)
on (m)	izgúbio	on (m)	izgúbljen
ona (f)	izgúbila	ona (f)	izgúbljena
ono (n)	izgúbilo	ono (n)	izgúbljeno
mi	izgúbili (m)	mi	izgúbljeni (m)
	izgúbile (f)		izgúbljene (f)
	izgúbila (n)		izgúbljene (n)
vi	izgúbili (m)	vi	izgúbljeni (m)
	izgúbile (f)		izgúbljene (f)
	izgúbila (n)		izgúbljena (n)
oni (m)	izgúbili	oni (m)	izgúbljeni
one (f)	izgúbile	one (f)	izgúbljene
ona (n)	izgúbila	ona (n)	izgúbljena

VERBAL ADVERBS
Active participle
-
Past participle
izgúbivši

I lost everything. – Sve sam izgubio.

They will lose if nothing is changed. – Izgubit će, ako se ništa ne promijeni.

To Love (Voljeti) – Imperfective

Present		Perfect		Imperfect	
ja	vólim	ja	sam vólio	ja	vóljah
ti	vóliš	ti	si vólio (m) si vóljela (f) si vóljelo (n)	ti	vóljaše
on (m)	vóli	on (m)	je vólio	on (m)	vóljaše
ona (f)	vóli	ona (f)	je vóljela	ona (f)	vóljaše
ono (n)	vóli	ono (n)	je vóljelo	ono (n)	vóljaše
mi	vólimo	mi	smo vóljele (m) smo vóljele (f) smo vóljela (n)	mi	vóljasmo
vi	vólite	vi	ste vóljele (m) ste vóljele (f) ste vóljela (n)	vi	vóljaste
oni (m)	vóle	oni (m)	su vóljele	oni (m)	vóljahu
one (f)	vóle	one (f)	su vóljele	one (f)	vóljahu
ona (n)	vóle	ona (n)	su vóljela	ona (n)	vóljahu

Pluperfect		Futur 1		Futur 2	
ja	sam bio vólio	ja	ću vóljeti	ja	budem vólio
ti	si bio vólio (m) si bila vóljela (f) si bilo vóljelo (n)	ti	ćeš vóljeti	ti	budeš vólio (m) budeš vóljela (f) budeš vóljelo (n)
on (m)	je bio vólio	on (m)	će vóljeti	on (m)	bude vólio
ona (f)	je bila vóljela	ona (f)	će vóljeti	ona (f)	bude vóljela
ono (n)	je bilo vóljelo	ono (n)	će vóljeti	ono (n)	bude vóljelo
mi	smo bile vóljele (m) smo bile vóljele (f) smo bila vóljela (n)	mi	ćemo vóljeti	mi	budemo vóljele (m) budemo vóljele (f) budemo vóljela (n)
vi	ste bili vóljele (m) ste bile vóljele (f) ste bila vóljela (n)	vi	ćete vóljeti	vi	budete vóljele (m) budete vóljele (f) budete vóljela (n)
oni (m)	su bili vóljeli	oni (m)	će vóljeti	oni (m)	budu vóljele
one (f)	su bile vóljele	one (f)	će vóljeti	one (f)	budu vóljele
ona (n)	su bila vóljela	ona (n)	će vóljeti	ona (n)	budu vóljela

VERB MOODS					
Conditional 1		**Conditional 2**		**Imperative**	
ja	bih vólio	ja	bih bio vólio	ja	-
ti	bi vólio (m)	ti	bi bio vólio (m)	ti	vóli
	bi vóljela (f)		bi bila vóljela (f)		
	bi vóljelo (n)		bi bilo vóljelo (n)		
on (m)	bi vólio	on (m)	bi bio vólio	on (m)	neka vóli
ona (f)	bi vóljela	ona (f)	bi bila vóljela	ona (f)	neka vóli
ono (n)	bi vóljelo	ono (n)	bi bilo vóljelo	ono (n)	neka vóli
mi	bismo vóljeli (m)	mi	bismo bili vóljeli (m)	mi	vólimo
	bismo vóljele (f)		bismo bile vóljele (f)		
	bismo vóljela (n)		bismo bila vóljela (n)		
vi	biste vóljeli (m)	vi	biste bili vóljeli (m)	vi	vólite
	biste vóljele (f)		biste bile vóljele (f)		
	biste vóljela (n)		biste bila vóljela (n)		
oni (m)	bi vóljeli	oni (m)	bi bili vóljeli	oni (m)	neka vóle
one (f)	bi vóljele	one (f)	bi bile vóljele	one (f)	neka vóle
ona (n)	bi vóljela	ona (n)	bi bila vóljela	ona (n)	neka vóle

VERBAL ADJECTIVES			
Active participle		**Past participle**	
ja	vólio	ja	vóljen
ti	vólio (m)	ti	vóljen (m)
	vóljela (f)		vóljena (f)
	vóljelo (n)		vóljeno(n)
on (m)	vólio	on (m)	vóljen
ona (f)	vóljela	ona (f)	vóljena
ono (n)	vóljelo	ono (n)	vóljeno
mi	vóljeli (m)	mi	vóljeni (m)
	vóljele (f)		vóljene (f)
	vóljela (n)		vóljene (n)
vi	vóljeli (m)	vi	vóljeni (m)
	vóljele (f)		vóljene (f)
	vóljela (n)		vóljena (n)
oni (m)	vóljeli	oni (m)	vóljeni
one (f)	vóljele	one (f)	vóljene
ona (n)	vóljela	ona (n)	vóljena

VERBAL ADVERBS
Active participle
vóleći
Past participle
-

I love roses. – Volimruže.

They love how I dress. – Oni vole kako se ja oblačim.

To Love (Zavoljeti) – Perfective

Present		Perfect		Aorist	
ja	závolim	ja	sam zavólio	ja	zavólih
ti	závoliš	ti	si zavólio (m) si zavóljela (f) si zavóljelo (n)	ti	zavóli
on (m)	závoli	on (m)	je zavólio	on (m)	zavóli
ona (f)	závoli	ona (f)	je zavóljela	ona (f)	zavóli
ono (n)	závoli	ono (n)	je zavóljelo	ono (n)	zavóli
mi	závolimo	mi	smo zavóljeli (m) smo zavóljele (f) smo zavóljela (n)	mi	zavólismo
vi	závolite	vi	ste zavóljeli (m) ste zavóljele (f) ste zavóljela (n)	vi	zavóliste
oni (m)	závole	oni (m)	su zavóljeli	oni (m)	zavóliše
one (f)	závole	one (f)	su zavóljele	one (f)	zavóliše
ona (n)	závole	ona (n)	su zavóljela	ona (n)	zavóliše

Pluperfect		Futur 1		Futur 2	
ja	sam bio zavólio	ja	ću zavóljeti	ja	budem zavólio
ti	si bio zavólio (m) si bila zavóljela (f) si bilo zavóljelo (n)	ti	ćeš zavóljeti	ti	budeš zavólio (m) budeš zavóljela (f) budeš zavóljelo (n)
on (m)	je bio zavólio	on (m)	će zavóljeti	on (m)	bude zavólio
ona (f)	je bila zavóljela	ona (f)	će zavóljeti	ona (f)	bude zavóljela
ono (n)	je bilo zavóljelo	ono (n)	će zavóljeti	ono (n)	bude zavóljelo
mi	smo bili zavóljeli (m) smo bile zavóljele (f) smo bila zavóljela (n)	mi	ćemo zavóljeti	mi	budemo zavóljeli (m) budemo zavóljele (f) budemo zavóljela (n)
vi	ste bili zavóljeli (m) ste bile zavóljele (f) ste bila zavóljela (n)	vi	ćete zavóljeti	vi	budete zavóljeli (m) budete zavóljele (f) budete zavóljela (n)
oni (m)	su bili zavóljeli	oni (m)	će zavóljeti	oni (m)	budu zavóljeli
one (f)	su bile zavóljele	one (f)	će zavóljeti	one (f)	budu zavóljele
ona (n)	su bila zavóljela	ona (n)	će zavóljeti	ona (n)	budu zavóljela

VERB MOODS					
Conditional 1		**Conditional 2**		**Imperative**	
ja	bih zavólio	ja	bih bio zavólio	ja	-
ti	bi zavólio (m)	ti	bi bio zavólio (m)	ti	zavóli
	bi zavóljela (f)		bi bila zavóljela (f)		
	bi zavóljelo (n)		bi bilo zavóljelo (n)		
on (m)	bi zavólio	on (m)	bi bio zavólio	on (m)	neka závoli
ona (f)	bi zavóljela	ona (f)	bi bila zavóljela	ona (f)	neka závoli
ono (n)	bi zavóljelo	ono (n)	bi bilo zavóljelo	ono (n)	neka závoli
mi	bismo zavóljeli (m)	mi	bismo bili zavóljeli (m)	mi	zavólimo
	bismo zavóljele (f)		bismo bile zavóljele (f)		
	bismo zavóljela (n)		bismo bila zavóljela (n)		
vi	biste zavóljeli (m)	vi	biste bili zavóljeli (m)	vi	zavólite
	biste zavóljele (f)		biste bile zavóljele (f)		
	biste zavóljela (n)		biste bila zavóljela (n)		
oni (m)	bi zavóljeli	oni (m)	bi bili zavóljeli	oni (m)	neka závole
one (f)	bi zavóljele	one (f)	bi bile zavóljele	one (f)	neka závole
ona (n)	bi zavóljela	ona (n)	bi bila zavóljela	ona (n)	neka závole

VERBAL ADJECTIVES			
Active participle		**Past participle**	
ja	zavólio	ja	závoljen
ti	zavólio (m)	ti	závoljen (m)
	zavóljela (f)		závoljena (f)
	zavóljelo (n)		závoljeno(n)
on (m)	zavólio	on (m)	závoljen
ona (f)	zavóljela	ona (f)	závoljena
ono (n)	zavóljelo	ono (n)	závoljeno
mi	zavóljeli (m)	mi	závoljeni (m)
	zavóljele (f)		závoljene (f)
	zavóljela (n)		závoljene (n)
vi	zavóljeli (m)	vi	závoljeni (m)
	zavóljele (f)		závoljene (f)
	zavóljela (n)		závoljena (n)
oni (m)	zavóljeli	oni (m)	závoljeni
one (f)	zavóljele	one (f)	závoljene
ona (n)	zavóljela	ona (n)	závoljena

VERBAL ADVERBS
Active participle
-
Past participle
zavóljevši

I have loved your cooking. – Zavolio sam tvoje kuhanje.

They will love me someday. – Zavoljet će me jednog dana.

To Meet (Sretati) – Imperfective

Present	
ja	sréćem
ti	sréćeš
on (m)	sréće
ona (f)	sréće
ono (n)	sréće
mi	sréćemo
vi	sréćete
oni (m)	sréću
one (f)	sréću
ona (n)	sréću

Perfect	
ja	sam srétao
ti	si srétao (m)
	si srétala (f)
	si srétalo (n)
on (m)	je srétao
ona (f)	je srétala
ono (n)	je srétalo
mi	smo srétali (m)
	smo srétale (f)
	smo srétala (n)
vi	ste srétali (m)
	ste srétale (f)
	ste srétala (n)
oni (m)	su srétali
one (f)	su srétale
ona (n)	su srétala

Imperfect	
ja	srétah
ti	srétaše
on (m)	srétaše
ona (f)	srétaše
ono (n)	srétaše
mi	srétasmo
vi	srétaste
oni (m)	srétahu
one (f)	srétahu
ona (n)	srétahu

Pluperfect	
ja	sam bio srétao
ti	si bio srétao (m)
	si bila srétala (f)
	si bilo srétalo (n)
on (m)	je bio srétao
ona (f)	je bila srétala
ono (n)	je bilo srétalo
mi	smo bili srétali (m)
	smo bile srétale (f)
	smo bila srétala (n)
vi	ste bili srétali (m)
	ste bile srétale (f)
	ste bila srétala (n)
oni (m)	su bili srétali
one (f)	su bile srétale
ona (n)	su bila srétala

Futur 1	
ja	ću srétati
ti	ćeš srétati
on (m)	će srétati
ona (f)	će srétati
ono (n)	će srétati
mi	ćemo srétati
vi	ćete srétati
oni (m)	će srétati
one (f)	će srétati
ona (n)	će srétati

Futur 2	
ja	budem srétao
ti	budeš srétao (m)
	budeš srétala (f)
	budeš srétalo (n)
on (m)	bude srétao
ona (f)	bude srétala
ono (n)	bude srétalo
mi	budemo srétali (m)
	budemo srétale (f)
	budemo srétala (n)
vi	budete srétali (m)
	budete srétale (f)
	budete srétala (n)
oni (m)	budu srétali
one (f)	budu srétale
ona (n)	budu srétala

VERB MOODS					
Conditional 1		**Conditional 2**		**Imperative**	
ja	bih srétao	ja	bih bio srétao	ja	-
ti	bi srétao (m)	ti	bi bio srétao (m)	ti	Sréći
	bi srétala (f)		bi bila srétala (f)		
	bi srétalo (n)		bi bilo srétalo (n)		
on (m)	bi srétao	on (m)	bi bio srétao	on (m)	neka sréće
ona (f)	bi srétala	ona (f)	bi bila srétala	ona (f)	neka sréće
ono (n)	bi srétalo	ono (n)	bi bilo srétalo	ono (n)	neka sréće
mi	bismo srétali (m)	mi	bismo bili srétali (m)	mi	sréćimo
	bismo srétale (f)		bismo bile srétale (f)		
	bismo srétala (n)		bismo bila srétala (n)		
vi	biste srétali (m)	vi	biste bili srétali (m)	vi	sréćite
	biste srétale (f)		biste bile srétale (f)		
	biste srétala (n)		biste bila srétala (n)		
oni (m)	bi srétali	oni (m)	bi bili srétali	oni (m)	neka sréću
one (f)	bi srétale	one (f)	bi bile srétale	one (f)	neka sréću
ona (n)	bi srétala	ona (n)	bi bila srétala	ona (n)	neka sréću

VERBAL ADJECTIVES			
Active participle		**Past participle**	
ja	srétao	ja	srétan
ti	srétao (m)	ti	srétan (m)
	srétala (f)		srétana (f)
	srétalo (n)		srétano(n)
on (m)	srétao	on (m)	srétan
ona (f)	srétala	ona (f)	srétana
ono (n)	srétalo	ono (n)	srétano
mi	srétali (m)	mi	srétani (m)
	srétale (f)		srétane (f)
	srétala (n)		srétane (n)
vi	srétali (m)	vi	srétani (m)
	srétale (f)		srétane (f)
	srétala (n)		srétana (n)
oni (m)	srétali	oni (m)	srétani
one (f)	srétale	one (f)	srétane
ona (n)	srétala	ona (n)	srétana

VERBAL ADVERBS
Active participle
srétajući
Past participle
-

I meet this man every day. – Ovog čovjeka srećem svaki dan.

He loves meeting people. – On voli sretati ljude.

To Meet (Sresti) – Perfective

Present		Perfect		Aorist	
ja	srétnem	ja	sam sréo	ja	srétoh
ti	srétneš	ti	si sréo (m) si sréla (f) si srélo (n)	ti	spréte
on (m)	srétne	on (m)	je sréo	on (m)	spréte
ona (f)	srétne	ona (f)	je sréla	ona (f)	spréte
ono (n)	srétne	ono (n)	je srélo	ono (n)	spréte
mi	srétnemo	mi	smo sréli (m) smo sréle (f) smo sréla (n)	mi	srétosmo
vi	srétnete	vi	ste sréli (m) ste sréle (f) ste sréla (n)	vi	srétoste
oni (m)	srétnu	oni (m)	su sréli	oni (m)	srétoše
one (f)	srétnu	one (f)	su sréle	one (f)	srétoše
ona (n)	srétnu	ona (n)	su sréla	ona (n)	srétoše

Pluperfect		Futur 1		Futur 2	
ja	sam bio sréo	ja	ću srésti	ja	budem sréo
ti	si bio sréo (m) si bila sréla (f) si bilo srélo (n)	ti	ćeš srésti	ti	budeš sréo (m) budeš sréla (f) budeš srélo (n)
on (m)	je bio sréo	on (m)	će srésti	on (m)	bude sréo
ona (f)	je bila sréla	ona (f)	će srésti	ona (f)	bude sréla
ono (n)	je bilo srélo	ono (n)	će srésti	ono (n)	bude srélo
mi	smo bili sréli (m) smo bile sréle (f) smo bila sréla (n)	mi	ćemo srésti	mi	budemo sréli (m) budemo sréle (f) budemo sréla (n)
vi	ste bili sréli (m) ste bile sréle (f) ste bila sréla (n)	vi	ćete srésti	vi	budete sréli (m) budete sréle (f) budete sréla (n)
oni (m)	su bili sréli	oni (m)	će srésti	oni (m)	budu sréli
one (f)	su bile sréle	one (f)	će srésti	one (f)	budu sréle
ona (n)	su bila sréla	ona (n)	će srésti	ona (n)	budu sréla

VERB MOODS					
Conditional 1		Conditional 2		Imperative	
ja	bih sréo	ja	bih bio sréo	ja	-
ti	bi sréo (m)	ti	bi bio sréo (m)	ti	srétni
	bi sréla (f)		bi bila sréla (f)		
	bi srélo (n)		bi bilo srélo (n)		
on (m)	bi sréo	on (m)	bi bio sréo	on (m)	neka srétne
ona (f)	bi sréla	ona (f)	bi bila sréla	ona (f)	neka srétne
ono (n)	bi srélo	ono (n)	bi bilo srélo	ono (n)	neka srétne
mi	bismo sréli (m)	mi	bismo bili sréli (m)	mi	srétnimo
	bismo sréle (f)		bismo bile sréle (f)		
	bismo sréla (n)		bismo bila sréla (n)		
vi	biste sréli (m)	vi	biste bili sréli (m)	vi	srétnite
	biste sréle (f)		biste bile sréle (f)		
	biste sréla (n)		biste bila sréla (n)		
oni (m)	bi sréli	oni (m)	bi bili sréli	oni (m)	neka srétnu
one (f)	bi sréle	one (f)	bi bile sréle	one (f)	neka srétnu
ona (n)	bi sréla	ona (n)	bi bila sréla	ona (n)	neka srétnu

VERBAL ADJECTIVES			
Active participle		Past participle	
ja	sréo	ja	
ti	sréo (m)	ti	
	sréla (f)		
	srélo (n)		
on (m)	sréo	on (m)	
ona (f)	sréla	ona (f)	
ono (n)	srélo	ono (n)	
mi	sréli (m)	mi	
	sréle (f)		
	sréla (n)		
vi	sréli (m)	vi	
	sréle (f)		
	sréla (n)		
oni (m)	sréli	oni (m)	
one (f)	sréle	one (f)	
ona (n)	sréla	ona (n)	

VERBAL ADVERBS
Active participle
-
Past participle
srévši

She met him in a bar. – Srela ga je u baru.

They will meet in the midnight. – Srest će se u pola noći.

To Need (Trebati) – Imperfective

<table>
<tr><th colspan="2">Present</th><th colspan="2">Perfect</th><th colspan="2">Imperfect</th></tr>
<tr><td>ja</td><td>trébam</td><td>ja</td><td>sam trébao</td><td>ja</td><td>trébah</td></tr>
<tr><td rowspan="3">ti</td><td rowspan="3">trébaš</td><td rowspan="3">ti</td><td>si trébao (m)</td><td rowspan="3">ti</td><td rowspan="3">trébaše</td></tr>
<tr><td>si trébala (f)</td></tr>
<tr><td>si trébalo (n)</td></tr>
<tr><td>on (m)</td><td>tréba</td><td>on (m)</td><td>je trébao</td><td>on (m)</td><td>trébaše</td></tr>
<tr><td>ona (f)</td><td>tréba</td><td>ona (f)</td><td>je trébala</td><td>ona (f)</td><td>trébaše</td></tr>
<tr><td>ono (n)</td><td>tréba</td><td>ono (n)</td><td>je trébalo</td><td>ono (n)</td><td>trébaše</td></tr>
<tr><td rowspan="3">mi</td><td rowspan="3">trébamo</td><td rowspan="3">mi</td><td>smo trébali (m)</td><td rowspan="3">mi</td><td rowspan="3">trébasmo</td></tr>
<tr><td>smo trébale (f)</td></tr>
<tr><td>smo trébala (n)</td></tr>
<tr><td rowspan="3">vi</td><td rowspan="3">trébate</td><td rowspan="3">vi</td><td>ste trébali (m)</td><td rowspan="3">vi</td><td rowspan="3">trébaste</td></tr>
<tr><td>ste trébale (f)</td></tr>
<tr><td>ste trébala (n)</td></tr>
<tr><td>oni (m)</td><td>trébaju</td><td>oni (m)</td><td>su trébali</td><td>oni (m)</td><td>trébahu</td></tr>
<tr><td>one (f)</td><td>trébaju</td><td>one (f)</td><td>su trébale</td><td>one (f)</td><td>trébahu</td></tr>
<tr><td>ona (n)</td><td>trébaju</td><td>ona (n)</td><td>su trébala</td><td>ona (n)</td><td>trébahu</td></tr>
</table>

<table>
<tr><th colspan="2">Pluperfect</th><th colspan="2">Futur 1</th><th colspan="2">Futur 2</th></tr>
<tr><td>ja</td><td>sam bio trébao</td><td>ja</td><td>ću trébati</td><td>ja</td><td>budem trébao</td></tr>
<tr><td rowspan="3">ti</td><td>si bio trébao (m)</td><td rowspan="3">ti</td><td rowspan="3">ćeš trébati</td><td rowspan="3">ti</td><td>budeš trébao (m)</td></tr>
<tr><td>si bila trébala (f)</td><td>budeš trébala (f)</td></tr>
<tr><td>si bilo trébalo (n)</td><td>budeš trébalo (n)</td></tr>
<tr><td>on (m)</td><td>je bio trébao</td><td>on (m)</td><td>će trébati</td><td>on (m)</td><td>bude trébao</td></tr>
<tr><td>ona (f)</td><td>je bila trébala</td><td>ona (f)</td><td>će trébati</td><td>ona (f)</td><td>bude trébala</td></tr>
<tr><td>ono (n)</td><td>je bilo trébalo</td><td>ono (n)</td><td>će trébati</td><td>ono (n)</td><td>bude trébalo</td></tr>
<tr><td rowspan="3">mi</td><td>smo bili trébali (m)</td><td rowspan="3">mi</td><td rowspan="3">ćemo trébati</td><td rowspan="3">mi</td><td>budemo trébali (m)</td></tr>
<tr><td>smo bile trébale (f)</td><td>budemo trébale (f)</td></tr>
<tr><td>smo bila trébala (n)</td><td>budemo trébala (n)</td></tr>
<tr><td rowspan="3">vi</td><td>ste bili trébali (m)</td><td rowspan="3">vi</td><td rowspan="3">ćete trébati</td><td rowspan="3">vi</td><td>budete trébali (m)</td></tr>
<tr><td>ste bile trébale (f)</td><td>budete trébale (f)</td></tr>
<tr><td>ste bila trébala (n)</td><td>budete trébala (n)</td></tr>
<tr><td>oni (m)</td><td>su bili trébali</td><td>oni (m)</td><td>će trébati</td><td>oni (m)</td><td>budu trébali</td></tr>
<tr><td>one (f)</td><td>su bile trébale</td><td>one (f)</td><td>će trébati</td><td>one (f)</td><td>budu trébale</td></tr>
<tr><td>ona (n)</td><td>su bila trébala</td><td>ona (n)</td><td>će trébati</td><td>ona (n)</td><td>budu trébala</td></tr>
</table>

VERB MOODS					
Conditional 1		**Conditional 2**		**Imperative**	
ja	bih trébao	ja	bih bio trébao	ja	-
ti	bi trébao (m)	ti	bi bio trébao (m)	ti	trébaj
	bi trébala (f)		bi bila trébala (f)		
	bi trébalo (n)		bi bilo trébalo (n)		
on (m)	bi trébao	on (m)	bi bio trébao	on (m)	neka tréba
ona (f)	bi trébala	ona (f)	bi bila trébala	ona (f)	neka tréba
ono (n)	bi trébalo	ono (n)	bi bilo trébalo	ono (n)	neka tréba
mi	bismo trébali (m)	mi	bismo bili trébali (m)	mi	trébajmo
	bismo trébale (f)		bismo bile trébale (f)		
	bismo trébala (n)		bismo bila trébala (n)		
vi	biste trébali (m)	vi	biste bili trébali (m)	vi	trébajte
	biste trébale (f)		biste bile trébale (f)		
	biste trébala (n)		biste bila trébala (n)		
oni (m)	bi trébali	oni (m)	bi bili trébali	oni (m)	neka trébaju
one (f)	bi trébale	one (f)	bi bile trébale	one (f)	neka trébaju
ona (n)	bi trébala	ona (n)	bi bila trébala	ona (n)	neka trébaju

VERBAL ADJECTIVES			
Active participle		**Past participle**	
ja	trébao	ja	
ti	trébao (m)	ti	
	trébala (f)		
	trébalo (n)		
on (m)	trébao	on (m)	
ona (f)	trébala	ona (f)	
ono (n)	trébalo	ono (n)	
mi	trébali (m)	mi	
	trébale (f)		
	trébala (n)		
vi	trébali (m)	vi	
	trébale (f)		
	trébala (n)		
oni (m)	trébali	oni (m)	
one (f)	trébale	one (f)	
ona (n)	trébala	ona (n)	

VERBAL ADVERBS
Active participle
trébajući
Past participle
-

I need your attention. – Trebam tvoju pažnju.

She needs someone to take care. – Ona treba nekoga da se pobrine.

To Need (Zatrebati) – Perfective

Present		Perfect		Aorist	
ja	zátrebam	ja	sam zatrébao	ja	zatrébah
ti	zátrebaš	ti	si zatrébao (m) si zatrébala (f) si zatrébalo (n)	ti	zatréba
on (m)	zátreba	on (m)	je zatrébao	on (m)	zatréba
ona (f)	zátreba	ona (f)	je zatrébala	ona (f)	zatréba
ono (n)	zátreba	ono (n)	je zatrébalo	ono (n)	zatréba
mi	zátrebamo	mi	smo zatrébali (m) smo zatrébale (f) smo zatrébala (n)	mi	zatrébasmo
vi	zátrebate	vi	ste zatrébali (m) ste zatrébale (f) ste zatrébala (n)	vi	zatrébaste
oni (m)	zátrebaju	oni (m)	su zatrébali	oni (m)	zatrébaše
one (f)	zátrebaju	one (f)	su zatrébale	one (f)	zatrébaše
ona (n)	zátrebaju	ona (n)	su zatrébala	ona (n)	zatrébaše

Pluperfect		Futur 1		Futur 2	
ja	sam bio zatrébao	ja	ću zatrébati	ja	budem zatrébao
ti	si bio zatrébao (m) si bila zatrébala (f) si bilo zatrébalo (n)	ti	ćeš zatrébati	ti	budeš zatrébao (m) budeš zatrébala (f) budeš zatrébalo (n)
on (m)	je bio zatrébao	on (m)	će zatrébati	on (m)	bude zatrébao
ona (f)	je bila zatrébala	ona (f)	će zatrébati	ona (f)	bude zatrébala
ono (n)	je bilo zatrébalo	ono (n)	će zatrébati	ono (n)	bude zatrébalo
mi	smo bili zatrébali (m) smo bile zatrébale (f) smo bila zatrébala (n)	mi	ćemo zatrébati	mi	budemo zatrébali (m) budemo zatrébale (f) budemo zatrébala (n)
vi	ste bili zatrébali (m) ste bile zatrébale (f) ste bila zatrébala (n)	vi	ćete zatrébati	vi	budete zatrébali (m) budete zatrébale (f) budete zatrébala (n)
oni (m)	su bili zatrébali	oni (m)	će zatrébati	oni (m)	budu zatrébali
one (f)	su bile zatrébale	one (f)	će zatrébati	one (f)	budu zatrébale
ona (n)	su bila zatrébala	ona (n)	će zatrébati	ona (n)	budu zatrébala

VERB MOODS					
Conditional 1		**Conditional 2**		**Imperative**	
ja	bih zatrébao	ja	bih bio zatrébao	ja	-
ti	bi zatrébao (m)	ti	bi bio zatrébao (m)	ti	zátrebaj
	bi zatrébala (f)		bi bila zatrébala (f)		
	bi zatrébalo (n)		bi bilo zatrébalo (n)		
on (m)	bi zatrébao	on (m)	bi bio zatrébao	on (m)	neka zátreba
ona (f)	bi zatrébala	ona (f)	bi bila zatrébala	ona (f)	neka zátreba
ono (n)	bi zatrébalo	ono (n)	bi bilo zatrébalo	ono (n)	neka zátreba
mi	bismo zatrébali (m)	mi	bismo bili zatrébali (m)	mi	zátrebajmo
	bismo zatrébale (f)		bismo bile zatrébale (f)		
	bismo zatrébala (n)		bismo bila zatrébala (n)		
vi	biste zatrébali (m)	vi	biste bili zatrébali (m)	vi	zátrebajte
	biste zatrébale (f)		biste bile zatrébale (f)		
	biste zatrébala (n)		biste bila zatrébala (n)		
oni (m)	bi zatrébali	oni (m)	bi bili zatrébali	oni (m)	neka zatrébaju
one (f)	bi zatrébale	one (f)	bi bile zatrébale	one (f)	neka zatrébaju
ona (n)	bi zatrébala	ona (n)	bi bila zatrébala	ona (n)	neka zatrébaju

VERBAL ADJECTIVES			
Active participle		**Past participle**	
ja	zatrébao	ja	zátreban
ti	zatrébao (m)	ti	zátreban (m)
	zatrébala (f)		zátrebana (f)
	zatrébalo (n)		zátrebano(n)
on (m)	zatrébao	on (m)	zátreban
ona (f)	zatrébala	ona (f)	zátrebana
ono (n)	zatrébalo	ono (n)	zátrebano
mi	zatrébali (m)	mi	zátrebani (m)
	zatrébale (f)		zátrebane (f)
	zatrébala (n)		zátrebane (n)
vi	zatrébali (m)	vi	zátrebani (m)
	zatrébale (f)		zátrebane (f)
	zatrébala (n)		zátrebana (n)
oni (m)	zatrébali	oni (m)	zátrebani
one (f)	zatrébale	one (f)	zátrebane
ona (n)	zatrébala	ona (n)	zátrebana

VERBAL ADVERBS
Active participle
-
Past participle
zatrébavši

They will need me. – Oni će me zatrebati.

If she needs me she will call. – Ako me zatreba nazvat će.

To Notice (Primjećivati) – Imperfective

Present		Perfect		Imperfect	
ja	primjéćivam	ja	sam primjećívao	ja	primjećívah
ti	primjéćivaš	ti	si primjećívao (m)	ti	primjećívaše
			si primjećívala (f)		
			si primjećívalo (n)		
on (m)	primjéćiva	on (m)	je primjećívao	on (m)	primjećívaše
ona (f)	primjéćiva	ona (f)	je primjećívala	ona (f)	primjećívaše
ono (n)	primjéćiva	ono (n)	je primjećívalo	ono (n)	primjećívaše
mi	primjéćivamo	mi	smo primjećívali (m)	mi	primjećívasmo
			smo primjećívale (f)		
			smo primjećívala (n)		
vi	primjéćivate	vi	ste primjećívali (m)	vi	primjećívaste
			ste primjećívale (f)		
			ste primjećívala (n)		
oni (m)	primjéćivaju	oni (m)	su primjećívali	oni (m)	primjećívahu
one (f)	primjéćivaju	one (f)	su primjećívale	one (f)	primjećívahu
ona (n)	primjéćivaju	ona (n)	su primjećívala	ona (n)	primjećívahu

Pluperfect		Futur 1		Futur 2	
ja	sam bio primjećívao	ja	ću primjećívati	ja	budem primjećívao
ti	si bio primjećívao (m)	ti	ćeš primjećívati	ti	budeš primjećívao (m)
	si bila primjećívala (f)				budeš primjećívala (f)
	si bilo primjećívalo (n)				budeš primjećívalo (n)
on (m)	je bio primjećívao	on (m)	će primjećívati	on (m)	bude primjećívao
ona (f)	je bila primjećívala	ona (f)	će primjećívati	ona (f)	bude primjećívala
ono (n)	je bilo primjećívalo	ono (n)	će primjećívati	ono (n)	bude primjećívalo
mi	smo bili primjećívali (m)	mi	ćemo primjećívati	mi	budemo primjećívali (m)
	smo bile primjećívale (f)				budemo primjećívale (f)
	smo bila primjećívala (n)				budemo primjećívala (n)
vi	ste bili primjećívali (m)	vi	ćete primjećívati	vi	budete primjećívali (m)
	ste bile primjećívale (f)				budete primjećívale (f)
	ste bila primjećívala (n)				budete primjećívala (n)
oni (m)	su bili primjećívali	oni (m)	će primjećívati	oni (m)	budu primjećívali
one (f)	su bile primjećívale	one (f)	će primjećívati	one (f)	budu primjećívale
ona (n)	su bila primjećívala	ona (n)	će primjećívati	ona (n)	budu primjećívala

VERB MOODS					
Conditional 1		**Conditional 2**		**Imperative**	
ja	bih primjećívao	ja	bih bio primjećívao	ja	-
ti	bi primjećívao (m)	ti	bi bio primjećívao (m)	ti	primjéćuj
	bi primjećívala (f)		bi bila primjećívala (f)		
	bi primjećívalo (n)		bi bilo primjećívalo (n)		
on (m)	bi primjećívao	on (m)	bi bio primjećívao	on (m)	neka primjéćiva
ona (f)	bi primjećívala	ona (f)	bi bila primjećívala	ona (f)	neka primjéćiva
ono (n)	bi primjećívalo	ono (n)	bi bilo primjećívalo	ono (n)	neka primjéćiva
mi	bismo primjećívali (m)	mi	bismo bili primjećívali (m)	mi	primjéćivajmo
	bismo primjećívale (f)		bismo bile primjećívale (f)		
	bismo primjećívala (n)		bismo bila primjećívala (n)		
vi	biste primjećívali (m)	vi	biste bili primjećívali (m)	vi	primjéćivajte
	biste primjećívale (f)		biste bile primjećívale (f)		
	biste primjećívala (n)		biste bila primjećívala (n)		
oni (m)	bi primjećívali	oni (m)	bi bili primjećívali	oni (m)	neka primjećívaju
one (f)	bi primjećívale	one (f)	bi bile primjećívale	one (f)	neka primjećívaju
ona (n)	bi primjećívala	ona (n)	bi bila primjećívala	ona (n)	neka primjećívaju

VERBAL ADJECTIVES			
Active participle		**Past participle**	
ja	primjećívao	ja	primjéćivan
ti	primjećívao (m)	ti	primjéćivan (m)
	primjećívala (f)		primjéćivana (f)
	primjećívalo (n)		primjéćivano(n)
on (m)	primjećívao	on (m)	primjéćivan
ona (f)	primjećívala	ona (f)	primjéćivana
ono (n)	primjećívalo	ono (n)	primjéćivano
mi	primjećívali (m)	mi	primjéćivani (m)
	primjećívale (f)		primjéćivane (f)
	primjećívala (n)		primjéćivane (n)
vi	primjećívali (m)	vi	primjéćivani (m)
	primjećívale (f)		primjéćivane (f)
	primjećívala (n)		primjéćivana (n)
oni (m)	primjećívali	oni (m)	primjéćivani
one (f)	primjećívale	one (f)	primjéćivane
ona (n)	primjećívala	ona (n)	primjéćivana

VERBAL ADVERBS
Active participle
primjećívajući
Past participle
-

I am noticing something wrong. – Primjećujem nešto loše.

They weren't noticing anything. – Nisu ništa primjećivali.

To Notice (Primijetiti) – Perfective

Present		Perfect		Aorist	
ja	prímijetim	ja	sam primíjetio	ja	primíjetih
ti	prímijetiš	ti	si primíjetio (m) si primíjetila (f) si primíjetilo (n)	ti	primíjeti
on (m)	prímijeti	on (m)	je primíjetio	on (m)	primíjeti
ona (f)	prímijeti	ona (f)	je primíjetila	ona (f)	primíjeti
ono (n)	prímijeti	ono (n)	je primíjetilo	ono (n)	primíjeti
mi	prímijetimo	mi	smo primíjetili (m) smo primíjetile (f) smo primíjetila (n)	mi	primíjetismo
vi	prímijetite	vi	ste primíjetili (m) ste primíjetile (f) ste primíjetila (n)	vi	primíjetiste
oni (m)	prímijete	oni (m)	su primíjetili	oni (m)	primíjetiše
one (f)	prímijete	one (f)	su primíjetile	one (f)	primíjetiše
ona (n)	prímijete	ona (n)	su primíjetila	ona (n)	primíjetiše

Pluperfect		Futur 1		Futur 2	
ja	sam bio primíjetio	ja	ću primíjetiti	ja	budem primíjetio
ti	si bio primíjetio (m) si bila primíjetila (f) si bilo primíjetilo (n)	ti	ćeš primíjetiti	ti	budeš primíjetio (m) budeš primíjetila (f) budeš primíjetilo (n)
on (m)	je bio primíjetio	on (m)	će primíjetiti	on (m)	bude primíjetio
ona (f)	je bila primíjetila	ona (f)	će primíjetiti	ona (f)	bude primíjetila
ono (n)	je bilo primíjetilo	ono (n)	će primíjetiti	ono (n)	bude primíjetilo
mi	smo bili primíjetili (m) smo bile primíjetile (f) smo bila primíjetila (n)	mi	ćemo primíjetiti	mi	budemo primíjetili (m) budemo primíjetile (f) budemo primíjetila (n)
vi	ste bili primíjetili (m) ste bile primíjetile (f) ste bila primíjetila (n)	vi	ćete primíjetiti	vi	budete primíjetili (m) budete primíjetile (f) budete primíjetila (n)
oni (m)	su bili primíjetili	oni (m)	će primíjetiti	oni (m)	budu primíjetili
one (f)	su bile primíjetile	one (f)	će primíjetiti	one (f)	budu primíjetile
ona (n)	su bila primíjetila	ona (n)	će primíjetiti	ona (n)	budu primíjetila

VERB MOODS					
Conditional 1		**Conditional 2**		**Imperative**	
ja	bih primíjetio	ja	bih bio primíjetio	ja	-
ti	bi primíjetio (m)	ti	bi bio primíjetio (m)	ti	primíjeti
	bi primíjetila (f)		bi bila primíjetila (f)		
	bi primíjetilo (n)		bi bilo primíjetilo (n)		
on (m)	bi primíjetio	on (m)	bi bio primíjetio	on (m)	neka prímijeti
ona (f)	bi primíjetila	ona (f)	bi bila primíjetila	ona (f)	neka prímijeti
ono (n)	bi primíjetilo	ono (n)	bi bilo primíjetilo	ono (n)	neka prímijeti
mi	bismo primíjetili (m)	mi	bismo bili primíjetili (m)	mi	primíjetimo
	bismo primíjetile (f)		bismo bile primíjetile (f)		
	bismo primíjetila (n)		bismo bila primíjetila (n)		
vi	biste primíjetili (m)	vi	biste bili primíjetili (m)	vi	primíjetite
	biste primíjetile (f)		biste bile primíjetile (f)		
	biste primíjetila (n)		biste bila primíjetila (n)		
oni (m)	bi primíjetili	oni (m)	bi bili primíjetili	oni (m)	neka prímijete
one (f)	bi primíjetile	one (f)	bi bile primíjetile	one (f)	neka prímijete
ona (n)	bi primíjetila	ona (n)	bi bila primíjetila	ona (n)	neka prímijete

VERBAL ADJECTIVES			
Active participle		**Past participle**	
ja	primíjetio	ja	prímijećen
ti	primíjetio (m)	ti	prímijećen (m)
	primíjetila (f)		prímijećena (f)
	primíjetilo (n)		prímijećeno(n)
on (m)	primíjetio	on (m)	prímijećen
ona (f)	primíjetila	ona (f)	prímijećena
ono (n)	primíjetilo	ono (n)	prímijećeno
mi	primíjetili (m)	mi	prímijećeni (m)
	primíjetile (f)		prímijećene (f)
	primíjetila (n)		prímijećene (n)
vi	primíjetili (m)	vi	prímijećeni (m)
	primíjetile (f)		prímijećene (f)
	primíjetila (n)		prímijećena (n)
oni (m)	primíjetili	oni (m)	prímijećeni
one (f)	primíjetile	one (f)	prímijećene
ona (n)	primíjetila	ona (n)	prímijećena

VERBAL ADVERBS
Active participle
-
Past participle
primíjetivši

They noticed something. – Oni su nešto primjetili.

He will notice me. On će me primjetiti.

To Open (Otvarati) – Imperfective

Present		Perfect		Imperfect	
ja	ótvaram	ja	sam otvárao	ja	otvárah
ti	ótvaraš	ti	si otvárao (m)	ti	otváraše
			si otvárala (f)		
			si otváralo (n)		
on (m)	ótvara	on (m)	je otvárao	on (m)	otváraše
ona (f)	ótvara	ona (f)	je otvárala	ona (f)	otváraše
ono (n)	ótvara	ono (n)	je otváralo	ono (n)	otváraše
mi	ótvaramo	mi	smo otvárali (m)	mi	otvárasmo
			smo otvárale (f)		
			smo otvárala (n)		
vi	ótvarate	vi	ste otvárali (m)	vi	otváraste
			ste otvárale (f)		
			ste otvárala (n)		
oni (m)	ótvaraju	oni (m)	su otvárali	oni (m)	otvárahu
one (f)	ótvaraju	one (f)	su otvárale	one (f)	otvárahu
ona (n)	ótvaraju	ona (n)	su otvárala	ona (n)	otvárahu

Pluperfect		Futur 1		Futur 2	
ja	sam bio otvárao	ja	ću otvárati	ja	budem otvárao
ti	si bio otvárao (m)	ti	ćeš otvárati	ti	budeš otvárao (m)
	si bila otvárala (f)				budeš otvárala (f)
	si bilo otváralo (n)				budeš otváralo (n)
on (m)	je bio otvárao	on (m)	će otvárati	on (m)	bude otvárao
ona (f)	je bila otvárala	ona (f)	će otvárati	ona (f)	bude otvárala
ono (n)	je bilo otváralo	ono (n)	će otvárati	ono (n)	bude otváralo
mi	smo bili otvárali (m)	mi	ćemo otvárati	mi	budemo otvárali (m)
	smo bile otvárale (f)				budemo otvárale (f)
	smo bila otvárala (n)				budemo otvárala (n)
vi	ste bili otvárali (m)	vi	ćete otvárati	vi	budete otvárali (m)
	ste bile otvárale (f)				budete otvárale (f)
	ste bila otvárala (n)				budete otvárala (n)
oni (m)	su bili otvárali	oni (m)	će otvárati	oni (m)	budu otvárali
one (f)	su bile otvárale	one (f)	će otvárati	one (f)	budu otvárale
ona (n)	su bila otvárala	ona (n)	će otvárati	ona (n)	budu otvárala

VERB MOODS

Conditional 1		Conditional 2		Imperative	
ja	bih otvárao	ja	bih bio otvárao	ja	-
ti	bi otvárao (m)	ti	bi bio otvárao (m)	ti	ótvaraj
	bi otvárala (f)		bi bila otvárala (f)		
	bi otváralo (n)		bi bilo otváralo (n)		
on (m)	bi otvárao	on (m)	bi bio otvárao	on (m)	neka ótvara
ona (f)	bi otvárala	ona (f)	bi bila otvárala	ona (f)	neka ótvara
ono (n)	bi otváralo	ono (n)	bi bilo otváralo	ono (n)	neka ótvara
mi	bismo otvárali (m)	mi	bismo bili otvárali (m)	mi	ótvarajmo
	bismo otvárale (f)		bismo bile otvárale (f)		
	bismo otvárala (n)		bismo bila otvárala (n)		
vi	biste otvárali (m)	vi	biste bili otvárali (m)	vi	ótvarajte
	biste otvárale (f)		biste bile otvárale (f)		
	biste otvárala (n)		biste bila otvárala (n)		
oni (m)	bi otvárali	oni (m)	bi bili otvárali	oni (m)	neka otváraju
one (f)	bi otvárale	one (f)	bi bile otvárale	one (f)	neka otváraju
ona (n)	bi otvárala	ona (n)	bi bila otvárala	ona (n)	neka otváraju

VERBAL ADJECTIVES

Active participle		Past participle	
ja	otvárao	ja	ótvaran
ti	otvárao (m)	ti	ótvaran (m)
	otvárala (f)		ótvarana (f)
	otváralo (n)		ótvarano(n)
on (m)	otvárao	on (m)	ótvaran
ona (f)	otvárala	ona (f)	ótvarana
ono (n)	otváralo	ono (n)	ótvarano
mi	otvárali (m)	mi	ótvarani (m)
	otvárale (f)		ótvarane (f)
	otvárala (n)		ótvarane (n)
vi	otvárali (m)	vi	ótvarani (m)
	otvárale (f)		ótvarane (f)
	otvárala (n)		ótvarana (n)
oni (m)	otvárali	oni (m)	ótvarani
one (f)	otvárale	one (f)	ótvarane
ona (n)	otvárala	ona (n)	ótvarana

VERBAL ADVERBS
Active participle
otvárajući
Past participle
-

I'm opening this bottle for you. – Otvaram ovu bocu za vas.

I will be opening many doors. – Otvarat ću mnoga vrata.

To Open (Otvoriti) – Perfective

Present		Perfect		Aorist	
ja	ótvorim	ja	sam otvório	ja	otvórih
ti	ótvoriš	ti	si otvório (m) si otvórila (f) si otvórilo (n)	ti	otvóri
on (m)	ótvori	on (m)	je otvório	on (m)	otvóri
ona (f)	ótvori	ona (f)	je otvórila	ona (f)	otvóri
ono (n)	ótvori	ono (n)	je otvórilo	ono (n)	otvóri
mi	ótvorimo	mi	smo otvórili (m) smo otvórile (f) smo otvórila (n)	mi	otvórismo
vi	ótvorite	vi	ste otvórili (m) ste otvórile (f) ste otvórila (n)	vi	otvóriste
oni (m)	ótvore	oni (m)	su otvórili	oni (m)	otvóriše
one (f)	ótvore	one (f)	su otvórile	one (f)	otvóriše
ona (n)	ótvore	ona (n)	su otvórila	ona (n)	otvóriše

Pluperfect		Futur 1		Futur 2	
ja	sam bio otvório	ja	ću otvóriti	ja	budem otvório
ti	si bio otvório (m) si bila otvórila (f) si bilo otvórilo (n)	ti	ćeš otvóriti	ti	budeš otvório (m) budeš otvórila (f) budeš otvórilo (n)
on (m)	je bio otvório	on (m)	će otvóriti	on (m)	bude otvório
ona (f)	je bila otvórila	ona (f)	će otvóriti	ona (f)	bude otvórila
ono (n)	je bilo otvórilo	ono (n)	će otvóriti	ono (n)	bude otvórilo
mi	smo bili otvórili (m) smo bile otvórile (f) smo bila otvórila (n)	mi	ćemo otvóriti	mi	budemo otvórili (m) budemo otvórile (f) budemo otvórila (n)
vi	ste bili otvórili (m) ste bile otvórile (f) ste bila otvórila (n)	vi	ćete otvóriti	vi	budete otvórili (m) budete otvórile (f) budete otvórila (n)
oni (m)	su bili otvórili	oni (m)	će otvóriti	oni (m)	budu otvórili
one (f)	su bile otvórile	one (f)	će otvóriti	one (f)	budu otvórile
ona (n)	su bila otvórila	ona (n)	će otvóriti	ona (n)	budu otvórila

VERB MOODS					
Conditional 1		**Conditional 2**		**Imperative**	
ja	bih otvório	ja	bih bio otvório	ja	-
ti	bi otvório (m)	ti	bi bio otvório (m)	ti	otvóri
	bi otvórila (f)		bi bila otvórila (f)		
	bi otvórilo (n)		bi bilo otvórilo (n)		
on (m)	bi otvório	on (m)	bi bio otvório	on (m)	neka ótvori
ona (f)	bi otvórila	ona (f)	bi bila otvórila	ona (f)	neka ótvori
ono (n)	bi otvórilo	ono (n)	bi bilo otvórilo	ono (n)	neka ótvori
mi	bismo otvórili (m)	mi	bismo bili otvórili (m)	mi	otvórimo
	bismo otvórile (f)		bismo bile otvórile (f)		
	bismo otvórila (n)		bismo bila otvórila (n)		
vi	biste otvórili (m)	vi	biste bili otvórili (m)	vi	Otvórite
	biste otvórile (f)		biste bile otvórile (f)		
	biste otvórila (n)		biste bila otvórila (n)		
oni (m)	bi otvórili	oni (m)	bi bili otvórili	oni (m)	neka ótvore
one (f)	bi otvórile	one (f)	bi bile otvórile	one (f)	neka ótvore
ona (n)	bi otvórila	ona (n)	bi bila otvórila	ona (n)	neka ótvore

VERBAL ADJECTIVES			
Active participle		**Past participle**	
ja	otvório	ja	ótvoren
ti	otvório (m)	ti	ótvoren (m)
	otvórila (f)		ótvorena (f)
	otvórilo (n)		ótvoreno(n)
on (m)	otvório	on (m)	ótvoren
ona (f)	otvórila	ona (f)	ótvorena
ono (n)	otvórilo	ono (n)	ótvoreno
mi	otvórili (m)	mi	ótvoreni (m)
	otvórile (f)		ótvorene (f)
	otvórila (n)		ótvorene (n)
vi	otvórili (m)	vi	ótvoreni (m)
	otvórile (f)		ótvorene (f)
	otvórila (n)		ótvorena (n)
oni (m)	otvórili	oni (m)	ótvoreni
one (f)	otvórile	one (f)	ótvorene
ona (n)	otvórila	ona (n)	ótvorena

VERBAL ADVERBS
Active participle
-
Past participle
otvórivši

The doors are opened. – Vrata su otvorena.

They will open this bottle. – Oni će otvoriti ovu bocu.

To Play (Igrati se) – Imperfective

Present		Perfect		Imperfect	
ja	se ígram	ja	sam se ígrao	ja	se ígrah
ti	se ígraš	ti	si se ígrao (m) si se ígrala (f) si se ígralo (n)	ti	se ígraše
on (m)	se ígra	on (m)	se je ígrao	on (m)	se ígraše
ona (f)	se ígra	ona (f)	se je ígrala	ona (f)	se ígraše
ono (n)	se ígra	ono (n)	se je ígralo	ono (n)	se ígraše
mi	se ígramo	mi	smo se ígrali (m) smo se ígrale (f) smo se ígrala (n)	mi	se ígrasmo
vi	se ígrate	vi	ste se ígrali (m) ste se ígrale (f) ste se ígrala (n)	vi	se ígraste
oni (m)	se ígraju	oni (m)	su se ígrali	oni (m)	se ígrahu
one (f)	se ígraju	one (f)	su se ígrale	one (f)	se ígrahu
ona (n)	se ígraju	ona (n)	su se ígrala	ona (n)	se ígrahu

Pluperfect		Futur 1		Futur 2	
ja	sam se bio ígrao	ja	ću se ígrati	ja	se budem ígrao
ti	si se bio ígrao (m) si se bila ígrala (f) si se bilo ígralo (n)	ti	ćeš se ígrati	ti	se budeš ígrao (m) se budeš ígrala (f) se budeš ígralo (n)
on (m)	se je bio ígrao	on (m)	će se ígrati	on (m)	se bude ígrao
ona (f)	se je bila ígrala	ona (f)	će se ígrati	ona (f)	se bude ígrala
ono (n)	se je bilo ígralo	ono (n)	će se ígrati	ono (n)	se bude ígralo
mi	smo se bili ígrali (m) smo se bile ígrale (f) smo se bila ígrala (n)	mi	ćemo se ígrati	mi	se budemo ígrali (m) se budemo ígrale (f) se budemo ígrala (n)
vi	ste se bili ígrali (m) ste se bile ígrale (f) ste se bila ígrala (n)	vi	ćete se ígrati	vi	se budete ígrali (m) se budete ígrale (f) se budete ígrala (n)
oni (m)	su se bili ígrali	oni (m)	će se ígrati	oni (m)	se budu ígrali
one (f)	su se bile ígrale	one (f)	će se ígrati	one (f)	se budu ígrale
ona (n)	su se bila ígrala	ona (n)	će se ígrati	ona (n)	se budu ígrala

VERB MOODS					
Conditional 1		**Conditional 2**		**Imperative**	
ja	bih se ígrao	ja	bih se bio ígrao	ja	-
ti	bi se ígrao (m)	ti	bi se bio ígrao (m)	ti	se ígraj
	bi se ígrala (f)		bi se bila ígrala (f)		
	bi se ígralo (n)		bi se bilo ígralo (n)		
on (m)	bi se ígrao	on (m)	bi se bio ígrao	on (m)	neka se ígra
ona (f)	bi se ígrala	ona (f)	bi se bila ígrala	ona (f)	neka se ígra
ono (n)	bi se ígralo	ono (n)	bi se bilo ígralo	ono (n)	neka se ígra
mi	bismo se ígrali (m)	mi	bismo se bili ígrali (m)	mi	se ígrajmo
	bismo se ígrale (f)		bismo se bile ígrale (f)		
	bismo se ígrala (n)		bismo se bila ígrala (n)		
vi	biste se ígrali (m)	vi	biste se bili ígrali (m)	vi	se ígrajte
	biste se ígrale (f)		biste se bile ígrale (f)		
	biste se ígrala (n)		biste se bila ígrala (n)		
oni (m)	bi se ígrali	oni (m)	bi se bili ígrali	oni (m)	neka se ígraju
one (f)	bi se ígrale	one (f)	bi se bile ígrale	one (f)	neka se ígraju
ona (n)	bi se ígrala	ona (n)	bi se bila ígrala	ona (n)	neka se ígraju

VERBAL ADJECTIVES			
Active participle		**Past participle**	
ja	ígrao se	ja	ígran
ti	ígrao se (m)	ti	ígran (m)
	ígrala se (f)		ígrana (f)
	ígralo se (n)		ígrano(n)
on (m)	ígrao se	on (m)	ígran
ona (f)	ígrala se	ona (f)	ígrana
ono (n)	ígralo se	ono (n)	ígrano
mi	ígrali se (m)	mi	ígrani (m)
	ígrale se (f)		ígrane (f)
	ígrala se (n)		ígrane (n)
vi	ígrali se (m)	vi	ígrani (m)
	ígrale se (f)		ígrane (f)
	ígrala se (n)		ígrana (n)
oni (m)	ígrali se	oni (m)	ígrani
one (f)	ígrale se	one (f)	ígrane
ona (n)	ígrala se	ona (n)	ígrana

VERBAL ADVERBS
Active participle
ígrajući se
Past participle
-

I was playing with my doll. – Igrao sam se s lutkom.

She was playing with him all the time. Ona se cijelo vrijeme igrala s njim.

To Play (Poigrati se) – Perfective

Present		Perfect		Aorist	
ja	se póigram	ja	sam se póigrao	ja	se póigrah
ti	se póigraš	ti	si se póigrao (m) si se póigrala (f) si se póigralo (n)	ti	se póigra
on (m)	se póigra	on (m)	je se póigrao	on (m)	se póigra
ona (f)	se póigra	ona (f)	je se póigrala	ona (f)	se póigra
ono (n)	se póigra	ono (n)	je se póigralo	ono (n)	se póigra
mi	se póigramo	mi	smo se póigrali (m) smo se póigrale (f) smo se póigrala (n)	mi	se póigrasmo
vi	se póigrate	vi	ste se póigrali (m) ste se póigrale (f) ste se póigrala (n)	vi	se póigraste
oni (m)	se póigraju	oni (m)	su se póigrali	oni (m)	se póigraše
one (f)	se póigraju	one (f)	su se póigrale	one (f)	se póigraše
ona (n)	se póigraju	ona (n)	su se póigrala	ona (n)	se póigraše

Pluperfect		Futur 1		Futur 2	
ja	sam se bio póigrao	ja	ću se póigrati	ja	se budem póigrao
ti	si se bio póigrao (m) si se bila póigrala (f) si se bilo póigralo (n)	ti	ćeš se póigrati	ti	se budeš póigrao (m) se budeš póigrala (f) se budeš póigralo (n)
on (m)	se je bio póigrao	on (m)	će se póigrati	on (m)	se bude póigrao
ona (f)	se je bila póigrala	ona (f)	će se póigrati	ona (f)	se bude póigrala
ono (n)	se je bilo póigralo	ono (n)	će se póigrati	ono (n)	se bude póigralo
mi	smo se bili póigrali (m) smo se bile póigrale (f) smo se bila póigrala (n)	mi	ćemo se póigrati	mi	se budemo póigrali (m) se budemo póigrale (f) se budemo póigrala (n)
vi	ste se bili póigrali (m) ste se bile póigrale (f) ste se bila póigrala (n)	vi	ćete se póigrati	vi	se budete póigrali (m) se budete póigrale (f) se budete póigrala (n)
oni (m)	su se bili póigrali	oni (m)	će se póigrati	oni (m)	se budu póigrali
one (f)	su se bile póigrale	one (f)	će se póigrati	one (f)	se budu póigrale
ona (n)	su se bila póigrala	ona (n)	će se póigrati	ona (n)	se budu póigrala

VERB MOODS					
Conditional 1		**Conditional 2**		**Imperative**	
ja	bih se póigrao	ja	bih bio póigrao	ja	-
ti	bi se póigrao (m)	ti	bi bio póigrao (m)	ti	se póigraj
	bi se póigrala (f)		bi bila póigrala (f)		
	bi se póigralo (n)		bi bilo póigralo (n)		
on (m)	bi se póigrao	on (m)	bi bio póigrao	on (m)	neka se póigra
ona (f)	bi se póigrala	ona (f)	bi bila póigrala	ona (f)	neka se póigra
ono (n)	bi se póigralo	ono (n)	bi bilo póigralo	ono (n)	neka se póigra
mi	bismo se póigrali (m)	mi	bismo bili póigrali (m)	mi	se póigrajmo
	bismo se póigrale (f)		bismo bile póigrale (f)		
	bismo se póigrala (n)		bismo bila póigrala (n)		
vi	biste se póigrali (m)	vi	biste bili póigrali (m)	vi	se póigrajte
	biste se póigrale (f)		biste bile póigrale (f)		
	biste se póigrala (n)		biste bila póigrala (n)		
oni (m)	bi se póigrali	oni (m)	bi bili póigrali	oni (m)	neka se póigraju
one (f)	bi se póigrale	one (f)	bi bile póigrale	one (f)	neka se póigraju
ona (n)	bi se póigrala	ona (n)	bi bila póigrala	ona (n)	neka se póigraju

VERBAL ADJECTIVES			
Active participle		**Past participle**	
ja	póigrao se	ja	
ti	póigrao se (m)	ti	
	póigrala se (f)		
	póigralo se (n)		
on (m)	póigrao se	on (m)	
ona (f)	póigrala se	ona (f)	
ono (n)	Póigralo se	ono (n)	
mi	póigrali se (m)	mi	
	póigrale se (f)		
	póigrala se (n)		
vi	póigrali se (m)	vi	
	póigrale se (f)		
	póigrala se (n)		
oni (m)	póigrali se	oni (m)	
one (f)	póigrale se	one (f)	
ona (n)	póigrala se	ona (n)	

VERBAL ADVERBS
Active participle
-
Past participle
póigravši se

We played for a while. – Malo smo se poigrali.

She played with him. – Ona se poigrala s njim.

To Put (Stavljati) – Imperfective

Present		Perfect		Imperfect	
ja	stávljam	ja	sam stávljao	ja	stávljah
ti	stávljaš	ti	si stávljao (m) si stávljala (f) si stávljalo (n)	ti	stávljaše
on (m)	stávlja	on (m)	je stávljao	on (m)	stávljaše
ona (f)	stávlja	ona (f)	je stávljala	ona (f)	stávljaše
ono (n)	stávlja	ono (n)	je stávljalo	ono (n)	stávljaše
mi	stávljamo	mi	smo stávljali (m) smo stávljale (f) smo stávljala (n)	mi	stávljasmo
vi	stávljate	vi	ste stávljali (m) ste stávljale (f) ste stávljala (n)	vi	stávljaste
oni (m)	stávljaju	oni (m)	su stávljali	oni (m)	stávljahu
one (f)	stávljaju	one (f)	su stávljale	one (f)	stávljahu
ona (n)	stávljaju	ona (n)	su stávljala	ona (n)	stávljahu

Pluperfect		Futur 1		Futur 2	
ja	sam bio stávljao	ja	ću stávljati	ja	budem stávljao
ti	si bio stávljao (m) si bila stávljala (f) si bilo stávljalo (n)	ti	ćeš stávljati	ti	budeš stávljao (m) budeš stávljala (f) budeš stávljalo (n)
on (m)	je bio stávljao	on (m)	će stávljati	on (m)	bude stávljao
ona (f)	je bila stávljala	ona (f)	će stávljati	ona (f)	bude stávljala
ono (n)	je bilo stávljalo	ono (n)	će stávljati	ono (n)	bude stávljalo
mi	smo bili stávljali (m) smo bile stávljale (f) smo bila stávljala (n)	mi	ćemo stávljati	mi	budemo stávljali (m) budemo stávljale (f) budemo stávljala (n)
vi	ste bili stávljali (m) ste bile stávljale (f) ste bila stávljala (n)	vi	ćete stávljati	vi	budete stávljali (m) budete stávljale (f) budete stávljala (n)
oni (m)	su bili stávljali	oni (m)	će stávljati	oni (m)	budu stávljali
one (f)	su bile stávljale	one (f)	će stávljati	one (f)	budu stávljale
ona (n)	su bila stávljala	ona (n)	će stávljati	ona (n)	budu stávljala

VERB MOODS					
Conditional 1		**Conditional 2**		**Imperative**	
ja	bih stávljao	ja	bih bio stávljao	ja	-
ti	bi stávljao (m)	ti	bi bio stávljao (m)	ti	stávljaj
	bi stávljala (f)		bi bila stávljala (f)		
	bi stávljalo (n)		bi bilo stávljalo (n)		
on (m)	bi stávljao	on (m)	bi bio stávljao	on (m)	neka stávlja
ona (f)	bi stávljala	ona (f)	bi bila stávljala	ona (f)	neka stávlja
ono (n)	bi stávljalo	ono (n)	bi bilo stávljalo	ono (n)	neka stávlja
mi	bismo stávljali (m)	mi	bismo bili stávljali (m)	mi	stávljajmo
	bismo stávljale (f)		bismo bile stávljale (f)		
	bismo stávljala (n)		bismo bila stávljala (n)		
vi	biste stávljali (m)	vi	biste bili stávljali (m)	vi	stávljajte
	biste stávljale (f)		biste bile stávljale (f)		
	biste stávljala (n)		biste bila stávljala (n)		
oni (m)	bi stávljali	oni (m)	bi bili stávljali	oni (m)	neka stávljaju
one (f)	bi stávljale	one (f)	bi bile stávljale	one (f)	neka stávljaju
ona (n)	bi stávljala	ona (n)	bi bila stávljala	ona (n)	neka stávljaju

VERBAL ADJECTIVES			
Active participle		**Past participle**	
ja	stávljao	ja	stávljan
ti	stávljao (m)	ti	stávljan (m)
	stávljala (f)		stávljana (f)
	stávljalo (n)		stávljano(n)
on (m)	stávljao	on (m)	stávljan
ona (f)	stávljala	ona (f)	stávljana
ono (n)	stávljalo	ono (n)	stávljano
mi	stávljali (m)	mi	stávljani (m)
	stávljale (f)		stávljane (f)
	stávljala (n)		stávljane (n)
vi	stávljali (m)	vi	stávljani (m)
	stávljale (f)		stávljane (f)
	stávljala (n)		stávljana (n)
oni (m)	stávljali	oni (m)	stávljani
one (f)	stávljale	one (f)	stávljane
ona (n)	stávljala	ona (n)	stávljana

VERBAL ADVERBS
Active participle
stávljajući
Past participle
-

I'm putting this shoes on it's place. – Stavljam ove cipele na svoje mjesto.

He will be putting dirty clothes in the washing machine. – Prljavu robu će stavljati u mašinu za robu.

To Put (Staviti) – Perfective

Present		Perfect		Aorist	
ja	stávim	ja	sam stávio	ja	stávih
ti	stáviš	ti	si stávio (m) si stávila (f) si stávilo (n)	ti	stávi
on (m)	stávi	on (m)	je stávio	on (m)	stávi
ona (f)	stávi	ona (f)	je stávila	ona (f)	stávi
ono (n)	stávi	ono (n)	je stávilo	ono (n)	stávi
mi	stávimo	mi	smo stávili (m) smo stávile (f) smo stávila (n)	mi	stávismo
vi	stávite	vi	ste stávili (m) ste stávile (f) ste stávila (n)	vi	stáviste
oni (m)	stáve	oni (m)	su stávili	oni (m)	stáviše
one (f)	stáve	one (f)	su stávile	one (f)	stáviše
ona (n)	stáve	ona (n)	su stávila	ona (n)	stáviše

Pluperfect		Futur 1		Futur 2	
ja	sam bio stávio	ja	ću stáviti	ja	budem stávio
ti	si bio stávio (m) si bila stávila (f) si bilo stávilo (n)	ti	ćeš stáviti	ti	budeš stávio (m) budeš stávila (f) budeš stávilo (n)
on (m)	je bio stávio	on (m)	će stáviti	on (m)	bude stávio
ona (f)	je bila stávila	ona (f)	će stáviti	ona (f)	bude stávila
ono (n)	je bilo stávilo	ono (n)	će stáviti	ono (n)	bude stávilo
mi	smo bili stávili (m) smo bile stávile (f) smo bila stávila (n)	mi	ćemo stáviti	mi	budemo stávili (m) budemo stávile (f) budemo stávila (n)
vi	ste bili stávili (m) ste bile stávile (f) ste bila stávila (n)	vi	ćete stáviti	vi	budete stávili (m) budete stávile (f) budete stávila (n)
oni (m)	su bili stávili	oni (m)	će stáviti	oni (m)	budu stávili
one (f)	su bile stávile	one (f)	će stáviti	one (f)	budu stávile
ona (n)	su bila stávila	ona (n)	će stáviti	ona (n)	budu stávila

VERB MOODS

Conditional 1		Conditional 2		Imperative	
ja	bih stávio	ja	bih bio stávio	ja	-
ti	bi stávio (m)	ti	bi bio stávio (m)	ti	stávi
	bi stávila (f)		bi bila stávila (f)		
	bi stávilo (n)		bi bilo stávilo (n)		
on (m)	bi stávio	on (m)	bi bio stávio	on (m)	neka stávi
ona (f)	bi stávila	ona (f)	bi bila stávila	ona (f)	neka stávi
ono (n)	bi stávilo	ono (n)	bi bilo stávilo	ono (n)	neka stávi
mi	bismo stávili (m)	mi	bismo bili stávili (m)	mi	stávimo
	bismo stávile (f)		bismo bile stávile (f)		
	bismo stávila (n)		bismo bila stávila (n)		
vi	biste stávili (m)	vi	biste bili stávili (m)	vi	stávite
	biste stávile (f)		biste bile stávile (f)		
	biste stávila (n)		biste bila stávila (n)		
oni (m)	bi stávili	oni (m)	bi bili stávili	oni (m)	neka stáve
one (f)	bi stávile	one (f)	bi bile stávile	one (f)	neka stáve
ona (n)	bi stávila	ona (n)	bi bila stávila	ona (n)	neka stáve

VERBAL ADJECTIVES

Active participle		Past participle	
ja	stávio	ja	stávljen
ti	stávio (m)	ti	stávljen (m)
	stávila (f)		stávljena (f)
	stávilo (n)		stávljeno(n)
on (m)	stávio	on (m)	stávljen
ona (f)	stávila	ona (f)	stávljena
ono (n)	stávilo	ono (n)	stávljeno
mi	stávili (m)	mi	stávljeni (m)
	stávile (f)		stávljene (f)
	stávila (n)		stávljene (n)
vi	stávili (m)	vi	stávljeni (m)
	stávile (f)		stávljene (f)
	stávila (n)		stávljena (n)
oni (m)	stávili	oni (m)	stávljeni
one (f)	stávile	one (f)	stávljene
ona (n)	stávila	ona (n)	stávljena

VERBAL ADVERBS
Active participle
-
Past participle
stávivši

Put it inside. – Stavi to unutra.

I will put this. – Ja ću to staviti.

To Read (Čitati) – Imperfective

Present		Perfect		Imperfect	
ja	čítam	ja	sam čítao	ja	čítah
ti	čítaš	ti	si čítao (m)	ti	čítaše
			si čítala (f)		
			si čítalo (n)		
on (m)	číta	on (m)	je čítao	on (m)	čítaše
ona (f)	číta	ona (f)	je čítala	ona (f)	čítaše
ono (n)	číta	ono (n)	je čítalo	ono (n)	čítaše
mi	čítamo	mi	smo čítali (m)	mi	čítasmo
			smo čítale (f)		
			smo čítala (n)		
vi	čítate	vi	ste čítali (m)	vi	čítaste
			ste čítale (f)		
			ste čítala (n)		
oni (m)	čítaju	oni (m)	su čítali	oni (m)	čítahu
one (f)	čítaju	one (f)	su čítale	one (f)	čítahu
ona (n)	čítaju	ona (n)	su čítala	ona (n)	čítahu

Pluperfect		Futur 1		Futur 2	
ja	sam bio čítao	ja	ću čítati	ja	budem čítao
ti	si bio čítao (m)	ti	ćeš čítati	ti	budeš čítao (m)
	si bila čítala (f)				budeš čítala (f)
	si bilo čítalo (n)				budeš čítalo (n)
on (m)	je bio čítao	on (m)	će čítati	on (m)	bude čítao
ona (f)	je bila čítala	ona (f)	će čítati	ona (f)	bude čítala
ono (n)	je bilo čítalo	ono (n)	će čítati	ono (n)	bude čítalo
mi	smo bili čítali (m)	mi	ćemo čítati	mi	budemo čítali (m)
	smo bile čítale (f)				budemo čítale (f)
	smo bila čítala (n)				budemo čítala (n)
vi	ste bili čítali (m)	vi	ćete čítati	vi	budete čítali (m)
	ste bile čítale (f)				budete čítale (f)
	ste bila čítala (n)				budete čítala (n)
oni (m)	su bili čítali	oni (m)	će čítati	oni (m)	budu čítali
one (f)	su bile čítale	one (f)	će čítati	one (f)	budu čítale
ona (n)	su bila čítala	ona (n)	će čítati	ona (n)	budu čítala

VERB MOODS					
Conditional 1		**Conditional 2**		**Imperative**	
ja	bih čítao	ja	bih bio čítao	ja	-
ti	bi čítao (m)	ti	bi bio čítao (m)	ti	čítaj
	bi čítala (f)		bi bila čítala (f)		
	bi čítalo (n)		bi bilo čítalo (n)		
on (m)	bi čítao	on (m)	bi bio čítao	on (m)	neka číta
ona (f)	bi čítala	ona (f)	bi bila čítala	ona (f)	neka číta
ono (n)	bi čítalo	ono (n)	bi bilo čítalo	ono (n)	neka číta
mi	bismo čítali (m)	mi	bismo bili čítali (m)	mi	čítajmo
	bismo čítale (f)		bismo bile čítale (f)		
	bismo čítala (n)		bismo bila čítala (n)		
vi	biste čítali (m)	vi	biste bili čítali (m)	vi	čítajte
	biste čítale (f)		biste bile čítale (f)		
	biste čítala (n)		biste bila čítala (n)		
oni (m)	bi čítali	oni (m)	bi bili čítali	oni (m)	neka čítaju
one (f)	bi čítale	one (f)	bi bile čítale	one (f)	neka čítaju
ona (n)	bi čítala	ona (n)	bi bila čítala	ona (n)	neka čítaju

VERBAL ADJECTIVES			
Active participle		**Past participle**	
ja	čítao	ja	čítan
ti	čítao (m)	ti	čítan (m)
	čítala (f)		čítana (f)
	čítalo (n)		čítano(n)
on (m)	čítao	on (m)	čítan
ona (f)	čítala	ona (f)	čítana
ono (n)	čítalo	ono (n)	čítano
mi	čítali (m)	mi	čítani (m)
	čítale (f)		čítane (f)
	čítala (n)		čítane (n)
vi	čítali (m)	vi	čítani (m)
	čítale (f)		čítane (f)
	čítala (n)		čítana (n)
oni (m)	čítali	oni (m)	čítani
one (f)	čítale	one (f)	čítane
ona (n)	čítala	ona (n)	čítana

VERBAL ADVERBS
Active participle
čítajući
Past participle
-

I love to read books. – Volim čitati knjige.

I'm reading an interesting book. – Čitam zanimljivu knjigu.

To Read (Pročitati) – Perfective

Present		Perfect		Aorist	
ja	pročítam	ja	sam pročítao	ja	pročítah
ti	pročítaš	ti	si pročítao (m) si pročítala (f) si pročítalo (n)	ti	pročíta
on (m)	pročíta	on (m)	je pročítao	on (m)	pročíta
ona (f)	pročíta	ona (f)	je pročítala	ona (f)	pročíta
ono (n)	pročíta	ono (n)	je pročítalo	ono (n)	pročíta
mi	pročítamo	mi	smo pročítali (m) smo pročítale (f) smo pročítala (n)	mi	pročítasmo
vi	pročítate	vi	ste pročítali (m) ste pročítale (f) ste pročítala (n)	vi	pročítaste
oni (m)	pročítaju	oni (m)	su pročítali	oni (m)	pročítaše
one (f)	pročítaju	one (f)	su pročítale	one (f)	pročítaše
ona (n)	pročítaju	ona (n)	su pročítala	ona (n)	pročítaše

Pluperfect		Futur 1		Futur 2	
ja	sam bio pročítao	ja	ću pročítati	ja	budem pročítao
ti	si bio pročítao (m) si bila pročítala (f) si bilo pročítalo (n)	ti	ćeš pročítati	ti	budeš pročítao (m) budeš pročítala (f) budeš pročítalo (n)
on (m)	je bio pročítao	on (m)	će pročítati	on (m)	bude pročítao
ona (f)	je bila pročítala	ona (f)	će pročítati	ona (f)	bude pročítala
ono (n)	je bilo pročítalo	ono (n)	će pročítati	ono (n)	bude pročítalo
mi	smo bili pročítali (m) smo bile pročítale (f) smo bila pročítala (n)	mi	ćemo pročítati	mi	budemo pročítali (m) budemo pročítale (f) budemo pročítala (n)
vi	ste bili pročítali (m) ste bile pročítale (f) ste bila pročítala (n)	vi	ćete pročítati	vi	budete pročítali (m) budete pročítale (f) budete pročítala (n)
oni (m)	su bili pročítali	oni (m)	će pročítati	oni (m)	budu pročítali
one (f)	su bile pročítale	one (f)	će pročítati	one (f)	budu pročítale
ona (n)	su bila pročítala	ona (n)	će pročítati	ona (n)	budu pročítala

VERB MOODS

Conditional 1		Conditional 2		Imperative	
ja	bih pročítao	ja	bih bio pročítao	ja	-
ti	bi pročítao (m)	ti	bi bio pročítao (m)	ti	pročítaj
	bi pročítala (f)		bi bila pročítala (f)		
	bi pročítalo (n)		bi bilo pročítalo (n)		
on (m)	bi pročítao	on (m)	bi bio pročítao	on (m)	neka pročíta
ona (f)	bi pročítala	ona (f)	bi bila pročítala	ona (f)	neka pročíta
ono (n)	bi pročítalo	ono (n)	bi bilo pročítalo	ono (n)	neka pročíta
mi	bismo pročítali (m)	mi	bismo bili pročítali (m)	mi	pročítajmo
	bismo pročítale (f)		bismo bile pročítale (f)		
	bismo pročítala (n)		bismo bila pročítala (n)		
vi	biste pročítali (m)	vi	biste bili pročítali (m)	vi	pročítajte
	biste pročítale (f)		biste bile pročítale (f)		
	biste pročítala (n)		biste bila pročítala (n)		
oni (m)	bi pročítali	oni (m)	bi bili pročítali	oni (m)	neka pročítaju
one (f)	bi pročítale	one (f)	bi bile pročítale	one (f)	neka pročítaju
ona (n)	bi pročítala	ona (n)	bi bila pročítala	ona (n)	neka pročítaju

VERBAL ADJECTIVES

Active participle		Past participle	
ja	pročítao	ja	próčitan
ti	pročítao (m)	ti	próčitan (m)
	pročítala (f)		próčitana (f)
	pročítalo (n)		próčitano(n)
on (m)	pročítao	on (m)	próčitan
ona (f)	pročítala	ona (f)	próčitana
ono (n)	pročítalo	ono (n)	próčitano
mi	pročítali (m)	mi	próčitani (m)
	pročítale (f)		próčitane (f)
	pročítala (n)		próčitane (n)
vi	pročítali (m)	vi	próčitani (m)
	pročítale (f)		próčitane (f)
	pročítala (n)		próčitana (n)
oni (m)	pročítali	oni (m)	próčitani
one (f)	pročítale	one (f)	próčitane
ona (n)	pročítala	ona (n)	próčitana

VERBAL ADVERBS
Active participle
-
Past participle
pročítavši

I will read this book. – Pročitat ću ovu knjigu.

They have read the news. – Oni su pročitali vijesti.

To Receive (Primati) – Imperfective

Present		Perfect		Imperfect	
ja	prímam	ja	sam prímio	ja	prímah
ti	prímaš	ti	si prímio (m)	ti	prímaše
			si prímila (f)		
			si prímilo (n)		
on (m)	príma	on (m)	je prímio	on (m)	prímaše
ona (f)	príma	ona (f)	je prímila	ona (f)	prímaše
ono (n)	príma	ono (n)	je prímilo	ono (n)	prímaše
mi	prímamo	mi	smo prímili (m)	mi	prímasmo
			smo prímile (f)		
			smo prímila (n)		
vi	prímate	vi	ste prímili (m)	vi	prímaste
			ste prímile (f)		
			ste prímila (n)		
oni (m)	prímaju	oni (m)	su prímili	oni (m)	prímahu
one (f)	prímaju	one (f)	su prímile	one (f)	prímahu
ona (n)	prímaju	ona (n)	su prímila	ona (n)	prímahu

Pluperfect		Futur 1		Futur 2	
ja	sam bio prímio	ja	ću prímiti	ja	budem prímio
ti	si bio prímio (m)	ti	ćeš prímiti	ti	budeš prímio (m)
	si bila prímila (f)				budeš prímila (f)
	si bilo prímilo (n)				budeš prímilo (n)
on (m)	je bio prímio	on (m)	će prímiti	on (m)	bude prímio
ona (f)	je bila prímila	ona (f)	će prímiti	ona (f)	bude prímila
ono (n)	je bilo prímilo	ono (n)	će prímiti	ono (n)	bude prímilo
mi	smo bili prímili (m)	mi	ćemo prímiti	mi	budemo prímili (m)
	smo bile prímile (f)				budemo prímile (f)
	smo bila prímila (n)				budemo prímila (n)
vi	ste bili prímili (m)	vi	ćete prímiti	vi	budete prímili (m)
	ste bile prímile (f)				budete prímile (f)
	ste bila prímila (n)				budete prímila (n)
oni (m)	su bili prímili	oni (m)	će prímiti	oni (m)	budu prímili
one (f)	su bile prímile	one (f)	će prímiti	one (f)	budu prímile
ona (n)	su bila prímila	ona (n)	će prímiti	ona (n)	budu prímila

VERB MOODS					
Conditional 1		**Conditional 2**		**Imperative**	
ja	bih prímio	ja	bih bio prímio	ja	-
ti	bi prímio (m) bi prímila (f) bi prímilo (n)	ti	bi bio prímio (m) bi bila prímila (f) bi bilo prímilo (n)	ti	prímaj
on (m)	bi prímio	on (m)	bi bio prímio	on (m)	neka príma
ona (f)	bi prímila	ona (f)	bi bila prímila	ona (f)	neka príma
ono (n)	bi prímilo	ono (n)	bi bilo prímilo	ono (n)	neka príma
mi	bismo prímili (m) bismo prímile (f) bismo prímila (n)	mi	bismo bili prímili (m) bismo bile prímile (f) bismo bila prímila (n)	mi	prímajmo
vi	biste prímili (m) biste prímile (f) biste prímila (n)	vi	biste bili prímili (m) biste bile prímile (f) biste bila prímila (n)	vi	prímajte
oni (m)	bi prímili	oni (m)	bi bili prímili	oni (m)	neka prímaju
one (f)	bi prímile	one (f)	bi bile prímile	one (f)	neka prímaju
ona (n)	bi prímila	ona (n)	bi bila prímila	ona (n)	neka prímaju

VERBAL ADJECTIVES			
Active participle		**Past participle**	
ja	prímio	ja	prímljen
ti	prímio (m) prímila (f) prímilo (n)	ti	prímljen (m) prímljena (f) prímljeno(n)
on (m)	prímio	on (m)	prímljen
ona (f)	prímila	ona (f)	prímljena
ono (n)	prímilo	ono (n)	prímljeno
mi	prímili (m) prímile (f) prímila (n)	mi	prímljeni (m) prímljene (f) prímljene (n)
vi	prímili (m) prímile (f) prímila (n)	vi	prímljeni (m) prímljene (f) prímljena (n)
oni (m)	prímili	oni (m)	prímljeni
one (f)	prímile	one (f)	prímljene
ona (n)	prímila	ona (n)	prímljena

VERBAL ADVERBS
Active participle
prímajući
Past participle
-

I'm receiving a signal. – Primam signal.

He used to receive many letters. – Obično je primao mnogo pisama.

To Receive (Primiti) – Perfective

Present		Perfect		Aorist	
ja	prímim	ja	sam prímio	ja	prímih
ti	prímiš	ti	si prímio (m) si prímila (f) si prímilo (n)	ti	prími
on (m)	prími	on (m)	je prímio	on (m)	prími
ona (f)	prími	ona (f)	je prímila	ona (f)	prími
ono (n)	prími	ono (n)	je prímilo	ono (n)	prími
mi	prímimo	mi	smo prímili (m) smo prímile (f) smo prímila (n)	mi	prímismo
vi	prímite	vi	ste prímili (m) ste prímile (f) ste prímila (n)	vi	prímiste
oni (m)	príme	oni (m)	su prímili	oni (m)	prímiše
one (f)	príme	one (f)	su prímile	one (f)	prímiše
ona (n)	príme	ona (n)	su prímila	ona (n)	prímiše

Pluperfect		Futur 1		Futur 2	
ja	sam bio prímio	ja	ću prímiti	ja	budem prímio
ti	si bio prímio (m) si bila prímila (f) si bilo prímilo (n)	ti	ćeš prímiti	ti	budeš prímio (m) budeš prímila (f) budeš prímilo (n)
on (m)	je bio prímio	on (m)	će prímiti	on (m)	bude prímio
ona (f)	je bila prímila	ona (f)	će prímiti	ona (f)	bude prímila
ono (n)	je bilo prímilo	ono (n)	će prímiti	ono (n)	bude prímilo
mi	smo bili prímili (m) smo bile prímile (f) smo bila prímila (n)	mi	ćemo prímiti	mi	budemo prímili (m) budemo prímile (f) budemo prímila (n)
vi	ste bili prímili (m) ste bile prímile (f) ste bila prímila (n)	vi	ćete prímiti	vi	budete prímili (m) budete prímile (f) budete prímila (n)
oni (m)	su bili prímili	oni (m)	će prímiti	oni (m)	budu prímili
one (f)	su bile prímile	one (f)	će prímiti	one (f)	budu prímile
ona (n)	su bila prímila	ona (n)	će prímiti	ona (n)	budu prímila

VERB MOODS					
Conditional 1		**Conditional 2**		**Imperative**	
ja	bih prímio	ja	bih bio prímio	ja	-
ti	bi prímio (m)	ti	bi bio prímio (m)	ti	prími
	bi prímila (f)		bi bila prímila (f)		
	bi prímilo (n)		bi bilo prímilo (n)		
on (m)	bi prímio	on (m)	bi bio prímio	on (m)	neka prími
ona (f)	bi prímila	ona (f)	bi bila prímila	ona (f)	neka prími
ono (n)	bi prímilo	ono (n)	bi bilo prímilo	ono (n)	neka prími
mi	bismo prímili (m)	mi	bismo bili prímili (m)	mi	prímimo
	bismo prímile (f)		bismo bile prímile (f)		
	bismo prímila (n)		bismo bila prímila (n)		
vi	biste prímili (m)	vi	biste bili prímili (m)	vi	prímite
	biste prímile (f)		biste bile prímile (f)		
	biste prímila (n)		biste bila prímila (n)		
oni (m)	bi prímili	oni (m)	bi bili prímili	oni (m)	neka príme
one (f)	bi prímile	one (f)	bi bile prímile	one (f)	neka príme
ona (n)	bi prímila	ona (n)	bi bila prímila	ona (n)	neka príme

VERBAL ADJECTIVES			
Active participle		**Past participle**	
ja	prímio	ja	prímljen
ti	prímio (m)	ti	prímljen (m)
	prímila (f)		prímljena (f)
	prímilo (n)		prímljeno(n)
on (m)	prímio	on (m)	prímljen
ona (f)	prímila	ona (f)	prímljena
ono (n)	prímilo	ono (n)	prímljeno
mi	prímili (m)	mi	prímljeni (m)
	prímile (f)		prímljene (f)
	prímila (n)		prímljene (n)
vi	prímili (m)	vi	prímljeni (m)
	prímile (f)		prímljene (f)
	prímila (n)		prímljena (n)
oni (m)	prímili	oni (m)	prímljeni
one (f)	prímile	one (f)	prímljene
ona (n)	prímila	ona (n)	prímljena

VERBAL ADVERBS
Active participle
-
Past participle
prímivši

He received the message. – Primio je poruku.

They will receive us. – Oni će nas primiti.

To Remember (Pamtiti) – Imperfective

Present		Perfect		Imperfect	
ja	pámtim	ja	sam pámtio	ja	pámtih
ti	pámtiš	ti	si pámtio (m) si pámtila (f) si pámtilo (n)	ti	pámtiše
on (m)	pámti	on (m)	je pámtio	on (m)	pámtiše
ona (f)	pámti	ona (f)	je pámtila	ona (f)	pámtiše
ono (n)	pámti	ono (n)	je pámtilo	ono (n)	pámtiše
mi	pámtimo	mi	smo pámtili (m) smo pámtile (f) smo pámtila (n)	mi	pámtismo
vi	pámtite	vi	ste pámtili (m) ste pámtile (f) ste pámtila (n)	vi	pámtiste
oni (m)	pámte	oni (m)	su pámtili	oni (m)	pámtihu
one (f)	pámte	one (f)	su pámtile	one (f)	pámtihu
ona (n)	pámte	ona (n)	su pámtila	ona (n)	pámtihu

Pluperfect		Futur 1		Futur 2	
ja	sam bio pámtio	ja	ću pámtiti	ja	budem pámtio
ti	si bio pámtio (m) si bila pámtila (f) si bilo pámtilo (n)	ti	ćeš pámtiti	ti	budeš pámtio (m) budeš pámtila (f) budeš pámtilo (n)
on (m)	je bio pámtio	on (m)	će pámtiti	on (m)	bude pámtio
ona (f)	je bila pámtila	ona (f)	će pámtiti	ona (f)	bude pámtila
ono (n)	je bilo pámtilo	ono (n)	će pámtiti	ono (n)	bude pámtilo
mi	smo bili pámtili (m) smo bile pámtile (f) smo bila pámtila (n)	mi	ćemo pámtiti	mi	budemo pámtili (m) budemo pámtile (f) budemo pámtila (n)
vi	ste bili pámtili (m) ste bile pámtile (f) ste bila pámtila (n)	vi	ćete pámtiti	vi	budete pámtili (m) budete pámtile (f) budete pámtila (n)
oni (m)	su bili pámtili	oni (m)	će pámtiti	oni (m)	budu pámtili
one (f)	su bile pámtile	one (f)	će pámtiti	one (f)	budu pámtile
ona (n)	su bila pámtila	ona (n)	će pámtiti	ona (n)	budu pámtila

VERB MOODS					
Conditional 1		Conditional 2		Imperative	
ja	bih pámtio	ja	bih bio pámtio	ja	-
ti	bi pámtio (m)	ti	bi bio pámtio (m)	ti	pámti
	bi pámtila (f)		bi bila pámtila (f)		
	bi pámtilo (n)		bi bilo pámtilo (n)		
on (m)	bi pámtio	on (m)	bi bio pámtio	on (m)	neka pámte
ona (f)	bi pámtila	ona (f)	bi bila pámtila	ona (f)	neka pámte
ono (n)	bi pámtilo	ono (n)	bi bilo pámtilo	ono (n)	neka pámte
mi	bismo pámtili (m)	mi	bismo bili pámtili (m)	mi	pámtimo
	bismo pámtile (f)		bismo bile pámtile (f)		
	bismo pámtila (n)		bismo bila pámtila (n)		
vi	biste pámtili (m)	vi	biste bili pámtili (m)	vi	pámtite
	biste pámtile (f)		biste bile pámtile (f)		
	biste pámtila (n)		biste bila pámtila (n)		
oni (m)	bi pámtili	oni (m)	bi bili pámtili	oni (m)	neka pámte
one (f)	bi pámtile	one (f)	bi bile pámtile	one (f)	neka pámte
ona (n)	bi pámtila	ona (n)	bi bila pámtila	ona (n)	neka pámte

VERBAL ADJECTIVES			
Active participle		Past participle	
ja	pámtio	ja	pámćen
ti	pámtio (m)	ti	pámćen (m)
	pámtila (f)		pámćena (f)
	pámtilo (n)		pámćeno(n)
on (m)	pámtio	on (m)	pámćen
ona (f)	pámtila	ona (f)	pámćena
ono (n)	pámtilo	ono (n)	pámćeno
mi	pámtili (m)	mi	pámćeni (m)
	pámtile (f)		pámćene (f)
	pámtila (n)		pámćene (n)
vi	pámtili (m)	vi	pámćeni (m)
	pámtile (f)		pámćene (f)
	pámtila (n)		pámćena (n)
oni (m)	pámtili	oni (m)	pámćeni
one (f)	pámtile	one (f)	pámćene
ona (n)	pámtila	ona (n)	pámćena

VERBAL ADVERBS
Active participle
pámteći
Past participle
-

I remember your grandmother. – Pamtim tvoju baku.

He remembers everything. – On pamti sve.

To Remember (Zapamtiti) – Perfective

Present		Perfect		Aorist	
ja	zápamtim	ja	sam zápamtio	ja	zápamtih
ti	zápamtiš	ti	si zápamtio (m) si zápamtila (f) si zápamtilo (n)	ti	zápamti
on (m)	zápamti	on (m)	je zápamtio	on (m)	zápamti
ona (f)	zápamti	ona (f)	je zápamtila	ona (f)	zápamti
ono (n)	zápamti	ono (n)	je zápamtilo	ono (n)	zápamti
mi	zápamtimo	mi	smo zápamtili (m) smo zápamtile (f) smo zápamtila (n)	mi	zápamtismo
vi	zápamtite	vi	ste zápamtili (m) ste zápamtile (f) ste zápamtila (n)	vi	zápamtiste
oni (m)	zápamte	oni (m)	su zápamtili	oni (m)	zápamtiše
one (f)	zápamte	one (f)	su zápamtile	one (f)	zápamtiše
ona (n)	zápamte	ona (n)	su zápamtila	ona (n)	zápamtiše

Pluperfect		Futur 1		Futur 2	
ja	sam bio zápamtio	ja	ću zápamtiti	ja	budem zápamtio
ti	si bio zápamtio (m) si bila zápamtila (f) si bilo zápamtilo (n)	ti	ćeš zápamtiti	ti	budeš zápamtio (m) budeš zápamtila (f) budeš zápamtilo (n)
on (m)	je bio zápamtio	on (m)	će zápamtiti	on (m)	bude zápamtio
ona (f)	je bila zápamtila	ona (f)	će zápamtiti	ona (f)	bude zápamtila
ono (n)	je bilo zápamtilo	ono (n)	će zápamtiti	ono (n)	bude zápamtilo
mi	smo bili zápamtili (m) smo bile zápamtile (f) smo bila zápamtila (n)	mi	ćemo zápamtiti	mi	budemo zápamtili (m) budemo zápamtile (f) budemo zápamtila (n)
vi	ste bili zápamtili (m) ste bile zápamtile (f) ste bila zápamtila (n)	vi	ćete zápamtiti	vi	budete zápamtili (m) budete zápamtile (f) budete zápamtila (n)
oni (m)	su bili zápamtili	oni (m)	će zápamtiti	oni (m)	budu zápamtili
one (f)	su bile zápamtile	one (f)	će zápamtiti	one (f)	budu zápamtile
ona (n)	su bila zápamtila	ona (n)	će zápamtiti	ona (n)	budu zápamtila

VERB MOODS					
Conditional 1		**Conditional 2**		**Imperative**	
ja	bih zápamtio	ja	bih bio zápamtio	ja	-
ti	bi zápamtio (m)	ti	bi bio zápamtio (m)	ti	zápamti
	bi zápamtila (f)		bi bila zápamtila (f)		
	bi zápamtilo (n)		bi bilo zápamtilo (n)		
on (m)	bi zápamtio	on (m)	bi bio zápamtio	on (m)	neka zápamti
ona (f)	bi zápamtila	ona (f)	bi bila zápamtila	ona (f)	neka zápamti
ono (n)	bi zápamtilo	ono (n)	bi bilo zápamtilo	ono (n)	neka zápamti
mi	bismo zápamtili (m)	mi	bismo bili zápamtili (m)	mi	zápamtimo
	bismo zápamtile (f)		bismo bile zápamtile (f)		
	bismo zápamtila (n)		bismo bila zápamtila (n)		
vi	biste zápamtili (m)	vi	biste bili zápamtili (m)	vi	zápamtite
	biste zápamtile (f)		biste bile zápamtile (f)		
	biste zápamtila (n)		biste bila zápamtila (n)		
oni (m)	bi zápamtili	oni (m)	bi bili zápamtili	oni (m)	neka zápamte
one (f)	bi zápamtile	one (f)	bi bile zápamtile	one (f)	neka zápamte
ona (n)	bi zápamtila	ona (n)	bi bila zápamtila	ona (n)	neka zápamte

VERBAL ADJECTIVES			
Active participle		**Past participle**	
ja	zápamtio	ja	zápamćen
ti	zápamtio (m)	ti	zápamćen (m)
	zápamtila (f)		zápamćena (f)
	zápamtilo (n)		zápamćeno(n)
on (m)	zápamtio	on (m)	zápamćen
ona (f)	zápamtila	ona (f)	zápamćena
ono (n)	zápamtilo	ono (n)	zápamćeno
mi	zápamtili (m)	mi	zápamćeni (m)
	zápamtile (f)		zápamćene (f)
	zápamtila (n)		zápamćene (n)
vi	zápamtili (m)	vi	zápamćeni (m)
	zápamtile (f)		zápamćene (f)
	zápamtila (n)		zápamćena (n)
oni (m)	zápamtili	oni (m)	zápamćeni
one (f)	zápamtile	one (f)	zápamćene
ona (n)	zápamtila	ona (n)	zápamćena

VERBAL ADVERBS
Active participle
-
Past participle
zápamtivši

I remembered this. – Zapamtio sam ovo

He will remember me. – On će me zapamtiti.

To Repeat (Ponavljati) – Imperfective

Present		Perfect		Imperfect	
ja	pónavljam	ja	sam ponávljao	ja	ponávljah
ti	pónavljaš	ti	si ponávljao (m) si ponávljala (f) si ponávljalo (n)	ti	ponávljaše
on (m)	pónavlja	on (m)	je ponávljao	on (m)	ponávljaše
ona (f)	pónavlja	ona (f)	je ponávljala	ona (f)	ponávljaše
ono (n)	pónavlja	ono (n)	je ponávljalo	ono (n)	ponávljaše
mi	pónavljamo	mi	smo ponávljali (m) smo ponávljale (f) smo ponávljala (n)	mi	ponávljasmo
vi	pónavljate	vi	ste ponávljali (m) ste ponávljale (f) ste ponávljala (n)	vi	ponávljaste
oni (m)	pónavljaju	oni (m)	su ponávljali	oni (m)	ponávljahu
one (f)	pónavljaju	one (f)	su ponávljale	one (f)	ponávljahu
ona (n)	pónavljaju	ona (n)	su ponávljala	ona (n)	ponávljahu

Pluperfect		Futur 1		Futur 2	
ja	sam bio ponávljao	ja	ću ponávljati	ja	budem ponávljao
ti	si bio ponávljao (m) si bila ponávljala (f) si bilo ponávljalo (n)	ti	ćeš ponávljati	ti	budeš ponávljao (m) budeš ponávljala (f) budeš ponávljalo (n)
on (m)	je bio ponávljao	on (m)	će ponávljati	on (m)	bude ponávljao
ona (f)	je bila ponávljala	ona (f)	će ponávljati	ona (f)	bude ponávljala
ono (n)	je bilo ponávljalo	ono (n)	će ponávljati	ono (n)	bude ponávljalo
mi	smo bili ponávljali (m) smo bile ponávljale (f) smo bila ponávljala (n)	mi	ćemo ponávljati	mi	budemo ponávljali (m) budemo ponávljale (f) budemo ponávljala (n)
vi	ste bili ponávljali (m) ste bile ponávljale (f) ste bila ponávljala (n)	vi	ćete ponávljati	vi	budete ponávljali (m) budete ponávljale (f) budete ponávljala (n)
oni (m)	su bili ponávljali	oni (m)	će ponávljati	oni (m)	budu ponávljali
one (f)	su bile ponávljale	one (f)	će ponávljati	one (f)	budu ponávljale
ona (n)	su bila ponávljala	ona (n)	će ponávljati	ona (n)	budu ponávljala

VERB MOODS					
Conditional 1		**Conditional 2**		**Imperative**	
ja	bih ponávljao	ja	bih bio ponávljao	ja	-
ti	bi ponávljao (m) bi ponávljala (f) bi ponávljalo (n)	ti	bi bio ponávljao (m) bi bila ponávljala (f) bi bilo ponávljalo (n)	ti	pónavljaj
on (m)	bi ponávljao	on (m)	bi bio ponávljao	on (m)	neka pónavlja
ona (f)	bi ponávljala	ona (f)	bi bila ponávljala	ona (f)	neka pónavlja
ono (n)	bi ponávljalo	ono (n)	bi bilo ponávljalo	ono (n)	neka pónavlja
mi	bismo ponávljali (m) bismo ponávljale (f) bismo ponávljala (n)	mi	bismo bili ponávljali (m) bismo bile ponávljale (f) bismo bila ponávljala (n)	mi	pónavljajmo
vi	biste ponávljali (m) biste ponávljale (f) biste ponávljala (n)	vi	biste bili ponávljali (m) biste bile ponávljale (f) biste bila ponávljala (n)	vi	pónavljajte
oni (m)	bi ponávljali	oni (m)	bi bili ponávljali	oni (m)	neka pónavljaju
one (f)	bi ponávljale	one (f)	bi bile ponávljale	one (f)	neka pónavljaju
ona (n)	bi ponávljala	ona (n)	bi bila ponávljala	ona (n)	neka pónavljaju

VERBAL ADJECTIVES			
Active participle		**Past participle**	
ja	ponávljao	ja	pónavljan
ti	ponávljao (m) ponávljala (f) ponávljalo (n)	ti	pónavljan (m) pónavljana (f) pónavljano(n)
on (m)	ponávljao	on (m)	pónavljan
ona (f)	ponávljala	ona (f)	pónavljana
ono (n)	ponávljalo	ono (n)	pónavljano
mi	ponávljali (m) ponávljale (f) ponávljala (n)	mi	pónavljani (m) pónavljane (f) pónavljane (n)
vi	ponávljali (m) ponávljale (f) ponávljala (n)	vi	pónavljani (m) pónavljane (f) pónavljana (n)
oni (m)	ponávljali	oni (m)	pónavljani
one (f)	ponávljale	one (f)	pónavljane
ona (n)	ponávljala	ona (n)	pónavljana

VERBAL ADVERBS
Active participle
ponávljajući
Past participle
-

I repeat lessons every day. – Ponavljam lekcije svaki dan.

He will repeat every hour. – On će ponavljati svaki dan.

To Repeat (Ponoviti) – Perfective

Present		Perfect		Aorist	
ja	pónovim	ja	sam ponóvio	ja	ponóvih
ti	pónoviš	ti	si ponóvio (m) si ponóvila (f) si ponóvilo (n)	ti	ponóvi
on (m)	pónovi	on (m)	je ponóvio	on (m)	ponóvi
ona (f)	pónovi	ona (f)	je ponóvila	ona (f)	ponóvi
ono (n)	pónovi	ono (n)	je ponóvilo	ono (n)	ponóvi
mi	pónovimo	mi	smo ponóvili (m) smo ponóvile (f) smo ponóvila (n)	mi	ponóvismo
vi	pónovite	vi	ste ponóvili (m) ste ponóvile (f) ste ponóvila (n)	vi	ponóviste
oni (m)	pónove	oni (m)	su ponóvili	oni (m)	ponóviše
one (f)	pónove	one (f)	su ponóvile	one (f)	ponóviše
ona (n)	pónove	ona (n)	su ponóvila	ona (n)	ponóviše

Pluperfect		Futur 1		Futur 2	
ja	sam bio ponóvio	ja	ću ponóviti	ja	budem ponóvio
ti	si bio ponóvio (m) si bila ponóvila (f) si bilo ponóvilo (n)	ti	ćeš ponóviti	ti	budeš ponóvio (m) budeš ponóvila (f) budeš ponóvilo (n)
on (m)	je bio ponóvio	on (m)	će ponóviti	on (m)	bude ponóvio
ona (f)	je bila ponóvila	ona (f)	će ponóviti	ona (f)	bude ponóvila
ono (n)	je bilo ponóvilo	ono (n)	će ponóviti	ono (n)	bude ponóvilo
mi	smo bili ponóvili (m) smo bile ponóvile (f) smo bila ponóvila (n)	mi	ćemo ponóviti	mi	budemo ponóvili (m) budemo ponóvile (f) budemo ponóvila (n)
vi	ste bili ponóvili (m) ste bile ponóvile (f) ste bila ponóvila (n)	vi	ćete ponóviti	vi	budete ponóvili (m) budete ponóvile (f) budete ponóvila (n)
oni (m)	su bili ponóvili	oni (m)	će ponóviti	oni (m)	budu ponóvili
one (f)	su bile ponóvile	one (f)	će ponóviti	one (f)	budu ponóvile
ona (n)	su bila ponóvila	ona (n)	će ponóviti	ona (n)	budu ponóvila

VERB MOODS					
Conditional 1		**Conditional 2**		**Imperative**	
ja	bih ponóvio	ja	bih bio ponóvio	ja	-
ti	bi ponóvio (m)	ti	bi bio ponóvio (m)	ti	ponóvi
	bi ponóvila (f)		bi bila ponóvila (f)		
	bi ponóvilo (n)		bi bilo ponóvilo (n)		
on (m)	bi ponóvio	on (m)	bi bio ponóvio	on (m)	neka pónovi
ona (f)	bi ponóvila	ona (f)	bi bila ponóvila	ona (f)	neka pónovi
ono (n)	bi ponóvilo	ono (n)	bi bilo ponóvilo	ono (n)	neka pónovi
mi	bismo ponóvili (m)	mi	bismo bili ponóvili (m)	mi	ponóvimo
	bismo ponóvile (f)		bismo bile ponóvile (f)		
	bismo ponóvila (n)		bismo bila ponóvila (n)		
vi	biste ponóvili (m)	vi	biste bili ponóvili (m)	vi	ponóvite
	biste ponóvile (f)		biste bile ponóvile (f)		
	biste ponóvila (n)		biste bila ponóvila (n)		
oni (m)	bi ponóvili	oni (m)	bi bili ponóvili	oni (m)	neka pónove
one (f)	bi ponóvile	one (f)	bi bile ponóvile	one (f)	neka pónove
ona (n)	bi ponóvila	ona (n)	bi bila ponóvila	ona (n)	neka pónove

VERBAL ADJECTIVES			
Active participle		**Past participle**	
ja	ponóvio	ja	ponóvljen
ti	ponóvio (m)	ti	ponóvljen (m)
	ponóvila (f)		ponóvljena (f)
	ponóvilo (n)		ponóvljeno(n)
on (m)	ponóvio	on (m)	ponóvljen
ona (f)	ponóvila	ona (f)	ponóvljena
ono (n)	ponóvilo	ono (n)	ponóvljeno
mi	ponóvili (m)	mi	ponóvljeni (m)
	ponóvile (f)		ponóvljene (f)
	ponóvila (n)		ponóvljene (n)
vi	ponóvili (m)	vi	ponóvljeni (m)
	ponóvile (f)		ponóvljene (f)
	ponóvila (n)		ponóvljena (n)
oni (m)	ponóvili	oni (m)	ponóvljeni
one (f)	ponóvile	one (f)	ponóvljene
ona (n)	ponóvila	ona (n)	ponóvljena

VERBAL ADVERBS
Active participle
-
Past participle
ponóvivši

Repeat after me. – Ponovi poslije mene.

This movie was repeated. – Ovaj film je ponovljen.

To Return (Vraćati) – Imperfective

Present		Perfect		Imperfect	
ja	vráćam	ja	sam vráćao	ja	vráćah
ti	vráćaš	ti	si vráćao (m)	ti	vráćaše
			si vráćala (f)		
			si vráćalo (n)		
on (m)	vráća	on (m)	je vráćao	on (m)	vráćaše
ona (f)	vráća	ona (f)	je vráćala	ona (f)	vráćaše
ono (n)	vráća	ono (n)	je vráćalo	ono (n)	vráćaše
mi	vráćamo	mi	smo vráćali (m)	mi	vráćasmo
			smo vráćale (f)		
			smo vráćala (n)		
vi	vráćate	vi	ste vráćali (m)	vi	vráćaste
			ste vráćale (f)		
			ste vráćala (n)		
oni (m)	vráćaju	oni (m)	su vráćali	oni (m)	vráćahu
one (f)	vráćaju	one (f)	su vráćale	one (f)	vráćahu
ona (n)	vráćaju	ona (n)	su vráćala	ona (n)	vráćahu

Pluperfect		Futur 1		Futur 2	
ja	sam bio vráćao	ja	ću vráćati	ja	budem vráćao
ti	si bio vráćao (m)	ti	ćeš vráćati	ti	budeš vráćao (m)
	si bila vráćala (f)				budeš vráćala (f)
	si bilo vráćalo (n)				budeš vráćalo (n)
on (m)	je bio vráćao	on (m)	će vráćati	on (m)	bude vráćao
ona (f)	je bila vráćala	ona (f)	će vráćati	ona (f)	bude vráćala
ono (n)	je bilo vráćalo	ono (n)	će vráćati	ono (n)	bude vráćalo
mi	smo bili vráćali (m)	mi	ćemo vráćati	mi	budemo vráćali (m)
	smo bile vráćale (f)				budemo vráćale (f)
	smo bila vráćala (n)				budemo vráćala (n)
vi	ste bili vráćali (m)	vi	ćete vráćati	vi	budete vráćali (m)
	ste bile vráćale (f)				budete vráćale (f)
	ste bila vráćala (n)				budete vráćala (n)
oni (m)	su bili vráćali	oni (m)	će vráćati	oni (m)	budu vráćali
one (f)	su bile vráćale	one (f)	će vráćati	one (f)	budu vráćale
ona (n)	su bila vráćala	ona (n)	će vráćati	ona (n)	budu vráćala

VERB MOODS					
Conditional 1		**Conditional 2**		**Imperative**	
ja	bih vráćao	ja	bih bio vráćao	ja	-
ti	bi vráćao (m)	ti	bi bio vráćao (m)	ti	vráćaj
	bi vráćala (f)		bi bila vráćala (f)		
	bi vráćalo (n)		bi bilo vráćalo (n)		
on (m)	bi vráćao	on (m)	bi bio vráćao	on (m)	neka vráća
ona (f)	bi vráćala	ona (f)	bi bila vráćala	ona (f)	neka vráća
ono (n)	bi vráćalo	ono (n)	bi bilo vráćalo	ono (n)	neka vráća
mi	bismo vráćali (m)	mi	bismo bili vráćali (m)	mi	vráćajmo
	bismo vráćale (f)		bismo bile vráćale (f)		
	bismo vráćala (n)		bismo bila vráćala (n)		
vi	biste vráćali (m)	vi	biste bili vráćali (m)	vi	vráćajte
	biste vráćale (f)		biste bile vráćale (f)		
	biste vráćala (n)		biste bila vráćala (n)		
oni (m)	bi vráćali	oni (m)	bi bili vráćali	oni (m)	neka vráćaju
one (f)	bi vráćale	one (f)	bi bile vráćale	one (f)	neka vráćaju
ona (n)	bi vráćala	ona (n)	bi bila vráćala	ona (n)	neka vráćaju

VERBAL ADJECTIVES			
Active participle		**Past participle**	
ja	vráćao	ja	vráćan
ti	vráćao (m)	ti	vráćan (m)
	vráćala (f)		vráćana (f)
	vráćalo (n)		vráćano(n)
on (m)	vráćao	on (m)	vráćan
ona (f)	vráćala	ona (f)	vráćana
ono (n)	vráćalo	ono (n)	vráćano
mi	vráćali (m)	mi	vráćani (m)
	vráćale (f)		vráćane (f)
	vráćala (n)		vráćane (n)
vi	vráćali (m)	vi	vráćani (m)
	vráćale (f)		vráćane (f)
	vráćala (n)		vráćana (n)
oni (m)	vráćali	oni (m)	vráćani
one (f)	vráćale	one (f)	vráćane
ona (n)	vráćala	ona (n)	vráćana

VERBAL ADVERBS
Active participle
vráćajući
Past participle
-

I am returning to my home. – Vraćam se svojoj kući.

He was returning through the forest. – On se vraćao kroz šumu.

To Return (Vratiti) – Perfective

Present		Perfect		Aorist	
ja	vrátim	ja	sam vrátio	ja	vrátih
ti	vrátiš	ti	si vrátio (m) si vrátila (f) si vrátilo (n)	ti	vráti
on (m)	vráti	on (m)	je vrátio	on (m)	vráti
ona (f)	vráti	ona (f)	je vrátila	ona (f)	vráti
ono (n)	vráti	ono (n)	je vrátilo	ono (n)	vráti
mi	vrátimo	mi	smo vrátili (m) smo vrátile (f) smo vrátila (n)	mi	vrátismo
vi	vrátite	vi	ste vrátili (m) ste vrátile (f) ste vrátila (n)	vi	vrátiste
oni (m)	vráte	oni (m)	su vrátili	oni (m)	vrátiše
one (f)	vráte	one (f)	su vrátile	one (f)	vrátiše
ona (n)	vráte	ona (n)	su vrátila	ona (n)	vrátiše

Pluperfect		Futur 1		Futur 2	
ja	sam bio vrátio	ja	ću vrátiti	ja	budem vrátio
ti	si bio vrátio (m) si bila vrátila (f) si bilo vrátilo (n)	ti	ćeš vrátiti	ti	budeš vrátio (m) budeš vrátila (f) budeš vrátilo (n)
on (m)	je bio vrátio	on (m)	će vrátiti	on (m)	bude vrátio
ona (f)	je bila vrátila	ona (f)	će vrátiti	ona (f)	bude vrátila
ono (n)	je bilo vrátilo	ono (n)	će vrátiti	ono (n)	bude vrátilo
mi	smo bili vrátili (m) smo bile vrátile (f) smo bila vrátila (n)	mi	ćemo vrátiti	mi	budemo vrátili (m) budemo vrátile (f) budemo vrátila (n)
vi	ste bili vrátili (m) ste bile vrátile (f) ste bila vrátila (n)	vi	ćete vrátiti	vi	budete vrátili (m) budete vrátile (f) budete vrátila (n)
oni (m)	su bili vrátili	oni (m)	će vrátiti	oni (m)	budu vrátili
one (f)	su bile vrátile	one (f)	će vrátiti	one (f)	budu vrátile
ona (n)	su bila vrátila	ona (n)	će vrátiti	ona (n)	budu vrátila

VERB MOODS					
Conditional 1		**Conditional 2**		**Imperative**	
ja	bih vrátio	ja	bih bio vrátio	ja	-
ti	bi vrátio (m)	ti	bi bio vrátio (m)	ti	vráti
	bi vrátila (f)		bi bila vrátila (f)		
	bi vrátilo (n)		bi bilo vrátilo (n)		
on (m)	bi vrátio	on (m)	bi bio vrátio	on (m)	neka vráti
ona (f)	bi vrátila	ona (f)	bi bila vrátila	ona (f)	neka vráti
ono (n)	bi vrátilo	ono (n)	bi bilo vrátilo	ono (n)	neka vráti
mi	bismo vrátili (m)	mi	bismo bili vrátili (m)	mi	vrátimo
	bismo vrátile (f)		bismo bile vrátile (f)		
	bismo vrátila (n)		bismo bila vrátila (n)		
vi	biste vrátili (m)	vi	biste bili vrátili (m)	vi	vrátite
	biste vrátile (f)		biste bile vrátile (f)		
	biste vrátila (n)		biste bila vrátila (n)		
oni (m)	bi vrátili	oni (m)	bi bili vrátili	oni (m)	neka vráte
one (f)	bi vrátile	one (f)	bi bile vrátile	one (f)	neka vráte
ona (n)	bi vrátila	ona (n)	bi bila vrátila	ona (n)	neka vráte

VERBAL ADJECTIVES			
Active participle		**Past participle**	
ja	vrátio	ja	vraćen
ti	vrátio (m)	ti	vraćen (m)
	vrátila (f)		vraćena (f)
	vrátilo (n)		vraćeno(n)
on (m)	vrátio	on (m)	vraćen
ona (f)	vrátila	ona (f)	vraćena
ono (n)	vrátilo	ono (n)	vraćeno
mi	vrátili (m)	mi	vraćeni (m)
	vrátile (f)		vraćene (f)
	vrátila (n)		vraćene (n)
vi	vrátili (m)	vi	vraćeni (m)
	vrátile (f)		vraćene (f)
	vrátila (n)		vraćena (n)
oni (m)	vrátili	oni (m)	vraćeni
one (f)	vrátile	one (f)	vraćene
ona (n)	vrátila	ona (n)	vraćena

VERBAL ADVERBS
Active participle
-
Past participle
vrátivši

I returned to my home. – Vratio sam se svojoj kući.

He returned to the start. – On se vratio na početak.

To Run (Trčati) – Imperfective

Present	
ja	tŕčim
ti	tŕčiš
on (m)	tŕči
ona (f)	tŕči
ono (n)	tŕči
mi	tŕčimo
vi	tŕčite
oni (m)	tŕče
one (f)	tŕče
ona (n)	tŕče

Perfect	
ja	sam tŕčao
ti	si tŕčao (m)
	si tŕčala (f)
	si tŕčalo (n)
on (m)	je tŕčao
ona (f)	je tŕčala
ono (n)	je tŕčalo
mi	smo tŕčali (m)
	smo tŕčale (f)
	smo tŕčala (n)
vi	ste tŕčali (m)
	ste tŕčale (f)
	ste tŕčala (n)
oni (m)	su tŕčali
one (f)	su tŕčale
ona (n)	su tŕčala

Imperfect	
ja	tŕčah
ti	tŕčaše
on (m)	tŕčaše
ona (f)	tŕčaše
ono (n)	tŕčaše
mi	tŕčasmo
vi	tŕčaste
oni (m)	tŕčahu
one (f)	tŕčahu
ona (n)	tŕčahu

Pluperfect	
ja	sam bio tŕčao
ti	si bio tŕčao (m)
	si bila tŕčala (f)
	si bilo tŕčalo (n)
on (m)	je bio tŕčao
ona (f)	je bila tŕčala
ono (n)	je bilo tŕčalo
mi	smo bili tŕčali (m)
	smo bile tŕčale (f)
	smo bila tŕčala (n)
vi	ste bili tŕčali (m)
	ste bile tŕčale (f)
	ste bila tŕčala (n)
oni (m)	su bili tŕčali
one (f)	su bile tŕčale
ona (n)	su bila tŕčala

Futur 1	
ja	ću tŕčati
ti	ćeš tŕčati
on (m)	će tŕčati
ona (f)	će tŕčati
ono (n)	će tŕčati
mi	ćemo tŕčati
vi	ćete tŕčati
oni (m)	će tŕčati
one (f)	će tŕčati
ona (n)	će tŕčati

Futur 2	
ja	budem tŕčao
ti	budeš tŕčao (m)
	budeš tŕčala (f)
	budeš tŕčalo (n)
on (m)	bude tŕčao
ona (f)	bude tŕčala
ono (n)	bude tŕčalo
mi	budemo tŕčali (m)
	budemo tŕčale (f)
	budemo tŕčala (n)
vi	budete tŕčali (m)
	budete tŕčale (f)
	budete tŕčala (n)
oni (m)	budu tŕčali
one (f)	budu tŕčale
ona (n)	budu tŕčala

VERB MOODS					
Conditional 1		**Conditional 2**		**Imperative**	
ja	bih tŕčao	ja	bih bio tŕčao	ja	-
ti	bi tŕčao (m)	ti	bi bio tŕčao (m)	ti	tŕči
	bi tŕčala (f)		bi bila tŕčala (f)		
	bi tŕčalo (n)		bi bilo tŕčalo (n)		
on (m)	bi tŕčao	on (m)	bi bio tŕčao	on (m)	neka tŕči
ona (f)	bi tŕčala	ona (f)	bi bila tŕčala	ona (f)	neka tŕči
ono (n)	bi tŕčalo	ono (n)	bi bilo tŕčalo	ono (n)	neka tŕči
mi	bismo tŕčali (m)	mi	bismo bili tŕčali (m)	mi	tŕčimo
	bismo tŕčale (f)		bismo bile tŕčale (f)		
	bismo tŕčala (n)		bismo bila tŕčala (n)		
vi	biste tŕčali (m)	vi	biste bili tŕčali (m)	vi	tŕčite
	biste tŕčale (f)		biste bile tŕčale (f)		
	biste tŕčala (n)		biste bila tŕčala (n)		
oni (m)	bi tŕčali	oni (m)	bi bili tŕčali	oni (m)	neka tŕče
one (f)	bi tŕčale	one (f)	bi bile tŕčale	one (f)	neka tŕče
ona (n)	bi tŕčala	ona (n)	bi bila tŕčala	ona (n)	neka tŕče

VERBAL ADJECTIVES			
Active participle		**Past participle**	
ja	tŕčao	ja	tŕčan
ti	tŕčao (m)	ti	tŕčan (m)
	tŕčala (f)		tŕčana (f)
	tŕčalo (n)		tŕčano(n)
on (m)	tŕčao	on (m)	tŕčan
ona (f)	tŕčala	ona (f)	tŕčana
ono (n)	tŕčalo	ono (n)	tŕčano
mi	tŕčali (m)	mi	tŕčani (m)
	tŕčale (f)		tŕčane (f)
	tŕčala (n)		tŕčane (n)
vi	tŕčali (m)	vi	tŕčani (m)
	tŕčale (f)		tŕčane (f)
	tŕčala (n)		tŕčana (n)
oni (m)	tŕčali	oni (m)	tŕčani
one (f)	tŕčale	one (f)	tŕčane
ona (n)	tŕčala	ona (n)	tŕčana

VERBAL ADVERBS
Active participle
tŕčajući
Past participle
-

I'm running for two hours. – Tŕčim dva sata.

They were running after red cat. – Oni su tŕčali za crvenom mačkom.

To Run (Potrčati) – Perfective

Present		Perfect		Aorist	
ja	pótrčim	ja	sam pótrčao	ja	pótrčah
ti	pótrčiš	ti	si pótrčao (m) si pótrčala (f) si pótrčalo (n)	ti	pótrča
on (m)	pótrči	on (m)	je pótrčao	on (m)	pótrča
ona (f)	pótrči	ona (f)	je pótrčala	ona (f)	pótrča
ono (n)	pótrči	ono (n)	je pótrčalo	ono (n)	pótrča
mi	pótrčimo	mi	smo pótrčali (m) smo pótrčale (f) smo pótrčala (n)	mi	pótrčasmo
vi	pótrčite	vi	ste pótrčali (m) ste pótrčale (f) ste pótrčala (n)	vi	pótrčaste
oni (m)	pótrče	oni (m)	su pótrčali	oni (m)	pótrčaše
one (f)	pótrče	one (f)	su pótrčale	one (f)	pótrčaše
ona (n)	pótrče	ona (n)	su pótrčala	ona (n)	pótrčaše

Pluperfect		Futur 1		Futur 2	
ja	sam bio pótrčao	ja	ću potŕčati	ja	budem pótrčao
ti	si bio pótrčao (m) si bila pótrčala (f) si bilo pótrčalo (n)	ti	ćeš potŕčati	ti	budeš pótrčao (m) budeš pótrčala (f) budeš pótrčalo (n)
on (m)	je bio pótrčao	on (m)	će potŕčati	on (m)	bude pótrčao
ona (f)	je bila pótrčala	ona (f)	će potŕčati	ona (f)	bude pótrčala
ono (n)	je bilo pótrčalo	ono (n)	će potŕčati	ono (n)	bude pótrčalo
mi	smo bili pótrčali (m) smo bile pótrčale (f) smo bila pótrčala (n)	mi	ćemo potŕčati	mi	budemo pótrčali (m) budemo pótrčale (f) budemo pótrčala (n)
vi	ste bili pótrčali (m) ste bile pótrčale (f) ste bila pótrčala (n)	vi	ćete potŕčati	vi	budete pótrčali (m) budete pótrčale (f) budete pótrčala (n)
oni (m)	su bili pótrčali	oni (m)	će potŕčati	oni (m)	budu pótrčali
one (f)	su bile pótrčale	one (f)	će potŕčati	one (f)	budu pótrčale
ona (n)	su bila pótrčala	ona (n)	će potŕčati	ona (n)	budu pótrčala

VERB MOODS					
Conditional 1		**Conditional 2**		**Imperative**	
ja	bih pótrčao	ja	bih bio pótrčao	ja	-
ti	bi pótrčao (m)	ti	bi bio pótrčao (m)	ti	potŕči
	bi pótrčala (f)		bi bila pótrčala (f)		
	bi pótrčalo (n)		bi bilo pótrčalo (n)		
on (m)	bi pótrčao	on (m)	bi bio pótrčao	on (m)	neka pótrči
ona (f)	bi pótrčala	ona (f)	bi bila pótrčala	ona (f)	neka pótrči
ono (n)	bi pótrčalo	ono (n)	bi bilo pótrčalo	ono (n)	neka pótrči
mi	bismo pótrčali (m)	mi	bismo bili pótrčali (m)	mi	potŕčimo
	bismo pótrčale (f)		bismo bile pótrčale (f)		
	bismo pótrčala (n)		bismo bila pótrčala (n)		
vi	biste pótrčali (m)	vi	biste bili pótrčali (m)	vi	potŕčite
	biste pótrčale (f)		biste bile pótrčale (f)		
	biste pótrčala (n)		biste bila pótrčala (n)		
oni (m)	bi pótrčali	oni (m)	bi bili pótrčali	oni (m)	neka pótrče
one (f)	bi pótrčale	one (f)	bi bile pótrčale	one (f)	neka pótrče
ona (n)	bi pótrčala	ona (n)	bi bila pótrčala	ona (n)	neka pótrče

VERBAL ADJECTIVES			
Active participle		**Past participle**	
ja	pótrčao	ja	pótrčan
ti	pótrčao (m)	ti	pótrčan (m)
	pótrčala (f)		pótrčana (f)
	pótrčalo (n)		pótrčano(n)
on (m)	pótrčao	on (m)	pótrčan
ona (f)	pótrčala	ona (f)	pótrčana
ono (n)	pótrčalo	ono (n)	pótrčano
mi	pótrčali (m)	mi	pótrčani (m)
	pótrčale (f)		pótrčane (f)
	pótrčala (n)		pótrčane (n)
vi	pótrčali (m)	vi	pótrčani (m)
	pótrčale (f)		pótrčane (f)
	pótrčala (n)		pótrčana (n)
oni (m)	pótrčali	oni (m)	pótrčani
one (f)	pótrčale	one (f)	pótrčane
ona (n)	pótrčala	ona (n)	pótrčana

VERBAL ADVERBS
Active participle
-
Past participle
pótrčavši

The started to run after the shoot. – Potrčali su nakon pucnja.

When she saw him she started to run. – Kad ga je vidjela potrčala je.

To Say (Govoriti) – Imperfective

Present		Perfect		Imperfect	
ja	góvorim	ja	sam govório	ja	govórah
ti	góvoriš	ti	si govório (m)	ti	govóraše
			si govórila (f)		
			si govórilo (n)		
on (m)	góvori	on (m)	je govório	on (m)	govóraše
ona (f)	góvori	ona (f)	je govórila	ona (f)	govóraše
ono (n)	góvori	ono (n)	je govórilo	ono (n)	govóraše
mi	góvorimo	mi	smo govórili (m)	mi	govórasmo
			smo govórile (f)		
			smo govórila (n)		
vi	góvorite	vi	ste govórili (m)	vi	govóraste
			ste govórile (f)		
			ste govórila (n)		
oni (m)	góvore	oni (m)	su govórili	oni (m)	govórahu
one (f)	góvore	one (f)	su govórile	one (f)	govórahu
ona (n)	góvore	ona (n)	su govórila	ona (n)	govórahu

Pluperfect		Futur 1		Futur 2	
ja	sam bio govório	ja	ću govóriti	ja	budem govório
ti	si bio govório (m)	ti	ćeš govóriti	ti	budeš govório (m)
	si bila govórila (f)				budeš govórila (f)
	si bilo govórilo (n)				budeš govórilo (n)
on (m)	je bio govório	on (m)	će govóriti	on (m)	bude govório
ona (f)	je bila govórila	ona (f)	će govóriti	ona (f)	bude govórila
ono (n)	je bilo govórilo	ono (n)	će govóriti	ono (n)	bude govórilo
mi	smo bili govórili (m)	mi	ćemo govóriti	mi	budemo govórili (m)
	smo bile govórile (f)				budemo govórile (f)
	smo bila govórila (n)				budemo govórila (n)
vi	ste bili govórili (m)	vi	ćete govóriti	vi	budete govórili (m)
	ste bile govórile (f)				budete govórile (f)
	ste bila govórila (n)				budete govórila (n)
oni (m)	su bili govórili	oni (m)	će govóriti	oni (m)	budu govórili
one (f)	su bile govórile	one (f)	će govóriti	one (f)	budu govórile
ona (n)	su bila govórila	ona (n)	će govóriti	ona (n)	budu govórila

VERB MOODS					
Conditional 1		**Conditional 2**		**Imperative**	
ja	bih govório	ja	bih bio govório	ja	-
ti	bi govório (m)	ti	bi bio govório (m)	ti	govóri
	bi govórila (f)		bi bila govórila (f)		
	bi govórilo (n)		bi bilo govórilo (n)		
on (m)	bi govório	on (m)	bi bio govório	on (m)	neka góvori
ona (f)	bi govórila	ona (f)	bi bila govórila	ona (f)	neka góvori
ono (n)	bi govórilo	ono (n)	bi bilo govórilo	ono (n)	neka góvori
mi	bismo govórili (m)	mi	bismo bili govórili (m)	mi	govórimo
	bismo govórile (f)		bismo bile govórile (f)		
	bismo govórila (n)		bismo bila govórila (n)		
vi	biste govórili (m)	vi	biste bili govórili (m)	vi	govórite
	biste govórile (f)		biste bile govórile (f)		
	biste govórila (n)		biste bila govórila (n)		
oni (m)	bi govórili	oni (m)	bi bili govórili	oni (m)	neka góvore
one (f)	bi govórile	one (f)	bi bile govórile	one (f)	neka góvore
ona (n)	bi govórila	ona (n)	bi bila govórila	ona (n)	neka góvore

VERBAL ADJECTIVES			
Active participle		**Past participle**	
ja	govório	ja	góvoren
ti	govório (m)	ti	góvoren (m)
	govórila (f)		góvorena (f)
	govórilo (n)		góvoreno(n)
on (m)	govório	on (m)	góvoren
ona (f)	govórila	ona (f)	góvorena
ono (n)	govórilo	ono (n)	góvoreno
mi	govórili (m)	mi	góvoreni (m)
	govórile (f)		góvorene (f)
	govórila (n)		góvorene (n)
vi	govórili (m)	vi	góvoreni (m)
	govórile (f)		góvorene (f)
	govórila (n)		góvorena (n)
oni (m)	govórili	oni (m)	góvoreni
one (f)	govórile	one (f)	góvorene
ona (n)	govórila	ona (n)	góvorena

VERBAL ADVERBS
Active participle
govóreći
Past participle
-

I'm just saying that everything will be fine. – Samo govorim da će sve biti u redu.

My grandfather was saying to me: "Be cool". – Moj djed mi je govorio: "Budi opušten".

To Say (Reći) – Perfective

Present		Perfect		Aorist	
ja	réčem	ja	sam rékao	ja	rékoh
ti	réčeš	ti	si rékao (m) si rékla (f) si réklo (n)	ti	réče
on (m)	réče	on (m)	je rékao	on (m)	réče
ona (f)	réče	ona (f)	je rékla	ona (f)	réče
ono (n)	réče	ono (n)	je réklo	ono (n)	réče
mi	réčemo	mi	smo rékli (m) smo rékle (f) smo rékla (n)	mi	rékosmo
vi	réčete	vi	ste rékli (m) ste rékle (f) ste rékla (n)	vi	rékoste
oni (m)	réču	oni (m)	su rékli	oni (m)	rékoše
one (f)	réču	one (f)	su rékle	one (f)	rékoše
ona (n)	réču	ona (n)	su rékla	ona (n)	rékoše

Pluperfect		Futur 1		Futur 2	
ja	sam bio rékao	ja	ću réći	ja	budem rékao
ti	si bio rékao (m) si bila rékla (f) si bilo réklo (n)	ti	ćeš réći	ti	budeš rékao (m) budeš rékla (f) budeš réklo (n)
on (m)	je bio rékao	on (m)	će réći	on (m)	bude rékao
ona (f)	je bila rékla	ona (f)	će réći	ona (f)	bude rékla
ono (n)	je bilo réklo	ono (n)	će réći	ono (n)	bude réklo
mi	smo bili rékli (m) smo bile rékle (f) smo bila rékla (n)	mi	ćemo réći	mi	budemo rékli (m) budemo rékle (f) budemo rékla (n)
vi	ste bili rékli (m) ste bile rékle (f) ste bila rékla (n)	vi	ćete réći	vi	budete rékli (m) budete rékle (f) budete rékla (n)
oni (m)	su bili rékli	oni (m)	će réći	oni (m)	budu rékli
one (f)	su bile rékle	one (f)	će réći	one (f)	budu rékle
ona (n)	su bila rékla	ona (n)	će réći	ona (n)	budu rékla

VERB MOODS					
Conditional 1		**Conditional 2**		**Imperative**	
ja	bih rékao	ja	bih bio rékao	ja	-
ti	bi rékao (m)	ti	bi bio rékao (m)	ti	réci
	bi rékla (f)		bi bila rékla (f)		
	bi réklo (n)		bi bilo réklo (n)		
on (m)	bi rékao	on (m)	bi bio rékao	on (m)	neka réče
ona (f)	bi rékla	ona (f)	bi bila rékla	ona (f)	neka réče
ono (n)	bi réklo	ono (n)	bi bilo réklo	ono (n)	neka réče
mi	bismo rékli (m)	mi	bismo bili rékli (m)	mi	récimo
	bismo rékle (f)		bismo bile rékle (f)		
	bismo rékla (n)		bismo bila rékla (n)		
vi	biste rékli (m)	vi	biste bili rékli (m)	vi	récite
	biste rékle (f)		biste bile rékle (f)		
	biste rékla (n)		biste bila rékla (n)		
oni (m)	bi rékli	oni (m)	bi bili rékli	oni (m)	neka réču
one (f)	bi rékle	one (f)	bi bile rékle	one (f)	neka réču
ona (n)	bi rékla	ona (n)	bi bila rékla	ona (n)	neka réču

VERBAL ADJECTIVES			
Active participle		**Past participle**	
ja	rékao	ja	réčen
ti	rékao (m)	ti	réčen (m)
	rékla (f)		réčena (f)
	réklo (n)		réčeno(n)
on (m)	rékao	on (m)	réčen
ona (f)	rékla	ona (f)	réčena
ono (n)	réklo	ono (n)	réčeno
mi	rékli (m)	mi	réčeni (m)
	rékle (f)		réčene (f)
	rékla (n)		réčene (n)
vi	rékli (m)	vi	réčeni (m)
	rékle (f)		réčene (f)
	rékla (n)		réčena (n)
oni (m)	rékli	oni (m)	réčeni
one (f)	rékle	one (f)	réčene
ona (n)	rékla	ona (n)	réčena

VERBAL ADVERBS
Active participle
-
Past participle
rékavši

I have said everything I know. – Rekao sam sve što znam.

They will say that everything went wrong. – Oni će reći da je sve propalo.

To Scream (Vrištati) – Imperfective

Present	
ja	vríštim
ti	vríštiš
on (m)	vríšti
ona (f)	vríšti
ono (n)	vríšti
mi	vríštimo
vi	vríštite
oni (m)	vríšte
one (f)	vríšte
ona (n)	vríšte

Perfect	
ja	sam vríštao
ti	si vríštao (m)
	si vríštala (f)
	si vríštalo (n)
on (m)	je vríštao
ona (f)	je vríštala
ono (n)	je vríštalo
mi	smo vríštali (m)
	smo vríštale (f)
	smo vríštala (n)
vi	ste vríštali (m)
	ste vríštale (f)
	ste vríštala (n)
oni (m)	su vríštali
one (f)	su vríštale
ona (n)	su vríštala

Imperfect	
ja	vríštah
ti	vríštaše
on (m)	vríštaše
ona (f)	vríštaše
ono (n)	vríštaše
mi	vríštasmo
vi	vríštaste
oni (m)	vríštahu
one (f)	vríštahu
ona (n)	vríštahu

Pluperfect	
ja	sam bio vríštao
ti	si bio vríštao (m)
	si bila vríštala (f)
	si bilo vríštalo (n)
on (m)	je bio vríštao
ona (f)	je bila vríštala
ono (n)	je bilo vríštalo
mi	smo bili vríštali (m)
	smo bile vríštale (f)
	smo bila vríštala (n)
vi	ste bili vríštali (m)
	ste bile vríštale (f)
	ste bila vríštala (n)
oni (m)	su bili vríštali
one (f)	su bile vríštale
ona (n)	su bila vríštala

Futur 1	
ja	ću vríštati
ti	ćeš vríštati
on (m)	će vríštati
ona (f)	će vríštati
ono (n)	će vríštati
mi	ćemo vríštati
vi	ćete vríštati
oni (m)	će vríštati
one (f)	će vríštati
ona (n)	će vríštati

Futur 2	
ja	budem vríštao
ti	budeš vríštao (m)
	budeš vríštala (f)
	budeš vríštalo (n)
on (m)	bude vríštao
ona (f)	bude vríštala
ono (n)	bude vríštalo
mi	budemo vríštali (m)
	budemo vríštale (f)
	budemo vríštala (n)
vi	budete vríštali (m)
	budete vríštale (f)
	budete vríštala (n)
oni (m)	budu vríštali
one (f)	budu vríštale
ona (n)	budu vríštala

VERB MOODS					
Conditional 1		**Conditional 2**		**Imperative**	
ja	bih vríštao	ja	bih bio vríštao	ja	-
ti	bi vríštao (m)	ti	bi bio vríštao (m)	ti	vríšti
	bi vríštala (f)		bi bila vríštala (f)		
	bi vríštalo (n)		bi bilo vríštalo (n)		
on (m)	bi vríštao	on (m)	bi bio vríštao	on (m)	neka vríšti
ona (f)	bi vríštala	ona (f)	bi bila vríštala	ona (f)	neka vríšti
ono (n)	bi vríštalo	ono (n)	bi bilo vríštalo	ono (n)	neka vríšti
mi	bismo vríštali (m)	mi	bismo bili vríštali (m)	mi	vríštimo
	bismo vríštale (f)		bismo bile vríštale (f)		
	bismo vríštala (n)		bismo bila vríštala (n)		
vi	biste vríštali (m)	vi	biste bili vríštali (m)	vi	vríštite
	biste vríštale (f)		biste bile vríštale (f)		
	biste vríštala (n)		biste bila vríštala (n)		
oni (m)	bi vríštali	oni (m)	bi bili vríštali	oni (m)	neka vríšte
one (f)	bi vríštale	one (f)	bi bile vríštale	one (f)	neka vríšte
ona (n)	bi vríštala	ona (n)	bi bila vríštala	ona (n)	neka vríšte

VERBAL ADJECTIVES			
Active participle		**Past participle**	
ja	vríštao	ja	vríštan
ti	vríštao (m)	ti	vríštan (m)
	vríštala (f)		vríštana (f)
	vríštalo (n)		vríštano(n)
on (m)	vríštao	on (m)	vríštan
ona (f)	vríštala	ona (f)	vríštana
ono (n)	vríštalo	ono (n)	vríštano
mi	vríštali (m)	mi	vríštani (m)
	vríštale (f)		vríštane (f)
	vríštala (n)		vríštane (n)
vi	vríštali (m)	vi	vríštani (m)
	vríštale (f)		vríštane (f)
	vríštala (n)		vríštana (n)
oni (m)	vríštali	oni (m)	vríštani
one (f)	vríštale	one (f)	vríštane
ona (n)	vríštala	ona (n)	vríštana

VERBAL ADVERBS
Active participle
vríštajući
Past participle
-

She was screaming over an hour. - Vrištala je preko sat vremena.

Cat is screaming. – Mačka vrišti.

To Scream (Vrisnuti) – Perfective

Present	
ja	vrísnem
ti	vrísneš
on (m)	vrísne
ona (f)	vrísne
ono (n)	vrísne
mi	vrísnemo
vi	vrísnete
oni (m)	vrísnu
one (f)	vrísnu
ona (n)	vrísnu

Perfect	
ja	sam vrísnuo
ti	si vrísnuo (m) si vrísnula (f) si vrísnulo (n)
on (m)	je vrísnuo
ona (f)	je vrísnula
ono (n)	je vrísnulo
mi	smo vrísnuli (m) smo vrísnule (f) smo vrísnula (n)
vi	ste vrísnuli (m) ste vrísnule (f) ste vrísnula (n)
oni (m)	su vrísnuli
one (f)	su vrísnule
ona (n)	su vrísnula

Aorist	
ja	vrísnuh
ti	vrísnu
on (m)	vrísnu
ona (f)	vrísnu
ono (n)	vrísnu
mi	vrísnusmo
vi	vrísnuste
oni (m)	vrísnuše
one (f)	vrísnuše
ona (n)	vrísnuše

Pluperfect	
ja	sam bio vrísnuo
ti	si bio vrísnuo (m) si bila vrísnula (f) si bilo vrísnulo (n)
on (m)	je bio vrísnuo
ona (f)	je bila vrísnula
ono (n)	je bilo vrísnulo
mi	smo bili vrísnuli (m) smo bile vrísnule (f) smo bila vrísnula (n)
vi	ste bili vrísnuli (m) ste bile vrísnule (f) ste bila vrísnula (n)
oni (m)	su bili vrísnuli
one (f)	su bile vrísnule
ona (n)	su bila vrísnula

Futur 1	
ja	ću vrísnuti
ti	ćeš vrísnuti
on (m)	će vrísnuti
ona (f)	će vrísnuti
ono (n)	će vrísnuti
mi	ćemo vrísnuti
vi	ćete vrísnuti
oni (m)	će vrísnuti
one (f)	će vrísnuti
ona (n)	će vrísnuti

Futur 2	
ja	budem vrísnuo
ti	budeš vrísnuo (m) budeš vrísnula (f) budeš vrísnulo (n)
on (m)	bude vrísnuo
ona (f)	bude vrísnula
ono (n)	bude vrísnulo
mi	budemo vrísnuli (m) budemo vrísnule (f) budemo vrísnula (n)
vi	budete vrísnuli (m) budete vrísnule (f) budete vrísnula (n)
oni (m)	budu vrísnuli
one (f)	budu vrísnule
ona (n)	budu vrísnula

VERB MOODS

Conditional 1		Conditional 2		Imperative	
ja	bih vrísnuo	ja	bih bio vrísnuo	ja	-
ti	bi vrísnuo (m)	ti	bi bio vrísnuo (m)	ti	vrísni
	bi vrísnula (f)		bi bila vrísnula (f)		
	bi vrísnulo (n)		bi bilo vrísnulo (n)		
on (m)	bi vrísnuo	on (m)	bi bio vrísnuo	on (m)	neka vrísne
ona (f)	bi vrísnula	ona (f)	bi bila vrísnula	ona (f)	neka vrísne
ono (n)	bi vrísnulo	ono (n)	bi bilo vrísnulo	ono (n)	neka vrísne
mi	bismo vrísnuli (m)	mi	bismo bili vrísnuli (m)	mi	vrísnimo
	bismo vrísnule (f)		bismo bile vrísnule (f)		
	bismo vrísnula (n)		bismo bila vrísnula (n)		
vi	biste vrísnuli (m)	vi	biste bili vrísnuli (m)	vi	vrísnite
	biste vrísnule (f)		biste bile vrísnule (f)		
	biste vrísnula (n)		biste bila vrísnula (n)		
oni (m)	bi vrísnuli	oni (m)	bi bili vrísnuli	oni (m)	neka vrísnu
one (f)	bi vrísnule	one (f)	bi bile vrísnule	one (f)	neka vrísnu
ona (n)	bi vrísnula	ona (n)	bi bila vrísnula	ona (n)	neka vrísnu

VERBAL ADJECTIVES

Active participle		Past participle	
ja	vrísnuo	ja	
ti	vrísnuo (m)	ti	
	vrísnula (f)		
	vrísnulo (n)		
on (m)	vrísnuo	on (m)	
ona (f)	vrísnula	ona (f)	
ono (n)	vrísnulo	ono (n)	
mi	vrísnuli (m)	mi	
	vrísnule (f)		
	vrísnula (n)		
vi	vrísnuli (m)	vi	
	vrísnule (f)		
	vrísnula (n)		
oni (m)	vrísnuli	oni (m)	
one (f)	vrísnule	one (f)	
ona (n)	vrísnula	ona (n)	

VERBAL ADVERBS
Active participle
-
Past participle
vrísnuvši

She just screamed. – Ona je upravo vrisnula.

John has screamed after he got on lottery. – John je vrisnuo nakon što je dobio na lutriji.

To See (Gledati) – Imperfective

Present		Perfect		Imperfect	
ja	glédam	ja	sam glédao	ja	glédah
ti	glédaš	ti	si glédao (m)	ti	glédaše
			si glédala (f)		
			si glédalo (n)		
on (m)	gléda	on (m)	je glédao	on (m)	glédaše
ona (f)	gléda	ona (f)	je glédala	ona (f)	glédaše
ono (n)	gléda	ono (n)	je glédalo	ono (n)	glédaše
mi	glédamo	mi	smo glédali (m)	mi	glédasmo
			smo glédale (f)		
			smo glédala (n)		
vi	glédate	vi	ste glédali (m)	vi	glédaste
			ste glédale (f)		
			ste glédala (n)		
oni (m)	glédaju	oni (m)	su glédali	oni (m)	glédahu
one (f)	glédaju	one (f)	su glédale	one (f)	glédahu
ona (n)	glédaju	ona (n)	su glédala	ona (n)	glédahu

Pluperfect		Futur 1		Futur 2	
ja	sam bio glédao	ja	ću glédati	ja	budem glédao
ti	si bio glédao (m)	ti	ćeš glédati	ti	budeš glédao (m)
	si bila glédala (f)				budeš glédala (f)
	si bilo glédalo (n)				budeš glédalo (n)
on (m)	je bio glédao	on (m)	će glédati	on (m)	bude glédao
ona (f)	je bila glédala	ona (f)	će glédati	ona (f)	bude glédala
ono (n)	je bilo glédalo	ono (n)	će glédati	ono (n)	bude glédalo
mi	smo bili glédali (m)	mi	ćemo glédati	mi	budemo glédali (m)
	smo bile glédale (f)				budemo glédale (f)
	smo bila glédala (n)				budemo glédala (n)
vi	ste bili glédali (m)	vi	ćete glédati	vi	budete glédali (m)
	ste bile glédale (f)				budete glédale (f)
	ste bila glédala (n)				budete glédala (n)
oni (m)	su bili glédali	oni (m)	će glédati	oni (m)	budu glédali
one (f)	su bile glédale	one (f)	će glédati	one (f)	budu glédale
ona (n)	su bila glédala	ona (n)	će glédati	ona (n)	budu glédala

VERB MOODS					
Conditional 1		**Conditional 2**		**Imperative**	
ja	bih glédao	ja	bih bio glédao	ja	-
ti	bi glédao (m)	ti	bi bio glédao (m)	ti	glédaj
	bi glédala (f)		bi bila glédala (f)		
	bi glédalo (n)		bi bilo glédalo (n)		
on (m)	bi glédao	on (m)	bi bio glédao	on (m)	neka gléda
ona (f)	bi glédala	ona (f)	bi bila glédala	ona (f)	neka gléda
ono (n)	bi glédalo	ono (n)	bi bilo glédalo	ono (n)	neka gléda
mi	bismo glédali (m)	mi	bismo bili glédali (m)	mi	glédajmo
	bismo glédale (f)		bismo bile glédale (f)		
	bismo glédala (n)		bismo bila glédala (n)		
vi	biste glédali (m)	vi	biste bili glédali (m)	vi	glédajte
	biste glédale (f)		biste bile glédale (f)		
	biste glédala (n)		biste bila glédala (n)		
oni (m)	bi glédali	oni (m)	bi bili glédali	oni (m)	neka glédaju
one (f)	bi glédale	one (f)	bi bile glédale	one (f)	neka glédaju
ona (n)	bi glédala	ona (n)	bi bila glédala	ona (n)	neka glédaju

VERBAL ADJECTIVES			
Active participle		**Past participle**	
ja	glédao	ja	glédan
ti	glédao (m)	ti	glédan (m)
	glédala (f)		glédana (f)
	glédalo (n)		glédano(n)
on (m)	glédao	on (m)	glédan
ona (f)	glédala	ona (f)	glédana
ono (n)	glédalo	ono (n)	glédano
mi	glédali (m)	mi	glédani (m)
	glédale (f)		glédane (f)
	glédala (n)		glédane (n)
vi	glédali (m)	vi	glédani (m)
	glédale (f)		glédane (f)
	glédala (n)		glédana (n)
oni (m)	glédali	oni (m)	glédani
one (f)	glédale	one (f)	glédane
ona (n)	glédala	ona (n)	glédana

VERBAL ADVERBS
Active participle
glédajući
Past participle
-

Did you see him?. – Da li si ga gledao?

I saw when he left.- Gledao sam kad je otišao.

To See (Pogledati) – Perfective

Present		Perfect		Aorist	
ja	pógledam	ja	sam pógledao	ja	pógledah
ti	pógledaš	ti	si pógledao (m) si pógledala (f) si pógledalo (n)	ti	pógleda
on (m)	pógleda	on (m)	je pógledao	on (m)	pógleda
ona (f)	pógleda	ona (f)	je pógledala	ona (f)	pógleda
ono (n)	pógleda	ono (n)	je pógledalo	ono (n)	pógleda
mi	pógledamo	mi	smo pógledali (m) smo pógledale (f) smo pógledala (n)	mi	pógledasmo
vi	pógledate	vi	ste pógledali (m) ste pógledale (f) ste pógledala (n)	vi	pógledaste
oni (m)	pógledaju	oni (m)	su pógledali	oni (m)	pógledaše
one (f)	pógledaju	one (f)	su pógledale	one (f)	pógledaše
ona (n)	pógledaju	ona (n)	su pógledala	ona (n)	pógledaše

Pluperfect		Futur 1		Futur 2	
ja	sam bio pógledao	ja	ću pógledati	ja	budem pógledao
ti	si bio pógledao (m) si bila pógledala (f) si bilo pógledalo (n)	ti	ćeš pógledati	ti	budeš pógledao (m) budeš pógledala (f) budeš pógledalo (n)
on (m)	je bio pógledao	on (m)	će pógledati	on (m)	bude pógledao
ona (f)	je bila pógledala	ona (f)	će pógledati	ona (f)	bude pógledala
ono (n)	je bilo pógledalo	ono (n)	će pógledati	ono (n)	bude pógledalo
mi	smo bili pógledali (m) smo bile pógledale (f) smo bila pógledala (n)	mi	ćemo pógledati	mi	budemo pógledali (m) budemo pógledale (f) budemo pógledala (n)
vi	ste bili pógledali (m) ste bile pógledale (f) ste bila pógledala (n)	vi	ćete pógledati	vi	budete pógledali (m) budete pógledale (f) budete pógledala (n)
oni (m)	su bili pógledali	oni (m)	će pógledati	oni (m)	budu pógledali
one (f)	su bile pógledale	one (f)	će pógledati	one (f)	budu pógledale
ona (n)	su bila pógledala	ona (n)	će pógledati	ona (n)	budu pógledala

VERB MOODS					
Conditional 1		**Conditional 2**		**Imperative**	
ja	bih pógledao	ja	bih bio pógledao	ja	-
ti	bi pógledao (m)	ti	bi bio pógledao (m)	ti	pógledaj
	bi pógledala (f)		bi bila pógledala (f)		
	bi pógledalo (n)		bi bilo pógledalo (n)		
on (m)	bi pógledao	on (m)	bi bio pógledao	on (m)	neka pógleda
ona (f)	bi pógledala	ona (f)	bi bila pógledala	ona (f)	neka pógleda
ono (n)	bi pógledalo	ono (n)	bi bilo pógledalo	ono (n)	neka pógleda
mi	bismo pógledali (m)	mi	bismo bili pógledali (m)	mi	pógledajmo
	bismo pógledale (f)		bismo bile pógledale (f)		
	bismo pógledala (n)		bismo bila pógledala (n)		
vi	biste pógledali (m)	vi	biste bili pógledali (m)	vi	pógledajte
	biste pógledale (f)		biste bile pógledale (f)		
	biste pógledala (n)		biste bila pógledala (n)		
oni (m)	bi pógledali	oni (m)	bi bili pógledali	oni (m)	neka pógledaju
one (f)	bi pógledale	one (f)	bi bile pógledale	one (f)	neka pógledaju
ona (n)	bi pógledala	ona (n)	bi bila pógledala	ona (n)	neka pógledaju

VERBAL ADJECTIVES			
Active participle		**Past participle**	
ja	pógledao	ja	pógledan
ti	pógledao (m)	ti	pógledan (m)
	pógledala (f)		pógledana (f)
	pógledalo (n)		pógledano(n)
on (m)	pógledao	on (m)	pógledan
ona (f)	pógledala	ona (f)	pógledana
ono (n)	pógledalo	ono (n)	pógledano
mi	pógledali (m)	mi	pógledani (m)
	pógledale (f)		pógledane (f)
	pógledala (n)		pógledane (n)
vi	pógledali (m)	vi	pógledani (m)
	pógledale (f)		pógledane (f)
	pógledala (n)		pógledana (n)
oni (m)	pógledali	oni (m)	pógledani
one (f)	pógledale	one (f)	pógledane
ona (n)	pógledala	ona (n)	pógledana

VERBAL ADVERBS
Active participle
-
Past participle
pógledavši

Let me see. – Daj da pogledam.

See my new shoes. – Pogledaj moje nove cipele.

To Seem (Činiti se) – Imperfective

Present		Perfect		Imperfect	
ja	se čínim	ja	sam se čínio	ja	se čínjah
ti	se číniš	ti	si se čínio (m) si se čínila (f) si se čínilo (n)	ti	se čínjaše
on (m)	se číni	on (m)	je se čínio	on (m)	se čínjaše
ona (f)	se číni	ona (f)	je se čínila	ona (f)	se čínjaše
ono (n)	se číni	ono (n)	je se čínilo	ono (n)	se čínjaše
mi	se čínimo	mi	smo se čínili (m) smo se čínile (f) smo se čínila (n)	mi	se čínjasmo
vi	se čínite	vi	ste se čínili (m) ste se čínile (f) ste se čínila (n)	vi	se čínjaste
oni (m)	se číne	oni (m)	su se čínili	oni (m)	se čínjahu
one (f)	se číne	one (f)	su se čínile	one (f)	se čínjahu
ona (n)	se číne	ona (n)	su se čínila	ona (n)	se čínjahu

Pluperfect		Futur 1		Futur 2	
ja	sam se bio čínio	ja	ću se číniti	ja	se budem čínio
ti	si se bio čínio (m) si se bila čínila (f) si se bilo čínilo (n)	ti	ćeš se číniti	ti	se budeš čínio (m) se budeš čínila (f) se budeš čínilo (n)
on (m)	se je bio čínio	on (m)	će se číniti	on (m)	se bude čínio
ona (f)	se je bila čínila	ona (f)	će se číniti	ona (f)	se bude čínila
ono (n)	se je bilo čínilo	ono (n)	će se číniti	ono (n)	se bude čínilo
mi	smo se bili čínili (m) smo se bile čínile (f) smo se bila čínila (n)	mi	ćemo se číniti	mi	se budemo čínili (m) se budemo čínile (f) se budemo čínila (n)
vi	ste se bili čínili (m) ste se bile čínile (f) ste se bila čínila (n)	vi	ćete se číniti	vi	se budete čínili (m) se budete čínile (f) se budete čínila (n)
oni (m)	su se bili čínili	oni (m)	će se číniti	oni (m)	se budu čínili
one (f)	su se bile čínile	one (f)	će se číniti	one (f)	se budu čínile
ona (n)	su se bila čínila	ona (n)	će se číniti	ona (n)	se budu čínila

VERB MOODS					
Conditional 1		**Conditional 2**		**Imperative**	
ja	bih se činio	ja	bih se bio činio	ja	-
ti	bi se činio (m)	ti	bi se bio činio (m)	ti	se čini
	bi se činila (f)		bi se bila činila (f)		
	bi se činilo (n)		bi se bilo činilo (n)		
on (m)	bi se činio	on (m)	bi se bio činio	on (m)	neka se čini
ona (f)	bi se činila	ona (f)	bi se bila činila	ona (f)	neka se čini
ono (n)	bi se činilo	ono (n)	bi se bilo činilo	ono (n)	neka se čini
mi	bismo se činili (m)	mi	bismo se bili činili (m)	mi	se činimo
	bismo se činile (f)		bismo se bile činile (f)		
	bismo se činila (n)		bismo se bila činila (n)		
vi	biste se činili (m)	vi	biste se bili činili (m)	vi	se činite
	biste se činile (f)		biste se bile činile (f)		
	biste se činila (n)		biste se bila činila (n)		
oni (m)	bi se činili	oni (m)	bi se bili činili	oni (m)	neka se čine
one (f)	bi se činile	one (f)	bi se bile činile	one (f)	neka se čine
ona (n)	bi se činila	ona (n)	bi se bila činila	ona (n)	neka se čine

VERBAL ADJECTIVES			
Active participle		**Past participle**	
ja	činio se	ja	
ti	činio se (m)	ti	
	činila se (f)		
	činilo se (n)		
on (m)	činio se	on (m)	
ona (f)	činila se	ona (f)	
ono (n)	činilo se	ono (n)	
mi	činili se (m)	mi	
	činile se (f)		
	činila se (n)		
vi	činili se (m)	vi	
	činile se (f)		
	činila se (n)		
oni (m)	činili se	oni (m)	
one (f)	činile se	one (f)	
ona (n)	činila se	ona (n)	

VERBAL ADVERBS
Active participle
čineći se
Past participle
-

He seems to be a good man. – Čini se da je dobar čovijek.

It seems to me that this is not right. – Čini mi se da ovo nije u redu.

To Seem (Učiniti se) – Perfective

Present		Perfect		Aorist	
ja	se účinim	ja	sam se učínio	ja	se učínih
ti	se účiniš	ti	si se učínio (m) si se učínila (f) si se učínilo (n)	ti	se učíni
on (m)	se účini	on (m)	se je učínio	on (m)	se učíni
ona (f)	se účini	ona (f)	se je učínila	ona (f)	se učíni
ono (n)	se účini	ono (n)	se je učínilo	ono (n)	se učíni
mi	se účinimo	mi	smo se učínili (m) smo se učínile (f) smo se učínila (n)	mi	se učínismo
vi	se účinite	vi	ste se učínili (m) ste se učínile (f) ste se učínila (n)	vi	se učíniste
oni (m)	se účine	oni (m)	su se učínili	oni (m)	se učíniše
one (f)	se účine	one (f)	su se učínile	one (f)	se učíniše
ona (n)	se účine	ona (n)	su se učínila	ona (n)	se učíniše

Pluperfect		Futur 1		Futur 2	
ja	sam se bio učínio	ja	ću se učíniti	ja	se budem učínio
ti	si se bio učínio (m) si se bila učínila (f) si se bilo učínilo (n)	ti	ćeš se učíniti	ti	se budeš učínio (m) se budeš učínila (f) se budeš učínilo (n)
on (m)	se je bio učínio	on (m)	će se učíniti	on (m)	se bude učínio
ona (f)	se je bila učínila	ona (f)	će se učíniti	ona (f)	se bude učínila
ono (n)	se je bilo učínilo	ono (n)	će se učíniti	ono (n)	se bude učínilo
mi	smo se bili učínili (m) smo se bile učínile (f) smo se bila učínila (n)	mi	ćemo se učíniti	mi	se budemo učínili (m) se budemo učínile (f) se budemo učínila (n)
vi	ste se bili učínili (m) ste se bile učínile (f) ste se bila učínila (n)	vi	ćete se učíniti	vi	se budete učínili (m) se budete učínile (f) se budete učínila (n)
oni (m)	su se bili učínili	oni (m)	će se učíniti	oni (m)	se budu učínili
one (f)	su se bile učínile	one (f)	će se učíniti	one (f)	se budu učínile
ona (n)	su se bila učínila	ona (n)	će se učíniti	ona (n)	se budu učínila

VERB MOODS					
Conditional 1		**Conditional 2**		**Imperative**	
ja	bih se učínio	ja	bih se bio učínio	ja	-
ti	bi se učínio (m)	ti	bi se bio učínio (m)	ti	se učíni
	bi se učínila (f)		bi se bila učínila (f)		
	bi se učínilo (n)		bi se bilo učínilo (n)		
on (m)	bi se učínio	on (m)	bi se bio učínio	on (m)	neka se účini
ona (f)	bi se učínila	ona (f)	bi se bila učínila	ona (f)	neka se účini
ono (n)	bi se učínilo	ono (n)	bi se bilo učínilo	ono (n)	neka se účini
mi	bismo se učínili (m)	mi	bismo se bili učínili (m)	mi	se učínimo
	bismo se učínile (f)		bismo se bile učínile (f)		
	bismo se učínila (n)		bismo se bila učínila (n)		
vi	biste se učínili (m)	vi	biste se bili učínili (m)	vi	se učínite
	biste se učínile (f)		biste se bile učínile (f)		
	biste se učínila (n)		biste se bila učínila (n)		
oni (m)	bi se učínili	oni (m)	bi se bili učínili	oni (m)	neka se účine
one (f)	bi se učínile	one (f)	bi se bile učínile	one (f)	neka se účine
ona (n)	bi se učínila	ona (n)	bi se bila učínila	ona (n)	neka se účine

VERBAL ADJECTIVES			
Active participle		**Past participle**	
ja	učínio se	ja	
ti	učínio se (m)	ti	
	učínila se (f)		
	učínilo se (n)		
on (m)	učínio se	on (m)	
ona (f)	učínila se	ona (f)	
ono (n)	učínilo se	ono (n)	
mi	učínili se (m)	mi	
	učínile se (f)		
	učínila se (n)		
vi	učínili se (m)	vi	
	učínile se (f)		
	učínila se (n)		
oni (m)	učínili se	oni (m)	
one (f)	učínile se	one (f)	
ona (n)	učínila se	ona (n)	

VERBAL ADVERBS
Active participle
-
Past participle
učínivši se

He seemed to me like a good man. – Učinio mi se da je dobar čovijek.

It seemed to me that this is not right. – Učinilo mi se da ovo nije u redu.

To Sell (Prodavati) – Imperfective

Present		Perfect		Imperfect	
ja	pródajem	ja	sam prodávao	ja	prodávah
ti	pródaješ	ti	si prodávao (m) si prodávala (f) si prodávalo (n)	ti	prodávaše
on (m)	pródaje	on (m)	je prodávao	on (m)	prodávaše
ona (f)	pródaje	ona (f)	je prodávala	ona (f)	prodávaše
ono (n)	pródaje	ono (n)	je prodávalo	ono (n)	prodávaše
mi	pródajemo	mi	smo prodávali (m) smo prodávale (f) smo prodávala (n)	mi	prodávasmo
vi	pródajete	vi	ste prodávali (m) ste prodávale (f) ste prodávala (n)	vi	prodávaste
oni (m)	pródaju	oni (m)	su prodávali	oni (m)	prodávahu
one (f)	pródaju	one (f)	su prodávale	one (f)	prodávahu
ona (n)	pródaju	ona (n)	su prodávala	ona (n)	prodávahu

Pluperfect		Futur 1		Futur 2	
ja	sam bio prodávao	ja	ću prodávati	ja	budem prodávao
ti	si bio prodávao (m) si bila prodávala (f) si bilo prodávalo (n)	ti	ćeš prodávati	ti	budeš prodávao (m) budeš prodávala (f) budeš prodávalo (n)
on (m)	je bio prodávao	on (m)	će prodávati	on (m)	bude prodávao
ona (f)	je bila prodávala	ona (f)	će prodávati	ona (f)	bude prodávala
ono (n)	je bilo prodávalo	ono (n)	će prodávati	ono (n)	bude prodávalo
mi	smo bili prodávali (m) smo bile prodávale (f) smo bila prodávala (n)	mi	ćemo prodávati	mi	budemo prodávali (m) budemo prodávale (f) budemo prodávala (n)
vi	ste bili prodávali (m) ste bile prodávale (f) ste bila prodávala (n)	vi	ćete prodávati	vi	budete prodávali (m) budete prodávale (f) budete prodávala (n)
oni (m)	su bili prodávali	oni (m)	će prodávati	oni (m)	budu prodávali
one (f)	su bile prodávale	one (f)	će prodávati	one (f)	budu prodávale
ona (n)	su bila prodávala	ona (n)	će prodávati	ona (n)	budu prodávala

VERB MOODS					
Conditional 1		**Conditional 2**		**Imperative**	
ja	bih prodávao	ja	bih bio prodávao	ja	-
ti	bi prodávao (m)	ti	bi bio prodávao (m)	ti	pródavaj
	bi prodávala (f)		bi bila prodávala (f)		
	bi prodávalo (n)		bi bilo prodávalo (n)		
on (m)	bi prodávao	on (m)	bi bio prodávao	on (m)	neka pródaje
ona (f)	bi prodávala	ona (f)	bi bila prodávala	ona (f)	neka pródaje
ono (n)	bi prodávalo	ono (n)	bi bilo prodávalo	ono (n)	neka pródaje
mi	bismo prodávali (m)	mi	bismo bili prodávali (m)	mi	pródavajmo
	bismo prodávale (f)		bismo bile prodávale (f)		
	bismo prodávala (n)		bismo bila prodávala (n)		
vi	biste prodávali (m)	vi	biste bili prodávali (m)	vi	pródavajte
	biste prodávale (f)		biste bile prodávale (f)		
	biste prodávala (n)		biste bila prodávala (n)		
oni (m)	bi prodávali	oni (m)	bi bili prodávali	oni (m)	neka prodávaju
one (f)	bi prodávale	one (f)	bi bile prodávale	one (f)	neka prodávaju
ona (n)	bi prodávala	ona (n)	bi bila prodávala	ona (n)	neka prodávaju

VERBAL ADJECTIVES			
Active participle		**Past participle**	
ja	prodávao	ja	pródavan
ti	prodávao (m)	ti	pródavan (m)
	prodávala (f)		pródavana (f)
	prodávalo (n)		pródavano(n)
on (m)	prodávao	on (m)	pródavan
ona (f)	prodávala	ona (f)	pródavana
ono (n)	prodávalo	ono (n)	pródavano
mi	prodávali (m)	mi	pródavani (m)
	prodávale (f)		pródavane (f)
	prodávala (n)		pródavane (n)
vi	prodávali (m)	vi	pródavani (m)
	prodávale (f)		pródavane (f)
	prodávala (n)		pródavana (n)
oni (m)	prodávali	oni (m)	pródavani
one (f)	prodávale	one (f)	pródavane
ona (n)	prodávala	ona (n)	pródavana

VERBAL ADVERBS
Active participle
prodávajući
Past participle
-

I sell fruits. – Prodajem voće.

He will be selling during the summer. – Prodavat će tijekom ljeta.

To Sell (Prodati) – Perfective

Present		Perfect		Aorist	
ja	pródam	ja	sam pródao	ja	pródah
ti	pródaš	ti	si pródao (m) si pródala (f) si pródalo (n)	ti	próda
on (m)	próda	on (m)	je pródao	on (m)	próda
ona (f)	próda	ona (f)	je pródala	ona (f)	próda
ono (n)	próda	ono (n)	je pródalo	ono (n)	próda
mi	pródamo	mi	smo pródali (m) smo pródale (f) smo pródala (n)	mi	pródasmo
vi	pródate	vi	ste pródali (m) ste pródale (f) ste pródala (n)	vi	pródaste
oni (m)	pródaju	oni (m)	su pródali	oni (m)	pródaše
one (f)	pródaju	one (f)	su pródale	one (f)	pródaše
ona (n)	pródaju	ona (n)	su pródala	ona (n)	pródaše

Pluperfect		Futur 1		Futur 2	
ja	sam bio pródao	ja	ću pródati	ja	budem pródao
ti	si bio pródao (m) si bila pródala (f) si bilo pródalo (n)	ti	ćeš pródati	ti	budeš pródao (m) budeš pródala (f) budeš pródalo (n)
on (m)	je bio pródao	on (m)	će pródati	on (m)	bude pródao
ona (f)	je bila pródala	ona (f)	će pródati	ona (f)	bude pródala
ono (n)	je bilo pródalo	ono (n)	će pródati	ono (n)	bude pródalo
mi	smo bili pródali (m) smo bile pródale (f) smo bila pródala (n)	mi	ćemo pródati	mi	budemo pródali (m) budemo pródale (f) budemo pródala (n)
vi	ste bili pródali (m) ste bile pródale (f) ste bila pródala (n)	vi	ćete pródati	vi	budete pródali (m) budete pródale (f) budete pródala (n)
oni (m)	su bili pródali	oni (m)	će pródati	oni (m)	budu pródali
one (f)	su bile pródale	one (f)	će pródati	one (f)	budu pródale
ona (n)	su bila pródala	ona (n)	će pródati	ona (n)	budu pródala

VERB MOODS					
Conditional 1		**Conditional 2**		**Imperative**	
ja	bih pródao	ja	bih bio pródao	ja	-
ti	bi pródao (m)	ti	bi bio pródao (m)	ti	pródaj
	bi pródala (f)		bi bila pródala (f)		
	bi pródalo (n)		bi bilo pródalo (n)		
on (m)	bi pródao	on (m)	bi bio pródao	on (m)	neka próda
ona (f)	bi pródala	ona (f)	bi bila pródala	ona (f)	neka próda
ono (n)	bi pródalo	ono (n)	bi bilo pródalo	ono (n)	neka próda
mi	bismo pródali (m)	mi	bismo bili pródali (m)	mi	pródajmo
	bismo pródale (f)		bismo bile pródale (f)		
	bismo pródala (n)		bismo bila pródala (n)		
vi	biste pródali (m)	vi	biste bili pródali (m)	vi	pródajte
	biste pródale (f)		biste bile pródale (f)		
	biste pródala (n)		biste bila pródala (n)		
oni (m)	bi pródali	oni (m)	bi bili pródali	oni (m)	neka pródaju
one (f)	bi pródale	one (f)	bi bile pródale	one (f)	neka pródaju
ona (n)	bi pródala	ona (n)	bi bila pródala	ona (n)	neka pródaju

VERBAL ADJECTIVES			
Active participle		**Past participle**	
ja	pródao	ja	pródan
ti	pródao (m)	ti	pródan (m)
	pródala (f)		pródana (f)
	pródalo (n)		pródano(n)
on (m)	pródao	on (m)	pródan
ona (f)	pródala	ona (f)	pródana
ono (n)	pródalo	ono (n)	pródano
mi	pródali (m)	mi	pródani (m)
	pródale (f)		pródane (f)
	pródala (n)		pródane (n)
vi	pródali (m)	vi	pródani (m)
	pródale (f)		pródane (f)
	pródala (n)		pródana (n)
oni (m)	pródali	oni (m)	pródani
one (f)	pródale	one (f)	pródane
ona (n)	pródala	ona (n)	pródana

VERBAL ADVERBS
Active participle
-
Past participle
pródavši

I sold the house. – Prodao sam kuću.

He will sell it. – On će to prodati

To Send (Slati) – Imperfective

Present	
ja	šáljem
ti	šálješ
on (m)	šálje
ona (f)	šálje
ono (n)	šálje
mi	šáljemo
vi	šáljete
oni (m)	šálju
one (f)	šálju
ona (n)	šálju

Perfect	
ja	sam sláo
ti	si sláo (m)
	si slála (f)
	si slálo (n)
on (m)	je sláo
ona (f)	je slála
ono (n)	je slálo
mi	smo slális (m)
	smo sláles (f)
	smo slála (n)
vi	ste sláli (m)
	ste slále (f)
	ste slála (n)
oni (m)	su sláli
one (f)	su slále
ona (n)	su slála

Imperfect	
ja	sláh
ti	sláše
on (m)	sláše
ona (f)	sláše
ono (n)	sláše
mi	slásmo
vi	sláste
oni (m)	sláhu
one (f)	sláhu
ona (n)	sláhu

Pluperfect	
ja	sam bio sláo
ti	si bio sláo (m)
	si bila slála (f)
	si bilo slálo (n)
on (m)	je bio sláo
ona (f)	je bila slála
ono (n)	je bilo slálo
mi	smo bili sláli (m)
	smo bile slále (f)
	smo bila slála (n)
vi	ste bili sláli (m)
	ste bile slále (f)
	ste bila slála (n)
oni (m)	su bili sláli
one (f)	su bile slále
ona (n)	su bila slála

Futur 1	
ja	ću sláti
ti	ćeš sláti
on (m)	će sláti
ona (f)	će sláti
ono (n)	će sláti
mi	ćemo sláti
vi	ćete sláti
oni (m)	će sláti
one (f)	će sláti
ona (n)	će sláti

Futur 2	
ja	budem sláo
ti	budeš sláo (m)
	budeš slála (f)
	budeš slálo (n)
on (m)	bude sláo
ona (f)	bude slála
ono (n)	bude slálo
mi	budemo sláli (m)
	budemo slále (f)
	budemo slála (n)
vi	budete sláli (m)
	budete slále (f)
	budete slála (n)
oni (m)	budu sláli
one (f)	budu slále
ona (n)	budu slála

VERB MOODS					
Conditional 1		**Conditional 2**		**Imperative**	
ja	bih sláo	ja	bih bio sláo	ja	-
ti	bi sláo (m)	ti	bi bio sláo (m)	ti	šálji
	bi slála (f)		bi bila slála (f)		
	bi slálo (n)		bi bilo slálo (n)		
on (m)	bi sláo	on (m)	bi bio sláo	on (m)	neka šálje
ona (f)	bi slála	ona (f)	bi bila slála	ona (f)	neka šálje
ono (n)	bi slálo	ono (n)	bi bilo slálo	ono (n)	neka šálje
mi	bismo sláli (m)	mi	bismo bili sláli (m)	mi	šáljimo
	bismo slále (f)		bismo bile slále (f)		
	bismo slála (n)		bismo bila slála (n)		
vi	biste sláli (m)	vi	biste bili sláli (m)	vi	šáljite
	biste slále (f)		biste bile slále (f)		
	biste slála (n)		biste bila slála (n)		
oni (m)	bi sláli	oni (m)	bi bili sláli	oni (m)	neka šálju
one (f)	bi slále	one (f)	bi bile slále	one (f)	neka šálju
ona (n)	bi slála	ona (n)	bi bila slála	ona (n)	neka šálju

VERBAL ADJECTIVES			
Active participle		**Past participle**	
ja	sláo	ja	slán
ti	sláo (m)	ti	slán (m)
	slála (f)		slána (f)
	slálo (n)		sláno(n)
on (m)	sláo	on (m)	slán
ona (f)	slála	ona (f)	slána
ono (n)	slálo	ono (n)	sláno
mi	sláli (m)	mi	sláni (m)
	slále (f)		sláne (f)
	slála (n)		sláne (n)
vi	sláli (m)	vi	sláni (m)
	slále (f)		sláne (f)
	slála (n)		slána (n)
oni (m)	sláli	oni (m)	sláni
one (f)	slále	one (f)	sláne
ona (n)	slála	ona (n)	slána

VERBAL ADVERBS
Active participle
šáljući
Past participle
-

I'm sending emails every day. – Šaljem emailove svaki dan

She was sending me flowers over a month. – Slala mi je cvijeće preko mjesec dana.

To Send (Poslati) – Perfective

Present		Perfect		Aorist	
ja	póšaljem	ja	sam póslao	ja	póslah
ti	póšalješ	ti	si póslao (m) si póslala (f) si póslalo (n)	ti	pósla
on (m)	póšalje	on (m)	je póslao	on (m)	pósla
ona (f)	póšalje	ona (f)	je póslala	ona (f)	pósla
ono (n)	póšalje	ono (n)	je póslalo	ono (n)	pósla
mi	póšaljemo	mi	smo póslali (m) smo póslale (f) smo póslala (n)	mi	póslasmo
vi	póšaljete	vi	ste póslali (m) ste póslale (f) ste póslala (n)	vi	póslaste
oni (m)	póšalju	oni (m)	su póslali	oni (m)	póslaše
one (f)	póšalju	one (f)	su póslale	one (f)	póslaše
ona (n)	póšalju	ona (n)	su póslala	ona (n)	póslaše

Pluperfect		Futur 1		Futur 2	
ja	sam bio póslao	ja	ću póslati	ja	budem póslao
ti	si bio póslao (m) si bila póslala (f) si bilo póslalo (n)	ti	ćeš póslati	ti	budeš póslao (m) budeš póslala (f) budeš póslalo (n)
on (m)	je bio póslao	on (m)	će póslati	on (m)	bude póslao
ona (f)	je bila póslala	ona (f)	će póslati	ona (f)	bude póslala
ono (n)	je bilo póslalo	ono (n)	će póslati	ono (n)	bude póslalo
mi	smo bili póslali (m) smo bile póslale (f) smo bila póslala (n)	mi	ćemo póslati	mi	budemo póslali (m) budemo póslale (f) budemo póslala (n)
vi	ste bili póslali (m) ste bile póslale (f) ste bila póslala (n)	vi	ćete póslati	vi	budete póslali (m) budete póslale (f) budete póslala (n)
oni (m)	su bili póslali	oni (m)	će póslati	oni (m)	budu póslali
one (f)	su bile póslale	one (f)	će póslati	one (f)	budu póslale
ona (n)	su bila póslala	ona (n)	će póslati	ona (n)	budu póslala

VERB MOODS

Conditional 1		Conditional 2		Imperative	
ja	bih póslao	ja	bih bio póslao	ja	-
ti	bi póslao (m)	ti	bi bio póslao (m)	ti	pošálji
	bi póslala (f)		bi bila póslala (f)		
	bi póslalo (n)		bi bilo póslalo (n)		
on (m)	bi póslao	on (m)	bi bio póslao	on (m)	neka póšalje
ona (f)	bi póslala	ona (f)	bi bila póslala	ona (f)	neka póšalje
ono (n)	bi póslalo	ono (n)	bi bilo póslalo	ono (n)	neka póšalje
mi	bismo póslali (m)	mi	bismo bili póslali (m)	mi	pošáljimo
	bismo póslale (f)		bismo bile póslale (f)		
	bismo póslala (n)		bismo bila póslala (n)		
vi	biste póslali (m)	vi	biste bili póslali (m)	vi	pošáljite
	biste póslale (f)		biste bile póslale (f)		
	biste póslala (n)		biste bila póslala (n)		
oni (m)	bi póslali	oni (m)	bi bili póslali	oni (m)	neka póšalju
one (f)	bi póslale	one (f)	bi bile póslale	one (f)	neka póšalju
ona (n)	bi póslala	ona (n)	bi bila póslala	ona (n)	neka póšalju

VERBAL ADJECTIVES

Active participle		Past participle	
ja	póslao	ja	póslan
ti	póslao (m)	ti	póslan (m)
	póslala (f)		póslana (f)
	póslalo (n)		póslano(n)
on (m)	póslao	on (m)	póslan
ona (f)	póslala	ona (f)	póslana
ono (n)	póslalo	ono (n)	póslano
mi	póslali (m)	mi	póslani (m)
	póslale (f)		póslane (f)
	póslala (n)		póslane (n)
vi	póslali (m)	vi	póslani (m)
	póslale (f)		póslane (f)
	póslala (n)		póslana (n)
oni (m)	póslali	oni (m)	póslani
one (f)	póslale	one (f)	póslane
ona (n)	póslala	ona (n)	póslana

VERBAL ADVERBS
Active participle
-
Past participle
póslavši

I have sent you a mail. – Poslao sam ti poštu.

The package is sent. – Paket je poslan.

To Show (Pokazivati) – Imperfective

Present		Perfect		Imperfect	
ja	pokázujem	ja	sam pokazívao	ja	pokazívah
ti	pokázuješ	ti	si pokazívao (m) si pokazívala (f) si pokazívalo (n)	ti	pokazívaše
on (m)	pokázuje	on (m)	je pokazívao	on (m)	pokazívaše
ona (f)	pokázuje	ona (f)	je pokazívala	ona (f)	pokazívaše
ono (n)	pokázuje	ono (n)	je pokazívalo	ono (n)	pokazívaše
mi	pokázujemo	mi	smo pokazívali (m) smo pokazívale (f) smo pokazívala (n)	mi	pokazívasmo
vi	pokázujete	vi	ste pokazívali (m) ste pokazívale (f) ste pokazívala (n)	vi	pokazívaste
oni (m)	pokázuju	oni (m)	su pokazívali	oni (m)	pokazívahu
one (f)	pokázuju	one (f)	su pokazívale	one (f)	pokazívahu
ona (n)	pokázuju	ona (n)	su pokazívala	ona (n)	pokazívahu

Pluperfect		Futur 1		Futur 2	
ja	sam bio pokazívao	ja	ću pokazívati	ja	budem pokazívao
ti	si bio pokazívao (m) si bila pokazívala (f) si bilo pokazívalo (n)	ti	ćeš pokazívati	ti	budeš pokazívao (m) budeš pokazívala (f) budeš pokazívalo (n)
on (m)	je bio pokazívao	on (m)	će pokazívati	on (m)	bude pokazívao
ona (f)	je bila pokazívala	ona (f)	će pokazívati	ona (f)	bude pokazívala
ono (n)	je bilo pokazívalo	ono (n)	će pokazívati	ono (n)	bude pokazívalo
mi	smo bili pokazívali (m) smo bile pokazívale (f) smo bila pokazívala (n)	mi	ćemo pokazívati	mi	budemo pokazívali (m) budemo pokazívale (f) budemo pokazívala (n)
vi	ste bili pokazívali (m) ste bile pokazívale (f) ste bila pokazívala (n)	vi	ćete pokazívati	vi	budete pokazívali (m) budete pokazívale (f) budete pokazívala (n)
oni (m)	su bili pokazívali	oni (m)	će pokazívati	oni (m)	budu pokazívali
one (f)	su bile pokazívale	one (f)	će pokazívati	one (f)	budu pokazívale
ona (n)	su bila pokazívala	ona (n)	će pokazívati	ona (n)	budu pokazívala

VERB MOODS

Conditional 1		Conditional 2		Imperative	
ja	bih pokazívao	ja	bih bio pokazívao	ja	-
ti	bi pokazívao (m)	ti	bi bio pokazívao (m)	ti	pokázuj
	bi pokazívala (f)		bi bila pokazívala (f)		
	bi pokazívalo (n)		bi bilo pokazívalo (n)		
on (m)	bi pokazívao	on (m)	bi bio pokazívao	on (m)	neka pokázuje
ona (f)	bi pokazívala	ona (f)	bi bila pokazívala	ona (f)	neka pokázuje
ono (n)	bi pokazívalo	ono (n)	bi bilo pokazívalo	ono (n)	neka pokázuje
mi	bismo pokazívali (m)	mi	bismo bili pokazívali (m)	mi	pokázivajmo
	bismo pokazívale (f)		bismo bile pokazívale (f)		
	bismo pokazívala (n)		bismo bila pokazívala (n)		
vi	biste pokazívali (m)	vi	biste bili pokazívali (m)	vi	pokázivajte
	biste pokazívale (f)		biste bile pokazívale (f)		
	biste pokazívala (n)		biste bila pokazívala (n)		
oni (m)	bi pokazívali	oni (m)	bi bili pokazívali	oni (m)	neka pokazívaju
one (f)	bi pokazívale	one (f)	bi bile pokazívale	one (f)	neka pokazívaju
ona (n)	bi pokazívala	ona (n)	bi bila pokazívala	ona (n)	neka pokazívaju

VERBAL ADJECTIVES

Active participle		Past participle	
ja	pokazívao	ja	pokázivan
ti	pokazívao (m)	ti	pokázivan (m)
	pokazívala (f)		pokázivana (f)
	pokazívalo (n)		pokázivano(n)
on (m)	pokazívao	on (m)	pokázivan
ona (f)	pokazívala	ona (f)	pokázivana
ono (n)	pokazívalo	ono (n)	pokázivano
mi	pokazívali (m)	mi	pokázivani (m)
	pokazívale (f)		pokázivane (f)
	pokazívala (n)		pokázivane (n)
vi	pokazívali (m)	vi	pokázivani (m)
	pokazívale (f)		pokázivane (f)
	pokazívala (n)		pokázivana (n)
oni (m)	pokazívali	oni (m)	pokázivani
one (f)	pokazívale	one (f)	pokázivane
ona (n)	pokazívala	ona (n)	pokázivana

VERBAL ADVERBS
Active participle
pokazívajući
Past participle
-

Look, I'm showing you right now. – Pogledaj, pokazujem ti upravo sad.

I will be showing him pictures all night. – Pokazivat ću mu slike cijelu noć.

To Show (Pokazati) – Perfective

Present		Perfect		Aorist	
ja	pókažem	ja	sam pokázao	ja	pokázah
ti	pókažeš	ti	si pokázao (m) si pokázala (f) si pokázalo (n)	ti	pokáza
on (m)	pókaže	on (m)	je pokázao	on (m)	pokáza
ona (f)	pókaže	ona (f)	je pokázala	ona (f)	pokáza
ono (n)	pókaže	ono (n)	je pokázalo	ono (n)	pokáza
mi	pókažemo	mi	smo pokázali (m) smo pokázale (f) smo pokázala (n)	mi	pokázasmo
vi	pókažete	vi	ste pokázali (m) ste pokázale (f) ste pokázala (n)	vi	pokázaste
oni (m)	pókažu	oni (m)	su pokázali	oni (m)	pokázaše
one (f)	pókažu	one (f)	su pokázale	one (f)	pokázaše
ona (n)	pókažu	ona (n)	su pokázala	ona (n)	pokázaše

Pluperfect		Futur 1		Futur 2	
ja	sam bio pokázao	ja	ću pokázati	ja	budem pokázao
ti	si bio pokázao (m) si bila pokázala (f) si bilo pokázalo (n)	ti	ćeš pokázati	ti	budeš pokázao (m) budeš pokázala (f) budeš pokázalo (n)
on (m)	je bio pokázao	on (m)	će pokázati	on (m)	bude pokázao
ona (f)	je bila pokázala	ona (f)	će pokázati	ona (f)	bude pokázala
ono (n)	je bilo pokázalo	ono (n)	će pokázati	ono (n)	bude pokázalo
mi	smo bili pokázali (m) smo bile pokázale (f) smo bila pokázala (n)	mi	ćemo pokázati	mi	budemo pokázali (m) budemo pokázale (f) budemo pokázala (n)
vi	ste bili pokázali (m) ste bile pokázale (f) ste bila pokázala (n)	vi	ćete pokázati	vi	budete pokázali (m) budete pokázale (f) budete pokázala (n)
oni (m)	su bili pokázali	oni (m)	će pokázati	oni (m)	budu pokázali
one (f)	su bile pokázale	one (f)	će pokázati	one (f)	budu pokázale
ona (n)	su bila pokázala	ona (n)	će pokázati	ona (n)	budu pokázala

VERB MOODS					
Conditional 1		Conditional 2		Imperative	
ja	bih pokázao	ja	bih bio pokázao	ja	-
ti	bi pokázao (m)	ti	bi bio pokázao (m)	ti	pokáži
	bi pokázala (f)		bi bila pokázala (f)		
	bi pokázalo (n)		bi bilo pokázalo (n)		
on (m)	bi pokázao	on (m)	bi bio pokázao	on (m)	neka pókaže
ona (f)	bi pokázala	ona (f)	bi bila pokázala	ona (f)	neka pókaže
ono (n)	bi pokázalo	ono (n)	bi bilo pokázalo	ono (n)	neka pókaže
mi	bismo pokázali (m)	mi	bismo bili pokázali (m)	mi	pokážimo
	bismo pokázale (f)		bismo bile pokázale (f)		
	bismo pokázala (n)		bismo bila pokázala (n)		
vi	biste pokázali (m)	vi	biste bili pokázali (m)	vi	pokážite
	biste pokázale (f)		biste bile pokázale (f)		
	biste pokázala (n)		biste bila pokázala (n)		
oni (m)	bi pokázali	oni (m)	bi bili pokázali	oni (m)	neka pókažu
one (f)	bi pokázale	one (f)	bi bile pokázale	one (f)	neka pókažu
ona (n)	bi pokázala	ona (n)	bi bila pokázala	ona (n)	neka pókažu

VERBAL ADJECTIVES			
Active participle		Past participle	
ja	pokázao	ja	pókazan
ti	pokázao (m)	ti	pókazan (m)
	pokázala (f)		pókazana (f)
	pokázalo (n)		pókazano(n)
on (m)	pokázao	on (m)	pókazan
ona (f)	pokázala	ona (f)	pókazana
ono (n)	pokázalo	ono (n)	pókazano
mi	pokázali (m)	mi	pókazani (m)
	pokázale (f)		pókazane (f)
	pokázala (n)		pókazane (n)
vi	pokázali (m)	vi	pókazani (m)
	pokázale (f)		pókazane (f)
	pokázala (n)		pókazana (n)
oni (m)	pokázali	oni (m)	pókazani
one (f)	pokázale	one (f)	pókazane
ona (n)	pokázala	ona (n)	pókazana

VERBAL ADVERBS
Active participle
-
Past participle
pokázavši

I have showed you my pictures. – Pokazao sam ti svoje slike.

Show it to me. – Pokaži mi.

To Sing (Pjevati) – Imperfective

Present		Perfect		Imperfect	
ja	pjévam	ja	sam pjévao	ja	pjévah
ti	pjévaš	ti	si pjévao (m) si pjévala (f) si pjévalo (n)	ti	pjévaše
on (m)	pjéva	on (m)	je pjévao	on (m)	pjévaše
ona (f)	pjéva	ona (f)	je pjévala	ona (f)	pjévaše
ono (n)	pjéva	ono (n)	je pjévalo	ono (n)	pjévaše
mi	pjévamo	mi	smo pjévali (m) smo pjévale (f) smo pjévala (n)	mi	pjévasmo
vi	pjévate	vi	ste pjévali (m) ste pjévale (f) ste pjévala (n)	vi	pjévaste
oni (m)	pjévaju	oni (m)	su pjévali	oni (m)	pjévahu
one (f)	pjévaju	one (f)	su pjévale	one (f)	pjévahu
ona (n)	pjévaju	ona (n)	su pjévala	ona (n)	pjévahu

Pluperfect		Futur 1		Futur 2	
ja	sam bio pjévao	ja	ću pjévati	ja	budem pjévao
ti	si bio pjévao (m) si bila pjévala (f) si bilo pjévalo (n)	ti	ćeš pjévati	ti	budeš pjévao (m) budeš pjévala (f) budeš pjévalo (n)
on (m)	je bio pjévao	on (m)	će pjévati	on (m)	bude pjévao
ona (f)	je bila pjévala	ona (f)	će pjévati	ona (f)	bude pjévala
ono (n)	je bilo pjévalo	ono (n)	će pjévati	ono (n)	bude pjévalo
mi	smo bili pjévali (m) smo bile pjévale (f) smo bila pjévala (n)	mi	ćemo pjévati	mi	budemo pjévali (m) budemo pjévale (f) budemo pjévala (n)
vi	ste bili pjévali (m) ste bile pjévale (f) ste bila pjévala (n)	vi	ćete pjévati	vi	budete pjévali (m) budete pjévale (f) budete pjévala (n)
oni (m)	su bili pjévali	oni (m)	će pjévati	oni (m)	budu pjévali
one (f)	su bile pjévale	one (f)	će pjévati	one (f)	budu pjévale
ona (n)	su bila pjévala	ona (n)	će pjévati	ona (n)	budu pjévala

VERB MOODS					
Conditional 1		**Conditional 2**		**Imperative**	
ja	bih pjévao	ja	bih bio pjévao	ja	-
ti	bi pjévao (m)	ti	bi bio pjévao (m)	ti	pjévaj
	bi pjévala (f)		bi bila pjévala (f)		
	bi pjévalo (n)		bi bilo pjévalo (n)		
on (m)	bi pjévao	on (m)	bi bio pjévao	on (m)	neka pjéva
ona (f)	bi pjévala	ona (f)	bi bila pjévala	ona (f)	neka pjéva
ono (n)	bi pjévalo	ono (n)	bi bilo pjévalo	ono (n)	neka pjéva
mi	bismo pjévali (m)	mi	bismo bili pjévali (m)	mi	pjévajmo
	bismo pjévale (f)		bismo bile pjévale (f)		
	bismo pjévala (n)		bismo bila pjévala (n)		
vi	biste pjévali (m)	vi	biste bili pjévali (m)	vi	pjévajte
	biste pjévale (f)		biste bile pjévale (f)		
	biste pjévala (n)		biste bila pjévala (n)		
oni (m)	bi pjévali	oni (m)	bi bili pjévali	oni (m)	neka pjévaju
one (f)	bi pjévale	one (f)	bi bile pjévale	one (f)	neka pjévaju
ona (n)	bi pjévala	ona (n)	bi bila pjévala	ona (n)	neka pjévaju

VERBAL ADJECTIVES			
Active participle		**Past participle**	
ja	pjévao	ja	pjévan
ti	pjévao (m)	ti	pjévan (m)
	pjévala (f)		pjévana (f)
	pjévalo (n)		pjévano(n)
on (m)	pjévao	on (m)	pjévan
ona (f)	pjévala	ona (f)	pjévana
ono (n)	pjévalo	ono (n)	pjévano
mi	pjévali (m)	mi	pjévani (m)
	pjévale (f)		pjévane (f)
	pjévala (n)		pjévane (n)
vi	pjévali (m)	vi	pjévani (m)
	pjévale (f)		pjévane (f)
	pjévala (n)		pjévana (n)
oni (m)	pjévali	oni (m)	pjévani
one (f)	pjévale	one (f)	pjévane
ona (n)	pjévala	ona (n)	pjévana

VERBAL ADVERBS
Active participle
pjévajući
Past participle
-

I was singing every day. – Pjevao sam svaki dan.

I am singing for two hours and I'm tired. – Pjevam dva sata i umoran sam.

To Sing (Zapjevati) – Perfective

Present		Perfect		Aorist	
ja	zápjevam	ja	sam zápjevao	ja	zápjevah
ti	zápjevaš	ti	si zápjevao (m) si zápjevala (f) si zápjevalo (n)	ti	zápjeva
on (m)	zápjeva	on (m)	je zápjevao	on (m)	zápjeva
ona (f)	zápjeva	ona (f)	je zápjevala	ona (f)	zápjeva
ono (n)	zápjeva	ono (n)	je zápjevalo	ono (n)	zápjeva
mi	zápjevamo	mi	smo zápjevali (m) smo zápjevale (f) smo zápjevala (n)	mi	zápjevasmo
vi	zápjevate	vi	ste zápjevali (m) ste zápjevale (f) ste zápjevala (n)	vi	zápjevaste
oni (m)	zápjevaju	oni (m)	su zápjevali	oni (m)	zápjevaše
one (f)	zápjevaju	one (f)	su zápjevale	one (f)	zápjevaše
ona (n)	zápjevaju	ona (n)	su zápjevala	ona (n)	zápjevaše

Pluperfect		Futur 1		Futur 2	
ja	sam bio zápjevao	ja	ću zápjevati	ja	budem zápjevao
ti	si bio zápjevao (m) si bila zápjevala (f) si bilo zápjevalo (n)	ti	ćeš zápjevati	ti	budeš zápjevao (m) budeš zápjevala (f) budeš zápjevalo (n)
on (m)	je bio zápjevao	on (m)	će zápjevati	on (m)	bude zápjevao
ona (f)	je bila zápjevala	ona (f)	će zápjevati	ona (f)	bude zápjevala
ono (n)	je bilo zápjevalo	ono (n)	će zápjevati	ono (n)	bude zápjevalo
mi	smo bili zápjevali (m) smo bile zápjevale (f) smo bila zápjevala (n)	mi	ćemo zápjevati	mi	budemo zápjevali (m) budemo zápjevale (f) budemo zápjevala (n)
vi	ste bili zápjevali (m) ste bile zápjevale (f) ste bila zápjevala (n)	vi	ćete zápjevati	vi	budete zápjevali (m) budete zápjevale (f) budete zápjevala (n)
oni (m)	su bili zápjevali	oni (m)	će zápjevati	oni (m)	budu zápjevali
one (f)	su bile zápjevale	one (f)	će zápjevati	one (f)	budu zápjevale
ona (n)	su bila zápjevala	ona (n)	će zápjevati	ona (n)	budu zápjevala

VERB MOODS					
Conditional 1		Conditional 2		Imperative	
ja	bih zápjevao	ja	bih bio zápjevao	ja	-
ti	bi zápjevao (m)	ti	bi bio zápjevao (m)	ti	zápjevaj
	bi zápjevala (f)		bi bila zápjevala (f)		
	bi zápjevalo (n)		bi bilo zápjevalo (n)		
on (m)	bi zápjevao	on (m)	bi bio zápjevao	on (m)	neka zápjeva
ona (f)	bi zápjevala	ona (f)	bi bila zápjevala	ona (f)	neka zápjeva
ono (n)	bi zápjevalo	ono (n)	bi bilo zápjevalo	ono (n)	neka zápjeva
mi	bismo zápjevali (m)	mi	bismo bili zápjevali (m)	mi	zápjevajmo
	bismo zápjevale (f)		bismo bile zápjevale (f)		
	bismo zápjevala (n)		bismo bila zápjevala (n)		
vi	biste zápjevali (m)	vi	biste bili zápjevali (m)	vi	zápjevajte
	biste zápjevale (f)		biste bile zápjevale (f)		
	biste zápjevala (n)		biste bila zápjevala (n)		
oni (m)	bi zápjevali	oni (m)	bi bili zápjevali	oni (m)	neka zápjevaju
one (f)	bi zápjevale	one (f)	bi bile zápjevale	one (f)	neka zápjevaju
ona (n)	bi zápjevala	ona (n)	bi bila zápjevala	ona (n)	neka zápjevaju

VERBAL ADJECTIVES			
Active participle		Past participle	
ja	zápjevao	ja	zápjevan
ti	zápjevao (m)	ti	zápjevan (m)
	zápjevala (f)		zápjevana (f)
	zápjevalo (n)		zápjevano(n)
on (m)	zápjevao	on (m)	zápjevan
ona (f)	zápjevala	ona (f)	zápjevana
ono (n)	zápjevalo	ono (n)	zápjevano
mi	zápjevali (m)	mi	zápjevani (m)
	zápjevale (f)		zápjevane (f)
	zápjevala (n)		zápjevane (n)
vi	zápjevali (m)	vi	zápjevani (m)
	zápjevale (f)		zápjevane (f)
	zápjevala (n)		zápjevana (n)
oni (m)	zápjevali	oni (m)	zápjevani
one (f)	zápjevale	one (f)	zápjevane
ona (n)	zápjevala	ona (n)	zápjevana

VERBAL ADVERBS
Active participle
-
Past participle
zápjevavši

Let’s start to sing. – Zapjevajmo.

I started to sing but it was too late. – Zapjevao sam, ali je već bilo prekasno.

To Sit down (Sjedati) – Imperfective

Present		Perfect		Imperfect	
ja	sjédam	ja	sam sjédao	ja	sjédah
ti	sjédaš	ti	si sjédao (m) si sjédala (f) si sjédalo (n)	ti	sjédaše
on (m)	sjéda	on (m)	je sjédao	on (m)	sjédaše
ona (f)	sjéda	ona (f)	je sjédala	ona (f)	sjédaše
ono (n)	sjéda	ono (n)	je sjédalo	ono (n)	sjédaše
mi	sjédamo	mi	smo sjédali (m) smo sjédale (f) smo sjédala (n)	mi	sjédasmo
vi	sjédate	vi	ste sjédali (m) ste sjédale (f) ste sjédala (n)	vi	sjédaste
oni (m)	sjédaju	oni (m)	su sjédali	oni (m)	sjédahu
one (f)	sjédaju	one (f)	su sjédale	one (f)	sjédahu
ona (n)	sjédaju	ona (n)	su sjédala	ona (n)	sjédahu

Pluperfect		Futur 1		Futur 2	
ja	sam bio sjédao	ja	ću sjédati	ja	budem sjédao
ti	si bio sjédao (m) si bila sjédala (f) si bilo sjédalo (n)	ti	ćeš sjédati	ti	budeš sjédao (m) budeš sjédala (f) budeš sjédalo (n)
on (m)	je bio sjédao	on (m)	će sjédati	on (m)	bude sjédao
ona (f)	je bila sjédala	ona (f)	će sjédati	ona (f)	bude sjédala
ono (n)	je bilo sjédalo	ono (n)	će sjédati	ono (n)	bude sjédalo
mi	smo bili sjédali (m) smo bile sjédale (f) smo bila sjédala (n)	mi	ćemo sjédati	mi	budemo sjédali (m) budemo sjédale (f) budemo sjédala (n)
vi	ste bili sjédali (m) ste bile sjédale (f) ste bila sjédala (n)	vi	ćete sjédati	vi	budete sjédali (m) budete sjédale (f) budete sjédala (n)
oni (m)	su bili sjédali	oni (m)	će sjédati	oni (m)	budu sjédali
one (f)	su bile sjédale	one (f)	će sjédati	one (f)	budu sjédale
ona (n)	su bila sjédala	ona (n)	će sjédati	ona (n)	budu sjédala

VERB MOODS					
Conditional 1		**Conditional 2**		**Imperative**	
ja	bih sjédao	ja	bih bio sjédao	ja	-
ti	bi sjédao (m) bi sjédala (f) bi sjédalo (n)	ti	bi bio sjédao (m) bi bila sjédala (f) bi bilo sjédalo (n)	ti	sjédaj
on (m)	bi sjédao	on (m)	bi bio sjédao	on (m)	neka sjéda
ona (f)	bi sjédala	ona (f)	bi bila sjédala	ona (f)	neka sjéda
ono (n)	bi sjédalo	ono (n)	bi bilo sjédalo	ono (n)	neka sjéda
mi	bismo sjédali (m) bismo sjédale (f) bismo sjédala (n)	mi	bismo bili sjédali (m) bismo bile sjédale (f) bismo bila sjédala (n)	mi	sjédajmo
vi	biste sjédali (m) biste sjédale (f) biste sjédala (n)	vi	biste bili sjédali (m) biste bile sjédale (f) biste bila sjédala (n)	vi	sjédajte
oni (m)	bi sjédali	oni (m)	bi bili sjédali	oni (m)	neka sjédaju
one (f)	bi sjédale	one (f)	bi bile sjédale	one (f)	neka sjédaju
ona (n)	bi sjédala	ona (n)	bi bila sjédala	ona (n)	neka sjédaju

VERBAL ADJECTIVES			
Active participle		**Past participle**	
ja	sjédao	ja	sjédan
ti	sjédao (m) sjédala (f) sjédalo (n)	ti	sjédan (m) sjédana (f) sjédano(n)
on (m)	sjédao	on (m)	sjédan
ona (f)	sjédala	ona (f)	sjédana
ono (n)	sjédalo	ono (n)	sjédano
mi	sjédali (m) sjédale (f) sjédala (n)	mi	sjédani (m) sjédane (f) sjédane (n)
vi	sjédali (m) sjédale (f) sjédala (n)	vi	sjédani (m) sjédane (f) sjédana (n)
oni (m)	sjédali	oni (m)	sjédani
one (f)	sjédale	one (f)	sjédane
ona (n)	sjédala	ona (n)	sjédana

VERBAL ADVERBS
Active participle
sjédajući
Past participle
-

Don't worry, I'm sitting down. – Ne brini, sjedam.

I will sit down on every chair. – Sjedat ću na svaku stolicu.

To Sit down (Sjesti) – Perfective

Present		Perfect		Aorist	
ja	sjédnem	ja	sam sjéo	ja	sjédoh
ti	sjédneš	ti	si sjéo (m) si sjéla (f) si sjélo (n)	ti	sjéde
on (m)	sjédne	on (m)	je sjéo	on (m)	sjéde
ona (f)	sjédne	ona (f)	je sjéla	ona (f)	sjéde
ono (n)	sjédne	ono (n)	je sjélo	ono (n)	sjéde
mi	sjédnemo	mi	smo sjéli (m) smo sjéle (f) smo sjéla (n)	mi	sjédosmo
vi	sjédnete	vi	ste sjéli (m) ste sjéle (f) ste sjéla (n)	vi	sjédoste
oni (m)	sjédnu	oni (m)	su sjéli	oni (m)	sjédoše
one (f)	sjédnu	one (f)	su sjéle	one (f)	sjédoše
ona (n)	sjédnu	ona (n)	su sjéla	ona (n)	sjédoše

Pluperfect		Futur 1		Futur 2	
ja	sam bio sjéo	ja	ću sjésti	ja	budem sjéo
ti	si bio sjéo (m) si bila sjéla (f) si bilo sjélo (n)	ti	ćeš sjésti	ti	budeš sjéo (m) budeš sjéla (f) budeš sjélo (n)
on (m)	je bio sjéo	on (m)	će sjésti	on (m)	bude sjéo
ona (f)	je bila sjéla	ona (f)	će sjésti	ona (f)	bude sjéla
ono (n)	je bilo sjélo	ono (n)	će sjésti	ono (n)	bude sjélo
mi	smo bili sjéli (m) smo bile sjéle (f) smo bila sjéla (n)	mi	ćemo sjésti	mi	budemo sjéli (m) budemo sjéle (f) budemo sjéla (n)
vi	ste bili sjéli (m) ste bile sjéle (f) ste bila sjéla (n)	vi	ćete sjésti	vi	budete sjéli (m) budete sjéle (f) budete sjéla (n)
oni (m)	su bili sjéli	oni (m)	će sjésti	oni (m)	budu sjéli
one (f)	su bile sjéle	one (f)	će sjésti	one (f)	budu sjéle
ona (n)	su bila sjéla	ona (n)	će sjésti	ona (n)	budu sjéla

VERB MOODS					
Conditional 1		Conditional 2		Imperative	
ja	bih sjéo	ja	bih bio sjéo	ja	-
ti	bi sjéo (m)	ti	bi bio sjéo (m)	ti	sjédni
	bi sjéla (f)		bi bila sjéla (f)		
	bi sjélo (n)		bi bilo sjélo (n)		
on (m)	bi sjéo	on (m)	bi bio sjéo	on (m)	neka sjédne
ona (f)	bi sjéla	ona (f)	bi bila sjéla	ona (f)	neka sjédne
ono (n)	bi sjélo	ono (n)	bi bilo sjélo	ono (n)	neka sjédne
mi	bismo sjéli (m)	mi	bismo bili sjéli (m)	mi	sjédnimo
	bismo sjéle (f)		bismo bile sjéle (f)		
	bismo sjéla (n)		bismo bila sjéla (n)		
vi	biste sjéli (m)	vi	biste bili sjéli (m)	vi	sjédnite
	biste sjéle (f)		biste bile sjéle (f)		
	biste sjéla (n)		biste bila sjéla (n)		
oni (m)	bi sjéli	oni (m)	bi bili sjéli	oni (m)	neka sjédnu
one (f)	bi sjéle	one (f)	bi bile sjéle	one (f)	neka sjédnu
ona (n)	bi sjéla	ona (n)	bi bila sjéla	ona (n)	neka sjédnu

VERBAL ADJECTIVES			
Active participle		Past participle	
ja	sjéo	ja	
ti	sjéo (m)	ti	
	sjéla (f)		
	sjélo (n)		
on (m)	sjéo	on (m)	
ona (f)	sjéla	ona (f)	
ono (n)	sjélo	ono (n)	
mi	sjéli (m)	mi	
	sjéle (f)		
	sjéla (n)		
vi	sjéli (m)	vi	
	sjéle (f)		
	sjéla (n)		
oni (m)	sjéli	oni (m)	
one (f)	sjéle	one (f)	
ona (n)	sjéla	ona (n)	

VERBAL ADVERBS
Active participle
-
Past participle
sjévši

I sat down and fell asleep. – Sjeo sam i zaspao.

She will sit down and sing. – Ona će sjesti i pjevati.

To Sleep (Spavati) – Imperfective

Present		Perfect		Imperfect	
ja	spávam	ja	sam spávao	ja	spávah
ti	spávaš	ti	si spávao (m)	ti	spávaše
			si spávala (f)		
			si spávalo (n)		
on (m)	spáva	on (m)	je spávao	on (m)	spávaše
ona (f)	spáva	ona (f)	je spávala	ona (f)	spávaše
ono (n)	spáva	ono (n)	je spávalo	ono (n)	spávaše
mi	spávamo	mi	smo spávali (m)	mi	spávasmo
			smo spávale (f)		
			smo spávala (n)		
vi	spávate	vi	ste spávali (m)	vi	spávaste
			ste spávale (f)		
			ste spávala (n)		
oni (m)	spávaju	oni (m)	su spávali	oni (m)	spávahu
one (f)	spávaju	one (f)	su spávale	one (f)	spávahu
ona (n)	spávaju	ona (n)	su spávala	ona (n)	spávahu

Pluperfect		Futur 1		Futur 2	
ja	sam bio spávao	ja	ću spávati	ja	budem spávao
ti	si bio spávao (m)	ti	ćeš spávati	ti	budeš spávao (m)
	si bila spávala (f)				budeš spávala (f)
	si bilo spávalo (n)				budeš spávalo (n)
on (m)	je bio spávao	on (m)	će spávati	on (m)	bude spávao
ona (f)	je bila spávala	ona (f)	će spávati	ona (f)	bude spávala
ono (n)	je bilo spávalo	ono (n)	će spávati	ono (n)	bude spávalo
mi	smo bili spávali (m)	mi	ćemo spávati	mi	budemo spávali (m)
	smo bile spávale (f)				budemo spávale (f)
	smo bila spávala (n)				budemo spávala (n)
vi	ste bili spávali (m)	vi	ćete spávati	vi	budete spávali (m)
	ste bile spávale (f)				budete spávale (f)
	ste bila spávala (n)				budete spávala (n)
oni (m)	su bili spávali	oni (m)	će spávati	oni (m)	budu spávali
one (f)	su bile spávale	one (f)	će spávati	one (f)	budu spávale
ona (n)	su bila spávala	ona (n)	će spávati	ona (n)	budu spávala

VERB MOODS					
Conditional 1		Conditional 2		Imperative	
ja	bih spávao	ja	bih bio spávao	ja	-
ti	bi spávao (m)	ti	bi bio spávao (m)	ti	spávaj
	bi spávala (f)		bi bila spávala (f)		
	bi spávalo (n)		bi bilo spávalo (n)		
on (m)	bi spávao	on (m)	bi bio spávao	on (m)	neka spáva
ona (f)	bi spávala	ona (f)	bi bila spávala	ona (f)	neka spáva
ono (n)	bi spávalo	ono (n)	bi bilo spávalo	ono (n)	neka spáva
mi	bismo spávali (m)	mi	bismo bili spávali (m)	mi	spávajmo
	bismo spávale (f)		bismo bile spávale (f)		
	bismo spávala (n)		bismo bila spávala (n)		
vi	biste spávali (m)	vi	biste bili spávali (m)	vi	spávajte
	biste spávale (f)		biste bile spávale (f)		
	biste spávala (n)		biste bila spávala (n)		
oni (m)	bi spávali	oni (m)	bi bili spávali	oni (m)	neka spávaju
one (f)	bi spávale	one (f)	bi bile spávale	one (f)	neka spávaju
ona (n)	bi spávala	ona (n)	bi bila spávala	ona (n)	neka spávaju

VERBAL ADJECTIVES			
Active participle		Past participle	
ja	spávao	ja	spávan
ti	spávao (m)	ti	spávan (m)
	spávala (f)		spávana (f)
	spávalo (n)		spávano(n)
on (m)	spávao	on (m)	spávan
ona (f)	spávala	ona (f)	spávana
ono (n)	spávalo	ono (n)	spávano
mi	spávali (m)	mi	spávani (m)
	spávale (f)		spávane (f)
	spávala (n)		spávane (n)
vi	spávali (m)	vi	spávani (m)
	spávale (f)		spávane (f)
	spávala (n)		spávana (n)
oni (m)	spávali	oni (m)	spávani
one (f)	spávale	one (f)	spávane
ona (n)	spávala	ona (n)	spávana

VERBAL ADVERBS
Active participle
spávajući
Past participle
-

Be quiet they are sleeping. – Budi tiho oni spavaju.

She is sleeping for one hour. – Ona spava sat vremena.

To Sleep (Zaspati) – Perfective

Present		Perfect		Aorist	
ja	záspem	ja	sam záspao	ja	záspah
ti	záspeš	ti	si záspao (m) si záspala (f) si záspalo (n)	ti	záspa
on (m)	záspe	on (m)	je záspao	on (m)	záspa
ona (f)	záspe	ona (f)	je záspala	ona (f)	záspa
ono (n)	záspe	ono (n)	je záspalo	ono (n)	záspa
mi	záspemo	mi	smo záspali (m) smo záspale (f) smo záspala (n)	mi	záspasmo
vi	záspete	vi	ste záspali (m) ste záspale (f) ste záspala (n)	vi	záspaste
oni (m)	záspu	oni (m)	su záspali	oni (m)	záspaše
one (f)	záspu	one (f)	su záspale	one (f)	záspaše
ona (n)	záspu	ona (n)	su záspala	ona (n)	záspaše

Pluperfect		Futur 1		Futur 2	
ja	sam bio záspao	ja	ću záspati	ja	budem záspao
ti	si bio záspao (m) si bila záspala (f) si bilo záspalo (n)	ti	ćeš záspati	ti	budeš záspao (m) budeš záspala (f) budeš záspalo (n)
on (m)	je bio záspao	on (m)	će záspati	on (m)	bude záspao
ona (f)	je bila záspala	ona (f)	će záspati	ona (f)	bude záspala
ono (n)	je bilo záspalo	ono (n)	će záspati	ono (n)	bude záspalo
mi	smo bili záspali (m) smo bile záspale (f) smo bila záspala (n)	mi	ćemo záspati	mi	budemo záspali (m) budemo záspale (f) budemo záspala (n)
vi	ste bili záspali (m) ste bile záspale (f) ste bila záspala (n)	vi	ćete záspati	vi	budete záspali (m) budete záspale (f) budete záspala (n)
oni (m)	su bili záspali	oni (m)	će záspati	oni (m)	budu záspali
one (f)	su bile záspale	one (f)	će záspati	one (f)	budu záspale
ona (n)	su bila záspala	ona (n)	će záspati	ona (n)	budu záspala

VERB MOODS					
Conditional 1		Conditional 2		Imperative	
ja	bih záspao	ja	bih bio záspao	ja	-
ti	bi záspao (m)	ti	bi bio záspao (m)	ti	záspi
	bi záspala (f)		bi bila záspala (f)		
	bi záspalo (n)		bi bilo záspalo (n)		
on (m)	bi záspao	on (m)	bi bio záspao	on (m)	neka záspe
ona (f)	bi záspala	ona (f)	bi bila záspala	ona (f)	neka záspe
ono (n)	bi záspalo	ono (n)	bi bilo záspalo	ono (n)	neka záspe
mi	bismo záspali (m)	mi	bismo bili záspali (m)	mi	záspimo
	bismo záspale (f)		bismo bile záspale (f)		
	bismo záspala (n)		bismo bila záspala (n)		
vi	biste záspali (m)	vi	biste bili záspali (m)	vi	záspite
	biste záspale (f)		biste bile záspale (f)		
	biste záspala (n)		biste bila záspala (n)		
oni (m)	bi záspali	oni (m)	bi bili záspali	oni (m)	neka záspu
one (f)	bi záspale	one (f)	bi bile záspale	one (f)	neka záspu
ona (n)	bi záspala	ona (n)	bi bila záspala	ona (n)	neka záspu

VERBAL ADJECTIVES			
Active participle		Past participle	
ja	záspao	ja	záspan
ti	záspao (m)	ti	záspan (m)
	záspala (f)		záspana (f)
	záspalo (n)		záspano(n)
on (m)	záspao	on (m)	záspan
ona (f)	záspala	ona (f)	záspana
ono (n)	záspalo	ono (n)	záspano
mi	záspali (m)	mi	záspani (m)
	záspale (f)		záspane (f)
	záspala (n)		záspane (n)
vi	záspali (m)	vi	záspani (m)
	záspale (f)		záspane (f)
	záspala (n)		záspana (n)
oni (m)	záspali	oni (m)	záspani
one (f)	záspale	one (f)	záspane
ona (n)	záspala	ona (n)	záspana

VERBAL ADVERBS
Active participle
-
Past participle
záspavši

She fell asleep during the show. – Ona je zaspala tokom predstave.

I started to sleep after I took the pill. –Zaspao sam nakon što sam uzeo tabletu.

To Smile (Smiješiti se) – Imperfective

Present		Perfect		Imperfect	
ja	se smiјéšim	ja	sam se smiјéšio	ja	se smiјéšah
ti	se smiјéšiš	ti	si se smiјéšio (m) si se smiјéšila (f) si se smiјéšilo (n)	ti	se smiјéšaše
on (m)	se smiјéši	on (m)	je se smiјéšio	on (m)	se smiјéšaše
ona (f)	se smiјéši	ona (f)	je se smiјéšila	ona (f)	se smiјéšaše
ono (n)	se smiјéši	ono (n)	je se smiјéšilo	ono (n)	se smiјéšaše
mi	se smiјéšimo	mi	smo se smiјéšili (m) smo se smiјéšile (f) smo se smiјéšila (n)	mi	se smiјéšasmo
vi	se smiјéšite	vi	ste se smiјéšili (m) ste se smiјéšile (f) ste se smiјéšila (n)	vi	se smiјéšaste
oni (m)	se smiјéše	oni (m)	su se smiјéšili	oni (m)	se smiјéšahu
one (f)	se smiјéše	one (f)	su se smiјéšile	one (f)	se smiјéšahu
ona (n)	se smiјéše	ona (n)	su se smiјéšila	ona (n)	se smiјéšahu

Pluperfect		Futur 1		Futur 2	
ja	sam se bio smiјéšio	ja	ću se smiјéšiti	ja	se budem smiјéšio
ti	si se bio smiјéšio (m) si se bila smiјéšila (f) si se bilo smiјéšilo (n)	ti	ćeš se smiјéšiti	ti	se budeš smiјéšio (m) se budeš smiјéšila (f) se budeš smiјéšilo (n)
on (m)	se je bio smiјéšio	on (m)	će se smiјéšiti	on (m)	se bude smiјéšio
ona (f)	se je bila smiјéšila	ona (f)	će se smiјéšiti	ona (f)	se bude smiјéšila
ono (n)	se je bilo smiјéšilo	ono (n)	će se smiјéšiti	ono (n)	se bude smiјéšilo
mi	smo se bili smiјéšili (m) smo se bile smiјéšile (f) smo se bila smiјéšila (n)	mi	ćemo se smiјéšiti	mi	se budemo smiјéšili (m) se budemo smiјéšile (f) se budemo smiјéšila (n)
vi	ste se bili smiјéšili (m) ste se bile smiјéšile (f) ste se bila smiјéšila (n)	vi	ćete se smiјéšiti	vi	se budete smiјéšili (m) se budete smiјéšile (f) se budete smiјéšila (n)
oni (m)	su se bili smiјéšili	oni (m)	će se smiјéšiti	oni (m)	se budu smiјéšili
one (f)	su se bile smiјéšile	one (f)	će se smiјéšiti	one (f)	se budu smiјéšile
ona (n)	su se bila smiјéšila	ona (n)	će se smiјéšiti	ona (n)	se budu smiјéšila

VERB MOODS					
Conditional 1		**Conditional 2**		**Imperative**	
ja	bih se smijéšio	ja	bih se bio smijéšio	ja	-
ti	bi se smijéšio (m)	ti	bi se bio smijéšio (m)	ti	se smijéši
	bi se smijéšila (f)		bi se bila smijéšila (f)		
	bi se smijéšilo (n)		bi se bilo smijéšilo (n)		
on (m)	bi se smijéšio	on (m)	bi se bio smijéšio	on (m)	neka se smijéši
ona (f)	bi se smijéšila	ona (f)	bi se bila smijéšila	ona (f)	neka se smijéši
ono (n)	bi se smijéšilo	ono (n)	bi se bilo smijéšilo	ono (n)	neka se smijéši
mi	bismo se smijéšili (m)	mi	bismo se bili smijéšili (m)	mi	se smijéšimo
	bismo se smijéšile (f)		bismo se bile smijéšile (f)		
	bismo se smijéšila (n)		bismo se bila smijéšila (n)		
vi	biste se smijéšili (m)	vi	biste se bili smijéšili (m)	vi	se smijéšite
	biste se smijéšile (f)		biste se bile smijéšile (f)		
	biste se smijéšila (n)		biste se bila smijéšila (n)		
oni (m)	bi se smijéšili	oni (m)	bi se bili smijéšili	oni (m)	neka se smijéše
one (f)	bi se smijéšile	one (f)	bi se bile smijéšile	one (f)	neka se smijéše
ona (n)	bi se smijéšila	ona (n)	bi se bila smijéšila	ona (n)	neka se smijéše

VERBAL ADJECTIVES			
Active participle		**Past participle**	
ja	smijéšio se	ja	
ti	smijéšio se (m)	ti	
	smijéšila se (f)		
	smijéšilo se (n)		
on (m)	smijéšio se	on (m)	
ona (f)	smijéšila se	ona (f)	
ono (n)	smijéšilo se	ono (n)	
mi	smijéšili se (m)	mi	
	smijéšile se (f)		
	smijéšila se (n)		
vi	smijéšili se (m)	vi	
	smijéšile se (f)		
	smijéšila se (n)		
oni (m)	smijéšili se	oni (m)	
one (f)	smijéšile se	one (f)	
ona (n)	smijéšila se	ona (n)	

VERBAL ADVERBS
Active participle
smijéšeći se
Past participle
-

She was smiling to me. – Ona mi se smiješila.

I was smiling when she came to me. – Smiješio sam se kad je ona došla do mene.

To Smile (Nasmiješiti se) – Perfective

Present		Perfect		Aorist	
ja	se násmiješim	ja	sam se nasmijéšio	ja	se nasmijéših
ti	se násmiješiš	ti	si se nasmijéšio (m) si se nasmijéšila (f) si se nasmijéšilo (n)	ti	se nasmijéši
on (m)	se násmiješi	on (m)	je se nasmijéšio	on (m)	se násmiješi
ona (f)	se násmiješi	ona (f)	je se nasmijéšila	ona (f)	se násmiješi
ono (n)	se násmiješi	ono (n)	je se nasmijéšilo	ono (n)	se násmiješi
mi	se násmiješimo	mi	smo se nasmijéšili (m) smo se nasmijéšile (f) smo se nasmijéšila (n)	mi	se nasmijéšismo
vi	se násmiješite	vi	ste se nasmijéšili (m) ste se nasmijéšile (f) ste se nasmijéšila (n)	vi	se nasmijéšiste
oni (m)	se násmiješe	oni (m)	su se nasmijéšili	oni (m)	se nasmijéšiše
one (f)	se násmiješe	one (f)	su se nasmijéšile	one (f)	se nasmijéšiše
ona (n)	se násmiješe	ona (n)	su se nasmijéšila	ona (n)	se nasmijéšiše

Pluperfect		Futur 1		Futur 2	
ja	sam se bio nasmijéšio	ja	ću se nasmijéšiti	ja	se budem nasmijéšio
ti	si se bio nasmijéšio (m) si se bila nasmijéšila (f) si se bilo nasmijéšilo (n)	ti	ćeš se nasmijéšiti	ti	se budeš nasmijéšio (m) se budeš nasmijéšila (f) se budeš nasmijéšilo (n)
on (m)	se je bio nasmijéšio	on (m)	će se nasmijéšiti	on (m)	se bude nasmijéšio
ona (f)	se je bila nasmijéšila	ona (f)	će se nasmijéšiti	ona (f)	se bude nasmijéšila
ono (n)	se je bilo nasmijéšilo	ono (n)	će se nasmijéšiti	ono (n)	se bude nasmijéšilo
mi	smo se bili nasmijéšili (m) smo se bile nasmijéšile (f) smo se bila nasmijéšila (n)	mi	ćemo se nasmijéšiti	mi	se budemo nasmijéšili (m) se budemo nasmijéšile (f) se budemo nasmijéšila (n)
vi	ste se bili nasmijéšili (m) ste se bile nasmijéšile (f) ste se bila nasmijéšila (n)	vi	ćete se nasmijéšiti	vi	se budete nasmijéšili (m) se budete nasmijéšile (f) se budete nasmijéšila (n)
oni (m)	su se bili nasmijéšili	oni (m)	će se nasmijéšiti	oni (m)	se budu nasmijéšili
one (f)	su se bile nasmijéšile	one (f)	će se nasmijéšiti	one (f)	se budu nasmijéšile
ona (n)	su se bila nasmijéšila	ona (n)	će se nasmijéšiti	ona (n)	se budu nasmijéšila

VERB MOODS					
Conditional 1		Conditional 2		Imperative	
ja	bih se nasmijéšio	ja	bih se bio nasmijéšio	ja	-
ti	bi se nasmijéšio (m)	ti	bi se bio nasmijéšio (m)	ti	se nasmijéši
	bi se nasmijéšila (f)		bi se bila nasmijéšila (f)		
	bi se nasmijéšilo (n)		bi se bilo nasmijéšilo (n)		
on (m)	bi se nasmijéšio	on (m)	bi se bio nasmijéšio	on (m)	neka se nasmijéši
ona (f)	bi se nasmijéšila	ona (f)	bi se bila nasmijéšila	ona (f)	neka se nasmijéši
ono (n)	bi se nasmijéšilo	ono (n)	bi se bilo nasmijéšilo	ono (n)	neka se nasmijéši
mi	bismo se nasmijéšili (m)	mi	bismo se bili nasmijéšili (m)	mi	se nasmijéšimo
	bismo se nasmijéšile (f)		bismo se bile nasmijéšile (f)		
	bismo se nasmijéšila (n)		bismo se bila nasmijéšila (n)		
vi	biste se nasmijéšili (m)	vi	biste se bili nasmijéšili (m)	vi	se nasmijéšite
	biste se nasmijéšile (f)		biste se bile nasmijéšile (f)		
	biste se nasmijéšila (n)		biste se bila nasmijéšila (n)		
oni (m)	bi se nasmijéšili	oni (m)	bi se bili nasmijéšili	oni (m)	neka se nasmijéše
one (f)	bi se nasmijéšile	one (f)	bi se bile nasmijéšile	one (f)	neka se nasmijéše
ona (n)	bi se nasmijéšila	ona (n)	bi se bila nasmijéšila	ona (n)	neka se nasmijéše

VERBAL ADJECTIVES			
Active participle		Past participle	
ja	nasmijéšio se	ja	násmiješen
ti	nasmijéšio se (m)	ti	násmiješen (m)
	nasmijéšila se (f)		násmiješena (f)
	nasmijéšilo se (n)		násmiješeno(n)
on (m)	nasmijéšio se	on (m)	násmiješen
ona (f)	nasmijéšila se	ona (f)	násmiješena
ono (n)	nasmijéšilo se	ono (n)	násmiješeno
mi	nasmijéšili se (m)	mi	násmiješeni (m)
	nasmijéšile se (f)		násmiješene (f)
	nasmijéšila se (n)		násmiješene (n)
vi	nasmijéšili se (m)	vi	násmiješeni (m)
	nasmijéšile se (f)		násmiješene (f)
	nasmijéšila se (n)		násmiješena (n)
oni (m)	nasmijéšili se	oni (m)	násmiješeni
one (f)	nasmijéšile se	one (f)	násmiješene
ona (n)	nasmijéšila se	ona (n)	násmiješena

VERBAL ADVERBS
Active participle
-
Past participle
nasmijéšivši se

She smiled at me. – Ona mi se nasmiješila.

He smiled after she left. – On se nasmiješio nakon što je otišla.

To Speak (Govoriti) – Imperfective

Present		Perfect		Imperfect	
ja	góvorim	ja	sam govório	ja	govórah
ti	góvoriš	ti	si govório (m) si govórila (f) si govórilo (n)	ti	govóraše
on (m)	góvori	on (m)	je govório	on (m)	govóraše
ona (f)	góvori	ona (f)	je govórila	ona (f)	govóraše
ono (n)	góvori	ono (n)	je govórilo	ono (n)	govóraše
mi	góvorimo	mi	smo govórili (m) smo govórile (f) smo govórila (n)	mi	govórasmo
vi	góvorite	vi	ste govórili (m) ste govórile (f) ste govórila (n)	vi	govóraste
oni (m)	góvore	oni (m)	su govórili	oni (m)	govórahu
one (f)	góvore	one (f)	su govórile	one (f)	govórahu
ona (n)	góvore	ona (n)	su govórila	ona (n)	govórahu

Pluperfect		Futur 1		Futur 2	
ja	sam bio govório	ja	ću govóriti	ja	budem govório
ti	si bio govório (m) si bila govórila (f) si bilo govórilo (n)	ti	ćeš govóriti	ti	budeš govório (m) budeš govórila (f) budeš govórilo (n)
on (m)	je bio govório	on (m)	će govóriti	on (m)	bude govório
ona (f)	je bila govórila	ona (f)	će govóriti	ona (f)	bude govórila
ono (n)	je bilo govórilo	ono (n)	će govóriti	ono (n)	bude govórilo
mi	smo bili govórili (m) smo bile govórile (f) smo bila govórila (n)	mi	ćemo govóriti	mi	budemo govórili (m) budemo govórile (f) budemo govórila (n)
vi	ste bili govórili (m) ste bile govórile (f) ste bila govórila (n)	vi	ćete govóriti	vi	budete govórili (m) budete govórile (f) budete govórila (n)
oni (m)	su bili govórili	oni (m)	će govóriti	oni (m)	budu govórili
one (f)	su bile govórile	one (f)	će govóriti	one (f)	budu govórile
ona (n)	su bila govórila	ona (n)	će govóriti	ona (n)	budu govórila

VERB MOODS					
Conditional 1		**Conditional 2**		**Imperative**	
ja	bih govório	ja	bih bio govório	ja	-
ti	bi govório (m)	ti	bi bio govório (m)	ti	govóri
	bi govórila (f)		bi bila govórila (f)		
	bi govórilo (n)		bi bilo govórilo (n)		
on (m)	bi govório	on (m)	bi bio govório	on (m)	neka góvori
ona (f)	bi govórila	ona (f)	bi bila govórila	ona (f)	neka góvori
ono (n)	bi govórilo	ono (n)	bi bilo govórilo	ono (n)	neka góvori
mi	bismo govórili (m)	mi	bismo bili govórili (m)	mi	govórimo
	bismo govórile (f)		bismo bile govórile (f)		
	bismo govórila (n)		bismo bila govórila (n)		
vi	biste govórili (m)	vi	biste bili govórili (m)	vi	govórite
	biste govórile (f)		biste bile govórile (f)		
	biste govórila (n)		biste bila govórila (n)		
oni (m)	bi govórili	oni (m)	bi bili govórili	oni (m)	neka góvore
one (f)	bi govórile	one (f)	bi bile govórile	one (f)	neka góvore
ona (n)	bi govórila	ona (n)	bi bila govórila	ona (n)	neka góvore

VERBAL ADJECTIVES			
Active participle		**Past participle**	
ja	govório	ja	góvoren
ti	govório (m)	ti	góvoren (m)
	govórila (f)		góvorena (f)
	govórilo (n)		góvoreno(n)
on (m)	govório	on (m)	góvoren
ona (f)	govórila	ona (f)	góvorena
ono (n)	govórilo	ono (n)	góvoreno
mi	govórili (m)	mi	góvoreni (m)
	govórile (f)		góvorene (f)
	govórila (n)		góvorene (n)
vi	govórili (m)	vi	góvoreni (m)
	govórile (f)		góvorene (f)
	govórila (n)		góvorena (n)
oni (m)	govórili	oni (m)	góvoreni
one (f)	govórile	one (f)	góvorene
ona (n)	govórila	ona (n)	góvorena

VERBAL ADVERBS
Active participle
govóreći
Past participle
-

Listen to me I am speaking now. – Slušaj me, sad ti govorim.

She was speaking about something but I don't remember. – Ona je govorila o nečemu, ali se ne sjećam.

To Speak (Progovoriti) – Perfective

Present		Perfect		Aorist	
ja	progóvorim	ja	sam progovório	ja	progovórih
ti	progóvoriš	ti	si progovório (m) si progovórila (f) si progovórilo (n)	ti	progovóri
on (m)	progóvori	on (m)	je progovório	on (m)	progovóri
ona (f)	progóvori	ona (f)	je progovórila	ona (f)	progovóri
ono (n)	progóvori	ono (n)	je progovórilo	ono (n)	progovóri
mi	progóvorimo	mi	smo progovórili (m) smo progovórile (f) smo progovórila (n)	mi	progovórismo
vi	progóvorite	vi	ste progovórili (m) ste progovórile (f) ste progovórila (n)	vi	progovóriste
oni (m)	progóvore	oni (m)	su progovórili	oni (m)	progovóriše
one (f)	progóvore	one (f)	su progovórile	one (f)	progovóriše
ona (n)	progóvore	ona (n)	su progovórila	ona (n)	progovóriše

Pluperfect		Futur 1		Futur 2	
ja	sam bio progovório	ja	ću progovóriti	ja	budem progovório
ti	si bio progovório (m) si bila progovórila (f) si bilo progovórilo (n)	ti	ćeš progovóriti	ti	budeš progovório (m) budeš progovórila (f) budeš progovórilo (n)
on (m)	je bio progovório	on (m)	će progovóriti	on (m)	bude progovório
ona (f)	je bila progovórila	ona (f)	će progovóriti	ona (f)	bude progovórila
ono (n)	je bilo progovórilo	ono (n)	će progovóriti	ono (n)	bude progovórilo
mi	smo bili progovórili (m) smo bile progovórile (f) smo bila progovórila (n)	mi	ćemo progovóriti	mi	budemo progovórili (m) budemo progovórile (f) budemo progovórila (n)
vi	ste bili progovórili (m) ste bile progovórile (f) ste bila progovórila (n)	vi	ćete progovóriti	vi	budete progovórili (m) budete progovórile (f) budete progovórila (n)
oni (m)	su bili progovórili	oni (m)	će progovóriti	oni (m)	budu progovórili
one (f)	su bile progovórile	one (f)	će progovóriti	one (f)	budu progovórile
ona (n)	su bila progovórila	ona (n)	će progovóriti	ona (n)	budu progovórila

VERB MOODS					
Conditional 1		**Conditional 2**		**Imperative**	
ja	bih progovório	ja	bih bio progovório	ja	-
ti	bi progovório (m)	ti	bi bio progovório (m)	ti	progovóri
	bi progovórila (f)		bi bila progovórila (f)		
	bi progovórilo (n)		bi bilo progovórilo (n)		
on (m)	bi progovório	on (m)	bi bio progovório	on (m)	neka progóvori
ona (f)	bi progovórila	ona (f)	bi bila progovórila	ona (f)	neka progóvori
ono (n)	bi progovórilo	ono (n)	bi bilo progovórilo	ono (n)	neka progóvori
mi	bismo progovórili (m)	mi	bismo bili progovórili (m)	mi	progovórimo
	bismo progovórile (f)		bismo bile progovórile (f)		
	bismo progovórila (n)		bismo bila progovórila (n)		
vi	biste progovórili (m)	vi	biste bili progovórili (m)	vi	progovórite
	biste progovórile (f)		biste bile progovórile (f)		
	biste progovórila (n)		biste bila progovórila (n)		
oni (m)	bi progovórili	oni (m)	bi bili progovórili	oni (m)	neka progóvore
one (f)	bi progovórile	one (f)	bi bile progovórile	one (f)	neka progóvore
ona (n)	bi progovórila	ona (n)	bi bila progovórila	ona (n)	neka progóvore

VERBAL ADJECTIVES			
Active participle		**Past participle**	
ja	progovório	ja	progóvoren
ti	progovório (m)	ti	progóvoren (m)
	progovórila (f)		progóvorena (f)
	progovórilo (n)		progóvoreno(n)
on (m)	progovório	on (m)	progóvoren
ona (f)	progovórila	ona (f)	progóvorena
ono (n)	progovórilo	ono (n)	progóvoreno
mi	progovórili (m)	mi	progóvoreni (m)
	progovórile (f)		progóvorene (f)
	progovórila (n)		progóvorene (n)
vi	progovórili (m)	vi	progóvoreni (m)
	progovórile (f)		progóvorene (f)
	progovórila (n)		progóvorena (n)
oni (m)	progovórili	oni (m)	progóvoreni
one (f)	progovórile	one (f)	progóvorene
ona (n)	progovórila	ona (n)	progóvorena

VERBAL ADVERBS
Active participle
-
Past participle
progovórivši

I will speak about this. – Progovorit ću o ovome.

She started to speak after him. – Ona je progovorila nakon njega.

To Stand (Stajati) – Imperfective

Present		Perfect		Imperfect	
ja	stójim	ja	sam stájao	ja	stájah
ti	stójiš	ti	si stájao (m)	ti	stájaše
			si stájala (f)		
			si stájalo (n)		
on (m)	stóji	on (m)	je stájao	on (m)	stájaše
ona (f)	stóji	ona (f)	je stájala	ona (f)	stájaše
ono (n)	stóji	ono (n)	je stájalo	ono (n)	stájaše
mi	stójimo	mi	smo stájali (m)	mi	stájasmo
			smo stájale (f)		
			smo stájala (n)		
vi	stójite	vi	ste stájali (m)	vi	stájaste
			ste stájale (f)		
			ste stájala (n)		
oni (m)	stóje	oni (m)	su stájali	oni (m)	stájahu
one (f)	stóje	one (f)	su stájale	one (f)	stájahu
ona (n)	stóje	ona (n)	su stájala	ona (n)	stájahu

Pluperfect		Futur 1		Futur 2	
ja	sam bio stájao	ja	ću stájati	ja	budem stájao
ti	si bio stájao (m)	ti	ćeš stájati	ti	budeš stájao (m)
	si bila stájala (f)				budeš stájala (f)
	si bilo stájalo (n)				budeš stájalo (n)
on (m)	je bio stájao	on (m)	će stájati	on (m)	bude stájao
ona (f)	je bila stájala	ona (f)	će stájati	ona (f)	bude stájala
ono (n)	je bilo stájalo	ono (n)	će stájati	ono (n)	bude stájalo
mi	smo bili stájali (m)	mi	ćemo stájati	mi	budemo stájali (m)
	smo bile stájale (f)				budemo stájale (f)
	smo bila stájala (n)				budemo stájala (n)
vi	ste bili stájali (m)	vi	ćete stájati	vi	budete stájali (m)
	ste bile stájale (f)				budete stájale (f)
	ste bila stájala (n)				budete stájala (n)
oni (m)	su bili stájali	oni (m)	će stájati	oni (m)	budu stájali
one (f)	su bile stájale	one (f)	će stájati	one (f)	budu stájale
ona (n)	su bila stájala	ona (n)	će stájati	ona (n)	budu stájala

VERB MOODS					
Conditional 1		**Conditional 2**		**Imperative**	
ja	bih stájao	ja	bih bio stájao	ja	-
ti	bi stájao (m)	ti	bi bio stájao (m)	ti	stój
	bi stájala (f)		bi bila stájala (f)		
	bi stájalo (n)		bi bilo stájalo (n)		
on (m)	bi stájao	on (m)	bi bio stájao	on (m)	neka stóje
ona (f)	bi stájala	ona (f)	bi bila stájala	ona (f)	neka stóje
ono (n)	bi stájalo	ono (n)	bi bilo stájalo	ono (n)	neka stóje
mi	bismo stájali (m)	mi	bismo bili stájali (m)	mi	stójmo
	bismo stájale (f)		bismo bile stájale (f)		
	bismo stájala (n)		bismo bila stájala (n)		
vi	biste stájali (m)	vi	biste bili stájali (m)	vi	stójte
	biste stájale (f)		biste bile stájale (f)		
	biste stájala (n)		biste bila stájala (n)		
oni (m)	bi stájali	oni (m)	bi bili stájali	oni (m)	neka stóje
one (f)	bi stájale	one (f)	bi bile stájale	one (f)	neka stóje
ona (n)	bi stájala	ona (n)	bi bila stájala	ona (n)	neka stóje

VERBAL ADJECTIVES			
Active participle		**Past participle**	
ja	stájao	ja	
ti	stájao (m)	ti	
	stájala (f)		
	stájalo (n)		
on (m)	stájao	on (m)	
ona (f)	stájala	ona (f)	
ono (n)	stájalo	ono (n)	
mi	stájali (m)	mi	
	stájale (f)		
	stájala (n)		
vi	stájali (m)	vi	
	stájale (f)		
	stájala (n)		
oni (m)	stájali	oni (m)	
one (f)	stájale	one (f)	
ona (n)	stájala	ona (n)	

VERBAL ADVERBS
Active participle
stójeći
Past participle
-

I'm standing on the stage. – Stojim na pozorici.

She was standing just next to me. – Ona je stajala tik do mene.

To Stand (Stati) – Perfective

Present		Perfect		Aorist	
ja	stánem	ja	sam stáo	ja	stáh
ti	stáneš	ti	si stáo (m) si stála (f) si stálo (n)	ti	stáde
on (m)	stáne	on (m)	je stáo	on (m)	stáde
ona (f)	stáne	ona (f)	je stála	ona (f)	stáde
ono (n)	stáne	ono (n)	je stálo	ono (n)	stáde
mi	stánemo	mi	smo stáli (m) smo stále (f) smo stála (n)	mi	stásdomo
vi	stánete	vi	ste stáli (m) ste stále (f) ste stála (n)	vi	stádoste
oni (m)	stánu	oni (m)	su stáli	oni (m)	stádoše
one (f)	stánu	one (f)	su stále	one (f)	stádoše
ona (n)	stánu	ona (n)	su stála	ona (n)	stádoše

Pluperfect		Futur 1		Futur 2	
ja	sam bio stáo	ja	ću státi	ja	budem stáo
ti	si bio stáo (m) si bila stála (f) si bilo stálo (n)	ti	ćeš státi	ti	budeš stáo (m) budeš stála (f) budeš stálo (n)
on (m)	je bio stáo	on (m)	će státi	on (m)	bude stáo
ona (f)	je bila stála	ona (f)	će státi	ona (f)	bude stála
ono (n)	je bilo stálo	ono (n)	će státi	ono (n)	bude stálo
mi	smo bili stáli (m) smo bile stále (f) smo bila stála (n)	mi	ćemo státi	mi	budemo stáli (m) budemo stále (f) budemo stála (n)
vi	ste bili stáli (m) ste bile stále (f) ste bila stála (n)	vi	ćete státi	vi	budete stáli (m) budete stále (f) budete stála (n)
oni (m)	su bili stáli	oni (m)	će státi	oni (m)	budu stáli
one (f)	su bile stále	one (f)	će státi	one (f)	budu stále
ona (n)	su bila stála	ona (n)	će státi	ona (n)	budu stála

VERB MOODS					
Conditional 1		**Conditional 2**		**Imperative**	
ja	bih stáo	ja	bih bio stáo	ja	-
ti	bi stáo (m)	ti	bi bio stáo (m)	ti	stáni
	bi stála (f)		bi bila stála (f)		
	bi stálo (n)		bi bilo stálo (n)		
on (m)	bi stáo	on (m)	bi bio stáo	on (m)	neka stáne
ona (f)	bi stála	ona (f)	bi bila stála	ona (f)	neka stáne
ono (n)	bi stálo	ono (n)	bi bilo stálo	ono (n)	neka stáne
mi	bismo stáli (m)	mi	bismo bili stáli (m)	mi	stánimo
	bismo stále (f)		bismo bile stále (f)		
	bismo stála (n)		bismo bila stála (n)		
vi	biste stáli (m)	vi	biste bili stáli (m)	vi	stánite
	biste stále (f)		biste bile stále (f)		
	biste stála (n)		biste bila stála (n)		
oni (m)	bi stáli	oni (m)	bi bili stáli	oni (m)	neka stánu
one (f)	bi stále	one (f)	bi bile stále	one (f)	neka stánu
ona (n)	bi stála	ona (n)	bi bila stála	ona (n)	neka stánu

VERBAL ADJECTIVES			
Active participle		**Past participle**	
ja	stáo	ja	
ti	stáo (m)	ti	
	stála (f)		
	stálo (n)		
on (m)	stáo	on (m)	
ona (f)	stála	ona (f)	
ono (n)	stálo	ono (n)	
mi	stáli (m)	mi	
	stále (f)		
	stála (n)		
vi	stáli (m)	vi	
	stále (f)		
	stála (n)		
oni (m)	stáli	oni (m)	
one (f)	stále	one (f)	
ona (n)	stála	ona (n)	

VERBAL ADVERBS
Active participle
-
Past participle
stávši

Let them stand for a while. – Neka stanu za trenutak.

After the shoot she stood in place. – Nakon pucnja ona je stala u mjestu.

To Start (Počinjati) – Imperfective

Present		Perfect		Imperfect	
ja	póčinjem	ja	sam póčinjao	ja	póčinjah
ti	póčinješ	ti	si póčinjao (m) si póčinjala (f) si póčinjalo (n)	ti	póčinjaše
on (m)	póčinje	on (m)	je póčinjao	on (m)	póčinjaše
ona (f)	póčinje	ona (f)	je póčinjala	ona (f)	póčinjaše
ono (n)	póčinje	ono (n)	je póčinjalo	ono (n)	póčinjaše
mi	póčinjemo	mi	smo póčinjali (m) smo póčinjale (f) smo póčinjala (n)	mi	póčinjasmo
vi	póčinjete	vi	ste póčinjali (m) ste póčinjale (f) ste póčinjala (n)	vi	póčinjaste
oni (m)	póčinju	oni (m)	su póčinjali	oni (m)	póčinjahu
one (f)	póčinju	one (f)	su póčinjale	one (f)	póčinjahu
ona (n)	póčinju	ona (n)	su póčinjala	ona (n)	póčinjahu

Pluperfect		Futur 1		Futur 2	
ja	sam bio póčinjao	ja	ću póčinjati	ja	budem póčinjao
ti	si bio póčinjao (m) si bila póčinjala (f) si bilo póčinjalo (n)	ti	ćeš póčinjati	ti	budeš póčinjao (m) budeš póčinjala (f) budeš póčinjalo (n)
on (m)	je bio póčinjao	on (m)	će póčinjati	on (m)	bude póčinjao
ona (f)	je bila póčinjala	ona (f)	će póčinjati	ona (f)	bude póčinjala
ono (n)	je bilo póčinjalo	ono (n)	će póčinjati	ono (n)	bude póčinjalo
mi	smo bili póčinjali (m) smo bile póčinjale (f) smo bila póčinjala (n)	mi	ćemo póčinjati	mi	budemo póčinjali (m) budemo póčinjale (f) budemo póčinjala (n)
vi	ste bili póčinjali (m) ste bile póčinjale (f) ste bila póčinjala (n)	vi	ćete póčinjati	vi	budete póčinjali (m) budete póčinjale (f) budete póčinjala (n)
oni (m)	su bili póčinjali	oni (m)	će póčinjati	oni (m)	budu póčinjali
one (f)	su bile póčinjale	one (f)	će póčinjati	one (f)	budu póčinjale
ona (n)	su bila póčinjala	ona (n)	će póčinjati	ona (n)	budu póčinjala

VERB MOODS					
Conditional 1		**Conditional 2**		**Imperative**	
ja	bih póčinjao	ja	bih bio póčinjao	ja	-
ti	bi póčinjao (m)	ti	bi bio póčinjao (m)	ti	póčinji
	bi póčinjala (f)		bi bila póčinjala (f)		
	bi póčinjalo (n)		bi bilo póčinjalo (n)		
on (m)	bi póčinjao	on (m)	bi bio póčinjao	on (m)	neka póčinje
ona (f)	bi póčinjala	ona (f)	bi bila póčinjala	ona (f)	neka póčinje
ono (n)	bi póčinjalo	ono (n)	bi bilo póčinjalo	ono (n)	neka póčinje
mi	bismo póčinjali (m)	mi	bismo bili póčinjali (m)	mi	póčinjimo
	bismo póčinjale (f)		bismo bile póčinjale (f)		
	bismo póčinjala (n)		bismo bila póčinjala (n)		
vi	biste póčinjali (m)	vi	biste bili póčinjali (m)	vi	póčinjite
	biste póčinjale (f)		biste bile póčinjale (f)		
	biste póčinjala (n)		biste bila póčinjala (n)		
oni (m)	bi póčinjali	oni (m)	bi bili póčinjali	oni (m)	neka póčinju
one (f)	bi póčinjale	one (f)	bi bile póčinjale	one (f)	neka póčinju
ona (n)	bi póčinjala	ona (n)	bi bila póčinjala	ona (n)	neka póčinju

VERBAL ADJECTIVES			
Active participle		**Past participle**	
ja	póčinjao	ja	
ti	póčinjao (m)	ti	
	póčinjala (f)		
	póčinjalo (n)		
on (m)	póčinjao	on (m)	
ona (f)	póčinjala	ona (f)	
ono (n)	póčinjalo	ono (n)	
mi	póčinjali (m)	mi	
	póčinjale (f)		
	póčinjala (n)		
vi	póčinjali (m)	vi	
	póčinjale (f)		
	póčinjala (n)		
oni (m)	póčinjali	oni (m)	
one (f)	póčinjale	one (f)	
ona (n)	póčinjala	ona (n)	

VERBAL ADVERBS
Active participle
póčinjajući
Past participle
-

I'm starting to loose my nerves. – Počinjem gubiti živce.

She was starting to quit smoking but in vain. – Počinjala je ostavljati se pušenja, ali uzalud.

To Start (Početi) – Perfective

Present		Perfect		Aorist	
ja	póčnem	ja	sam póčeo	ja	póčeh
ti	póčneš	ti	si póčeo (m) si póčela (f) si póčelo (n)	ti	póče
on (m)	póčne	on (m)	je póčeo	on (m)	póče
ona (f)	póčne	ona (f)	je póčela	ona (f)	póče
ono (n)	póčne	ono (n)	je póčelo	ono (n)	póče
mi	póčnemo	mi	smo póčeli (m) smo póčele (f) smo póčela (n)	mi	póčesmo
vi	póčnete	vi	ste póčeli (m) ste póčele (f) ste póčela (n)	vi	póčeste
oni (m)	póčnu	oni (m)	su póčeli	oni (m)	póčeše
one (f)	póčnu	one (f)	su póčele	one (f)	póčeše
ona (n)	póčnu	ona (n)	su póčela	ona (n)	póčeše

Pluperfect		Futur 1		Futur 2	
ja	sam bio póčeo	ja	ću póčeti	ja	budem póčeo
ti	si bio póčeo (m) si bila póčela (f) si bilo póčelo (n)	ti	ćeš póčeti	ti	budeš póčeo (m) budeš póčela (f) budeš póčelo (n)
on (m)	je bio póčeo	on (m)	će póčeti	on (m)	bude póčeo
ona (f)	je bila póčela	ona (f)	će póčeti	ona (f)	bude póčela
ono (n)	je bilo póčelo	ono (n)	će póčeti	ono (n)	bude póčelo
mi	smo bili póčeli (m) smo bile póčele (f) smo bila póčela (n)	mi	ćemo póčeti	mi	budemo póčeli (m) budemo póčele (f) budemo póčela (n)
vi	ste bili póčeli (m) ste bile póčele (f) ste bila póčela (n)	vi	ćete póčeti	vi	budete póčeli (m) budete póčele (f) budete póčela (n)
oni (m)	su bili póčeli	oni (m)	će póčeti	oni (m)	budu póčeli
one (f)	su bile póčele	one (f)	će póčeti	one (f)	budu póčele
ona (n)	su bila póčela	ona (n)	će póčeti	ona (n)	budu póčela

VERB MOODS					
Conditional 1		**Conditional 2**		**Imperative**	
ja	bih póčeo	ja	bih bio póčeo	ja	-
ti	bi póčeo (m)	ti	bi bio póčeo (m)	ti	póčni
	bi póčela (f)		bi bila póčela (f)		
	bi póčelo (n)		bi bilo póčelo (n)		
on (m)	bi póčeo	on (m)	bi bio póčeo	on (m)	neka póčne
ona (f)	bi póčela	ona (f)	bi bila póčela	ona (f)	neka póčne
ono (n)	bi póčelo	ono (n)	bi bilo póčelo	ono (n)	neka póčne
mi	bismo póčeli (m)	mi	bismo bili póčeli (m)	mi	póčnimo
	bismo póčele (f)		bismo bile póčele (f)		
	bismo póčela (n)		bismo bila póčela (n)		
vi	biste póčeli (m)	vi	biste bili póčeli (m)	vi	póčnite
	biste póčele (f)		biste bile póčele (f)		
	biste póčela (n)		biste bila póčela (n)		
oni (m)	bi póčeli	oni (m)	bi bili póčeli	oni (m)	neka póčnu
one (f)	bi póčele	one (f)	bi bile póčele	one (f)	neka póčnu
ona (n)	bi póčela	ona (n)	bi bila póčela	ona (n)	neka póčnu

VERBAL ADJECTIVES			
Active participle		**Past participle**	
ja	póčeo	ja	
ti	póčeo (m)	ti	
	póčela (f)		
	póčelo (n)		
on (m)	póčeo	on (m)	
ona (f)	póčela	ona (f)	
ono (n)	póčelo	ono (n)	
mi	póčeli (m)	mi	
	póčele (f)		
	póčela (n)		
vi	póčeli (m)	vi	
	póčele (f)		
	póčela (n)		
oni (m)	póčeli	oni (m)	
one (f)	póčele	one (f)	
ona (n)	póčela	ona (n)	

VERBAL ADVERBS
Active participle
-
Past participle
póčevši

I started to sing. – Počeo sam pjevati.

The show started an hour ago. – Predstava je počela prije sat vremena.

To Stay (Ostajati) – Imperfective

Present		Perfect		Imperfect	
ja	óstajem	ja	sam óstajao	ja	óstajah
ti	óstaješ	ti	si óstajao (m) si óstajala (f) si óstajalo (n)	ti	óstajaše
on (m)	óstaje	on (m)	je óstajao	on (m)	óstajaše
ona (f)	óstaje	ona (f)	je óstajala	ona (f)	óstajaše
ono (n)	óstaje	ono (n)	je óstajalo	ono (n)	óstajaše
mi	óstajemo	mi	smo óstajali (m) smo óstajale (f) smo óstajala (n)	mi	óstajasmo
vi	óstajete	vi	ste óstajali (m) ste óstajale (f) ste óstajala (n)	vi	óstajaste
oni (m)	óstaju	oni (m)	su óstajali	oni (m)	óstajahu
one (f)	óstaju	one (f)	su óstajale	one (f)	óstajahu
ona (n)	óstaju	ona (n)	su óstajala	ona (n)	óstajahu

Pluperfect		Futur 1		Futur 2	
ja	sam bio óstajao	ja	ću óstajati	ja	budem óstajao
ti	si bio óstajao (m) si bila óstajala (f) si bilo óstajalo (n)	ti	ćeš óstajati	ti	budeš óstajao (m) budeš óstajala (f) budeš óstajalo (n)
on (m)	je bio óstajao	on (m)	će óstajati	on (m)	bude óstajao
ona (f)	je bila óstajala	ona (f)	će óstajati	ona (f)	bude óstajala
ono (n)	je bilo óstajalo	ono (n)	će óstajati	ono (n)	bude óstajalo
mi	smo bili óstajali (m) smo bile óstajale (f) smo bila óstajala (n)	mi	ćemo óstajati	mi	budemo óstajali (m) budemo óstajale (f) budemo óstajala (n)
vi	ste bili óstajali (m) ste bile óstajale (f) ste bila óstajala (n)	vi	ćete óstajati	vi	budete óstajali (m) budete óstajale (f) budete óstajala (n)
oni (m)	su bili óstajali	oni (m)	će óstajati	oni (m)	budu óstajali
one (f)	su bile óstajale	one (f)	će óstajati	one (f)	budu óstajale
ona (n)	su bila óstajala	ona (n)	će óstajati	ona (n)	budu óstajala

VERB MOODS					
Conditional 1		**Conditional 2**		**Imperative**	
ja	bih óstajao	ja	bih bio óstajao	ja	-
ti	bi óstajao (m)	ti	bi bio óstajao (m)	ti	óstaj
	bi óstajala (f)		bi bila óstajala (f)		
	bi óstajalo (n)		bi bilo óstajalo (n)		
on (m)	bi óstajao	on (m)	bi bio óstajao	on (m)	neka óstaje
ona (f)	bi óstajala	ona (f)	bi bila óstajala	ona (f)	neka óstaje
ono (n)	bi óstajalo	ono (n)	bi bilo óstajalo	ono (n)	neka óstaje
mi	bismo óstajali (m)	mi	bismo bili óstajali (m)	mi	óstajmo
	bismo óstajale (f)		bismo bile óstajale (f)		
	bismo óstajala (n)		bismo bila óstajala (n)		
vi	biste óstajali (m)	vi	biste bili óstajali (m)	vi	óstajte
	biste óstajale (f)		biste bile óstajale (f)		
	biste óstajala (n)		biste bila óstajala (n)		
oni (m)	bi óstajali	oni (m)	bi bili óstajali	oni (m)	neka óstaju
one (f)	bi óstajale	one (f)	bi bile óstajale	one (f)	neka óstaju
ona (n)	bi óstajala	ona (n)	bi bila óstajala	ona (n)	neka óstaju

VERBAL ADJECTIVES			
Active participle		**Past participle**	
ja	óstajao	ja	
ti	óstajao (m)	ti	
	óstajala (f)		
	óstajalo (n)		
on (m)	óstajao	on (m)	
ona (f)	óstajala	ona (f)	
ono (n)	óstajalo	ono (n)	
mi	óstajali (m)	mi	
	óstajale (f)		
	óstajala (n)		
vi	óstajali (m)	vi	
	óstajale (f)		
	óstajala (n)		
oni (m)	óstajali	oni (m)	
one (f)	óstajale	one (f)	
ona (n)	óstajala	ona (n)	

VERBAL ADVERBS
Active participle
óstajući
Past participle
-

No matter what I'm staying. – Bez obzira na sve ja ostajem.

I'm staying here for a quite long time. – Stojim ovdje već duže vrijeme.

To Stay (Ostati) – Perfective

Present		Perfect		Aorist	
ja	óstanem	ja	sam óstao	ja	óstah
ti	óstaneš	ti	si óstao (m) si óstala (f) si óstalo (n)	ti	óstade
on (m)	óstane	on (m)	je óstao	on (m)	óstade
ona (f)	óstane	ona (f)	je óstala	ona (f)	óstade
ono (n)	óstane	ono (n)	je óstalo	ono (n)	óstade
mi	óstanemo	mi	smo óstali (m) smo óstale (f) smo óstala (n)	mi	óstasdomo
vi	óstanete	vi	ste óstali (m) ste óstale (f) ste óstala (n)	vi	óstadoste
oni (m)	óstanu	oni (m)	su óstali	oni (m)	óstadoše
one (f)	óstanu	one (f)	su óstale	one (f)	óstadoše
ona (n)	óstanu	ona (n)	su óstala	ona (n)	óstadoše

Pluperfect		Futur 1		Futur 2	
ja	sam bio óstao	ja	ću óstati	ja	budem óstao
ti	si bio óstao (m) si bila óstala (f) si bilo óstalo (n)	ti	ćeš óstati	ti	budeš óstao (m) budeš óstala (f) budeš óstalo (n)
on (m)	je bio óstao	on (m)	će óstati	on (m)	bude óstao
ona (f)	je bila óstala	ona (f)	će óstati	ona (f)	bude óstala
ono (n)	je bilo óstalo	ono (n)	će óstati	ono (n)	bude óstalo
mi	smo bili óstali (m) smo bile óstale (f) smo bila óstala (n)	mi	ćemo óstati	mi	budemo óstali (m) budemo óstale (f) budemo óstala (n)
vi	ste bili óstali (m) ste bile óstale (f) ste bila óstala (n)	vi	ćete óstati	vi	budete óstali (m) budete óstale (f) budete óstala (n)
oni (m)	su bili óstali	oni (m)	će óstati	oni (m)	budu óstali
one (f)	su bile óstale	one (f)	će óstati	one (f)	budu óstale
ona (n)	su bila óstala	ona (n)	će óstati	ona (n)	budu óstala

VERB MOODS					
Conditional 1		**Conditional 2**		**Imperative**	
ja	bih óstao	ja	bih bio óstao	ja	-
ti	bi óstao (m)	ti	bi bio óstao (m)	ti	óstani
	bi óstala (f)		bi bila óstala (f)		
	bi óstalo (n)		bi bilo óstalo (n)		
on (m)	bi óstao	on (m)	bi bio óstao	on (m)	neka óstane
ona (f)	bi óstala	ona (f)	bi bila óstala	ona (f)	neka óstane
ono (n)	bi óstalo	ono (n)	bi bilo óstalo	ono (n)	neka óstane
mi	bismo óstali (m)	mi	bismo bili óstali (m)	mi	óstanimo
	bismo óstale (f)		bismo bile óstale (f)		
	bismo óstala (n)		bismo bila óstala (n)		
vi	biste óstali (m)	vi	biste bili óstali (m)	vi	óstanite
	biste óstale (f)		biste bile óstale (f)		
	biste óstala (n)		biste bila óstala (n)		
oni (m)	bi óstali	oni (m)	bi bili óstali	oni (m)	neka óstanu
one (f)	bi óstale	one (f)	bi bile óstale	one (f)	neka óstanu
ona (n)	bi óstala	ona (n)	bi bila óstala	ona (n)	neka óstanu

VERBAL ADJECTIVES			
Active participle		**Past participle**	
ja	óstao	ja	
ti	óstao (m)	ti	
	óstala (f)		
	óstalo (n)		
on (m)	óstao	on (m)	
ona (f)	óstala	ona (f)	
ono (n)	óstalo	ono (n)	
mi	óstali (m)	mi	
	óstale (f)		
	óstala (n)		
vi	óstali (m)	vi	
	óstale (f)		
	óstala (n)		
oni (m)	óstali	oni (m)	
one (f)	óstale	one (f)	
ona (n)	óstala	ona (n)	

VERBAL ADVERBS
Active participle
-
Past participle
óstavši

I stayed for a while and then left. - Ostao sam neko vrijeme, a onda sam otišao.

Stay here and hold me. Ostani ovdje i drži me.

To Take (Uzimati) – Imperfective

Present		Perfect		Imperfect	
ja	úzimam	ja	sam úzimao	ja	úzimah
ti	úzimaš	ti	si úzimao (m)	ti	úzimaše
			si úzimala (f)		
			si úzimalo (n)		
on (m)	úzima	on (m)	je úzimao	on (m)	úzimaše
ona (f)	úzima	ona (f)	je úzimala	ona (f)	úzimaše
ono (n)	úzima	ono (n)	je úzimalo	ono (n)	úzimaše
mi	úzimamo	mi	smo úzimali (m)	mi	úzimasmo
			smo úzimale (f)		
			smo úzimala (n)		
vi	úzimate	vi	ste úzimali (m)	vi	úzimaste
			ste úzimale (f)		
			ste úzimala (n)		
oni (m)	úzimaju	oni (m)	su úzimali	oni (m)	úzimahu
one (f)	úzimaju	one (f)	su úzimale	one (f)	úzimahu
ona (n)	úzimaju	ona (n)	su úzimala	ona (n)	úzimahu

Pluperfect		Futur 1		Futur 2	
ja	sam bio úzimao	ja	ću úzimati	ja	budem úzimao
ti	si bio úzimao (m)	ti	ćeš úzimati	ti	budeš úzimao (m)
	si bila úzimala (f)				budeš úzimala (f)
	si bilo úzimalo (n)				budeš úzimalo (n)
on (m)	je bio úzimao	on (m)	će úzimati	on (m)	bude úzimao
ona (f)	je bila úzimala	ona (f)	će úzimati	ona (f)	bude úzimala
ono (n)	je bilo úzimalo	ono (n)	će úzimati	ono (n)	bude úzimalo
mi	smo bili úzimali (m)	mi	ćemo úzimati	mi	budemo úzimali (m)
	smo bile úzimale (f)				budemo úzimale (f)
	smo bila úzimala (n)				budemo úzimala (n)
vi	ste bili úzimali (m)	vi	ćete úzimati	vi	budete úzimali (m)
	ste bile úzimale (f)				budete úzimale (f)
	ste bila úzimala (n)				budete úzimala (n)
oni (m)	su bili úzimali	oni (m)	će úzimati	oni (m)	budu úzimali
one (f)	su bile úzimale	one (f)	će úzimati	one (f)	budu úzimale
ona (n)	su bila úzimala	ona (n)	će úzimati	ona (n)	budu úzimala

VERB MOODS					
Conditional 1		**Conditional 2**		**Imperative**	
ja	bih úzimao	ja	bih bio úzimao	ja	-
ti	bi úzimao (m)	ti	bi bio úzimao (m)	ti	úzimaj
	bi úzimala (f)		bi bila úzimala (f)		
	bi úzimalo (n)		bi bilo úzimalo (n)		
on (m)	bi úzimao	on (m)	bi bio úzimao	on (m)	neka úzima
ona (f)	bi úzimala	ona (f)	bi bila úzimala	ona (f)	neka úzima
ono (n)	bi úzimalo	ono (n)	bi bilo úzimalo	ono (n)	neka úzima
mi	bismo úzimali (m)	mi	bismo bili úzimali (m)	mi	úzimajmo
	bismo úzimale (f)		bismo bile úzimale (f)		
	bismo úzimala (n)		bismo bila úzimala (n)		
vi	biste úzimali (m)	vi	biste bili úzimali (m)	vi	úzimajte
	biste úzimale (f)		biste bile úzimale (f)		
	biste úzimala (n)		biste bila úzimala (n)		
oni (m)	bi úzimali	oni (m)	bi bili úzimali	oni (m)	neka úzimaju
one (f)	bi úzimale	one (f)	bi bile úzimale	one (f)	neka úzimaju
ona (n)	bi úzimala	ona (n)	bi bila úzimala	ona (n)	neka úzimaju

VERBAL ADJECTIVES			
Active participle		**Past participle**	
ja	úzimao	ja	úziman
ti	úzimao (m)	ti	úziman (m)
	úzimala (f)		úzimana (f)
	úzimalo (n)		úzimano(n)
on (m)	úzimao	on (m)	úziman
ona (f)	úzimala	ona (f)	úzimana
ono (n)	úzimalo	ono (n)	úzimano
mi	úzimali (m)	mi	úzimani (m)
	úzimale (f)		úzimane (f)
	úzimala (n)		úzimane (n)
vi	úzimali (m)	vi	úzimani (m)
	úzimale (f)		úzimane (f)
	úzimala (n)		úzimana (n)
oni (m)	úzimali	oni (m)	úzimani
one (f)	úzimale	one (f)	úzimane
ona (n)	úzimala	ona (n)	úzimana

VERBAL ADVERBS
Active participle
úzimajući
Past participle
-

I'm taking this now and I will carry it. – Uzimam ovo sad i nosit ću ga.

She is taking my time. – Uzima mi vrijeme.

To Take (Uzeti) – Perfective

Present		Perfect		Aorist	
ja	úzmem	ja	sam úzeo	ja	úzeh
ti	úzmeš	ti	si úzeo (m) si úzela (f) si úzelo (n)	ti	úze
on (m)	úze	on (m)	je úzeo	on (m)	úze
ona (f)	úze	ona (f)	je úzela	ona (f)	úze
ono (n)	úze	ono (n)	je úzelo	ono (n)	úze
mi	úzmemo	mi	smo úzeli (m) smo úzele (f) smo úzela (n)	mi	úzesmo
vi	úzmete	vi	ste úzeli (m) ste úzele (f) ste úzela (n)	vi	úzeste
oni (m)	úzmu	oni (m)	su úzeli	oni (m)	úzeše
one (f)	úzmu	one (f)	su úzele	one (f)	úzeše
ona (n)	úzmu	ona (n)	su úzela	ona (n)	úzeše

Pluperfect		Futur 1		Futur 2	
ja	sam bio úzeo	ja	ću úzeti	ja	budem úzeo
ti	si bio úzeo (m) si bila úzela (f) si bilo úzelo (n)	ti	ćeš úzeti	ti	budeš úzeo (m) budeš úzela (f) budeš úzelo (n)
on (m)	je bio úzeo	on (m)	će úzeti	on (m)	bude úzeo
ona (f)	je bila úzela	ona (f)	će úzeti	ona (f)	bude úzela
ono (n)	je bilo úzelo	ono (n)	će úzeti	ono (n)	bude úzelo
mi	smo bili úzeli (m) smo bile úzele (f) smo bila úzela (n)	mi	ćemo úzeti	mi	budemo úzeli (m) budemo úzele (f) budemo úzela (n)
vi	ste bili úzeli (m) ste bile úzele (f) ste bila úzela (n)	vi	ćete úzeti	vi	budete úzeli (m) budete úzele (f) budete úzela (n)
oni (m)	su bili úzeli	oni (m)	će úzeti	oni (m)	budu úzeli
one (f)	su bile úzele	one (f)	će úzeti	one (f)	budu úzele
ona (n)	su bila úzela	ona (n)	će úzeti	ona (n)	budu úzela

VERB MOODS					
Conditional 1		Conditional 2		Imperative	
ja	bih úzeo	ja	bih bio úzeo	ja	-
ti	bi úzeo (m)	ti	bi bio úzeo (m)	ti	úzmi
	bi úzela (f)		bi bila úzela (f)		
	bi úzelo (n)		bi bilo úzelo (n)		
on (m)	bi úzeo	on (m)	bi bio úzeo	on (m)	neka úzme
ona (f)	bi úzela	ona (f)	bi bila úzela	ona (f)	neka úzme
ono (n)	bi úzelo	ono (n)	bi bilo úzelo	ono (n)	neka úzme
mi	bismo úzeli (m)	mi	bismo bili úzeli (m)	mi	úzmimo
	bismo úzele (f)		bismo bile úzele (f)		
	bismo úzela (n)		bismo bila úzela (n)		
vi	biste úzeli (m)	vi	biste bili úzeli (m)	vi	úzmite
	biste úzele (f)		biste bile úzele (f)		
	biste úzela (n)		biste bila úzela (n)		
oni (m)	bi úzeli	oni (m)	bi bili úzeli	oni (m)	neka úzmu
one (f)	bi úzele	one (f)	bi bile úzele	one (f)	neka úzmu
ona (n)	bi úzela	ona (n)	bi bila úzela	ona (n)	neka úzmu

VERBAL ADJECTIVES			
Active participle		Past participle	
ja	úzeo	ja	
ti	úzeo (m)	ti	
	úzela (f)		
	úzelo (n)		
on (m)	úzeo	on (m)	
ona (f)	úzela	ona (f)	
ono (n)	úzelo	ono (n)	
mi	úzeli (m)	mi	
	úzele (f)		
	úzela (n)		
vi	úzeli (m)	vi	
	úzele (f)		
	úzela (n)		
oni (m)	úzeli	oni (m)	
one (f)	úzele	one (f)	
ona (n)	úzela	ona (n)	

VERBAL ADVERBS
Active participle
-
Past participle
úzevši

Take this and leave. – Uzmi ovo i idi.

I took my luggage. – Uzeo sam svoju prtljagu.

To Talk (Pričati) – Imperfective

Present		Perfect		Imperfect	
ja	príčam	ja	sam príčao	ja	príčah
ti	príčaš	ti	si príčao (m) si príčala (f) si príčalo (n)	ti	príčaše
on (m)	príča	on (m)	je príčao	on (m)	príčaše
ona (f)	príča	ona (f)	je príčala	ona (f)	príčaše
ono (n)	príča	ono (n)	je príčalo	ono (n)	príčaše
mi	príčamo	mi	smo príčali (m) smo príčale (f) smo príčala (n)	mi	príčasmo
vi	príčate	vi	ste príčali (m) ste príčale (f) ste príčala (n)	vi	príčaste
oni (m)	príčaju	oni (m)	su príčali	oni (m)	príčahu
one (f)	príčaju	one (f)	su príčale	one (f)	príčahu
ona (n)	príčaju	ona (n)	su príčala	ona (n)	príčahu

Pluperfect		Futur 1		Futur 2	
ja	sam bio príčao	ja	ću príčati	ja	budem príčao
ti	si bio príčao (m) si bila príčala (f) si bilo príčalo (n)	ti	ćeš príčati	ti	budeš príčao (m) budeš príčala (f) budeš príčalo (n)
on (m)	je bio príčao	on (m)	će príčati	on (m)	bude príčao
ona (f)	je bila príčala	ona (f)	će príčati	ona (f)	bude príčala
ono (n)	je bilo príčalo	ono (n)	će príčati	ono (n)	bude príčalo
mi	smo bili príčali (m) smo bile príčale (f) smo bila príčala (n)	mi	ćemo príčati	mi	budemo príčali (m) budemo príčale (f) budemo príčala (n)
vi	ste bili príčali (m) ste bile príčale (f) ste bila príčala (n)	vi	ćete príčati	vi	budete príčali (m) budete príčale (f) budete príčala (n)
oni (m)	su bili príčali	oni (m)	će príčati	oni (m)	budu príčali
one (f)	su bile príčale	one (f)	će príčati	one (f)	budu príčale
ona (n)	su bila príčala	ona (n)	će príčati	ona (n)	budu príčala

VERB MOODS					
Conditional 1		**Conditional 2**		**Imperative**	
ja	bih pričao	ja	bih bio pričao	ja	-
ti	bi pričao (m)	ti	bi bio pričao (m)	ti	pričaj
	bi pričala (f)		bi bila pričala (f)		
	bi pričalo (n)		bi bilo pričalo (n)		
on (m)	bi pričao	on (m)	bi bio pričao	on (m)	neka priča
ona (f)	bi pričala	ona (f)	bi bila pričala	ona (f)	neka priča
ono (n)	bi pričalo	ono (n)	bi bilo pričalo	ono (n)	neka priča
mi	bismo pričali (m)	mi	bismo bili pričali (m)	mi	pričajmo
	bismo pričale (f)		bismo bile pričale (f)		
	bismo pričala (n)		bismo bila pričala (n)		
vi	biste pričali (m)	vi	biste bili pričali (m)	vi	pričajte
	biste pričale (f)		biste bile pričale (f)		
	biste pričala (n)		biste bila pričala (n)		
oni (m)	bi pričali	oni (m)	bi bili pričali	oni (m)	neka pričaju
one (f)	bi pričale	one (f)	bi bile pričale	one (f)	neka pričaju
ona (n)	bi pričala	ona (n)	bi bila pričala	ona (n)	neka pričaju

VERBAL ADJECTIVES			
Active participle		**Past participle**	
ja	pričao	ja	pričan
ti	pričao (m)	ti	pričan (m)
	pričala (f)		pričana (f)
	pričalo (n)		pričano(n)
on (m)	pričao	on (m)	pričan
ona (f)	pričala	ona (f)	pričana
ono (n)	pričalo	ono (n)	pričano
mi	pričali (m)	mi	pričani (m)
	pričale (f)		pričane (f)
	pričala (n)		pričane (n)
vi	pričali (m)	vi	pričani (m)
	pričale (f)		pričane (f)
	pričala (n)		pričana (n)
oni (m)	pričali	oni (m)	pričani
one (f)	pričale	one (f)	pričane
ona (n)	pričala	ona (n)	pričana

VERBAL ADVERBS
Active participle
pričajući
Past participle
-

Listen, I am talking to you. – Slušaj me, tebi govorim.

She was talking for a long time. – Govorila je dugo vremena.

To Talk (Ispričati) – Perfective

Present	
ja	íspričam
ti	íspričaš
on (m)	íspriča
ona (f)	íspriča
ono (n)	íspriča
mi	íspričamo
vi	íspričate
oni (m)	íspričaju
one (f)	íspričaju
ona (n)	íspričaju

Perfect	
ja	sam ispríčao
ti	si ispríčao (m) si ispríčala (f) si ispríčalo (n)
on (m)	je ispríčao
ona (f)	je ispríčala
ono (n)	je ispríčalo
mi	smo ispríčali (m) smo ispríčale (f) smo ispríčala (n)
vi	ste ispríčali (m) ste ispríčale (f) ste ispríčala (n)
oni (m)	su ispríčali
one (f)	su ispríčale
ona (n)	su ispríčala

Aorist	
ja	ispríčah
ti	ispríča
on (m)	ispríča
ona (f)	ispríča
ono (n)	ispríča
mi	ispríčasmo
vi	ispríčaste
oni (m)	ispríčaše
one (f)	ispríčaše
ona (n)	ispríčaše

Pluperfect	
ja	sam bio ispríčao
ti	si bio ispríčao (m) si bila ispríčala (f) si bilo ispríčalo (n)
on (m)	je bio ispríčao
ona (f)	je bila ispríčala
ono (n)	je bilo ispríčalo
mi	smo bili ispríčali (m) smo bile ispríčale (f) smo bila ispríčala (n)
vi	ste bili ispríčali (m) ste bile ispríčale (f) ste bila ispríčala (n)
oni (m)	su bili ispríčali
one (f)	su bile ispríčale
ona (n)	su bila ispríčala

Futur 1	
ja	ću ispríčati
ti	ćeš ispríčati
on (m)	će ispríčati
ona (f)	će ispríčati
ono (n)	će ispríčati
mi	ćemo ispríčati
vi	ćete ispríčati
oni (m)	će ispríčati
one (f)	će ispríčati
ona (n)	će ispríčati

Futur 2	
ja	budem ispríčao
ti	budeš ispríčao (m) budeš ispríčala (f) budeš ispríčalo (n)
on (m)	bude ispríčao
ona (f)	bude ispríčala
ono (n)	bude ispríčalo
mi	budemo ispríčali (m) budemo ispríčale (f) budemo ispríčala (n)
vi	budete ispríčali (m) budete ispríčale (f) budete ispríčala (n)
oni (m)	budu ispríčali
one (f)	budu ispríčale
ona (n)	budu ispríčala

VERB MOODS					
Conditional 1		**Conditional 2**		**Imperative**	
ja	bih ispríčao	ja	bih bio ispríčao	ja	-
ti	bi ispríčao (m)	ti	bi bio ispríčao (m)	ti	íspričaj
	bi ispríčala (f)		bi bila ispríčala (f)		
	bi ispríčalo (n)		bi bilo ispríčalo (n)		
on (m)	bi ispríčao	on (m)	bi bio ispríčao	on (m)	neka íspriča
ona (f)	bi ispríčala	ona (f)	bi bila ispríčala	ona (f)	neka íspriča
ono (n)	bi ispríčalo	ono (n)	bi bilo ispríčalo	ono (n)	neka íspriča
mi	bismo ispríčali (m)	mi	bismo bili ispríčali (m)	mi	íspričajmo
	bismo ispríčale (f)		bismo bile ispríčale (f)		
	bismo ispríčala (n)		bismo bila ispríčala (n)		
vi	biste ispríčali (m)	vi	biste bili ispríčali (m)	vi	íspričajte
	biste ispríčale (f)		biste bile ispríčale (f)		
	biste ispríčala (n)		biste bila ispríčala (n)		
oni (m)	bi ispríčali	oni (m)	bi bili ispríčali	oni (m)	neka ispríčaju
one (f)	bi ispríčale	one (f)	bi bile ispríčale	one (f)	neka ispríčaju
ona (n)	bi ispríčala	ona (n)	bi bila ispríčala	ona (n)	neka ispríčaju

VERBAL ADJECTIVES			
Active participle		**Past participle**	
ja	ispríčao	ja	íspričan
ti	ispríčao (m)	ti	íspričan (m)
	ispríčala (f)		íspričana (f)
	ispríčalo (n)		íspričano(n)
on (m)	ispríčao	on (m)	íspričan
ona (f)	ispríčala	ona (f)	íspričana
ono (n)	ispríčalo	ono (n)	íspričano
mi	ispríčali (m)	mi	íspričani (m)
	ispríčale (f)		íspričane (f)
	ispríčala (n)		íspričane (n)
vi	ispríčali (m)	vi	íspričani (m)
	ispríčale (f)		íspričane (f)
	ispríčala (n)		íspričana (n)
oni (m)	ispríčali	oni (m)	íspričani
one (f)	ispríčale	one (f)	íspričane
ona (n)	ispríčala	ona (n)	íspričana

VERBAL ADVERBS
Active participle
-
Past participle
ispríčavši

She talked everything she knew. – Ispričala mi je sve što je znala.

I will talk to you. – Ispričat ću ti.

To Teach (Učiti) – Imperfective

Present		Perfect		Imperfect	
ja	účim	ja	sam účio	ja	účah
ti	účiš	ti	si účio (m) si účila (f) si účilo (n)	ti	účaše
on (m)	úči	on (m)	je účio	on (m)	účaše
ona (f)	úči	ona (f)	je účila	ona (f)	účaše
ono (n)	úči	ono (n)	je účilo	ono (n)	účaše
mi	účimo	mi	smo účili (m) smo účile (f) smo účila (n)	mi	účasmo
vi	účite	vi	ste účili (m) ste účile (f) ste účila (n)	vi	účaste
oni (m)	úče	oni (m)	su účili	oni (m)	účahu
one (f)	úče	one (f)	su účile	one (f)	účahu
ona (n)	úče	ona (n)	su účila	ona (n)	účahu

Pluperfect		Futur 1		Futur 2	
ja	sam bio účio	ja	ću účiti	ja	budem účio
ti	si bio účio (m) si bila účila (f) si bilo účilo (n)	ti	ćeš účiti	ti	budeš účio (m) budeš účila (f) budeš účilo (n)
on (m)	je bio účio	on (m)	će účiti	on (m)	bude účio
ona (f)	je bila účila	ona (f)	će účiti	ona (f)	bude účila
ono (n)	je bilo účilo	ono (n)	će účiti	ono (n)	bude účilo
mi	smo bili účili (m) smo bile účile (f) smo bila účila (n)	mi	ćemo účiti	mi	budemo účili (m) budemo účile (f) budemo účila (n)
vi	ste bili účili (m) ste bile účile (f) ste bila účila (n)	vi	ćete účiti	vi	budete účili (m) budete účile (f) budete účila (n)
oni (m)	su bili účili	oni (m)	će účiti	oni (m)	budu účili
one (f)	su bile účile	one (f)	će účiti	one (f)	budu účile
ona (n)	su bila účila	ona (n)	će účiti	ona (n)	budu účila

VERB MOODS					
Conditional 1		**Conditional 2**		**Imperative**	
ja	bih účio	ja	bih bio účio	ja	-
ti	bi účio (m)	ti	bi bio účio (m)	ti	úči
	bi účila (f)		bi bila účila (f)		
	bi účilo (n)		bi bilo účilo (n)		
on (m)	bi účio	on (m)	bi bio účio	on (m)	neka úči
ona (f)	bi účila	ona (f)	bi bila účila	ona (f)	neka úči
ono (n)	bi účilo	ono (n)	bi bilo účilo	ono (n)	neka úči
mi	bismo účili (m)	mi	bismo bili účili (m)	mi	účimo
	bismo účile (f)		bismo bile účile (f)		
	bismo účila (n)		bismo bila účila (n)		
vi	biste účili (m)	vi	biste bili účili (m)	vi	účite
	biste účile (f)		biste bile účile (f)		
	biste účila (n)		biste bila účila (n)		
oni (m)	bi účili	oni (m)	bi bili účili	oni (m)	neka úče
one (f)	bi účile	one (f)	bi bile účile	one (f)	neka úče
ona (n)	bi účila	ona (n)	bi bila účila	ona (n)	neka úče

VERBAL ADJECTIVES			
Active participle		**Past participle**	
ja	účio	ja	účen
ti	účio (m)	ti	účen (m)
	účila (f)		účena (f)
	účilo (n)		účeno(n)
on (m)	účio	on (m)	účen
ona (f)	účila	ona (f)	účena
ono (n)	účilo	ono (n)	účeno
mi	účili (m)	mi	účeni (m)
	účile (f)		účene (f)
	účila (n)		účene (n)
vi	účili (m)	vi	účeni (m)
	účile (f)		účene (f)
	účila (n)		účena (n)
oni (m)	účili	oni (m)	účeni
one (f)	účile	one (f)	účene
ona (n)	účila	ona (n)	účena

VERBAL ADVERBS
Active participle
účeći
Past participle
-

He was teaching him over a year. – Učio ga je preko godinu dana.

I was teaching history all night. – Učio sam povijest cijelu noć.

To Teach (Naučiti) – Perfective

Present		Perfect		Aorist	
ja	náučim	ja	sam naúčio	ja	naúčih
ti	náučiš	ti	si naúčio (m) si naúčila (f) si naúčilo (n)	ti	naúči
on (m)	náuči	on (m)	je naúčio	on (m)	naúči
ona (f)	náuči	ona (f)	je naúčila	ona (f)	naúči
ono (n)	náuči	ono (n)	je naúčilo	ono (n)	naúči
mi	náučimo	mi	smo naúčili (m) smo naúčile (f) smo naúčila (n)	mi	naúčismo
vi	náučite	vi	ste naúčili (m) ste naúčile (f) ste naúčila (n)	vi	naúčiste
oni (m)	náuče	oni (m)	su naúčili	oni (m)	naúčiše
one (f)	náuče	one (f)	su naúčile	one (f)	naúčiše
ona (n)	náuče	ona (n)	su naúčila	ona (n)	naúčiše

Pluperfect		Futur 1		Futur 2	
ja	sam bio naúčio	ja	ću naúčiti	ja	budem naúčio
ti	si bio naúčio (m) si bila naúčila (f) si bilo naúčilo (n)	ti	ćeš naúčiti	ti	budeš naúčio (m) budeš naúčila (f) budeš naúčilo (n)
on (m)	je bio naúčio	on (m)	će naúčiti	on (m)	bude naúčio
ona (f)	je bila naúčila	ona (f)	će naúčiti	ona (f)	bude naúčila
ono (n)	je bilo naúčilo	ono (n)	će naúčiti	ono (n)	bude naúčilo
mi	smo bili naúčili (m) smo bile naúčile (f) smo bila naúčila (n)	mi	ćemo naúčiti	mi	budemo naúčili (m) budemo naúčile (f) budemo naúčila (n)
vi	ste bili naúčili (m) ste bile naúčile (f) ste bila naúčila (n)	vi	ćete naúčiti	vi	budete naúčili (m) budete naúčile (f) budete naúčila (n)
oni (m)	su bili naúčili	oni (m)	će naúčiti	oni (m)	budu naúčili
one (f)	su bile naúčile	one (f)	će naúčiti	one (f)	budu naúčile
ona (n)	su bila naúčila	ona (n)	će naúčiti	ona (n)	budu naúčila

VERB MOODS					
Conditional 1		**Conditional 2**		**Imperative**	
ja	bih naúčio	ja	bih bio naúčio	ja	-
ti	bi naúčio (m)	ti	bi bio naúčio (m)	ti	naúči
	bi naúčila (f)		bi bila naúčila (f)		
	bi naúčilo (n)		bi bilo naúčilo (n)		
on (m)	bi naúčio	on (m)	bi bio naúčio	on (m)	neka naúči
ona (f)	bi naúčila	ona (f)	bi bila naúčila	ona (f)	neka naúči
ono (n)	bi naúčilo	ono (n)	bi bilo naúčilo	ono (n)	neka naúči
mi	bismo naúčili (m)	mi	bismo bili naúčili (m)	mi	naúčimo
	bismo naúčile (f)		bismo bile naúčile (f)		
	bismo naúčila (n)		bismo bila naúčila (n)		
vi	biste naúčili (m)	vi	biste bili naúčili (m)	vi	naúčite
	biste naúčile (f)		biste bile naúčile (f)		
	biste naúčila (n)		biste bila naúčila (n)		
oni (m)	bi naúčili	oni (m)	bi bili naúčili	oni (m)	neka naúče
one (f)	bi naúčile	one (f)	bi bile naúčile	one (f)	neka naúče
ona (n)	bi naúčila	ona (n)	bi bila naúčila	ona (n)	neka naúče

VERBAL ADJECTIVES			
Active participle		**Past participle**	
ja	naúčio	ja	náučen
ti	naúčio (m)	ti	náučen (m)
	naúčila (f)		náučená (f)
	naúčilo (n)		náučeno(n)
on (m)	naúčio	on (m)	náučen
ona (f)	naúčila	ona (f)	náučená
ono (n)	naúčilo	ono (n)	náučeno
mi	naúčili (m)	mi	náučeni (m)
	naúčile (f)		náučene (f)
	naúčila (n)		náučene (n)
vi	naúčili (m)	vi	náučeni (m)
	naúčile (f)		náučene (f)
	naúčila (n)		náučená (n)
oni (m)	naúčili	oni (m)	náučeni
one (f)	naúčile	one (f)	náučene
ona (n)	naúčila	ona (n)	náučená

VERBAL ADVERBS
Active participle
-
Past participle
naúčivši

I taught you how to do it. – Naučio sam te kako da to napraviš.

He will teach me. – On će me naučiti.

To Think (Misliti) – Imperfective

Present		Perfect		Imperfect	
ja	míslim	ja	sam míslio	ja	míšljah
ti	mísliš	ti	si míslio (m) si míslila (f) si míslilo (n)	ti	míšljaše
on (m)	mísli	on (m)	je míslio	on (m)	míšljaše
ona (f)	mísli	ona (f)	je míslila	ona (f)	míšljaše
ono (n)	mísli	ono (n)	je míslilo	ono (n)	míšljaše
mi	míslimo	mi	smo míslili (m) smo míslile (f) smo míslila (n)	mi	míšljasmo
vi	míslite	vi	ste míslili (m) ste míslile (f) ste míslila (n)	vi	míšljaste
oni (m)	mísle	oni (m)	su míslili	oni (m)	míšljahu
one (f)	mísle	one (f)	su míslile	one (f)	míšljahu
ona (n)	mísle	ona (n)	su míslila	ona (n)	míšljahu

Pluperfect		Futur 1		Futur 2	
ja	sam bio míslio	ja	ću mísliti	ja	budem míslio
ti	si bio míslio (m) si bila míslila (f) si bilo míslilo (n)	ti	ćeš mísliti	ti	budeš míslio (m) budeš míslila (f) budeš míslilo (n)
on (m)	je bio míslio	on (m)	će mísliti	on (m)	bude míslio
ona (f)	je bila míslila	ona (f)	će mísliti	ona (f)	bude míslila
ono (n)	je bilo míslilo	ono (n)	će mísliti	ono (n)	bude míslilo
mi	smo bili míslili (m) smo bile míslile (f) smo bila míslila (n)	mi	ćemo mísliti	mi	budemo míslili (m) budemo míslile (f) budemo míslila (n)
vi	ste bili míslili (m) ste bile míslile (f) ste bila míslila (n)	vi	ćete mísliti	vi	budete míslili (m) budete míslile (f) budete míslila (n)
oni (m)	su bili míslili	oni (m)	će mísliti	oni (m)	budu míslili
one (f)	su bile míslile	one (f)	će mísliti	one (f)	budu míslile
ona (n)	su bila míslila	ona (n)	će mísliti	ona (n)	budu míslila

VERB MOODS					
Conditional 1		**Conditional 2**		**Imperative**	
ja	bih míslio	ja	bih bio míslio	ja	-
ti	bi míslio (m)	ti	bi bio míslio (m)	ti	mísli
	bi míslila (f)		bi bila míslila (f)		
	bi míslilo (n)		bi bilo míslilo (n)		
on (m)	bi míslio	on (m)	bi bio míslio	on (m)	neka mísli
ona (f)	bi míslila	ona (f)	bi bila míslila	ona (f)	neka mísli
ono (n)	bi míslilo	ono (n)	bi bilo míslilo	ono (n)	neka mísli
mi	bismo míslili (m)	mi	bismo bili míslili (m)	mi	míslimo
	bismo míslile (f)		bismo bile míslile (f)		
	bismo míslila (n)		bismo bila míslila (n)		
vi	biste míslili (m)	vi	biste bili míslili (m)	vi	míslite
	biste míslile (f)		biste bile míslile (f)		
	biste míslila (n)		biste bila míslila (n)		
oni (m)	bi míslili	oni (m)	bi bili míslili	oni (m)	neka mísle
one (f)	bi míslile	one (f)	bi bile míslile	one (f)	neka mísle
ona (n)	bi míslila	ona (n)	bi bila míslila	ona (n)	neka mísle

VERBAL ADJECTIVES			
Active participle		**Past participle**	
ja	míslio	ja	míšljen
ti	míslio (m)	ti	míšljen (m)
	míslila (f)		míšljena (f)
	míslilo (n)		míšljeno(n)
on (m)	míslio	on (m)	míšljen
ona (f)	míslila	ona (f)	míšljena
ono (n)	míslilo	ono (n)	míšljeno
mi	míslili (m)	mi	míšljeni (m)
	míslile (f)		míšljene (f)
	míslila (n)		míšljene (n)
vi	míslili (m)	vi	míšljeni (m)
	míslile (f)		míšljene (f)
	míslila (n)		míšljena (n)
oni (m)	míslili	oni (m)	míšljeni
one (f)	míslile	one (f)	míšljene
ona (n)	míslila	ona (n)	míšljena

VERBAL ADVERBS
Active participle
misleći
Past participle
-

Wait, I'm thinking. –Čekaj, mislim.

I was thinking that this was the right way. – Mislio sam da je ovo pravi put.

To Think (Pomisliti) – Perfective

Present		Perfect		Aorist	
ja	pómislim	ja	sam pómislio	ja	pómislih
ti	pómisliš	ti	si pómislio (m) si pómislila (f) si pómislilo (n)	ti	pómisli
on (m)	pómisli	on (m)	je pómislio	on (m)	pómisli
ona (f)	pómisli	ona (f)	je pómislila	ona (f)	pómisli
ono (n)	pómisli	ono (n)	je pómislilo	ono (n)	pómisli
mi	pómislimo	mi	smo pómislili (m) smo pómislile (f) smo pómislila (n)	mi	pómislismo
vi	pómislite	vi	ste pómislili (m) ste pómislile (f) ste pómislila (n)	vi	pómisliste
oni (m)	pómisle	oni (m)	su pómislili	oni (m)	pómisliše
one (f)	pómisle	one (f)	su pómislile	one (f)	pómisliše
ona (n)	pómisle	ona (n)	su pómislila	ona (n)	pómisliše

Pluperfect		Futur 1		Futur 2	
ja	sam bio pómislio	ja	ću pómisliti	ja	budem pómislio
ti	si bio pómislio (m) si bila pómislila (f) si bilo pómislilo (n)	ti	ćeš pómisliti	ti	budeš pómislio (m) budeš pómislila (f) budeš pómislilo (n)
on (m)	je bio pómislio	on (m)	će pómisliti	on (m)	bude pómislio
ona (f)	je bila pómislila	ona (f)	će pómisliti	ona (f)	bude pómislila
ono (n)	je bilo pómislilo	ono (n)	će pómisliti	ono (n)	bude pómislilo
mi	smo bili pómislili (m) smo bile pómislile (f) smo bila pómislila (n)	mi	ćemo pómisliti	mi	budemo pómislili (m) budemo pómislile (f) budemo pómislila (n)
vi	ste bili pómislili (m) ste bile pómislile (f) ste bila pómislila (n)	vi	ćete pómisliti	vi	budete pómislili (m) budete pómislile (f) budete pómislila (n)
oni (m)	su bili pómislili	oni (m)	će pómisliti	oni (m)	budu pómislili
one (f)	su bile pómislile	one (f)	će pómisliti	one (f)	budu pómislile
ona (n)	su bila pómislila	ona (n)	će pómisliti	ona (n)	budu pómislila

VERB MOODS					
Conditional 1		**Conditional 2**		**Imperative**	
ja	bih pómislio	ja	bih bio pómislio	ja	-
ti	bi pómislio (m)	ti	bi bio pómislio (m)	ti	pómisli
	bi pómislila (f)		bi bila pómislila (f)		
	bi pómislilo (n)		bi bilo pómislilo (n)		
on (m)	bi pómislio	on (m)	bi bio pómislio	on (m)	neka pómisli
ona (f)	bi pómislila	ona (f)	bi bila pómislila	ona (f)	neka pómisli
ono (n)	bi pómislilo	ono (n)	bi bilo pómislilo	ono (n)	neka pómisli
mi	bismo pómislili (m)	mi	bismo bili pómislili (m)	mi	pómislimo
	bismo pómislile (f)		bismo bile pómislile (f)		
	bismo pómislila (n)		bismo bila pómislila (n)		
vi	biste pómislili (m)	vi	biste bili pómislili (m)	vi	pómislite
	biste pómislile (f)		biste bile pómislile (f)		
	biste pómislila (n)		biste bila pómislila (n)		
oni (m)	bi pómislili	oni (m)	bi bili pómislili	oni (m)	neka pómisle
one (f)	bi pómislile	one (f)	bi bile pómislile	one (f)	neka pómisle
ona (n)	bi pómislila	ona (n)	bi bila pómislila	ona (n)	neka pómisle

VERBAL ADJECTIVES			
Active participle		**Past participle**	
ja	pómislio	ja	
ti	pómislio (m)	ti	
	pómislila (f)		
	pómislilo (n)		
on (m)	pómislio	on (m)	
ona (f)	pómislila	ona (f)	
ono (n)	pómislilo	ono (n)	
mi	pómislili (m)	mi	
	pómislile (f)		
	pómislila (n)		
vi	pómislili (m)	vi	
	pómislile (f)		
	pómislila (n)		
oni (m)	pómislili	oni (m)	
one (f)	pómislile	one (f)	
ona (n)	pómislila	ona (n)	

VERBAL ADVERBS
Active participle
-
Past participle
pómislivši

I thought about it and it happened. – Pomislio sam na to i dogodilo se.

I think about you sometimes. – Ponekad pomislim na tebe.

To Touch (Dirati) – Imperfective

<table>
<tr><th colspan="2">Present</th><th colspan="2">Perfect</th><th colspan="2">Imperfect</th></tr>
<tr><td>ja</td><td>díram</td><td>ja</td><td>sam dírao</td><td>ja</td><td>dírah</td></tr>
<tr><td rowspan="3">ti</td><td rowspan="3">díraš</td><td rowspan="3">ti</td><td>si dírao (m)</td><td rowspan="3">ti</td><td rowspan="3">díraše</td></tr>
<tr><td>si dírala (f)</td></tr>
<tr><td>si díralo (n)</td></tr>
<tr><td>on (m)</td><td>díra</td><td>on (m)</td><td>je dírao</td><td>on (m)</td><td>díraše</td></tr>
<tr><td>ona (f)</td><td>díra</td><td>ona (f)</td><td>je dírala</td><td>ona (f)</td><td>díraše</td></tr>
<tr><td>ono (n)</td><td>díra</td><td>ono (n)</td><td>je díralo</td><td>ono (n)</td><td>díraše</td></tr>
<tr><td rowspan="3">mi</td><td rowspan="3">díramo</td><td rowspan="3">mi</td><td>smo dírali (m)</td><td rowspan="3">mi</td><td rowspan="3">dírasmo</td></tr>
<tr><td>smo dírale (f)</td></tr>
<tr><td>smo dírala (n)</td></tr>
<tr><td rowspan="3">vi</td><td rowspan="3">dírate</td><td rowspan="3">vi</td><td>ste dírali (m)</td><td rowspan="3">vi</td><td rowspan="3">díraste</td></tr>
<tr><td>ste dírale (f)</td></tr>
<tr><td>ste dírala (n)</td></tr>
<tr><td>oni (m)</td><td>díraju</td><td>oni (m)</td><td>su dírali</td><td>oni (m)</td><td>dírahu</td></tr>
<tr><td>one (f)</td><td>díraju</td><td>one (f)</td><td>su dírale</td><td>one (f)</td><td>dírahu</td></tr>
<tr><td>ona (n)</td><td>díraju</td><td>ona (n)</td><td>su dírala</td><td>ona (n)</td><td>dírahu</td></tr>
</table>

<table>
<tr><th colspan="2">Pluperfect</th><th colspan="2">Futur 1</th><th colspan="2">Futur 2</th></tr>
<tr><td>ja</td><td>sam bio dírao</td><td>ja</td><td>ću dírati</td><td>ja</td><td>budem dírao</td></tr>
<tr><td rowspan="3">ti</td><td>si bio dírao (m)</td><td rowspan="3">ti</td><td rowspan="3">ćeš dírati</td><td rowspan="3">ti</td><td>budeš dírao (m)</td></tr>
<tr><td>si bila dírala (f)</td><td>budeš dírala (f)</td></tr>
<tr><td>si bilo díralo (n)</td><td>budeš díralo (n)</td></tr>
<tr><td>on (m)</td><td>je bio dírao</td><td>on (m)</td><td>će dírati</td><td>on (m)</td><td>bude dírao</td></tr>
<tr><td>ona (f)</td><td>je bila dírala</td><td>ona (f)</td><td>će dírati</td><td>ona (f)</td><td>bude dírala</td></tr>
<tr><td>ono (n)</td><td>je bilo díralo</td><td>ono (n)</td><td>će dírati</td><td>ono (n)</td><td>bude díralo</td></tr>
<tr><td rowspan="3">mi</td><td>smo bili dírali (m)</td><td rowspan="3">mi</td><td rowspan="3">ćemo dírati</td><td rowspan="3">mi</td><td>budemo dírali (m)</td></tr>
<tr><td>smo bile dírale (f)</td><td>budemo dírale (f)</td></tr>
<tr><td>smo bila dírala (n)</td><td>budemo dírala (n)</td></tr>
<tr><td rowspan="3">vi</td><td>ste bili dírali (m)</td><td rowspan="3">vi</td><td rowspan="3">ćete dírati</td><td rowspan="3">vi</td><td>budete dírali (m)</td></tr>
<tr><td>ste bile dírale (f)</td><td>budete dírale (f)</td></tr>
<tr><td>ste bila dírala (n)</td><td>budete dírala (n)</td></tr>
<tr><td>oni (m)</td><td>su bili dírali</td><td>oni (m)</td><td>će dírati</td><td>oni (m)</td><td>budu dírali</td></tr>
<tr><td>one (f)</td><td>su bile dírale</td><td>one (f)</td><td>će dírati</td><td>one (f)</td><td>budu dírale</td></tr>
<tr><td>ona (n)</td><td>su bila dírala</td><td>ona (n)</td><td>će dírati</td><td>ona (n)</td><td>budu dírala</td></tr>
</table>

VERB MOODS					
Conditional 1		**Conditional 2**		**Imperative**	
ja	bih dírao	ja	bih bio dírao	ja	-
ti	bi dírao (m)	ti	bi bio dírao (m)	ti	díraj
	bi dírala (f)		bi bila dírala (f)		
	bi díralo (n)		bi bilo díralo (n)		
on (m)	bi dírao	on (m)	bi bio dírao	on (m)	neka díra
ona (f)	bi dírala	ona (f)	bi bila dírala	ona (f)	neka díra
ono (n)	bi díralo	ono (n)	bi bilo díralo	ono (n)	neka díra
mi	bismo dírali (m)	mi	bismo bili dírali (m)	mi	dírajmo
	bismo dírale (f)		bismo bile dírale (f)		
	bismo dírala (n)		bismo bila dírala (n)		
vi	biste dírali (m)	vi	biste bili dírali (m)	vi	dírajte
	biste dírale (f)		biste bile dírale (f)		
	biste dírala (n)		biste bila dírala (n)		
oni (m)	bi dírali	oni (m)	bi bili dírali	oni (m)	neka díraju
one (f)	bi dírale	one (f)	bi bile dírale	one (f)	neka díraju
ona (n)	bi dírala	ona (n)	bi bila dírala	ona (n)	neka díraju

VERBAL ADJECTIVES			
Active participle		**Past participle**	
ja	dírao	ja	díran
ti	dírao (m)	ti	díran (m)
	dírala (f)		dírana (f)
	díralo (n)		dírano(n)
on (m)	dírao	on (m)	díran
ona (f)	dírala	ona (f)	dírana
ono (n)	díralo	ono (n)	dírano
mi	dírali (m)	mi	dírani (m)
	dírale (f)		dírane (f)
	dírala (n)		dírane (n)
vi	dírali (m)	vi	dírani (m)
	dírale (f)		dírane (f)
	dírala (n)		dírana (n)
oni (m)	dírali	oni (m)	dírani
one (f)	dírale	one (f)	dírane
ona (n)	dírala	ona (n)	dírana

VERBAL ADVERBS
Active participle
dírajući
Past participle
-

I'm not touching you. – Ne diram te.

She was touching the plant. –Ona je dirala biljku.

To Touch (Dirnuti) – Perfective

Present		Perfect		Aorist	
ja	dírnem	ja	sam dírnuo	ja	dírnuh
ti	dírneš	ti	si dírnuo (m) si dírnula (f) si dírnulo (n)	ti	dírnu
on (m)	dírne	on (m)	je dírnuo	on (m)	dírnu
ona (f)	dírne	ona (f)	je dírnula	ona (f)	dírnu
ono (n)	dírne	ono (n)	je dírnulo	ono (n)	dírnu
mi	dírnemo	mi	smo dírnuli (m) smo dírnule (f) smo dírnula (n)	mi	dírnusmo
vi	dírnete	vi	ste dírnuli (m) ste dírnule (f) ste dírnula (n)	vi	dírnuste
oni (m)	dírnu	oni (m)	su dírnuli	oni (m)	dírnuše
one (f)	dírnu	one (f)	su dírnule	one (f)	dírnuše
ona (n)	dírnu	ona (n)	su dírnula	ona (n)	dírnuše

Pluperfect		Futur 1		Futur 2	
ja	sam bio dírnuo	ja	ću dírnuti	ja	budem dírnuo
ti	si bio dírnuo (m) si bila dírnula (f) si bilo dírnulo (n)	ti	ćeš dírnuti	ti	budeš dírnuo (m) budeš dírnula (f) budeš dírnulo (n)
on (m)	je bio dírnuo	on (m)	će dírnuti	on (m)	bude dírnuo
ona (f)	je bila dírnula	ona (f)	će dírnuti	ona (f)	bude dírnula
ono (n)	je bilo dírnulo	ono (n)	će dírnuti	ono (n)	bude dírnulo
mi	smo bili dírnuli (m) smo bile dírnule (f) smo bila dírnula (n)	mi	ćemo dírnuti	mi	budemo dírnuli (m) budemo dírnule (f) budemo dírnula (n)
vi	ste bili dírnuli (m) ste bile dírnule (f) ste bila dírnula (n)	vi	ćete dírnuti	vi	budete dírnuli (m) budete dírnule (f) budete dírnula (n)
oni (m)	su bili dírnuli	oni (m)	će dírnuti	oni (m)	budu dírnuli
one (f)	su bile dírnule	one (f)	će dírnuti	one (f)	budu dírnule
ona (n)	su bila dírnula	ona (n)	će dírnuti	ona (n)	budu dírnula

VERB MOODS					
Conditional 1		**Conditional 2**		**Imperative**	
ja	bih dírnuo	ja	bih bio dírnuo	ja	-
ti	bi dírnuo (m)	ti	bi bio dírnuo (m)	ti	dírni
	bi dírnula (f)		bi bila dírnula (f)		
	bi dírnulo (n)		bi bilo dírnulo (n)		
on (m)	bi dírnuo	on (m)	bi bio dírnuo	on (m)	neka dírne
ona (f)	bi dírnula	ona (f)	bi bila dírnula	ona (f)	neka dírne
ono (n)	bi dírnulo	ono (n)	bi bilo dírnulo	ono (n)	neka dírne
mi	bismo dírnuli (m)	mi	bismo bili dírnuli (m)	mi	dírnimo
	bismo dírnule (f)		bismo bile dírnule (f)		
	bismo dírnula (n)		bismo bila dírnula (n)		
vi	biste dírnuli (m)	vi	biste bili dírnuli (m)	vi	dírnite
	biste dírnule (f)		biste bile dírnule (f)		
	biste dírnula (n)		biste bila dírnula (n)		
oni (m)	bi dírnuli	oni (m)	bi bili dírnuli	oni (m)	neka dírnu
one (f)	bi dírnule	one (f)	bi bile dírnule	one (f)	neka dírnu
ona (n)	bi dírnula	ona (n)	bi bila dírnula	ona (n)	neka dírnu

VERBAL ADJECTIVES			
Active participle		**Past participle**	
ja	dírnuo	ja	dírnut
ti	dírnuo (m)	ti	dírnut (m)
	dírnula (f)		dírnuta (f)
	dírnulo (n)		dírnuto(n)
on (m)	dírnuo	on (m)	dírnut
ona (f)	dírnula	ona (f)	dírnuta
ono (n)	dírnulo	ono (n)	dírnuto
mi	dírnuli (m)	mi	dírnuti (m)
	dírnule (f)		dírnute (f)
	dírnula (n)		dírnute (n)
vi	dírnuli (m)	vi	dírnuti (m)
	dírnule (f)		dírnute (f)
	dírnula (n)		dírnuta (n)
oni (m)	dírnuli	oni (m)	dírnuti
one (f)	dírnule	one (f)	dírnute
ona (n)	dírnula	ona (n)	dírnuta

VERBAL ADVERBS
Active participle
-
Past participle
dírnuvši

Touch me. – Dodirni me.

She touched the ice and it was cold. – Dirnula je led i bio je hladan.

To Travel (Putovati) – Imperfective

Present		Perfect		Imperfect	
ja	pútujem	ja	sam pútovao	ja	putóvah
ti	pútuješ	ti	si pútovao (m) si pútovala (f) si pútovalo (n)	ti	putóvaše
on (m)	pútuje	on (m)	je pútovao	on (m)	putóvaše
ona (f)	pútuje	ona (f)	je pútovala	ona (f)	putóvaše
ono (n)	pútuje	ono (n)	je pútovalo	ono (n)	putóvaše
mi	pútujemo	mi	smo pútovali (m) smo pútovale (f) smo pútovala (n)	mi	putóvasmo
vi	pútujete	vi	ste pútovali (m) ste pútovale (f) ste pútovala (n)	vi	putóvaste
oni (m)	pútuju	oni (m)	su pútovali	oni (m)	putóvahu
one (f)	pútuju	one (f)	su pútovale	one (f)	putóvahu
ona (n)	pútuju	ona (n)	su pútovala	ona (n)	putóvahu

Pluperfect		Futur 1		Futur 2	
ja	sam bio pútovao	ja	ću putóvati	ja	budem pútovao
ti	si bio pútovao (m) si bila pútovala (f) si bilo pútovalo (n)	ti	ćeš putóvati	ti	budeš pútovao (m) budeš pútovala (f) budeš pútovalo (n)
on (m)	je bio pútovao	on (m)	će putóvati	on (m)	bude pútovao
ona (f)	je bila pútovala	ona (f)	će putóvati	ona (f)	bude pútovala
ono (n)	je bilo pútovalo	ono (n)	će putóvati	ono (n)	bude pútovalo
mi	smo bili pútovali (m) smo bile pútovale (f) smo bila pútovala (n)	mi	ćemo putóvati	mi	budemo pútovali (m) budemo pútovale (f) budemo pútovala (n)
vi	ste bili pútovali (m) ste bile pútovale (f) ste bila pútovala (n)	vi	ćete putóvati	vi	budete pútovali (m) budete pútovale (f) budete pútovala (n)
oni (m)	su bili pútovali	oni (m)	će putóvati	oni (m)	budu pútovali
one (f)	su bile pútovale	one (f)	će putóvati	one (f)	budu pútovale
ona (n)	su bila pútovala	ona (n)	će putóvati	ona (n)	budu pútovala

VERB MOODS					
Conditional 1		**Conditional 2**		**Imperative**	
ja	bih pútovao	ja	bih bio pútovao	ja	-
ti	bi pútovao (m)	ti	bi bio pútovao (m)	ti	pútuj
	bi pútovala (f)		bi bila pútovala (f)		
	bi pútovalo (n)		bi bilo pútovalo (n)		
on (m)	bi pútovao	on (m)	bi bio pútovao	on (m)	neka pútuje
ona (f)	bi pútovala	ona (f)	bi bila pútovala	ona (f)	neka pútuje
ono (n)	bi pútovalo	ono (n)	bi bilo pútovalo	ono (n)	neka pútuje
mi	bismo pútovali (m)	mi	bismo bili pútovali (m)	mi	pútujmo
	bismo pútovale (f)		bismo bile pútovale (f)		
	bismo pútovala (n)		bismo bila pútovala (n)		
vi	biste pútovali (m)	vi	biste bili pútovali (m)	vi	pútujte
	biste pútovale (f)		biste bile pútovale (f)		
	biste pútovala (n)		biste bila pútovala (n)		
oni (m)	bi pútovali	oni (m)	bi bili pútovali	oni (m)	neka pútuju
one (f)	bi pútovale	one (f)	bi bile pútovale	one (f)	neka pútuju
ona (n)	bi pútovala	ona (n)	bi bila pútovala	ona (n)	neka pútuju

VERBAL ADJECTIVES			
Active participle		**Past participle**	
ja	pútovao	ja	pútovan
ti	pútovao (m)	ti	pútovan (m)
	pútovala (f)		pútovana (f)
	pútovalo (n)		pútovano(n)
on (m)	pútovao	on (m)	pútovan
ona (f)	pútovala	ona (f)	pútovana
ono (n)	pútovalo	ono (n)	pútovano
mi	pútovali (m)	mi	pútovani (m)
	pútovale (f)		pútovane (f)
	pútovala (n)		pútovane (n)
vi	pútovali (m)	vi	pútovani (m)
	pútovale (f)		pútovane (f)
	pútovala (n)		pútovana (n)
oni (m)	pútovali	oni (m)	pútovani
one (f)	pútovale	one (f)	pútovane
ona (n)	pútovala	ona (n)	pútovana

VERBAL ADVERBS
Active participle
pútovajući
Past participle
-

I'm travelling every year. – Putujem svake godine.

She was travelling to the east for two days. – Putovala je na istok dva dana.

To Travel (Doputovati) – Perfective

Present		Perfect		Aorist	
ja	dopútujem	ja	sam dóputovao	ja	doputóvah
ti	dopútuješ	ti	si dóputovao (m) si dóputovala (f) si dóputovalo (n)	ti	doputóva
on (m)	dopútuje	on (m)	je dóputovao	on (m)	doputóva
ona (f)	dopútuje	ona (f)	je dóputovala	ona (f)	doputóva
ono (n)	dopútuje	ono (n)	je dóputovalo	ono (n)	doputóva
mi	dopútujemo	mi	smo dóputovali (m) smo dóputovale (f) smo dóputovala (n)	mi	doputóvasmo
vi	dopútujete	vi	ste dóputovali (m) ste dóputovale (f) ste dóputovala (n)	vi	doputóvaste
oni (m)	dopútuju	oni (m)	su dóputovali	oni (m)	doputóvaše
one (f)	dopútuju	one (f)	su dóputovale	one (f)	doputóvaše
ona (n)	dopútuju	ona (n)	su dóputovala	ona (n)	doputóvaše

Pluperfect		Futur 1		Futur 2	
ja	sam bio dóputovao	ja	ću doputóvati	ja	budem dóputovao
ti	si bio dóputovao (m) si bila dóputovala (f) si bilo dóputovalo (n)	ti	ćeš doputóvati	ti	budeš dóputovao (m) budeš dóputovala (f) budeš dóputovalo (n)
on (m)	je bio dóputovao	on (m)	će doputóvati	on (m)	bude dóputovao
ona (f)	je bila dóputovala	ona (f)	će doputóvati	ona (f)	bude dóputovala
ono (n)	je bilo dóputovalo	ono (n)	će doputóvati	ono (n)	bude dóputovalo
mi	smo bili dóputovali (m) smo bile dóputovale (f) smo bila dóputovala (n)	mi	ćemo doputóvati	mi	budemo dóputovali (m) budemo dóputovale (f) budemo dóputovala (n)
vi	ste bili dóputovali (m) ste bile dóputovale (f) ste bila dóputovala (n)	vi	ćete doputóvati	vi	budete dóputovali (m) budete dóputovale (f) budete dóputovala (n)
oni (m)	su bili dóputovali	oni (m)	će doputóvati	oni (m)	budu dóputovali
one (f)	su bile dóputovale	one (f)	će doputóvati	one (f)	budu dóputovale
ona (n)	su bila dóputovala	ona (n)	će doputóvati	ona (n)	budu dóputovala

VERB MOODS					
Conditional 1		**Conditional 2**		**Imperative**	
ja	bih dóputovao	ja	bih bio dóputovao	ja	-
ti	bi dóputovao (m)	ti	bi bio dóputovao (m)	ti	dopútuj
	bi dóputovala (f)		bi bila dóputovala (f)		
	bi dóputovalo (n)		bi bilo dóputovalo (n)		
on (m)	bi dóputovao	on (m)	bi bio dóputovao	on (m)	neka dopútuje
ona (f)	bi dóputovala	ona (f)	bi bila dóputovala	ona (f)	neka dopútuje
ono (n)	bi dóputovalo	ono (n)	bi bilo dóputovalo	ono (n)	neka dopútuje
mi	bismo dóputovali (m)	mi	bismo bili dóputovali (m)	mi	dopútujmo
	bismo dóputovale (f)		bismo bile dóputovale (f)		
	bismo dóputovala (n)		bismo bila dóputovala (n)		
vi	biste dóputovali (m)	vi	biste bili dóputovali (m)	vi	dopútujte
	biste dóputovale (f)		biste bile dóputovale (f)		
	biste dóputovala (n)		biste bila dóputovala (n)		
oni (m)	bi dóputovali	oni (m)	bi bili dóputovali	oni (m)	neka dopútuju
one (f)	bi dóputovale	one (f)	bi bile dóputovale	one (f)	neka dopútuju
ona (n)	bi dóputovala	ona (n)	bi bila dóputovala	ona (n)	neka dopútuju

VERBAL ADJECTIVES			
Active participle		**Past participle**	
ja	dóputovao	ja	dóputovan
ti	dóputovao (m)	ti	dóputovan (m)
	dóputovala (f)		dóputovana (f)
	dóputovalo (n)		dóputovano(n)
on (m)	dóputovao	on (m)	dóputovan
ona (f)	dóputovala	ona (f)	dóputovana
ono (n)	dóputovalo	ono (n)	dóputovano
mi	dóputovali (m)	mi	dóputovani (m)
	dóputovale (f)		dóputovane (f)
	dóputovala (n)		dóputovane (n)
vi	dóputovali (m)	vi	dóputovani (m)
	dóputovale (f)		dóputovane (f)
	dóputovala (n)		dóputovana (n)
oni (m)	dóputovali	oni (m)	dóputovani
one (f)	dóputovale	one (f)	dóputovane
ona (n)	dóputovala	ona (n)	dóputovana

VERBAL ADVERBS
Active participle
-
Past participle
doputóvavši

She travelled and come to me. – Doputovala je i došla do mene.

I travelled to the end of the world. – Doputovao sam na kraj svijeta.

To Understand (Razumijevati) – Imperfective

Present		Perfect		Imperfect	
ja	razúmijevam	ja	sam razumijévao	ja	razumijévah
ti	razúmijevaš	ti	si razumijévao (m) si razumijévala (f) si razumijévalo (n)	ti	razumijévaše
on (m)	razúmijeva	on (m)	je razumijévao	on (m)	razumijévaše
ona (f)	razúmijeva	ona (f)	je razumijévala	ona (f)	razumijévaše
ono (n)	razúmijeva	ono (n)	je razumijévalo	ono (n)	razumijévaše
mi	razúmijevamo	mi	smo razumijévali (m) smo razumijévale (f) smo razumijévala (n)	mi	razumijévasmo
vi	razúmijevate	vi	ste razumijévali (m) ste razumijévale (f) ste razumijévala (n)	vi	razumijévaste
oni (m)	razúmijevaju	oni (m)	su razumijévali	oni (m)	razumijévahu
one (f)	razúmijevaju	one (f)	su razumijévale	one (f)	razumijévahu
ona (n)	razúmijevaju	ona (n)	su razumijévala	ona (n)	razumijévahu

Pluperfect		Futur 1		Futur 2	
ja	sam bio razumijévao	ja	ću razumijévati	ja	budem razumijévao
ti	si bio razumijévao (m) si bila razumijévala (f) si bilo razumijévalo (n)	ti	ćeš razumijévati	ti	budeš razumijévao (m) budeš razumijévala (f) budeš razumijévalo (n)
on (m)	je bio razumijévao	on (m)	će razumijévati	on (m)	bude razumijévao
ona (f)	je bila razumijévala	ona (f)	će razumijévati	ona (f)	bude razumijévala
ono (n)	je bilo razumijévalo	ono (n)	će razumijévati	ono (n)	bude razumijévalo
mi	smo bili razumijévali (m) smo bile razumijévale (f) smo bila razumijévala (n)	mi	ćemo razumijévati	mi	budemo razumijévali (m) budemo razumijévale (f) budemo razumijévala (n)
vi	ste bili razumijévali (m) ste bile razumijévale (f) ste bila razumijévala (n)	vi	ćete razumijévati	vi	budete razumijévali (m) budete razumijévale (f) budete razumijévala (n)
oni (m)	su bili razumijévali	oni (m)	će razumijévati	oni (m)	budu razumijévali
one (f)	su bile razumijévale	one (f)	će razumijévati	one (f)	budu razumijévale
ona (n)	su bila razumijévala	ona (n)	će razumijévati	ona (n)	budu razumijévala

VERB MOODS					
Conditional 1		**Conditional 2**		**Imperative**	
ja	bih razumijévao	ja	bih bio razumijévao	ja	-
ti	bi razumijévao (m)	ti	bi bio razumijévao (m)	ti	razúmijevaj
	bi razumijévala (f)		bi bila razumijévala (f)		
	bi razumijévalo (n)		bi bilo razumijévalo (n)		
on (m)	bi razumijévao	on (m)	bi bio razumijévao	on (m)	neka razúmijeva
ona (f)	bi razumijévala	ona (f)	bi bila razumijévala	ona (f)	neka razúmijeva
ono (n)	bi razumijévalo	ono (n)	bi bilo razumijévalo	ono (n)	neka razúmijeva
mi	bismo razumijévali (m)	mi	bismo bili razumijévali (m)	mi	razúmijevajmo
	bismo razumijévale (f)		bismo bile razumijévale (f)		
	bismo razumijévala (n)		bismo bila razumijévala (n)		
vi	biste razumijévali (m)	vi	biste bili razumijévali (m)	vi	razúmijevajte
	biste razumijévale (f)		biste bile razumijévale (f)		
	biste razumijévala (n)		biste bila razumijévala (n)		
oni (m)	bi razumijévali	oni (m)	bi bili razumijévali	oni (m)	neka razumijévaju
one (f)	bi razumijévale	one (f)	bi bile razumijévale	one (f)	neka razumijévaju
ona (n)	bi razumijévala	ona (n)	bi bila razumijévala	ona (n)	neka razumijévaju

VERBAL ADJECTIVES			
Active participle		**Past participle**	
ja	razumijévao	ja	razúmijevan
ti	razumijévao (m)	ti	razúmijevan (m)
	razumijévala (f)		razúmijevana (f)
	razumijévalo (n)		razúmijevano(n)
on (m)	razumijévao	on (m)	razúmijevan
ona (f)	razumijévala	ona (f)	razúmijevana
ono (n)	razumijévalo	ono (n)	razúmijevano
mi	razumijévali (m)	mi	razúmijevani (m)
	razumijévale (f)		razúmijevane (f)
	razumijévala (n)		razúmijevane (n)
vi	razumijévali (m)	vi	razúmijevani (m)
	razumijévale (f)		razúmijevane (f)
	razumijévala (n)		razúmijevana (n)
oni (m)	razumijévali	oni (m)	razúmijevani
one (f)	razumijévale	one (f)	razúmijevane
ona (n)	razumijévala	ona (n)	razúmijevana

VERBAL ADVERBS
Active participle
razumijévajući
Past participle
-

I am understanding you very well. – Razumijem te vrlo dobro.

Do you manage to understand me? – Da li me razumijete?

To Understand (Razumijeti) – Perfective

Present		Perfect		Aorist	
ja	razúmijem	ja	sam razúmio	ja	razúmjeh
ti	razúmiješ	ti	si razúmio (m) si razúmjela (f) si razúmjelo (n)	ti	razúmje
on (m)	razúmije	on (m)	je razúmio	on (m)	razúmje
ona (f)	razúmije	ona (f)	je razúmjela	ona (f)	razúmje
ono (n)	razúmije	ono (n)	je razúmjelo	ono (n)	razúmje
mi	razúmijemo	mi	smo razúmjeli (m) smo razúmjele (f) smo razúmjela (n)	mi	razúmjesmo
vi	razúmijete	vi	ste razúmjeli (m) ste razúmjele (f) ste razúmjela (n)	vi	razúmjeste
oni (m)	razúmiju	oni (m)	su razúmjeli	oni (m)	razúmješe
one (f)	razúmiju	one (f)	su razúmjele	one (f)	razúmješe
ona (n)	razúmiju	ona (n)	su razúmjela	ona (n)	razúmješe

Pluperfect		Futur 1		Futur 2	
ja	sam bio razúmio	ja	ću razúmjeti	ja	budem razúmio
ti	si bio razúmio (m) si bila razúmjela (f) si bilo razúmjelo (n)	ti	ćeš razúmjeti	ti	budeš razúmio (m) budeš razúmjela (f) budeš razúmjelo (n)
on (m)	je bio razúmio	on (m)	će razúmjeti	on (m)	bude razúmio
ona (f)	je bila razúmjela	ona (f)	će razúmjeti	ona (f)	bude razúmjela
ono (n)	je bilo razúmjelo	ono (n)	će razúmjeti	ono (n)	bude razúmjelo
mi	smo bili razúmjeli (m) smo bile razúmjele (f) smo bila razúmjela (n)	mi	ćemo razúmjeti	mi	budemo razúmjeli (m) budemo razúmjele (f) budemo razúmjela (n)
vi	ste bili razúmjeli (m) ste bile razúmjele (f) ste bila razúmjela (n)	vi	ćete razúmjeti	vi	budete razúmjeli (m) budete razúmjele (f) budete razúmjela (n)
oni (m)	su bili razúmjeli	oni (m)	će razúmjeti	oni (m)	budu razúmjeli
one (f)	su bile razúmjele	one (f)	će razúmjeti	one (f)	budu razúmjele
ona (n)	su bila razúmjela	ona (n)	će razúmjeti	ona (n)	budu razúmjela

VERB MOODS					
Conditional 1		**Conditional 2**		**Imperative**	
ja	bih razúmio	ja	bih bio razúmio	ja	-
ti	bi razúmio (m)	ti	bi bio razúmio (m)	ti	razúmi
	bi razúmjela (f)		bi bila razúmjela (f)		
	bi razúmjelo (n)		bi bilo razúmjelo (n)		
on (m)	bi razúmio	on (m)	bi bio razúmio	on (m)	neka rázumi
ona (f)	bi razúmjela	ona (f)	bi bila razúmjela	ona (f)	neka rázumi
ono (n)	bi razúmjelo	ono (n)	bi bilo razúmjelo	ono (n)	neka rázumi
mi	bismo razúmjeli (m)	mi	bismo bili razúmjeli (m)	mi	razúmimo
	bismo razúmjele (f)		bismo bile razúmjele (f)		
	bismo razúmjela (n)		bismo bila razúmjela (n)		
vi	biste razúmjeli (m)	vi	biste bili razúmjeli (m)	vi	razúmite
	biste razúmjele (f)		biste bile razúmjele (f)		
	biste razúmjela (n)		biste bila razúmjela (n)		
oni (m)	bi razúmjeli	oni (m)	bi bili razúmjeli	oni (m)	neka rázume
one (f)	bi razúmjele	one (f)	bi bile razúmjele	one (f)	neka rázume
ona (n)	bi razúmjela	ona (n)	bi bila razúmjela	ona (n)	neka rázume

VERBAL ADJECTIVES			
Active participle		**Past participle**	
ja	razúmio	ja	rázumljen
ti	razúmio (m)	ti	rázumljen (m)
	razúmjela (f)		rázumljena (f)
	razúmjelo (n)		rázumljeno(n)
on (m)	razúmio	on (m)	rázumljen
ona (f)	razúmjela	ona (f)	rázumljena
ono (n)	razúmjelo	ono (n)	rázumljeno
mi	razúmjeli (m)	mi	rázumljeni (m)
	razúmjele (f)		rázumljene (f)
	razúmjela (n)		rázumljene (n)
vi	razúmjeli (m)	vi	rázumljeni (m)
	razúmjele (f)		rázumljene (f)
	razúmjela (n)		rázumljena (n)
oni (m)	razúmjeli	oni (m)	rázumljeni
one (f)	razúmjele	one (f)	rázumljene
ona (n)	razúmjela	ona (n)	rázumljena

VERBAL ADVERBS
Active participle
-
Past participle
razúmjevši

I understand Chinese. – Razumijem kineski.

She understood my orders. –Razumjela je moje naredbe.

To Use (Koristiti) – Imperfective

Present		Perfect		Imperfect	
ja	kóristim	ja	sam kóristio	ja	kóriščah
ti	kóristiš	ti	si kóristio (m) si kóristila (f) si kóristilo (n)	ti	kóriščaše
on (m)	kóristi	on (m)	je kóristio	on (m)	kóriščaše
ona (f)	kóristi	ona (f)	je kóristila	ona (f)	kóriščaše
ono (n)	kóristi	ono (n)	je kóristilo	ono (n)	kóriščaše
mi	kóristimo	mi	smo kóristili (m) smo kóristile (f) smo kóristila (n)	mi	kóriščasmo
vi	kóristite	vi	ste kóristili (m) ste kóristile (f) ste kóristila (n)	vi	kóriščaste
oni (m)	kóriste	oni (m)	su kóristili	oni (m)	kóriščahu
one (f)	kóriste	one (f)	su kóristile	one (f)	kóriščahu
ona (n)	kóriste	ona (n)	su kóristila	ona (n)	kóriščahu

Pluperfect		Futur 1		Futur 2	
ja	sam bio kóristio	ja	ću kóristiti	ja	budem kóristio
ti	si bio kóristio (m) si bila kóristila (f) si bilo kóristilo (n)	ti	ćeš kóristiti	ti	budeš kóristio (m) budeš kóristila (f) budeš kóristilo (n)
on (m)	je bio kóristio	on (m)	će kóristiti	on (m)	bude kóristio
ona (f)	je bila kóristila	ona (f)	će kóristiti	ona (f)	bude kóristila
ono (n)	je bilo kóristilo	ono (n)	će kóristiti	ono (n)	bude kóristilo
mi	smo bili kóristili (m) smo bile kóristile (f) smo bila kóristila (n)	mi	ćemo kóristiti	mi	budemo kóristili (m) budemo kóristile (f) budemo kóristila (n)
vi	ste bili kóristili (m) ste bile kóristile (f) ste bila kóristila (n)	vi	ćete kóristiti	vi	budete kóristili (m) budete kóristile (f) budete kóristila (n)
oni (m)	su bili kóristili	oni (m)	će kóristiti	oni (m)	budu kóristili
one (f)	su bile kóristile	one (f)	će kóristiti	one (f)	budu kóristile
ona (n)	su bila kóristila	ona (n)	će kóristiti	ona (n)	budu kóristila

VERB MOODS

Conditional 1	
ja	bih kóristio
ti	bi kóristio (m)
	bi kóristila (f)
	bi kóristilo (n)
on (m)	bi kóristio
ona (f)	bi kóristila
ono (n)	bi kóristilo
mi	bismo kóristili (m)
	bismo kóristile (f)
	bismo kóristila (n)
vi	biste kóristili (m)
	biste kóristile (f)
	biste kóristila (n)
oni (m)	bi kóristili
one (f)	bi kóristile
ona (n)	bi kóristila

Conditional 2	
ja	bih bio kóristio
ti	bi bio kóristio (m)
	bi bila kóristila (f)
	bi bilo kóristilo (n)
on (m)	bi bio kóristio
ona (f)	bi bila kóristila
ono (n)	bi bilo kóristilo
mi	bismo bili kóristili (m)
	bismo bile kóristile (f)
	bismo bila kóristila (n)
vi	biste bili kóristili (m)
	biste bile kóristile (f)
	biste bila kóristila (n)
oni (m)	bi bili kóristili
one (f)	bi bile kóristile
ona (n)	bi bila kóristila

Imperative	
ja	-
ti	kóristi
on (m)	neka kóristi
ona (f)	neka kóristi
ono (n)	neka kóristi
mi	kóristimo
vi	kóristite
oni (m)	neka kóriste
one (f)	neka kóriste
ona (n)	neka kóriste

VERBAL ADJECTIVES

Active participle	
ja	kóristio
ti	kóristio (m)
	kóristila (f)
	kóristilo (n)
on (m)	kóristio
ona (f)	kóristila
ono (n)	kóristilo
mi	kóristili (m)
	kóristile (f)
	kóristila (n)
vi	kóristili (m)
	kóristile (f)
	kóristila (n)
oni (m)	kóristili
one (f)	kóristile
ona (n)	kóristila

Past participle	
ja	kóriščen
ti	kóriščen (m)
	kóriščena (f)
	kóriščeno(n)
on (m)	kóriščen
ona (f)	kóriščena
ono (n)	kóriščeno
mi	kóriščeni (m)
	kóriščene (f)
	kóriščene (n)
vi	kóriščeni (m)
	kóriščene (f)
	kóriščena (n)
oni (m)	kóriščeni
one (f)	kóriščene
ona (n)	kóriščena

VERBAL ADVERBS
Active participle
kórišteći
Past participle
-

I am using this machine every day. – Koristim ovaj stroj svaki dan

He was using it but not anymore.. – On je to koristio, ali ne koristi više.

To Use (Iskoristiti) – Perfective

Present		Perfect		Aorist	
ja	iskóristim	ja	sam iskóristio	ja	iskóristih
ti	iskóristiš	ti	si iskóristio (m) si iskóristila (f) si iskóristilo (n)	ti	iskóristi
on (m)	iskóristi	on (m)	je iskóristio	on (m)	iskóristi
ona (f)	iskóristi	ona (f)	je iskóristila	ona (f)	iskóristi
ono (n)	iskóristi	ono (n)	je iskóristilo	ono (n)	iskóristi
mi	iskóristimo	mi	smo iskóristili (m) smo iskóristile (f) smo iskóristila (n)	mi	iskóristismo
vi	iskóristite	vi	ste iskóristili (m) ste iskóristile (f) ste iskóristila (n)	vi	iskórististe
oni (m)	iskóriste	oni (m)	su iskóristili	oni (m)	iskóristiše
one (f)	iskóriste	one (f)	su iskóristile	one (f)	iskóristiše
ona (n)	iskóriste	ona (n)	su iskóristila	ona (n)	iskóristiše

Pluperfect		Futur 1		Futur 2	
ja	sam bio iskóristio	ja	ću iskóristiti	ja	budem iskóristio
ti	si bio iskóristio (m) si bila iskóristila (f) si bilo iskóristilo (n)	ti	ćeš iskóristiti	ti	budeš iskóristio (m) budeš iskóristila (f) budeš iskóristilo (n)
on (m)	je bio iskóristio	on (m)	će iskóristiti	on (m)	bude iskóristio
ona (f)	je bila iskóristila	ona (f)	će iskóristiti	ona (f)	bude iskóristila
ono (n)	je bilo iskóristilo	ono (n)	će iskóristiti	ono (n)	bude iskóristilo
mi	smo bili iskóristili (m) smo bile iskóristile (f) smo bila iskóristila (n)	mi	ćemo iskóristiti	mi	budemo iskóristili (m) budemo iskóristile (f) budemo iskóristila (n)
vi	ste bili iskóristili (m) ste bile iskóristile (f) ste bila iskóristila (n)	vi	ćete iskóristiti	vi	budete iskóristili (m) budete iskóristile (f) budete iskóristila (n)
oni (m)	su bili iskóristili	oni (m)	će iskóristiti	oni (m)	budu iskóristili
one (f)	su bile iskóristile	one (f)	će iskóristiti	one (f)	budu iskóristile
ona (n)	su bila iskóristila	ona (n)	će iskóristiti	ona (n)	budu iskóristila

VERB MOODS					
Conditional 1		**Conditional 2**		**Imperative**	
ja	bih iskóristio	ja	bih bio iskóristio	ja	-
ti	bi iskóristio (m)	ti	bi bio iskóristio (m)	ti	iskóristi
	bi iskóristila (f)		bi bila iskóristila (f)		
	bi iskóristilo (n)		bi bilo iskóristilo (n)		
on (m)	bi iskóristio	on (m)	bi bio iskóristio	on (m)	neka iskóristi
ona (f)	bi iskóristila	ona (f)	bi bila iskóristila	ona (f)	neka iskóristi
ono (n)	bi iskóristilo	ono (n)	bi bilo iskóristilo	ono (n)	neka iskóristi
mi	bismo iskóristili (m)	mi	bismo bili iskóristili (m)	mi	iskóristimo
	bismo iskóristile (f)		bismo bile iskóristile (f)		
	bismo iskóristila (n)		bismo bila iskóristila (n)		
vi	biste iskóristili (m)	vi	biste bili iskóristili (m)	vi	iskóristite
	biste iskóristile (f)		biste bile iskóristile (f)		
	biste iskóristila (n)		biste bila iskóristila (n)		
oni (m)	bi iskóristili	oni (m)	bi bili iskóristili	oni (m)	neka iskóriste
one (f)	bi iskóristile	one (f)	bi bile iskóristile	one (f)	neka iskóriste
ona (n)	bi iskóristila	ona (n)	bi bila iskóristila	ona (n)	neka iskóriste

VERBAL ADJECTIVES			
Active participle		**Past participle**	
ja	iskóristio	ja	iskóriščen
ti	iskóristio (m)	ti	iskóriščen (m)
	iskóristila (f)		iskóriščena (f)
	iskóristilo (n)		iskóriščeno(n)
on (m)	iskóristio	on (m)	iskóriščen
ona (f)	iskóristila	ona (f)	iskóriščena
ono (n)	iskóristilo	ono (n)	iskóriščeno
mi	iskóristili (m)	mi	iskóriščeni (m)
	iskóristile (f)		iskóriščene (f)
	iskóristila (n)		iskóriščene (n)
vi	iskóristili (m)	vi	iskóriščeni (m)
	iskóristile (f)		iskóriščene (f)
	iskóristila (n)		iskóriščena (n)
oni (m)	iskóristili	oni (m)	iskóriščeni
one (f)	iskóristile	one (f)	iskóriščene
ona (n)	iskóristila	ona (n)	iskóriščena

VERBAL ADVERBS
Active participle
-
Past participle
iskóristivši

She used my knowledge. – Iskoristila je moje znanje.

I will use it if I have to. –Iskoristit ću ga budem li trebao.

To Wait (Čekati) – Imperfective

Present	
ja	čékam
ti	čékaš
on (m)	čéka
ona (f)	čéka
ono (n)	čéka
mi	čékamo
vi	čékate
oni (m)	čékaju
one (f)	čékaju
ona (n)	čékaju

Perfect	
ja	sam čékao
ti	si čékao (m)
	si čékala (f)
	si čékalo (n)
on (m)	je čékao
ona (f)	je čékala
ono (n)	je čékalo
mi	smo čékali (m)
	smo čékale (f)
	smo čékala (n)
vi	ste čékali (m)
	ste čékale (f)
	ste čékala (n)
oni (m)	su čékali
one (f)	su čékale
ona (n)	su čékala

Imperfect	
ja	čékah
ti	čékaše
on (m)	čékaše
ona (f)	čékaše
ono (n)	čékaše
mi	čékasmo
vi	čékaste
oni (m)	čékahu
one (f)	čékahu
ona (n)	čékahu

Pluperfect	
ja	sam bio čékao
ti	si bio čékao (m)
	si bila čékala (f)
	si bilo čékalo (n)
on (m)	je bio čékao
ona (f)	je bila čékala
ono (n)	je bilo čékalo
mi	smo bili čékali (m)
	smo bile čékale (f)
	smo bila čékala (n)
vi	ste bili čékali (m)
	ste bile čékale (f)
	ste bila čékala (n)
oni (m)	su bili čékali
one (f)	su bile čékale
ona (n)	su bila čékala

Futur 1	
ja	ću čékati
ti	ćeš čékati
on (m)	će čékati
ona (f)	će čékati
ono (n)	će čékati
mi	ćemo čékati
vi	ćete čékati
oni (m)	će čékati
one (f)	će čékati
ona (n)	će čékati

Futur 2	
ja	budem čékao
ti	budeš čékao (m)
	budeš čékala (f)
	budeš čékalo (n)
on (m)	bude čékao
ona (f)	bude čékala
ono (n)	bude čékalo
mi	budemo čékali (m)
	budemo čékale (f)
	budemo čékala (n)
vi	budete čékali (m)
	budete čékale (f)
	budete čékala (n)
oni (m)	budu čékali
one (f)	budu čékale
ona (n)	budu čékala

VERB MOODS					
Conditional 1		**Conditional 2**		**Imperative**	
ja	bih čékao	ja	bih bio čékao	ja	-
ti	bi čékao (m)	ti	bi bio čékao (m)	ti	čékaj
	bi čékala (f)		bi bila čékala (f)		
	bi čékalo (n)		bi bilo čékalo (n)		
on (m)	bi čékao	on (m)	bi bio čékao	on (m)	neka čéka
ona (f)	bi čékala	ona (f)	bi bila čékala	ona (f)	neka čéka
ono (n)	bi čékalo	ono (n)	bi bilo čékalo	ono (n)	neka čéka
mi	bismo čékali (m)	mi	bismo bili čékali (m)	mi	čékajmo
	bismo čékale (f)		bismo bile čékale (f)		
	bismo čékala (n)		bismo bila čékala (n)		
vi	biste čékali (m)	vi	biste bili čékali (m)	vi	čékajte
	biste čékale (f)		biste bile čékale (f)		
	biste čékala (n)		biste bila čékala (n)		
oni (m)	bi čékali	oni (m)	bi bili čékali	oni (m)	neka čékaju
one (f)	bi čékale	one (f)	bi bile čékale	one (f)	neka čékaju
ona (n)	bi čékala	ona (n)	bi bila čékala	ona (n)	neka čékaju

VERBAL ADJECTIVES			
Active participle		**Past participle**	
ja	čékao	ja	čékan
ti	čékao (m)	ti	čékan (m)
	čékala (f)		čékana (f)
	čékalo (n)		čékano(n)
on (m)	čékao	on (m)	čékan
ona (f)	čékala	ona (f)	čékana
ono (n)	čékalo	ono (n)	čékano
mi	čékali (m)	mi	čékani (m)
	čékale (f)		čékane (f)
	čékala (n)		čékane (n)
vi	čékali (m)	vi	čékani (m)
	čékale (f)		čékane (f)
	čékala (n)		čékana (n)
oni (m)	čékali	oni (m)	čékani
one (f)	čékale	one (f)	čékane
ona (n)	čékala	ona (n)	čékana

VERBAL ADVERBS
Active participle
čékajući
Past participle
-

I was waiting for her on the train station. – Čekao sam je na željezničkoj stanici.

Where are you, I am waiting? – Gdje si ti, ja te čekam?

To Wait (Pričekati) – Perfective

Present		Perfect		Aorist	
ja	príčekam	ja	sam príčekao	ja	príčekah
ti	príčekaš	ti	si príčekao (m) si príčekala (f) si príčekalo (n)	ti	príčeka
on (m)	príčeka	on (m)	je príčekao	on (m)	príčeka
ona (f)	príčeka	ona (f)	je príčekala	ona (f)	príčeka
ono (n)	príčeka	ono (n)	je príčekalo	ono (n)	príčeka
mi	príčekamo	mi	smo príčekali (m) smo príčekale (f) smo príčekala (n)	mi	príčekasmo
vi	príčekate	vi	ste príčekali (m) ste príčekale (f) ste príčekala (n)	vi	príčekaste
oni (m)	príčekaju	oni (m)	su príčekali	oni (m)	príčekaše
one (f)	príčekaju	one (f)	su príčekale	one (f)	príčekaše
ona (n)	príčekaju	ona (n)	su príčekala	ona (n)	príčekaše

Pluperfect		Futur 1		Futur 2	
ja	sam bio príčekao	ja	ću príčekati	ja	budem príčekao
ti	si bio príčekao (m) si bila príčekala (f) si bilo príčekalo (n)	ti	ćeš príčekati	ti	budeš príčekao (m) budeš príčekala (f) budeš príčekalo (n)
on (m)	je bio príčekao	on (m)	će príčekati	on (m)	bude príčekao
ona (f)	je bila príčekala	ona (f)	će príčekati	ona (f)	bude príčekala
ono (n)	je bilo príčekalo	ono (n)	će príčekati	ono (n)	bude príčekalo
mi	smo bili príčekali (m) smo bile príčekale (f) smo bila príčekala (n)	mi	ćemo príčekati	mi	budemo príčekali (m) budemo príčekale (f) budemo príčekala (n)
vi	ste bili príčekali (m) ste bile príčekale (f) ste bila príčekala (n)	vi	ćete príčekati	vi	budete príčekali (m) budete príčekale (f) budete príčekala (n)
oni (m)	su bili príčekali	oni (m)	će príčekati	oni (m)	budu príčekali
one (f)	su bile príčekale	one (f)	će príčekati	one (f)	budu príčekale
ona (n)	su bila príčekala	ona (n)	će príčekati	ona (n)	budu príčekala

VERB MOODS

Conditional 1	
ja	bih príčekao
ti	bi príčekao (m)
	bi príčekala (f)
	bi príčekalo (n)
on (m)	bi príčekao
ona (f)	bi príčekala
ono (n)	bi príčekalo
mi	bismo príčekali (m)
	bismo príčekale (f)
	bismo príčekala (n)
vi	biste príčekali (m)
	biste príčekale (f)
	biste príčekala (n)
oni (m)	bi príčekali
one (f)	bi príčekale
ona (n)	bi príčekala

Conditional 2	
ja	bih bio príčekao
ti	bi bio príčekao (m)
	bi bila príčekala (f)
	bi bilo príčekalo (n)
on (m)	bi bio príčekao
ona (f)	bi bila príčekala
ono (n)	bi bilo príčekalo
mi	bismo bili príčekali (m)
	bismo bile príčekale (f)
	bismo bila príčekala (n)
vi	biste bili príčekali (m)
	biste bile príčekale (f)
	biste bila príčekala (n)
oni (m)	bi bili príčekali
one (f)	bi bile príčekale
ona (n)	bi bila príčekala

Imperative	
ja	-
ti	príčekaj
on (m)	neka príčeka
ona (f)	neka príčeka
ono (n)	neka príčeka
mi	príčekajmo
vi	príčekajte
oni (m)	neka príčekaju
one (f)	neka príčekaju
ona (n)	neka príčekaju

VERBAL ADJECTIVES

Active participle	
ja	príčekao
ti	príčekao (m)
	príčekala (f)
	príčekalo (n)
on (m)	príčekao
ona (f)	príčekala
ono (n)	príčekalo
mi	príčekali (m)
	príčekale (f)
	príčekala (n)
vi	príčekali (m)
	príčekale (f)
	príčekala (n)
oni (m)	príčekali
one (f)	príčekale
ona (n)	príčekala

Past participle	
ja	príčekan
ti	príčekan (m)
	príčekana (f)
	príčekano(n)
on (m)	príčekan
ona (f)	príčekana
ono (n)	príčekano
mi	príčekani (m)
	príčekane (f)
	príčekane (n)
vi	príčekani (m)
	príčekane (f)
	príčekana (n)
oni (m)	príčekani
one (f)	príčekane
ona (n)	príčekana

VERBAL ADVERBS
Active participle
-
Past participle
príčekavši

I will wait for a while and then leave. – Pričekat ću trenutak pa ću otići.

Wait for me, I'm coming. – Pričekaj me, dolazim.

To Walk (Hodati) – Imperfective

Present		Perfect		Imperfect	
ja	hódam	ja	sam hódao	ja	hódah
ti	hódaš	ti	si hódao (m) si hódala (f) si hódalo (n)	ti	hódaše
on (m)	hóda	on (m)	je hódao	on (m)	hódaše
ona (f)	hóda	ona (f)	je hódala	ona (f)	hódaše
ono (n)	hóda	ono (n)	je hódalo	ono (n)	hódaše
mi	hódamo	mi	smo hódali (m) smo hódale (f) smo hódala (n)	mi	hódasmo
vi	hódate	vi	ste hódali (m) ste hódale (f) ste hódala (n)	vi	hódaste
oni (m)	hódaju	oni (m)	su hódali	oni (m)	hódahu
one (f)	hódaju	one (f)	su hódale	one (f)	hódahu
ona (n)	hódaju	ona (n)	su hódala	ona (n)	hódahu

Pluperfect		Futur 1		Futur 2	
ja	sam bio hódao	ja	ću hódati	ja	budem hódao
ti	si bio hódao (m) si bila hódala (f) si bilo hódalo (n)	ti	ćeš hódati	ti	budeš hódao (m) budeš hódala (f) budeš hódalo (n)
on (m)	je bio hódao	on (m)	će hódati	on (m)	bude hódao
ona (f)	je bila hódala	ona (f)	će hódati	ona (f)	bude hódala
ono (n)	je bilo hódalo	ono (n)	će hódati	ono (n)	bude hódalo
mi	smo bili hódali (m) smo bile hódale (f) smo bila hódala (n)	mi	ćemo hódati	mi	budemo hódali (m) budemo hódale (f) budemo hódala (n)
vi	ste bili hódali (m) ste bile hódale (f) ste bila hódala (n)	vi	ćete hódati	vi	budete hódali (m) budete hódale (f) budete hódala (n)
oni (m)	su bili hódali	oni (m)	će hódati	oni (m)	budu hódali
one (f)	su bile hódale	one (f)	će hódati	one (f)	budu hódale
ona (n)	su bila hódala	ona (n)	će hódati	ona (n)	budu hódala

VERB MOODS					
Conditional 1		**Conditional 2**		**Imperative**	
ja	bih hódao	ja	bih bio hódao	ja	-
ti	bi hódao (m)	ti	bi bio hódao (m)	ti	hódaj
	bi hódala (f)		bi bila hódala (f)		
	bi hódalo (n)		bi bilo hódalo (n)		
on (m)	bi hódao	on (m)	bi bio hódao	on (m)	neka hóda
ona (f)	bi hódala	ona (f)	bi bila hódala	ona (f)	neka hóda
ono (n)	bi hódalo	ono (n)	bi bilo hódalo	ono (n)	neka hóda
mi	bismo hódali (m)	mi	bismo bili hódali (m)	mi	hódajmo
	bismo hódale (f)		bismo bile hódale (f)		
	bismo hódala (n)		bismo bila hódala (n)		
vi	biste hódali (m)	vi	biste bili hódali (m)	vi	hódajte
	biste hódale (f)		biste bile hódale (f)		
	biste hódala (n)		biste bila hódala (n)		
oni (m)	bi hódali	oni (m)	bi bili hódali	oni (m)	neka hódaju
one (f)	bi hódale	one (f)	bi bile hódale	one (f)	neka hódaju
ona (n)	bi hódala	ona (n)	bi bila hódala	ona (n)	neka hódaju

VERBAL ADJECTIVES			
Active participle		**Past participle**	
ja	hódao	ja	hódan
ti	hódao (m)	ti	hódan (m)
	hódala (f)		hódana (f)
	hódalo (n)		hódano(n)
on (m)	hódao	on (m)	hódan
ona (f)	hódala	ona (f)	hódana
ono (n)	hódalo	ono (n)	hódano
mi	hódali (m)	mi	hódani (m)
	hódale (f)		hódane (f)
	hódala (n)		hódane (n)
vi	hódali (m)	vi	hódani (m)
	hódale (f)		hódane (f)
	hódala (n)		hódana (n)
oni (m)	hódali	oni (m)	hódani
one (f)	hódale	one (f)	hódane
ona (n)	hódala	ona (n)	hódana

VERBAL ADVERBS
Active participle
hódajući
Past participle
-

I am walking for one hour. – Hodam jedan sat.

She was walking to me through the forest. – Hodala je do mene kroz šumu.

To Walk (Prohodati) – Perfective

Present		Perfect		Aorist	
ja	próhodam	ja	sam prohódao	ja	prohódah
ti	próhodaš	ti	si prohódao (m) si prohódala (f) si prohódalo (n)	ti	prohóda
on (m)	próhoda	on (m)	je prohódao	on (m)	prohóda
ona (f)	próhoda	ona (f)	je prohódala	ona (f)	prohóda
ono (n)	próhoda	ono (n)	je prohódalo	ono (n)	prohóda
mi	próhodamo	mi	smo prohódali (m) smo prohódale (f) smo prohódala (n)	mi	prohódasmo
vi	próhodate	vi	ste prohódali (m) ste prohódale (f) ste prohódala (n)	vi	prohódaste
oni (m)	próhodaju	oni (m)	su prohódali	oni (m)	prohódaše
one (f)	próhodaju	one (f)	su prohódale	one (f)	prohódaše
ona (n)	próhodaju	ona (n)	su prohódala	ona (n)	prohódaše

Pluperfect		Futur 1		Futur 2	
ja	sam bio prohódao	ja	ću prohódati	ja	budem prohódao
ti	si bio prohódao (m) si bila prohódala (f) si bilo prohódalo (n)	ti	ćeš prohódati	ti	budeš prohódao (m) budeš prohódala (f) budeš prohódalo (n)
on (m)	je bio prohódao	on (m)	će prohódati	on (m)	bude prohódao
ona (f)	je bila prohódala	ona (f)	će prohódati	ona (f)	bude prohódala
ono (n)	je bilo prohódalo	ono (n)	će prohódati	ono (n)	bude prohódalo
mi	smo bili prohódali (m) smo bile prohódale (f) smo bila prohódala (n)	mi	ćemo prohódati	mi	budemo prohódali (m) budemo prohódale (f) budemo prohódala (n)
vi	ste bili prohódali (m) ste bile prohódale (f) ste bila prohódala (n)	vi	ćete prohódati	vi	budete prohódali (m) budete prohódale (f) budete prohódala (n)
oni (m)	su bili prohódali	oni (m)	će prohódati	oni (m)	budu prohódali
one (f)	su bile prohódale	one (f)	će prohódati	one (f)	budu prohódale
ona (n)	su bila prohódala	ona (n)	će prohódati	ona (n)	budu prohódala

VERB MOODS					
Conditional 1		**Conditional 2**		**Imperative**	
ja	bih prohódao	ja	bih bio prohódao	ja	-
ti	bi prohódao (m)	ti	bi bio prohódao (m)	ti	próhodaj
	bi prohódala (f)		bi bila prohódala (f)		
	bi prohódalo (n)		bi bilo prohódalo (n)		
on (m)	bi prohódao	on (m)	bi bio prohódao	on (m)	neka próhoda
ona (f)	bi prohódala	ona (f)	bi bila prohódala	ona (f)	neka próhoda
ono (n)	bi prohódalo	ono (n)	bi bilo prohódalo	ono (n)	neka próhoda
mi	bismo prohódali (m)	mi	bismo bili prohódali (m)	mi	próhodajmo
	bismo prohódale (f)		bismo bile prohódale (f)		
	bismo prohódala (n)		bismo bila prohódala (n)		
vi	biste prohódali (m)	vi	biste bili prohódali (m)	vi	próhodajte
	biste prohódale (f)		biste bile prohódale (f)		
	biste prohódala (n)		biste bila prohódala (n)		
oni (m)	bi prohódali	oni (m)	bi bili prohódali	oni (m)	neka prohódaju
one (f)	bi prohódale	one (f)	bi bile prohódale	one (f)	neka prohódaju
ona (n)	bi prohódala	ona (n)	bi bila prohódala	ona (n)	neka prohódaju

VERBAL ADJECTIVES			
Active participle		**Past participle**	
ja	prohódao	ja	próhodan
ti	prohódao (m)	ti	próhodan (m)
	prohódala (f)		próhodana (f)
	prohódalo (n)		próhodano(n)
on (m)	prohódao	on (m)	próhodan
ona (f)	prohódala	ona (f)	próhodana
ono (n)	prohódalo	ono (n)	próhodano
mi	prohódali (m)	mi	próhodani (m)
	prohódale (f)		próhodane (f)
	prohódala (n)		próhodane (n)
vi	prohódali (m)	vi	próhodani (m)
	prohódale (f)		próhodane (f)
	prohódala (n)		próhodana (n)
oni (m)	prohódali	oni (m)	próhodani
one (f)	prohódale	one (f)	próhodane
ona (n)	prohódala	ona (n)	próhodana

VERBAL ADVERBS
Active participle
-
Past participle
prohódavši

He started to walk. – On je prohodao.

They walked a while and then left. – Malo su prohodali i otišli.

To Want (Željeti) – Imperfective

Present		Perfect		Imperfect	
ja	želim	ja	sam želio	ja	željah
ti	želiš	ti	si želio (m) si željela (f) si željelo (n)	ti	željaše
on (m)	želi	on (m)	je želio	on (m)	željaše
ona (f)	želi	ona (f)	je željela	ona (f)	željaše
ono (n)	želi	ono (n)	je željelo	ono (n)	željaše
mi	želimo	mi	smo željeli (m) smo željele (f) smo željela (n)	mi	željasmo
vi	želite	vi	ste željeli (m) ste željele (f) ste željela (n)	vi	željaste
oni (m)	žele	oni (m)	su željeli	oni (m)	željahu
one (f)	žele	one (f)	su željele	one (f)	željahu
ona (n)	žele	ona (n)	su željela	ona (n)	željahu

Pluperfect		Futur 1		Futur 2	
ja	sam bio želio	ja	ću željeti	ja	budem želio
ti	si bio želio (m) si bila želila (f) si bilo želilo (n)	ti	ćeš željeti	ti	budeš želio (m) budeš želila (f) budeš želilo (n)
on (m)	je bio želio	on (m)	će željeti	on (m)	bude želio
ona (f)	je bila željela	ona (f)	će željeti	ona (f)	bude željela
ono (n)	je bilo željelo	ono (n)	će željeti	ono (n)	bude željelo
mi	smo bili željeli (m) smo bile željele (f) smo bila željela (n)	mi	ćemo željeti	mi	budemo željeli (m) budemo željele (f) budemo željela (n)
vi	ste bili željeli (m) ste bile željele (f) ste bila željela (n)	vi	ćete željeti	vi	budete željeli (m) budete željele (f) budete željela (n)
oni (m)	su bili željeli	oni (m)	će željeti	oni (m)	budu željeli
one (f)	su bile željele	one (f)	će željeti	one (f)	budu željele
ona (n)	su bila željela	ona (n)	će željeti	ona (n)	budu željela

VERB MOODS

Conditional 1		Conditional 2		Imperative	
ja	bih želio	ja	bih bio želio	ja	-
ti	bi želio (m)	ti	bi bio želio (m)	ti	žéli
	bi željela (f)		bi bila željela (f)		
	bi želilo (n)		bi bilo želilo (n)		
on (m)	bi želio	on (m)	bi bio želio	on (m)	neka žéli
ona (f)	bi željela	ona (f)	bi bila željela	ona (f)	neka žéli
ono (n)	bi željelo	ono (n)	bi bilo željelo	ono (n)	neka žéli
mi	bismo željeli (m)	mi	bismo bili željeli (m)	mi	želimo
	bismo željele (f)		bismo bile željele (f)		
	bismo željela (n)		bismo bila željela (n)		
vi	biste željeli (m)	vi	biste bili željeli (m)	vi	želite
	biste željele (f)		biste bile željele (f)		
	biste željela (n)		biste bila željela (n)		
oni (m)	bi željeli	oni (m)	bi bili željeli	oni (m)	neka žéle
one (f)	bi željele	one (f)	bi bile željele	one (f)	neka žéle
ona (n)	bi željela	ona (n)	bi bila željela	ona (n)	neka žéle

VERBAL ADJECTIVES

Active participle		Past participle	
ja	želio	ja	željen
ti	želio (m)	ti	željen (m)
	Željela (f)		željena (f)
	želilo (n)		željeno(n)
on (m)	želio	on (m)	željen
ona (f)	željela	ona (f)	željena
ono (n)	željelo	ono (n)	željeno
mi	željeli (m)	mi	željeni (m)
	željele (f)		željene (f)
	željela (n)		željene (n)
vi	željeli (m)	vi	željeni (m)
	željele (f)		željene (f)
	željela (n)		željena (n)
oni (m)	željeli	oni (m)	željeni
one (f)	željele	one (f)	željene
ona (n)	željela	ona (n)	željena

VERBAL ADVERBS
Active participle
želeći
Past participle
-

I want this car. – Želim ovaj automobil.

They wanted me to do this job. – Oni su željeli da ja obavim ovaj posao.

To Want (Poželjeti) – Perfective

Present		Perfect		Aorist	
ja	póželim	ja	sam požélio	ja	požéljeh
ti	póželiš	ti	si požélio (m) si požéljela (f) si požéljelo (n)	ti	požélje
on (m)	póželi	on (m)	je požélio	on (m)	požélje
ona (f)	póželi	ona (f)	je požéljela	ona (f)	požélje
ono (n)	póželi	ono (n)	je požéljelo	ono (n)	požélje
mi	póželimo	mi	smo požéljele (m) smo požéljele (f) smo požéljela (n)	mi	požéljesmo
vi	póželite	vi	ste požéljelje (m) ste požéljele (f) ste požéljela (n)	vi	požéljeste
oni (m)	póžele	oni (m)	su požéljele	oni (m)	požélješe
one (f)	póžele	one (f)	su požéljele	one (f)	požélješe
ona (n)	póžele	ona (n)	su požéljela	ona (n)	požélješe

Pluperfect		Futur 1		Futur 2	
ja	sam bio požélio	ja	ću požéljeti	ja	budem požélio
ti	si bio požélio (m) si bila požéljela (f) si bilo požéljelo (n)	ti	ćeš požéljeti	ti	budeš požélio (m) budeš požéljela (f) budeš požéljelo (n)
on (m)	je bio požélio	on (m)	će požéljeti	on (m)	bude požélio
ona (f)	je bila požéljela	ona (f)	će požéljeti	ona (f)	bude požéljela
ono (n)	je bilo požéljelo	ono (n)	će požéljeti	ono (n)	bude požéljelo
mi	smo bilje požéljele (m) smo bile požéljele (f) smo bila požéljela (n)	mi	ćemo požéljeti	mi	budemo požéljeli (m) budemo požéljele (f) budemo požéljela (n)
vi	ste bilje požéljele (m) ste bile požéljele (f) ste bila požéljela (n)	vi	ćete požéljeti	vi	budete požéljele (m) budete požéljele (f) budete požéljela (n)
oni (m)	su bilje požéljele	oni (m)	će požéljeti	oni (m)	budu požéljelje
one (f)	su bile požéljele	one (f)	će požéljeti	one (f)	budu požéljele
ona (n)	su bila požéljela	ona (n)	će požéljeti	ona (n)	budu požéljela

VERB MOODS					
Conditional 1		**Conditional 2**		**Imperative**	
ja	bih požélio	ja	bih bio požélio	ja	-
ti	bi požélio (m)	ti	bi bio požélio (m)	ti	požéli
	bi požéljela (f)		bi bila požéljela (f)		
	bi požéljelo (n)		bi bilo požéljelo (n)		
on (m)	bi požélio	on (m)	bi bio požélio	on (m)	neka póželi
ona (f)	bi požéljela	ona (f)	bi bila požéljela	ona (f)	neka póželi
ono (n)	bi požéljelo	ono (n)	bi bilo požéljelo	ono (n)	neka póželi
mi	bismo požéljeli (m)	mi	bismo bili požéljeli (m)	mi	požélimo
	bismo požéljele (f)		bismo bile požéljele (f)		
	bismo požéljela (n)		bismo bila požéljela (n)		
vi	biste požéljeli (m)	vi	biste bili požéljeli (m)	vi	požélite
	biste požéljele (f)		biste bile požéljele (f)		
	biste požéljela (n)		biste bila požéljela (n)		
oni (m)	bi požéljeli	oni (m)	bi bili požéljeli	oni (m)	neka póžele
one (f)	bi požéljele	one (f)	bi bile požéljele	one (f)	neka póžele
ona (n)	bi požéljela	ona (n)	bi bila požéljela	ona (n)	neka póžele

VERBAL ADJECTIVES			
Active participle		**Past participle**	
ja	požélio	ja	póželjen
ti	požélio (m)	ti	póželjen (m)
	požéljela (f)		póželjena (f)
	požéljelo (n)		póželjeno(n)
on (m)	požélio	on (m)	póželjen
ona (f)	požéljela	ona (f)	póželjena
ono (n)	požéljelo	ono (n)	póželjeno
mi	požéljeli (m)	mi	póželjeni (m)
	požéljele (f)		póželjene (f)
	požéljela (n)		póželjene (n)
vi	požéljeli (m)	vi	póželjeni (m)
	požéljele (f)		póželjene (f)
	požéljela (n)		póželjena (n)
oni (m)	požéljeli	oni (m)	póželjeni
one (f)	požéljele	one (f)	póželjene
ona (n)	požéljela	ona (n)	póželjena

VERBAL ADVERBS
Active participle
-
Past participle
požélivši

I wanted something good. – Poželio sam nešto dobro.

They will want to want something to eat. - Poželjet će nešto pojesti.

To Watch (Gledati) – Imperfective

Present		Perfect		Imperfect	
ja	glédam	ja	sam glédao	ja	glédah
ti	glédaš	ti	si glédao (m) si glédala (f) si glédalo (n)	ti	glédaše
on (m)	gléda	on (m)	je glédao	on (m)	glédaše
ona (f)	gléda	ona (f)	je glédala	ona (f)	glédaše
ono (n)	gléda	ono (n)	je glédalo	ono (n)	glédaše
mi	glédamo	mi	smo glédali (m) smo glédale (f) smo glédala (n)	mi	glédasmo
vi	glédate	vi	ste glédali (m) ste glédale (f) ste glédala (n)	vi	glédaste
oni (m)	glédaju	oni (m)	su glédali	oni (m)	glédahu
one (f)	glédaju	one (f)	su glédale	one (f)	glédahu
ona (n)	glédaju	ona (n)	su glédala	ona (n)	glédahu

Pluperfect		Futur 1		Futur 2	
ja	sam bio glédao	ja	ću glédati	ja	budem glédao
ti	si bio glédao (m) si bila glédala (f) si bilo glédalo (n)	ti	ćeš glédati	ti	budeš glédao (m) budeš glédala (f) budeš glédalo (n)
on (m)	je bio glédao	on (m)	će glédati	on (m)	bude glédao
ona (f)	je bila glédala	ona (f)	će glédati	ona (f)	bude glédala
ono (n)	je bilo glédalo	ono (n)	će glédati	ono (n)	bude glédalo
mi	smo bili glédali (m) smo bile glédale (f) smo bila glédala (n)	mi	ćemo glédati	mi	budemo glédali (m) budemo glédale (f) budemo glédala (n)
vi	ste bili glédali (m) ste bile glédale (f) ste bila glédala (n)	vi	ćete glédati	vi	budete glédali (m) budete glédale (f) budete glédala (n)
oni (m)	su bili glédali	oni (m)	će glédati	oni (m)	budu glédali
one (f)	su bile glédale	one (f)	će glédati	one (f)	budu glédale
ona (n)	su bila glédala	ona (n)	će glédati	ona (n)	budu glédala

VERB MOODS					
Conditional 1		**Conditional 2**		**Imperative**	
ja	bih glédao	ja	bih bio glédao	ja	-
ti	bi glédao (m)	ti	bi bio glédao (m)	ti	glédaj
	bi glédala (f)		bi bila glédala (f)		
	bi glédalo (n)		bi bilo glédalo (n)		
on (m)	bi glédao	on (m)	bi bio glédao	on (m)	neka gléda
ona (f)	bi glédala	ona (f)	bi bila glédala	ona (f)	neka gléda
ono (n)	bi glédalo	ono (n)	bi bilo glédalo	ono (n)	neka gléda
mi	bismo glédali (m)	mi	bismo bili glédali (m)	mi	glédajmo
	bismo glédale (f)		bismo bile glédale (f)		
	bismo glédala (n)		bismo bila glédala (n)		
vi	biste glédali (m)	vi	biste bili glédali (m)	vi	glédajte
	biste glédale (f)		biste bile glédale (f)		
	biste glédala (n)		biste bila glédala (n)		
oni (m)	bi glédali	oni (m)	bi bili glédali	oni (m)	neka glédaju
one (f)	bi glédale	one (f)	bi bile glédale	one (f)	neka glédaju
ona (n)	bi glédala	ona (n)	bi bila glédala	ona (n)	neka glédaju

VERBAL ADJECTIVES			
Active participle		**Past participle**	
ja	glédao	ja	glédan
ti	glédao (m)	ti	glédan (m)
	glédala (f)		glédana (f)
	glédalo (n)		glédano(n)
on (m)	glédao	on (m)	glédan
ona (f)	glédala	ona (f)	glédana
ono (n)	glédalo	ono (n)	glédano
mi	glédali (m)	mi	glédani (m)
	glédale (f)		glédane (f)
	glédala (n)		glédane (n)
vi	glédali (m)	vi	glédani (m)
	glédale (f)		glédane (f)
	glédala (n)		glédana (n)
oni (m)	glédali	oni (m)	glédani
one (f)	glédale	one (f)	glédane
ona (n)	glédala	ona (n)	glédana

VERBAL ADVERBS
Active participle
glédajući
Past participle
-

Be careful, I'm watching you. – Budi oprezan, gledam te.

I was watching the television. – Gledao sam televiziju.

To Watch (Pogledati) – Perfective

Present		Perfect		Aorist	
ja	pógledam	ja	sam pógledao	ja	pógledah
ti	pógledaš	ti	si pógledao (m) si pógledala (f) si pógledalo (n)	ti	pógleda
on (m)	pógleda	on (m)	je pógledao	on (m)	pógleda
ona (f)	pógleda	ona (f)	je pógledala	ona (f)	pógleda
ono (n)	pógleda	ono (n)	je pógledalo	ono (n)	pógleda
mi	pógledamo	mi	smo pógledali (m) smo pógledale (f) smo pógledala (n)	mi	pógledasmo
vi	pógledate	vi	ste pógledali (m) ste pógledale (f) ste pógledala (n)	vi	pógledaste
oni (m)	pógledaju	oni (m)	su pógledali	oni (m)	pógledaše
one (f)	pógledaju	one (f)	su pógledale	one (f)	pógledaše
ona (n)	pógledaju	ona (n)	su pógledala	ona (n)	pógledaše

Pluperfect		Futur 1		Futur 2	
ja	sam bio pógledao	ja	ću pógledati	ja	budem pógledao
ti	si bio pógledao (m) si bila pógledala (f) si bilo pógledalo (n)	ti	ćeš pógledati	ti	budeš pógledao (m) budeš pógledala (f) budeš pógledalo (n)
on (m)	je bio pógledao	on (m)	će pógledati	on (m)	bude pógledao
ona (f)	je bila pógledala	ona (f)	će pógledati	ona (f)	bude pógledala
ono (n)	je bilo pógledalo	ono (n)	će pógledati	ono (n)	bude pógledalo
mi	smo bili pógledali (m) smo bile pógledale (f) smo bila pógledala (n)	mi	ćemo pógledati	mi	budemo pógledali (m) budemo pógledale (f) budemo pógledala (n)
vi	ste bili pógledali (m) ste bile pógledale (f) ste bila pógledala (n)	vi	ćete pógledati	vi	budete pógledali (m) budete pógledale (f) budete pógledala (n)
oni (m)	su bili pógledali	oni (m)	će pógledati	oni (m)	budu pógledali
one (f)	su bile pógledale	one (f)	će pógledati	one (f)	budu pógledale
ona (n)	su bila pógledala	ona (n)	će pógledati	ona (n)	budu pógledala

VERB MOODS					
Conditional 1		**Conditional 2**		**Imperative**	
ja	bih pógledao	ja	bih bio pógledao	ja	-
ti	bi pógledao (m)	ti	bi bio pógledao (m)	ti	pógledaj
	bi pógledala (f)		bi bila pógledala (f)		
	bi pógledalo (n)		bi bilo pógledalo (n)		
on (m)	bi pógledao	on (m)	bi bio pógledao	on (m)	neka pógleda
ona (f)	bi pógledala	ona (f)	bi bila pógledala	ona (f)	neka pógleda
ono (n)	bi pógledalo	ono (n)	bi bilo pógledalo	ono (n)	neka pógleda
mi	bismo pógledali (m)	mi	bismo bili pógledali (m)	mi	pógledajmo
	bismo pógledale (f)		bismo bile pógledale (f)		
	bismo pógledala (n)		bismo bila pógledala (n)		
vi	biste pógledali (m)	vi	biste bili pógledali (m)	vi	pógledajte
	biste pógledale (f)		biste bile pógledale (f)		
	biste pógledala (n)		biste bila pógledala (n)		
oni (m)	bi pógledali	oni (m)	bi bili pógledali	oni (m)	neka pógledaju
one (f)	bi pógledale	one (f)	bi bile pógledale	one (f)	neka pógledaju
ona (n)	bi pógledala	ona (n)	bi bila pógledala	ona (n)	neka pógledaju

VERBAL ADJECTIVES			
Active participle		**Past participle**	
ja	pógledao	ja	pógledan
ti	pógledao (m)	ti	pógledan (m)
	pógledala (f)		pógledana (f)
	pógledalo (n)		pógledano(n)
on (m)	pógledao	on (m)	pógledan
ona (f)	pógledala	ona (f)	pógledana
ono (n)	pógledalo	ono (n)	pógledano
mi	pógledali (m)	mi	pógledani (m)
	pógledale (f)		pógledane (f)
	pógledala (n)		pógledane (n)
vi	pógledali (m)	vi	pógledani (m)
	pógledale (f)		pógledane (f)
	pógledala (n)		pógledana (n)
oni (m)	pógledali	oni (m)	pógledani
one (f)	pógledale	one (f)	pógledane
ona (n)	pógledala	ona (n)	pógledana

VERBAL ADVERBS
Active participle
-
Past participle
pógledavši

I watched this movie. – Pogledao sam ovaj film.

I want to watch something good. – Želim pogledati nešto dobro.

To Win (Pobjeđivati) – Imperfective

Present		Perfect		Imperfect	
ja	pobjéđujem	ja	sam pobjeđívao	ja	pobjeđívah
ti	pobjéđuješ	ti	si pobjeđívao (m) si pobjeđívala (f) si pobjeđívalo (n)	ti	pobjeđívaše
on (m)	pobjéđuje	on (m)	je pobjeđívao	on (m)	pobjeđívaše
ona (f)	pobjéđuje	ona (f)	je pobjeđívala	ona (f)	pobjeđívaše
ono (n)	pobjéđuje	ono (n)	je pobjeđívalo	ono (n)	pobjeđívaše
mi	pobjéđujemo	mi	smo pobjeđívali (m) smo pobjeđívale (f) smo pobjeđívala (n)	mi	pobjeđívasmo
vi	pobjéđujete	vi	ste pobjeđívali (m) ste pobjeđívale (f) ste pobjeđívala (n)	vi	pobjeđívaste
oni (m)	pobjéđuju	oni (m)	su pobjeđívali	oni (m)	pobjeđívahu
one (f)	pobjéđuju	one (f)	su pobjeđívale	one (f)	pobjeđívahu
ona (n)	pobjéđuju	ona (n)	su pobjeđívala	ona (n)	pobjeđívahu

Pluperfect		Futur 1		Futur 2	
ja	sam bio pobjeđívao	ja	ću pobjeđívati	ja	budem pobjeđívao
ti	si bio pobjeđívao (m) si bila pobjeđívala (f) si bilo pobjeđívalo (n)	ti	ćeš pobjeđívati	ti	budeš pobjeđívao (m) budeš pobjeđívala (f) budeš pobjeđívalo (n)
on (m)	je bio pobjeđívao	on (m)	će pobjeđívati	on (m)	bude pobjeđívao
ona (f)	je bila pobjeđívala	ona (f)	će pobjeđívati	ona (f)	bude pobjeđívala
ono (n)	je bilo pobjeđívalo	ono (n)	će pobjeđívati	ono (n)	bude pobjeđívalo
mi	smo bili pobjeđívali (m) smo bile pobjeđívale (f) smo bila pobjeđívala (n)	mi	ćemo pobjeđívati	mi	budemo pobjeđívali (m) budemo pobjeđívale (f) budemo pobjeđívala (n)
vi	ste bili pobjeđívali (m) ste bile pobjeđívale (f) ste bila pobjeđívala (n)	vi	ćete pobjeđívati	vi	budete pobjeđívali (m) budete pobjeđívale (f) budete pobjeđívala (n)
oni (m)	su bili pobjeđívali	oni (m)	će pobjeđívati	oni (m)	budu pobjeđívali
one (f)	su bile pobjeđívale	one (f)	će pobjeđívati	one (f)	budu pobjeđívale
ona (n)	su bila pobjeđívala	ona (n)	će pobjeđívati	ona (n)	budu pobjeđívala

VERB MOODS					
Conditional 1		**Conditional 2**		**Imperative**	
ja	bih pobjeđívao	ja	bih bio pobjeđívao	ja	-
ti	bi pobjeđívao (m)	ti	bi bio pobjeđívao (m)	ti	pobjéđivaj
	bi pobjeđívala (f)		bi bila pobjeđívala (f)		
	bi pobjeđívalo (n)		bi bilo pobjeđívalo (n)		
on (m)	bi pobjeđívao	on (m)	bi bio pobjeđívao	on (m)	neka pobjéđiva
ona (f)	bi pobjeđívala	ona (f)	bi bila pobjeđívala	ona (f)	neka pobjéđiva
ono (n)	bi pobjeđívalo	ono (n)	bi bilo pobjeđívalo	ono (n)	neka pobjéđiva
mi	bismo pobjeđívali (m)	mi	bismo bili pobjeđívali (m)	mi	pobjéđivajmo
	bismo pobjeđívale (f)		bismo bile pobjeđívale (f)		
	bismo pobjeđívala (n)		bismo bila pobjeđívala (n)		
vi	biste pobjeđívali (m)	vi	biste bili pobjeđívali (m)	vi	pobjéđivajte
	biste pobjeđívale (f)		biste bile pobjeđívale (f)		
	biste pobjeđívala (n)		biste bila pobjeđívala (n)		
oni (m)	bi pobjeđívali	oni (m)	bi bili pobjeđívali	oni (m)	neka pobjeđívaju
one (f)	bi pobjeđívale	one (f)	bi bile pobjeđívale	one (f)	neka pobjeđívaju
ona (n)	bi pobjeđívala	ona (n)	bi bila pobjeđívala	ona (n)	neka pobjeđívaju

VERBAL ADJECTIVES			
Active participle		**Past participle**	
ja	pobjeđívao	ja	pobjéđivan
ti	pobjeđívao (m)	ti	pobjéđivan (m)
	pobjeđívala (f)		pobjéđivana (f)
	pobjeđívalo (n)		pobjéđivano(n)
on (m)	pobjeđívao	on (m)	pobjéđivan
ona (f)	pobjeđívala	ona (f)	pobjéđivana
ono (n)	pobjeđívalo	ono (n)	pobjéđivano
mi	pobjeđívali (m)	mi	pobjéđivani (m)
	pobjeđívale (f)		pobjéđivane (f)
	pobjeđívala (n)		pobjéđivane (n)
vi	pobjeđívali (m)	vi	pobjéđivani (m)
	pobjeđívale (f)		pobjéđivane (f)
	pobjeđívala (n)		pobjéđivana (n)
oni (m)	pobjeđívali	oni (m)	pobjéđivani
one (f)	pobjeđívale	one (f)	pobjéđivane
ona (n)	pobjeđívala	ona (n)	pobjéđivana

VERBAL ADVERBS
Active participle
pobjeđívajući
Past participle
-

I'm winning in this game. – Pobjeđujem u ovoj igri.

I was winning and then I lost everything. – Pobjeđivao sam, a onda sam sve izgubio.

To Win (Pobijediti) – Perfective

Present		Perfect		Aorist	
ja	póbjedim	ja	sam pobijédio	ja	pobijédih
ti	póbjediš	ti	si pobijédio (m) si pobijédila (f) si pobijédilo (n)	ti	pobijédi
on (m)	póbjedi	on (m)	je pobijédio	on (m)	pobijédi
ona (f)	póbjedi	ona (f)	je pobijédila	ona (f)	pobijédi
ono (n)	póbjedi	ono (n)	je pobijédilo	ono (n)	pobijédi
mi	póbjedimo	mi	smo pobijédili (m) smo pobijédile (f) smo pobijédila (n)	mi	pobijédismo
vi	póbjedite	vi	ste pobijédili (m) ste pobijédile (f) ste pobijédila (n)	vi	pobijédiste
oni (m)	póbjede	oni (m)	su pobijédili	oni (m)	pobijédiše
one (f)	póbjede	one (f)	su pobijédile	one (f)	pobijédiše
ona (n)	póbjede	ona (n)	su pobijédila	ona (n)	pobijédiše

Pluperfect		Futur 1		Futur 2	
ja	sam bio pobijédio	ja	ću pobijéditi	ja	budem pobijédio
ti	si bio pobijédio (m) si bila pobijédila (f) si bilo pobijédilo (n)	ti	ćeš pobijéditi	ti	budeš pobijédio (m) budeš pobijédila (f) budeš pobijédilo (n)
on (m)	je bio pobijédio	on (m)	će pobijéditi	on (m)	bude pobijédio
ona (f)	je bila pobijédila	ona (f)	će pobijéditi	ona (f)	bude pobijédila
ono (n)	je bilo pobijédilo	ono (n)	će pobijéditi	ono (n)	bude pobijédilo
mi	smo bili pobijédili (m) smo bile pobijédile (f) smo bila pobijédila (n)	mi	ćemo pobijéditi	mi	budemo pobijédili (m) budemo pobijédile (f) budemo pobijédila (n)
vi	ste bili pobijédili (m) ste bile pobijédile (f) ste bila pobijédila (n)	vi	ćete pobijéditi	vi	budete pobijédili (m) budete pobijédile (f) budete pobijédila (n)
oni (m)	su bili pobijédili	oni (m)	će pobijéditi	oni (m)	budu pobijédili
one (f)	su bile pobijédile	one (f)	će pobijéditi	one (f)	budu pobijédile
ona (n)	su bila pobijédila	ona (n)	će pobijéditi	ona (n)	budu pobijédila

VERB MOODS					
Conditional 1		Conditional 2		Imperative	
ja	bih pobijédio	ja	bih bio pobijédio	ja	-
ti	bi pobijédio (m)	ti	bi bio pobijédio (m)	ti	pobijédi
	bi pobijédila (f)		bi bila pobijédila (f)		
	bi pobijédilo (n)		bi bilo pobijédilo (n)		
on (m)	bi pobijédio	on (m)	bi bio pobijédio	on (m)	neka póbijedi
ona (f)	bi pobijédila	ona (f)	bi bila pobijédila	ona (f)	neka póbijedi
ono (n)	bi pobijédilo	ono (n)	bi bilo pobijédilo	ono (n)	neka póbijedi
mi	bismo pobijédili (m)	mi	bismo bili pobijédili (m)	mi	pobijédimo
	bismo pobijédile (f)		bismo bile pobijédile (f)		
	bismo pobijédila (n)		bismo bila pobijédila (n)		
vi	biste pobijédili (m)	vi	biste bili pobijédili (m)	vi	pobijédite
	biste pobijédile (f)		biste bile pobijédile (f)		
	biste pobijédila (n)		biste bila pobijédila (n)		
oni (m)	bi pobijédili	oni (m)	bi bili pobijédili	oni (m)	neka póbijede
one (f)	bi pobijédile	one (f)	bi bile pobijédile	one (f)	neka póbijede
ona (n)	bi pobijédila	ona (n)	bi bila pobijédila	ona (n)	neka póbijede

VERBAL ADJECTIVES			
Active participle		Past participle	
ja	pobijédio	ja	pobijéđen
ti	pobijédio (m)	ti	pobijéđen (m)
	pobijédila (f)		pobijéđena (f)
	pobijédilo (n)		pobijéđeno(n)
on (m)	pobijédio	on (m)	pobijéđen
ona (f)	pobijédila	ona (f)	pobijéđena
ono (n)	pobijédilo	ono (n)	pobijéđeno
mi	pobijédili (m)	mi	pobijéđeni (m)
	pobijédile (f)		pobijéđene (f)
	pobijédila (n)		pobijéđene (n)
vi	pobijédili (m)	vi	pobijéđeni (m)
	pobijédile (f)		pobijéđene (f)
	pobijédila (n)		pobijéđena (n)
oni (m)	pobijédili	oni (m)	pobijéđeni
one (f)	pobijédile	one (f)	pobijéđene
ona (n)	pobijédila	ona (n)	pobijéđena

VERBAL ADVERBS
Active participle
-
Past participle
pobijédivši

I won this game. – Pobijedio sam u ovoj igri.

If she is smart she will win. – Ako bude pametna, pobijedit će.

To Work (Raditi) – Imperfective

Present		Perfect		Imperfect	
ja	rádim	ja	sam rádio	ja	rádih
ti	rádiš	ti	si rádio (m) si rádila (f) si rádilo (n)	ti	rádiše
on (m)	rádi	on (m)	je rádio	on (m)	rádiše
ona (f)	rádi	ona (f)	je rádila	ona (f)	rádiše
ono (n)	rádi	ono (n)	je rádilo	ono (n)	rádiše
mi	rádimo	mi	smo rádili (m) smo rádile (f) smo rádila (n)	mi	rádismo
vi	rádite	vi	ste rádili (m) ste rádile (f) ste rádila (n)	vi	rádiste
oni (m)	ráde	oni (m)	su rádili	oni (m)	rádihu
one (f)	ráde	one (f)	su rádile	one (f)	rádihu
ona (n)	ráde	ona (n)	su rádila	ona (n)	rádihu

Pluperfect		Futur 1		Futur 2	
ja	sam bio rádio	ja	ću ráditi	ja	budem rádio
ti	si bio rádio (m) si bila rádila (f) si bilo rádilo (n)	ti	ćeš ráditi	ti	budeš rádio (m) budeš rádila (f) budeš rádilo (n)
on (m)	je bio rádio	on (m)	će ráditi	on (m)	bude rádio
ona (f)	je bila rádila	ona (f)	će ráditi	ona (f)	bude rádila
ono (n)	je bilo rádilo	ono (n)	će ráditi	ono (n)	bude rádilo
mi	smo bili rádili (m) smo bile rádile (f) smo bila rádila (n)	mi	ćemo ráditi	mi	budemo rádili (m) budemo rádile (f) budemo rádila (n)
vi	ste bili rádili (m) ste bile rádile (f) ste bila rádila (n)	vi	ćete ráditi	vi	budete rádili (m) budete rádile (f) budete rádila (n)
oni (m)	su bili rádili	oni (m)	će ráditi	oni (m)	budu rádili
one (f)	su bile rádile	one (f)	će ráditi	one (f)	budu rádile
ona (n)	su bila rádila	ona (n)	će ráditi	ona (n)	budu rádila

VERB MOODS					
Conditional 1		**Conditional 2**		**Imperative**	
ja	bih rádio	ja	bih bio rádio	ja	-
ti	bi rádio (m)	ti	bi bio rádio (m)	ti	rádi
	bi rádila (f)		bi bila rádila (f)		
	bi rádilo (n)		bi bilo rádilo (n)		
on (m)	bi rádio	on (m)	bi bio rádio	on (m)	neka ráde
ona (f)	bi rádila	ona (f)	bi bila rádila	ona (f)	neka ráde
ono (n)	bi rádilo	ono (n)	bi bilo rádilo	ono (n)	neka ráde
mi	bismo rádili (m)	mi	bismo bili rádili (m)	mi	rádimo
	bismo rádile (f)		bismo bile rádile (f)		
	bismo rádila (n)		bismo bila rádila (n)		
vi	biste rádili (m)	vi	biste bili rádili (m)	vi	rádite
	biste rádile (f)		biste bile rádile (f)		
	biste rádila (n)		biste bila rádila (n)		
oni (m)	bi rádili	oni (m)	bi bili rádili	oni (m)	neka ráde
one (f)	bi rádile	one (f)	bi bile rádile	one (f)	neka ráde
ona (n)	bi rádila	ona (n)	bi bila rádila	ona (n)	neka ráde

VERBAL ADJECTIVES			
Active participle		**Past participle**	
ja	rádio	ja	rádni
ti	rádio (m)	ti	rádni (m)
	rádila (f)		rádna (f)
	rádilo (n)		rádno(n)
on (m)	rádio	on (m)	rádni
ona (f)	rádila	ona (f)	rádna
ono (n)	rádilo	ono (n)	rádno
mi	rádili (m)	mi	rádni (m)
	rádile (f)		rádne (f)
	rádila (n)		rádne (n)
vi	rádili (m)	vi	rádni (m)
	rádile (f)		rádne (f)
	rádila (n)		rádna (n)
oni (m)	rádili	oni (m)	rádni
one (f)	rádile	one (f)	rádne
ona (n)	rádila	ona (n)	rádna

VERBAL ADVERBS
Active participle
rádeći
Past participle
-

Don't bother me, I'm working. – Ne smetaj me , radim.

I was working for you and you didn't pay me. – Radio sam za tebe, a nisi me platio.

To Work (Uraditi) – Imperfective

Present		Perfect		Aorist	
ja	úradim	ja	sam urádio	ja	urádih
ti	úradiš	ti	si urádio (m) si urádila (f) si urádilo (n)	ti	urádi
on (m)	úradi	on (m)	je urádio	on (m)	urádi
ona (f)	úradi	ona (f)	je urádila	ona (f)	urádi
ono (n)	úradi	ono (n)	je urádilo	ono (n)	urádi
mi	úradimo	mi	smo urádili (m) smo urádile (f) smo urádila (n)	mi	urádismo
vi	úradite	vi	ste urádili (m) ste urádile (f) ste urádila (n)	vi	urádiste
oni (m)	úrade	oni (m)	su urádili	oni (m)	urádiše
one (f)	úrade	one (f)	su urádile	one (f)	urádiše
ona (n)	úrade	ona (n)	su urádila	ona (n)	urádiše

Pluperfect		Futur 1		Futur 2	
ja	sam bio urádio	ja	ću uráditi	ja	budem urádio
ti	si bio urádio (m) si bila urádila (f) si bilo urádilo (n)	ti	ćeš uráditi	ti	budeš urádio (m) budeš urádila (f) budeš urádilo (n)
on (m)	je bio urádio	on (m)	će uráditi	on (m)	bude urádio
ona (f)	je bila urádila	ona (f)	će uráditi	ona (f)	bude urádila
ono (n)	je bilo urádilo	ono (n)	će uráditi	ono (n)	bude urádilo
mi	smo bili urádili (m) smo bile urádile (f) smo bila urádila (n)	mi	ćemo uráditi	mi	budemo urádili (m) budemo urádile (f) budemo urádila (n)
vi	ste bili urádili (m) ste bile urádile (f) ste bila urádila (n)	vi	ćete uráditi	vi	budete urádili (m) budete urádile (f) budete urádila (n)
oni (m)	su bili urádili	oni (m)	će uráditi	oni (m)	budu urádili
one (f)	su bile urádile	one (f)	će uráditi	one (f)	budu urádile
ona (n)	su bila urádila	ona (n)	će uráditi	ona (n)	budu urádila

VERB MOODS					
Conditional 1		**Conditional 2**		**Imperative**	
ja	bih urádio	ja	bih bio urádio	ja	-
ti	bi urádio (m)	ti	bi bio urádio (m)	ti	urádi
	bi urádila (f)		bi bila urádila (f)		
	bi urádilo (n)		bi bilo urádilo (n)		
on (m)	bi urádio	on (m)	bi bio urádio	on (m)	neka urádi
ona (f)	bi urádila	ona (f)	bi bila urádila	ona (f)	neka urádi
ono (n)	bi urádilo	ono (n)	bi bilo urádilo	ono (n)	neka urádi
mi	bismo urádili (m)	mi	bismo bili urádili (m)	mi	urádimo
	bismo urádile (f)		bismo bile urádile (f)		
	bismo urádila (n)		bismo bila urádila (n)		
vi	biste urádili (m)	vi	biste bili urádili (m)	vi	urádite
	biste urádile (f)		biste bile urádile (f)		
	biste urádila (n)		biste bila urádila (n)		
oni (m)	bi urádili	oni (m)	bi bili urádili	oni (m)	neka úrade
one (f)	bi urádile	one (f)	bi bile urádile	one (f)	neka úrade
ona (n)	bi urádila	ona (n)	bi bila urádila	ona (n)	neka úrade

VERBAL ADJECTIVES			
Active participle		**Past participle**	
ja	urádio	ja	úrađen
ti	urádio (m)	ti	úrađen (m)
	urádila (f)		úrađena (f)
	urádilo (n)		úrađeno(n)
on (m)	urádio	on (m)	úrađen
ona (f)	urádila	ona (f)	úrađena
ono (n)	urádilo	ono (n)	úrađeno
mi	urádili (m)	mi	úrađeni (m)
	urádile (f)		úrađene (f)
	urádila (n)		úrađene (n)
vi	urádili (m)	vi	úrađeni (m)
	urádile (f)		úrađene (f)
	urádila (n)		úrađena (n)
oni (m)	urádili	oni (m)	úrađeni
one (f)	urádile	one (f)	úrađene
ona (n)	urádila	ona (n)	úrađena

VERBAL ADVERBS
Active participle
-
Past participle
urádivši

I worked and made this. – Uradio sam ovo.

She will work and make it. – Ona će to uraditi.

To Write (Pisati) – Imperfective

Present		Perfect		Imperfect	
ja	píšem	ja	sam písao	ja	písah
ti	píšeš	ti	si písao (m)	ti	písaše
			si písala (f)		
			si písalo (n)		
on (m)	píše	on (m)	je písao	on (m)	písaše
ona (f)	píše	ona (f)	je písala	ona (f)	písaše
ono (n)	píše	ono (n)	je písalo	ono (n)	písaše
mi	píšemo	mi	smo písali (m)	mi	písasmo
			smo písale (f)		
			smo písala (n)		
vi	píšete	vi	ste písali (m)	vi	písaste
			ste písale (f)		
			ste písala (n)		
oni (m)	píšu	oni (m)	su písali	oni (m)	písahu
one (f)	píšu	one (f)	su písale	one (f)	písahu
ona (n)	píšu	ona (n)	su písala	ona (n)	písahu

Pluperfect		Futur 1		Futur 2	
ja	sam bio písao	ja	ću písati	ja	budem písao
ti	si bio písao (m)	ti	ćeš písati	ti	budeš písao (m)
	si bila písala (f)				budeš písala (f)
	si bilo písalo (n)				budeš písalo (n)
on (m)	je bio písao	on (m)	će písati	on (m)	bude písao
ona (f)	je bila písala	ona (f)	će písati	ona (f)	bude písala
ono (n)	je bilo písalo	ono (n)	će písati	ono (n)	bude písalo
mi	smo bili písali (m)	mi	ćemo písati	mi	budemo písali (m)
	smo bile písale (f)				budemo písale (f)
	smo bila písala (n)				budemo písala (n)
vi	ste bili písali (m)	vi	ćete písati	vi	budete písali (m)
	ste bile písale (f)				budete písale (f)
	ste bila písala (n)				budete písala (n)
oni (m)	su bili písali	oni (m)	će písati	oni (m)	budu písali
one (f)	su bile písale	one (f)	će písati	one (f)	budu písale
ona (n)	su bila písala	ona (n)	će písati	ona (n)	budu písala

VERB MOODS					
Conditional 1		Conditional 2		Imperative	
ja	bih písao	ja	bih bio písao	ja	-
ti	bi písao (m)	ti	bi bio písao (m)	ti	píši
	bi písala (f)		bi bila písala (f)		
	bi písalo (n)		bi bilo písalo (n)		
on (m)	bi písao	on (m)	bi bio písao	on (m)	neka píše
ona (f)	bi písala	ona (f)	bi bila písala	ona (f)	neka píše
ono (n)	bi písalo	ono (n)	bi bilo písalo	ono (n)	neka píše
mi	bismo písali (m)	mi	bismo bili písali (m)	mi	píšimo
	bismo písale (f)		bismo bile písale (f)		
	bismo písala (n)		bismo bila písala (n)		
vi	biste písali (m)	vi	biste bili písali (m)	vi	píšite
	biste písale (f)		biste bile písale (f)		
	biste písala (n)		biste bila písala (n)		
oni (m)	bi písali	oni (m)	bi bili písali	oni (m)	neka píšu
one (f)	bi písale	one (f)	bi bile písale	one (f)	neka píšu
ona (n)	bi písala	ona (n)	bi bila písala	ona (n)	neka píšu

VERBAL ADJECTIVES			
Active participle		Past participle	
ja	písao	ja	písan
ti	písao (m)	ti	písan (m)
	písala (f)		písana (f)
	písalo (n)		písano(n)
on (m)	písao	on (m)	písan
ona (f)	písala	ona (f)	písana
ono (n)	písalo	ono (n)	písano
mi	písali (m)	mi	písani (m)
	písale (f)		písane (f)
	písala (n)		písane (n)
vi	písali (m)	vi	písani (m)
	písale (f)		písane (f)
	písala (n)		písana (n)
oni (m)	písali	oni (m)	písani
one (f)	písale	one (f)	písane
ona (n)	písala	ona (n)	písana

VERBAL ADVERBS
Active participle
písajući
Past participle
-

I'm writing the book. – Pišem knjigu.

She was writing the letter. – Ona je pisala pismo.

To Write (Napisati) – Perfective

Present		Perfect		Aorist	
ja	nápišem	ja	sam napísao	ja	napísah
ti	nápišeš	ti	si napísao (m) si napísala (f) si napísalo (n)	ti	napísa
on (m)	nápiše	on (m)	je napísao	on (m)	napísa
ona (f)	nápiše	ona (f)	je napísala	ona (f)	napísa
ono (n)	nápiše	ono (n)	je napísalo	ono (n)	napísa
mi	nápišemo	mi	smo napísali (m) smo napísale (f) smo napísala (n)	mi	napísasmo
vi	nápišete	vi	ste napísali (m) ste napísale (f) ste napísala (n)	vi	napísaste
oni (m)	nápišu	oni (m)	su napísali	oni (m)	napísaše
one (f)	nápišu	one (f)	su napísale	one (f)	napísaše
ona (n)	nápišu	ona (n)	su napísala	ona (n)	napísaše

Pluperfect		Futur 1		Futur 2	
ja	sam bio napísao	ja	ću napísati	ja	budem napísao
ti	si bio napísao (m) si bila napísala (f) si bilo napísalo (n)	ti	ćeš napísati	ti	budeš napísao (m) budeš napísala (f) budeš napísalo (n)
on (m)	je bio napísao	on (m)	će napísati	on (m)	bude napísao
ona (f)	je bila napísala	ona (f)	će napísati	ona (f)	bude napísala
ono (n)	je bilo napísalo	ono (n)	će napísati	ono (n)	bude napísalo
mi	smo bili napísali (m) smo bile napísale (f) smo bila napísala (n)	mi	ćemo napísati	mi	budemo napísali (m) budemo napísale (f) budemo napísala (n)
vi	ste bili napísali (m) ste bile napísale (f) ste bila napísala (n)	vi	ćete napísati	vi	budete napísali (m) budete napísale (f) budete napísala (n)
oni (m)	su bili napísali	oni (m)	će napísati	oni (m)	budu napísali
one (f)	su bile napísale	one (f)	će napísati	one (f)	budu napísale
ona (n)	su bila napísala	ona (n)	će napísati	ona (n)	budu napísala

VERB MOODS					
Conditional 1		**Conditional 2**		**Imperative**	
ja	bih napísao	ja	bih bio napísao	ja	-
ti	bi napísao (m)	ti	bi bio napísao (m)	ti	napíši
	bi napísala (f)		bi bila napísala (f)		
	bi napísalo (n)		bi bilo napísalo (n)		
on (m)	bi napísao	on (m)	bi bio napísao	on (m)	neka nápiše
ona (f)	bi napísala	ona (f)	bi bila napísala	ona (f)	neka nápiše
ono (n)	bi napísalo	ono (n)	bi bilo napísalo	ono (n)	neka nápiše
mi	bismo napísali (m)	mi	bismo bili napísali (m)	mi	napíšimo
	bismo napísale (f)		bismo bile napísale (f)		
	bismo napísala (n)		bismo bila napísala (n)		
vi	biste napísali (m)	vi	biste bili napísali (m)	vi	napíšite
	biste napísale (f)		biste bile napísale (f)		
	biste napísala (n)		biste bila napísala (n)		
oni (m)	bi napísali	oni (m)	bi bili napísali	oni (m)	neka nápišu
one (f)	bi napísale	one (f)	bi bile napísale	one (f)	neka nápišu
ona (n)	bi napísala	ona (n)	bi bila napísala	ona (n)	neka nápišu

VERBAL ADJECTIVES			
Active participle		**Past participle**	
ja	napísao	ja	napísan
ti	napísao (m)	ti	napísan (m)
	napísala (f)		napísana (f)
	napísalo (n)		napísano(n)
on (m)	napísao	on (m)	napísan
ona (f)	napísala	ona (f)	napísana
ono (n)	napísalo	ono (n)	napísano
mi	napísali (m)	mi	napísani (m)
	napísale (f)		napísane (f)
	napísala (n)		napísane (n)
vi	napísali (m)	vi	napísani (m)
	napísale (f)		napísane (f)
	napísala (n)		napísana (n)
oni (m)	napísali	oni (m)	napísani
one (f)	napísale	one (f)	napísane
ona (n)	napísala	ona (n)	napísana

VERBAL ADVERBS
Active participle
-
Past participle
napísavši

I wrote the book. – Napisao sam knjigu.

She will write the letter. – Ona će napisati pismo.

33222068R00227

Made in the USA
San Bernardino, CA
27 April 2016